EL ÚLTIMO PRÍNCIPE
DEL IMPERIO MEXICANO

EL ÚLTIMO PRÍNCIPE
DEL IMPERIO MEXICANO

Novela basada en una historia de la vida real

C. M. Mayo

Traducción de
AGUSTÍN CADENA

Grijalbo

El último príncipe del imperio mexicano
Novela basada en una historia de la vida real

Primera edición: septiembre, 2010

D. R. © 2009, C. M. Mayo

Traducción: Agustín Cadena

D. R. © 2010, derechos de edición para México
            y Centroamérica en lengua castellana:
            Random House Mondadori, S. A. de C. V.
            Av. Homero núm. 544, col. Chapultepec Morales,
            Delegación Miguel Hidalgo, 11570, México, D. F.

www.rhmx.com.mx

Comentarios sobre la edición y el contenido de este libro a:
literaria@rhmx.com.mx

ISBN 978-607-310-138-7

Impreso en México / *Printed in Mexico*

Para Agustín Carstens, como siempre

Y para mis ahijados americanos, mexicanos y méxico-americanos

Fernando Carstens
Sasha Miranda
Roberto O'Dogherty
Clementine Sainty
Mariela Solís Cámara
Gordon Sweeney
Katherine Pearl Zalan

En mis ensueños de madre nunca pensé que mi hijo fuera un día príncipe que pudiera aspirar a una corona.

Doña Alicia (Alice) Green de Iturbide,
a Maximiliano, Emperador de México

*All that we see or seem
Is but a dream within a dream.*

Edgar Allan Poe

*When that I was and a little tiny boy,
With hey, ho, the wind and the rain*

William Shakespeare,
"Twelfth Night or, What You Will"

Índice

Libro III

Libro I

Contigo la milpa es rancho y el atole champurrado.

Dicho mexicano

La consentida de Rosedale

Érase una vez una niña llamada Alice Green. Vivía en algo que la gente a la que no se le ocurre nada mejor llamaría una granja, pero que su familia llamaba su "hacienda señorial". La casa grande de Rosedale no era especialmente bonita: una caja de tablones con un salón central y, arriba, una hilera de dormitorios (Alicia compartía uno de los más pequeños con sus dos hermanas). Sin embargo, había chimenea en cada habitación, un piano reluciente en la sala y, en el comedor, sillas estilo Hepplewhite. Se decía que Pierre L'Enfant, que trazó los planos de la ciudad de Washington, había prestado asesoría en el diseño del paisaje. Había senderos de cornejos y setos ornamentales; huertos de duraznos, peras, cerezas, higos y manzanas, pérgolas de uvas, matas de fresas y hortalizas, incluyendo lechos de espárragos sensacionalmente prolíficos ("Ay, Moisés", la madre de Alice, Mrs. Green, se lamentaba cada primavera con mal disimulado orgullo. "¿Qué voy a hacer con todos estos espárragos?"). También podría uno mencionar los pollos, patos, gansos y cerdos campeones y, pastando en las verdes colinas que por aquí y por allá bajaban hacia el boscoso cañón de Rock Creek, un hato de vacas lecheras escrupulosamente bien cuidadas. Como era común en esos días, la familia poseía esclavos; éstos tenían sus desaliñadas cabañitas detrás de los establos, de modo que no echaran a perder la agradable vista del camino principal. Rosedale coronaba las lomas que subían de Georgetown, el puerto tabacalero ya casi centenario que había quedado arrinconado en el oeste del distrito de Columbia. Desde la claraboya de su recámara, que sobresalía como una proyección del tejado, Alice podía mirar las colinas que bajaban ondulando unas cuantas millas más allá, hasta aquélla que llamaban Roma, donde se levantaba el capitolio nacional, entonces no más que un diente de edificio. Abajo, hacia el sur, corría el Potomac con sus rústicos muelles y, como una prolongación de la casa de Francis Scott

Key, el destartalado puente del acueducto. En la orilla opuesta, hacia la azul distancia, esa astilla que era la Casa Arlington dando la espalda a los campos y bosques de Virginia. Ay, cuántas veces la vista se vio ensombrecida por el humo que salía de alguno de los molinos de papel o fábricas de pegamento de Georgetown.

El fundador de Rosedale había sido el abuelo materno de Alice, el general Uriah Forrest, que peleó al lado del general Washington, y era fama que había perdido una pierna en la batalla de Brandywine. Su abuela materna era una Plater: se crió en Sotterley, una de las plantaciones de tabaco más opulentas de Tidewater Maryland.[1] Pero mucho de todo eso se había perdido ya para cuando Alice había nacido. Varias décadas antes, el general Forrest se fue a la quiebra. Y en cuanto a Sotterley, cuenta la historia, se le escurrió de los dedos al tío abuelo en una partida de dados.

El padre de Alice trabajaba a la sazón en una oficina de la ciudad de Washington, pero de joven había entrado en acción en Trípoli, al lado del comodoro Decatur. Conservaba su uniforme en su baúl de marino, un arcón de madera con agarraderas de cuerda que nadie podía levantar. Alice y sus hermanos y hermanas tenían permiso de probarse por turnos el sombrero, que tenía una pluma enorme, y de posar con él frente al espejo. También se les permitía sacar el mosquete y el sable, aunque este último no debía salir de su funda. Añadíase a todo esto un par de botas altas con las suelas cuarteadas, unas chaparreras amarillas que alguna vez fueron blancas como la nieve y un abrigo que olía muy fuerte a alcanfor y no obstante estaba lleno de hoyos de polilla.

Alice tenía siete años cuando lo supo: le encantaban los uniformes. Ansiaba, con todo su corazón, ir a Trípoli.

—Las niñas no usan uniforme —le dijo su hermano mayor, George.

—Tonta —la llamó su hermana más grande, mirando para arriba.

—Cabeza de alcornoque —dijo otro de sus hermanos, Oseola, y le sacó la lengua.

[1] Tidewater Maryland es un área baja, de costa, en el estado del mismo nombre, que se abre hacia la bahía de Chesapeake, famosa por sus ricas plantaciones de tabaco. El vecino estado de Virginia tiene también su área Tidewater. En general, "Tidewater" se refiere a las tierras bajas tanto de Virginia como de Maryland que se encuentran en torno a la bahía de Chesapeake, y "sociedad Tidewater", a las familias dueñas de las plantaciones de Maryland y Virginia. Muchos de los padres fundadores de los Estados Unidos, entre ellos George Washington, eran llamados "aristócratas de Tidewater". [Nota de la autora.]

Fue así como persuadieron a Alice de abandonar su primera ambición. Pero nunca abandonó el anhelo por su destino, el cual podía sentir como una niña ciega que palpara un elefante: una cosa enorme, cálida, pulsante. No tenía ninguna noción de qué podría ser, ni una palabra para describirlo, sólo la certeza vaga pero sólida de que era totalmente distinto e inconcebiblemente más grande que los otros.

Siendo una de las menores de ocho, siempre había sentido que, aunque pequeña, era muy especial, así que eso no la desconcertaba. Lo tomó como algo ya dado, como ya estaba dado el color del sofá en la sala, como el hecho de que los blancos entraran a la sala mientras los negros no podían hacerlo, excepto para sacudir, limpiar y servir el té. ¿Por qué había que admirarse de que el invierno fuera arduo y el verano humeante y lleno de insectos? Nublado o despejado, el sol salía todos los días y esto incluía los domingos, día en que Mr. y Mrs. Green, junto con todos los pequeños, se apretujaban en su gran carruaje, se dirigían al Potomac y, para salvación de su alma mortal, se sentaban a escuchar misa (nada de platicar ni estarse pellizcando) en la iglesia de Holy Trinity de Georgetown.

Y luego vino la escuela.

En el Seminario Femenino de Georgetown, junto con francés, música y dibujo, historia romana y cosas así, Alice estudiaba geografía. Era aplicada y tenía una memoria aguda como la punta de un cuchillo. Una vez que le enseñaran las islas Sándwich, podía ubicarlas como si nada en el Pacífico. En la sala, su padre tenía un *Atlas del mundo* de cantos dorados. Ella se tiraba boca abajo en la alfombra y, apoyada sobre los codos, estudiaba, digamos, Australia, Chile, Islandia, el norte de África. Le encantaba seguir con el dedo la curva irregular de la Costa Bereber hasta detenerse en Trípoli.

Trípoli. Alice susurraba los nombres de las ciudades árabes: Tánger, Argel, Túnez, El Cairo. Cerraba los ojos y se imaginaba el aroma almizclado de los bazares, las mesas cubiertas de montones de pulseras y sedas, naranjas tan dulces como el sol. Su padre había explorado templos milenarios, montado camellos de verdad y tocado con sus propias manos un *kylix* de 2 000 años de antigüedad pintado con la imagen del minotauro. Había visitado Malta, Mallorca, Gibraltar. Alice podía palpar en el mapa cada uno de estos mágicos lugares y luego resbalar su meñique sobre la azul superficie de papel que era el Atlántico. Y así hasta que su dedo llegara a la bahía de Chesapeake, deslizándose río arriba por el sinuoso Potomac hasta…

17

¡Ay, Aburricia, Fastidiópolis, Monotolandia!

Sabía que otra vida la estaba esperando, una vida tan romántica que parecería sacada de *Las mil y una noches*. Ahí mismo, en el campo, a veces daba la impresión de no tener nada qué hacer más que sentarse frente a la ventana, con el mentón apoyado en las manos, a mirar cómo los cuervos llegaban a posarse en la cerca (su nana decía que en las noches los cuervos volaban a México para comerse a los soldados muertos. Durante el día digerían la carne. Pero Alice era lo bastante lista para no poner atención a esas pláticas de negros). Algunas mañanas muy temprano, antes de la hora para ir a la escuela, su madre la ponía a ayudar a darles de comer a los pollos y a revisar los lácteos. ¿No era ésa la cosa más tosca del mundo? Un día se iría volando por el océano. Y sería adorada como el comodoro Decatur: la gente la recordaría 100 años.

No. Más de cien años.

Después de que cumplió 14 años, cuando empezó a leer la colección de novelas de sus hermanas mayores, sus sueños se volvieron aún más barrocos. Caballeros de armadura, montados en corceles blancos como la nieve, doncellas encerradas en torres a las que no llegaba el sol, Frankenstein, toda clase de espectros monstruosos, y piratas, nobles despiadados y damas caídas en desgracia y los recuerdos personales de los esclavos blancos, esos que habían naufragado en las salvajes costas de Mogador, vendidos luego a una brutal servidumbre a manos de los mahometanos, rescatados después por temerarios oficiales británicos, aquellos caballeros con títulos de nobleza, intelectualmente pulidos y con las más refinadas sensibilidades. Éstas y otras semejantes eran las historias que la mantenían encantada horas y horas.

Era la más bonita de las hermanas. En la flor de su vida, se parecía a un botón de la rosa más celestial. Su padre —pensaba ella— era rico. Y lo fue hasta que el caballo lo tiró. Al principio parecía que estaba bien: sólo tenía un chichón en la parte de atrás de la cabeza. Pero para en la mañana ya se había hundido en una especie de estupor. Dormía, comía, volvía a dormir. Hablaba muy poco. Y así estuvo varias semanas. Y luego, una mañana de 1850, no despertó.

La consecuente caída de los ingresos familiares significó que la dote de Alice ya no podría ser tan generosa como lo había sido para sus hermanas. Sin embargo, aquella muchacha huérfana de padre se convirtió —de la noche a la mañana, según diría su madre— en una beldad enloquecedora. Peinaba su rubio cabello en caireles que mordía cuando creía que nadie la estaba viendo; así lograba mantener sus labios siempre turgentes y del más vivo rojo granate. Sus dientes eran una hilera de perlas; su risa, un alegre arroyuelo. Tenía los brazos como de sílfide y una piel tan lozana que —estaba convencida— las otras muchachas, aun cuando podían contar con más bendiciones en lo material, estaban celosas de ella.

Para su primer invierno, que así se le decía a la temporada social, su madre le encargó a una modista de color que le ajustara cuatro vestidos de sus hermanas. Uno era de seda verde esmeralda con el corpiño de satín y listones lila en las mangas; otro era de seda amarilla con tul, con adornos de seda rosa coral y tres holanes de tul; otro más era de moaré encarnado con corset de ballena, y su favorito —porque era el que la hacía sentir como una heroína de *Ivanhoe*, de terciopelo azul Napoleón con mangas abombadas y cola de abanico. Aparte de estos vestidos tenía tres capas, un abanico con bordes de encaje de Alençon y otro de plumas de cisne, una pulsera de corales y un collar de perlas que había sido de su abuela, dos preciosas bolsas de abalorios (una negra, la otra blanca) y cuatro pares de zapatillas de baile que nadie le había dado usadas sino que eran suyas, cada par teñido para hacer juego con uno de los vestidos. Para completar, poseía cuatro trajes de visita: un conjunto azul de *poult-de-soie*, bordado en color lavanda; otro, gris paloma con trenzados azul pizarra; otro igual, pero con el cuello y las mangas orlados con piel de castor, y otro negro, aunque con un efecto tan dramático sobre su apariencia que la hacía verse pálida, así que siguiendo el consejo de la modista, le puso algunos adornos nieve-de-champaña pálido y pliegues de encaje perla en el corpiño.

¡Un invierno en Washington! Tan pronto como tenían edad suficiente para dejar a un lado las muñecas, todas las niñas soñaban con eso: bailes, recepciones, conciertos, óperas, pequeñas cenas de concurrencia escogida, partidas de patinaje, salidas al capitolio, reuniones… llegaba mayo, decían, y no faltaba una doncella que luciera en su dedo el anillo de compromiso.

La nana se ponía a aplaudir al verla:

—*Miz Alice! Fo' de Lawd' sake!*[2]

Alice misma se ponía a admirarse en el espejo de cuerpo entero. Sus ojos destellaban como jacintos húmedos. Uno de sus caireles,

---

[2] "Señorita Alice, ¡por el amor de Dios!" La ortografía intenta reproducir el acento de la esclava africana. [N. del t.]

19

suave como la seda, descansaba en su clavícula. Con dos de sus dedos lo levantó y se lo aventó en la espalda. Se mordió los labios, fuerte, para hacerlos subir de color. Se puso las manos en la cintura, que el corset apretaba en la más estrecha de las "v". Esta prenda, notó con deleite, hacía que el busto se le viera como todo lo opuesto a un burro de planchar. Se paró de puntillas y luego descansó, sólo para ver cómo el miriñaque se le mecía al bailar. Gracias a que siempre había insistido en usar zapatos demasiado justos, tenía los pies más diminutos. Más diminutos que los de sus hermanas. Más diminutos, incluso, que los de todas sus compañeras del Seminario Femenino de Georgetown.

—¿Cómo ves mi peinado? —le preguntaba a su nana—. ¿Me pongo la *japonica* o la roseta de seda?

La roseta era rojo granada, más propia para adornar el escote de una actriz de carrera.

La robusta nana, que se cubría con una pañoleta de colores su pelo crespo, señaló la *japonica*.

Alice tomó la roseta de seda:

—*Ésta*.

Su hermana se echó a reír, condescendiente:

—Alice, tú estás *de trop*.

Con la mayor naturalidad navegaba Miss Alice Green en el torbellino social. Desde su primer baile formal estaba encantada de verse rodeada de gente; entre ellos, ¡algunos ministros del gabinete! ¡Sam Houston con un sarape al hombro sobre su levita! Senadores y sus *attachés*, coroneles del ejército, generales, cabos con el pecho relumbrante de condecoraciones por su valor en el conflicto con México. Sobre todo, sentía que su corazón se ponía a aletear al ver a los hombres del cuerpo diplomático (o, como apropiadamente lo diría una señorita del Seminario Femenino de Georgetown, *le corps diplomatique*). Lucían los más encantadores uniformes: encaje dorado, botones dorados sobre chaquetas carmesí, o bien túnicas negras como el ónix, todo con elaboradas trenzas y bordados, sombreros orlados de plumas, pechos refulgentes de exóticas condecoraciones. Ahí estaba el inestimable barón de Bodisco, embajador del zar, con su hermosa y todavía joven esposa, de nombre de soltera Harriet Beall Williams, de Georgetown. En estos círculos, no era raro que una joven bella ingresara a la aristocracia por la puerta del matrimonio. Había ejemplos bien conocidos, como el de Miss Gabriela Chapman, de Virginia, quien se había casado con el marqués de Potestad Fornari de la legación española.

—*Eet iza mya pleazure*[3] —dijo el ministro de Cerdeña, besando la mano de la bella Alice.

Y había también prusianos, condes austriacos, españoles, caballeros italianos, franceses que se engominaban los bigotes como dagas, daneses, *lords* ingleses, suecos y hasta turcos. ¡El almirante turco! Ése era un caballero para contemplarlo: llevaba un turbante con la media luna engarzada de joyas y entre ellas un diamante, las más opulentas túnicas, una daga incrustada de piedras preciosas, una cimitarra al cinto y babuchas con las puntas rizadas. Tenía todo el aspecto (a la beldad no le quedó más que estar de acuerdo con el cabo del ejército con quien estaba bailando) de un genio de la cueva de Alí Babá.

Había muchos besamanos, oleadas de perfume, explosiones y raptos de música y, siempre, los negros tratando de abrirse paso entre los huéspedes con charolas cargadas de copas de champaña o ponche de ron, platones de exquisitos bocadillos preparados por los restauranteros más de moda. La decoración: velas con pantallas color de rosa, cisnes de azúcar, ramos de lilas de invernadero, nochebuenas, heliotropos, banderines rojos, blancos y azules, macetones con palmas y una profusión de helechos y, en una ocasión, durante un recital de *La traviata*, nada menos que cuatro docenas de limoneros cuyos frutos —Alice cometería la travesura de exprimir uno— resultarían ser de papel maché.

Su tarjeta con la lista de caballeros que solicitaban una pieza para bailar estaba invariablemente llena. Le habían enseñado que una señorita debía ser recatada; sin embargo, ella tenía el atrevimiento de observar, en los espejos, cómo los otros la miraban, en especial uno de los *attachés* franceses, un conde de ojos viperinos con el cabello peinado hacia atrás y un lunar en la nariz. Nunca se acercaba a pedirle una pieza, pero ella debía tener cuidado de no volverse en dirección suya porque entonces sus miradas se quedaban trabadas una en la otra. Siempre podía sentir que su madre la estaba observando desde el sofá, ese inevitable sofá al fondo del salón en el cual, como gorriones en el alambre del telégrafo, se apiñaban las madres, entre ellas su propia madre con su *crépe* de viuda negra y su más sombrío chal de lana.

[3] "Encantado de conocerla".

Después de bailar, ruborizada y acezante, abanicándose (y esperando que los demás notaran la elegancia de su abanico de encaje de Alençon, *comme il faut*), Alice se abrió paso hacia el bufet de la cena. Al final de su quinto baile formal, un cadete de Annapolis con quien había bailado en dos ocasiones se le acercó por detrás.

—¿Miss Green?

Daba la impresión de que su manzana de Adán tuviera vida propia. Estaba ahí nada más, parado, respirando. Su cara, que no era precisamente la de un Romeo, se hallaba perlada de sudor. Su nombre se le había borrado a Alice de la memoria.

—Miss Green, ¿me concedería usted el honor de bailar conmigo este vals?

Alice ya tenía ampollas en ambos talones. Tal como estaba, habría tenido que hacer un esfuerzo supremo para que no la vieran cojeando de regreso a la mesa donde la aguardaban sus hermanas y sus parejas. Ya había rechazado a tres aspirantes a galanes. Decidió ser fríamente educada:

—No, gracias. Estoy rendida —y se dirigió al desfile de pasteles, pudines y *petit fours*.

—¿Miss Green? —el espécimen tenía una tenacidad de lapa.

Alice acababa de servirse una rebanada de *gâteau* de albaricoque cuando alguien le dio un empujón por la izquierda. Dejó escapar un suspiro de mal humor.

—Miss Green —insistió el hombre—. ¿Puedo visitarla en Rosedale?

Por poco se le escapaba un "sí", pero, ¿no era mejor ser honesta? Dijo:

—No.

El pobre muchacho se quedó como si se hubiera tragado una bala de cañón. Alice lo sintió por él, aunque no realmente.

Ay, esos muchachos con barros en el cuello y guantes sudados: cadetes de Annapolis, soldaditos de bajo rango, tinterillos, hijos de tenderos… ¿Por qué tenían que ser *ésos* los que insistían en apuntarse en su lista de piezas? Mientras Alice bailaba las mazurcas, cuadrillas y valses, el aire se tornó incómodamente cálido; el corset le rozaba en las axilas, los pasadores del pelo empezaban a soltársele y sus pequeñísimas zapatillas le estaban pelando los talones. Y todo, ¿por *éstos*?

Lo que la provocaba a llorar era que otras muchachas vivían en el centro de la escena social: en la plaza Lafayette o en Pennsylvania

Avenue o en Georgetown, mientras que ella y sus hermanas tenían que trasladarse varias millas a paso pesado por el oscuro camino de Rosedale. Con mal tiempo eso era una crueldad con los caballos, suspiraba su madre.

EL SIGUIENTE INVIERNO empezó a nevar justo en vísperas del inicio de la temporada. La nieve se derritió bajo un sol brillante y, para mediodía, según información recibida, el camino de Rosedale a la ciudad y toda la avenida Pennsylvania se habían convertido en un intransitable charco de lodo. Por esta razón Alice estuvo a punto de decidir que no iría a la *levée* de la Casa Blanca.

—¡Qué monserga! —exclamó agriamente desde la puerta de la sala.

Mrs. Green se puso a ajustar los pasadores en el peinado de una de sus hijas mayores.

—¿Segura que no quieres ir?

—Per-fec-ta-mente —respondió Alice. Traía puesto su traje de montar aunque se había quedado adentro a comer galletas y a tocar el piano.

—Ándale, Alice, será divertido —insistió su hermana, polveándose la frente.

De pie en el marco de la puerta, Alice se puso una mano en la cintura y volvió los ojos hacia arriba.

—Ay, Alice —dijo su madre—. Si no vas, todas vamos a estar platicando de eso y tú te vas a quedar ahí sentada contemplando tu avena, señorita vinagres.

Alice hizo un gesto frunciendo la cara.

—Ándale —insistió su madre, corriéndola con el cepillo para el pelo—. Cámbiate ya.

Así QUE ALICE asistió a la *levée* de la Casa Blanca, de verde esmeralda, con el collar de perlas de su abuela en su cuello de cisne y una camelia en su pelo. Junto con sus hermanas y su madre, se integró a la multitud que fue serpenteando del *foyer* al salón de recepciones. Saludaron al presidente y a Mrs. Pierce y luego pasaron al Salón Oriental. Parecía que todo el mundo, excepto negros y vagabundos declarados, estaba ahí. Junto a la ventana, *tête-à- tête*, se hallaban los senadores Jefferson y Slidell; un señor con un sombrero cual tapón, que parecía duende, y su anticuada esposa, admiraban los candelabros; y ahí estaban su excelencia el barón de Bodisco, Mrs. Tayloe y Mrs. Riggs y *Mrs.* Lee con su hija, que llevaba un vestido de una tela de lo más suave y una guirnalda de rosas blancas en botón. Y no faltaba el acostumbrado grupo de cadetes de marina y muchachos del ejército, ni los babosos de los cuales los más rústicos eran los congresistas del oeste; uno podía identificarlos a una milla y media de distancia, igual que a sus esposas tan mal vestidas.

Dejando a su madre con Mrs. Tayloe, Alice y sus hermanas se abrieron paso entre la multitud. A pesar de que avanzaban despacio, quién sabe cómo fue que quedaron separadas. Por unos momentos, Alice anduvo vagando, tímida, abanicándose. En el Salón Verde, el aire la saludó con una frescura que ya traía el aroma de la lejana primavera, ya que lo habían adornado con un verdadero bosque de palmeras y helechos e impresionantes ramos de flores de invernadero. Camuflageados en esa selva se hallaban ahí dos caballeros *trés distingué* a quienes Alice había tomado por jóvenes empleados del Senado; estaban charlando y chismeando. Más allá, sentadas en un sofá verde y oro, se hallaban sus esposas. Nadie le puso la menor atención, ni siquiera el mesero que chocó con ella haciendo que soltara su abanico. Ninguno de los caballeros se ofreció a recogerlo; ella tuvo que hacerlo sola, lo cual no fue cualquier cosa, encajonada como estaba con tantas crinolinas. Mientras pasaba entre la gente, de un salón a otro, empezó a sentirse enfadada. Sí, sí que lo estaba. ¿Por qué tenía *ella* que andar como fantasma frente a todos esos don Nadie? No merecían ni una mirada de Miss Alice Green de Rosedale. Tomó una copa de ponche de la primera charola que pasó flotando cerca, le dio un trago y, como le pareció que estaba muy ácido, la vació en un maceta de helechos.

Acababa de decidir que se saldría a esperar afuera, en el carruaje, a que terminara esa desagradable fiesta cuando, cerca de la puerta, la detuvo a medio camino una excrescencia de *attar* de rosas. El origen le era familiar: se trataba de una conocida, una nueva allegada a su parroquia: Madame Almonte, esposa del todavía ignoto embajador de México. Al parecer, la pobre mujer tampoco había encontrado a nadie con quien platicar (¿se la habría pasado nada más mirando por la ventana?). En cuanto vio a Alice, su rostro cansado y envejecido quedó libre de la ansiedad que le causaba su máscara.

—*Meez Grín!* —exclamó con su atroz acento, en el que no obstante reverberaba la autoridad de directora de escuela—. Déjeme presentarla.

Tomando firmemente a Alice por el brazo, la dama la remolcó a través de la multitud, alrededor de la mesa del ponche, y, con una palmada en la cintura, la colocó entre dos caballeros. Con un tironcito en la manga, llamó la atención del más viejo, que tenía un aspecto sólido, como de tejolote.

—La presento, *Meez Grín* —y, volviéndose a Alice:

—Su excelencia el general Juan Almonte.

Bajo un par de gruesas y oscuras cejas, dos ojos de obsidiana se fijaron en Miss Green aprobándola con displicencia. Un matíz más moreno que su esposa, ese caballero de nariz aguileña tenía rasgos indudablemente indígenas, aunque éstos se veían atemperados por unas patillas que ya empezaban a platear. Vestía un uniforme de embajador con trenza de oro (aunque los botones se veían algo fruncidos en medio). Hizo una pronunciada caravana, meciendo los flecos de sus charreteras y, con la gracia de un experto, le besó la mano.

El general Almonte… Alice había escuchado (no recordaba dónde) que el embajador de México había estado en el Álamo con Santa Anna. Tenía un poderoso carisma y, le pareció a Alice, un muy peculiar sentido del humor. Sin que pudiera ella adivinar la razón, le sonrió de lado y luego le guiñó el ojo a su esposa.

Todavía sin soltar a Alice del brazo, Madame Almonte se volvió hacia el caballero más joven, el que había estado conversando con el general:

—*Meez Grín*, ¿conoce usted al secretario de nuestra legación?

Ante ella, también en uniforme diplomático, se hallaba el señor Iturbide. Se reconocieron porque ya se habían visto en la iglesia, pero sucedía que nadie los había presentado formalmente.

Alice le ofreció la mano con la actitud más recatada, apenas doblando la rodilla.

—*Enchantée* —dijo en el momento en que el bigote del señor Iturbide rozaba el dorso de su guante.

El señor Iturbide usaba un perfume por demás raro y atractivo; contenía (¿sería eso?) un toque de vainilla y limón. Como todo Georgetown sabía, este caballero era uno de los hijos del George Washington de México, tal cual. Aunque, a diferencia del general Washington, el general Iturbide se había coronado emperador.

Su breve reinado terminó con la abdicación y el exilio en Europa y, cuando, poco después y de la manera más imprudente, volvió a México, con la ejecución frente a un pelotón de fusilamiento. Fue bajo la protección de la Santa Iglesia Católica como la viuda y sus hijos habían llegado a Washington, a vivir en Holy Hill, en Georgetown, cerca del Colegio Jesuita y el convento de la Visitación. Aun cuando la familia Iturbide hubiera podido hacerlo, no usaban sus títulos nobiliarios. Criado aquí desde niño, el señor Iturbide hablaba inglés como un yanqui y, con esa palidez que tenía, esos ojos tristes, su pelo negro como ala de cuervo y su frente amplia y pensativa, habría pasado por el hermano gemelo de Edgar Allan Poe. Sin embargo, a diferencia del famoso escritor, el muy elegante señor Iturbide tenía un aire de buena gente que no podía ser indicio de nada más que de una ejemplar rectitud.

Era, como decían los franceses, *un coup de foudre*.

—Es MUY VIEJO para ti —le advirtió su madre.

Su hermano menor frunció la nariz:

—¡Un *greaser*!

—Me acuerdo de su mamá —comentó una de las hermanas—: antes de irse a Filadelfia había rentado aquella horripilante casita de N Street. Su misión en la vida, o eso parecía, era estar sembrando intrigas en el convento de la Visitación.

Su hermano George resopló:

—Madame de Iturbide tiene el carácter de un macho cabrío.

Se hallaban sentados a la mesa del comedor. Aunt Sally,[4] que era la cocinera, puso en medio una humeante cacerola de sopa "*chowder* de pescado".

—*T'ain't no she-goat nuther*.[5]

Con eso, el comedor volvió a quedar en silencio hasta que Aunt Sally desapareció hacia la cocina. Entonces todos, excepto Alice, se echaron a reír.

—¡Ay —dijo otra de las hermanas, volviendo los ojos hacia arriba—, los bigotes que tiene esa mujer!

—Y mira los de *él* —dijo George.

---

[4] Era costumbre llamar tíos a los esclavos mayores.
[5] Tampoco es una cabra.

Mrs. Green, que estaba a punto de servir el primer plato de *chowder*, puso a un lado la cacerola y el cucharón.

—Esos bigotes —dijo— son como los de los que arrean puercos en Kentucky.

Con los ojos relampagueantes de indignación, Alice se puso de pie. Ya desde la puerta gritó:

—¡Lo que todos ustedes tienen son celos! —y echó a correr escaleras arriba.

MISS ALICE GREEN no se iba a dejar convencer. *Mr.* Iturbide era el galán para ella: era tan guapo, tenía la sensibilidad de un poeta, había leído tanto, había estado en Nueva York, Londres, París, Italia, La Habana y también en Texas. Y su letra era tan elegante, tan franca, ¿cómo le había hecho para aprender esa caligrafía?

—Los curas siempre te dicen: pregúntate: "¿Puede leerlo el papa?"

Eso hizo que Alice se echara a reír a carcajadas.

Para la primavera, el señor Iturbide ya subía todo el camino de la colina hasta Rosedale para visitarla, varias veces por semana. Con una recelosa Mrs. Green haciendo de chaperón, fueron a oír a la banda de marina y, una vez, hicieron una excursión en calesa a Great Falls, las cataratas del Potomac. Ángel era su nombre de pila, pero la familia y los amigos lo llamaban por su equivalente italiano: Angelo.

A Angelo le gustaba mover su café con una raja de canela, ¿no era fascinante? Tomaba vino de Madeira, fumaba cigarros cubanos, tenía una cinta de plata en los puños de su camisa. ¡Qué *panache*! Y era muy valiente.

Andaban de día de campo en Mount Vernon,[6] echándoles migajas de pan a los patos, cuando Alice hizo la pequeña pregunta que se había estado insinuando en un rincón de su mente. No hacía mucho que su país y el de él habían estado en guerra. En esa época, ella era muy joven para leer los periódicos y no entendía —ni le importaba mucho entender— los cómos ni los porqués de esa guerra (su hermana mayor había alcanzado a ver al héroe, el general Winfield Scott, en una *levée* de la Casa Blanca, y le había parecido "muy arrugadito"). Ahora bien, cualquiera que tuviera ojos para ver retratos en color,

6 Casa de George Washington en las afueras de Washington, D. C. En esa época el jardín estaba abierto al público, y la gente solía ir ahí de día de campo.

sabía que Santa Anna, "el Napoleón del oeste", tenía el uniforme más vistoso, no como ese aburrido y viejo azul marino. Santa Anna podía haber perdido la guerra, pero no sólo poseía sus charreteras y un par de hileras de botones de bronce; tenía una casaca escarlata que relumbraba con el bordado de oro más arabesco.

Alice les echó a los patos su último puño de migajas.

—¿Por qué —finalmente hizo la pregunta— no te fuiste a pelear en la guerra?

—Santa Anna era enemigo de mi padre.

—¿Y?

—Si me hubiera presentado en México, habría ido derecho por mí.

El sentido de estas palabras irrumpió en la mente de Alice como una gran ola; al retirarse, le dejó una nueva y brillante impresión de su enamorado. Asintió con una expresión de sagacidad:

—Te quedaste aquí para evitar que te asesinaran.

Recostado de lado, él se incorporó sobre un codo. Se le quedó viendo a Alice de una manera extraña y luego sonrió con un gesto sardónico.

—Supongo que uno puede verlo de ese modo.

Se quedaron un rato en silencio. Mrs. Green estaba durmiendo su siesta en la calesa, que se había quedado estacionada a la sombra de un roble. Había otras personas haciendo día de campo por ahí, pero ninguna se hallaba tan cerca como para poder oír. Una parvada de gansos andaba buscando comida cerca de la orilla del agua. La brisa agitaba las cintas del bonete de Alice.

Y luego Angelo le contó cómo le había ido con todo eso: que se le había roto el corazón de dolor y de vergüenza, no tanto porque hubieran invadido su país, sino porque el ejército mexicano había sido tan incompetente para defenderlo:

—Eran una gavilla de bárbaros. Santa Anna ha de haber salido de una fosa séptica.

—¿Y el general Almonte? —preguntó Alice. ¿No había estado el embajador en el Álamo, junto con Santa Anna?

—Ah —Angelo torció la boca—, él está bien.

La familia Iturbide había recibido generosas pensiones del gobierno mexicano —continuó explicando—, pero durante los años de la guerra y todavía después, no hubo quién les pagara ese dinero. Fue muy duro para su madre. Él mismo había tenido que irse a vivir al campo para ahorrar sus centavitos. Para poder escuchar las noticias de la guerra, cada vez que había sesión en el Senado, tenía que cruzar el puente de Rock Creek y caminar varias millas en la grava de Pennsylvania Avenue hasta llegar a la colina, sólo para sentarse en la galería. Es que cuando el señor Thomas Corwin de Ohio hablaba, ¡uno no quería perderse ni una palabra! Angelo no decía adónde iba, pero su casera empezó a sospechar que algo se traía:

—Ya se te están acabando los zapatos —le decía— y llegas con un hambre de hipopótamo.

Alice se echó a reír. Tomó una uva.

Angelo continuó:

—Me mandaban mensajes en español que decían: "Cuídate las espaldas. Ten los ojos abiertos". Yo no sabía qué significaban o quién los mandaba.

—¡Tu vida estaba en peligro!

—Tal vez… —estaba observando cómo pasaba a los lejos una goleta. Los patos iban nadando tras la estela—. Sólo quería averiguar qué pasaba, pero no podía mostrar ningún interés en la guerra porque la gente iba a pensar que sabía algo.

—¿En caso que Santa Anna deje el poder, vas a regresar a tu país?

Se quedaron mirando uno al otro. Angelo se puso pálido de repente. Dejó de apoyarse en el codo, se incorporó y tomó a Alice de la mano.

—Miss Green —empezó.

—Sí —lo interrumpió ella—, *me voy* a ir contigo.

MRS. GREEN ESTABA todo menos contenta. No era que ya le hubiese gustado ningún galán para Alice, pero de los cuatro o cinco candidatos que hubiera considerado buenos partidos para ingresar a la familia, todos eran por lo menos 10 años más jóvenes que el señor Iturbide y provenían de viejas familias de Virginia o Maryland. Ella conocía de la iglesia a su madre, Madame de Iturbide, y sabía que iba a ser como una piedra atada al cuello de cualquier nuera.

Poco después de la petición de mano, hizo su aparición una ominosa nube. Una de las hermanas mayores del novio, una solterona engreída, vino de Filadelfia a conocer a Alice. Después de eso, silencio. Una señal de lo más inquietante fue que Madame de Iturbide nunca invitó a Mrs. Green y su hija a visitarla en Filadelfia, ni hizo el intento de visitarlas en Rosedale. De hecho, ninguna de las dos damas hizo nada por iniciar alguna clase de correspondencia. Lo que más afligía a Mrs. Green era que, como diplomático mexicano, el señor Iturbide no podía contar con un ingreso sino de lo más precario y, tarde o temprano, se llevaría a su prometida a México, un país completamente inconveniente. Sin embargo, cuando se dio cuenta de que sus consejos caían en saco roto, y no queriendo tener la responsabilidad de romperle el corazón a su hija, muy a su pesar dio su consentimiento. No era la clase de personas que le dan latigazos a un caballo muerto. Sus últimas palabras sobre el asunto fueron éstas:

—Ten cuidado con lo que deseas, mi bello y brillante meteoro, que se te puede conceder.

La boda se celebró en el salón frontal de Rosedale. Espectacular como pudo haber sido, el protocolo dictaba que el huésped de honor fuera su excelencia el prieto general Almonte. Ningún miembro de la familia Iturbide asistió.

Angelo hizo creer a la familia Green que su madre se había sentido repentinamente indispuesta. Pero esa noche confesó la verdad cruda: su madre había prohibido que se mencionara siquiera la existencia de Alice en su presencia. Según la manera de pensar de Madame de Iturbide, su hijo estaba destinado a casarse dentro de la aristocracia mexicana o aun española. Un hijo del emperador de México habría merecido por lo menos una dote generosa. Después de todo —pensaba ella— su padre, don Isidro Huarte y Arrivillaga, provenía de la nobleza de Pamplona y había sido uno de los hombres más ricos de la Nueva España. Y en cuanto a los Iturbide, descendían de la nobleza vasca.

—¿Sabe de qué familia vengo yo? —Alice se refería, sobre todo, a su abuelo materno, el general Uriah Forrest, y a su bisabuelo, George Plater III, dueño de una plantación de tabaco en Tidewater y sexto gobernador de Maryland. Angelo ya había escuchado hablar de estos dizque aristócratas de Tidewater. Su madre habría dicho "Bilgewater".[7]

—Mi amor, es su desgracia, no la tuya.

Incluso después, Alice haría como que no le importaba. Pero el hecho es que se sentía mortificada en lo más vivo.

---

[7] Juego de palabras indicando que el apellido no es Tidewater, "agua de marea", sino Bilgewater, "agua de desperdicio de un barco". (N. del t.)

LUEGO DE DEJAR a su madre en Filadelfia, diligencia por demás sombría, Angelo se llevó a su esposa a su país. Allá, ella no sabía hablar el idioma ni entendía las costumbres; la pobreza y la mugre —tal como su madre lo había predicho, la impresionaron hasta las lágrimas; la comida, lo mismo que las corridas de toros, alteró su digestión; y la altitud de la ciudad le quitó el aliento. Tan sólo subir escaleras la mareaba. Con frecuencia se quejaba de que le parecía que aquellos mexicanos le estaban ladrando. Languidecía de nostalgia por su gente, que, como ella decía, expresaban exactamente lo que pensaban de cualquier cosa, que no se iban por las ramas y no retorcían ni estiraban la verdad y ciertamente no se ponían a embellecerla con anécdotas y cuentos fantasiosos.

—Podría servirles gato asado, y tus amigos dirían en mi cara que está delicioso.

Algo que especialmente la sacaba de quicio era que Mariqueta, la criada, hablaba a propósito una jerga que ella no podía entender. ¡Y luego las bandas de música de los indios en la calle! Cornetas, tambores, platillos, cascabeles, violines que sólo servían para hacer leña.

—¡Cómo puede uno descansar con ese escándalo y justo en la ventana!

Esos bribones todavía llamaban a la puerta y pedían dinero, seguro con el propósito de hacer que uno los sobornara para que se llevaran su ruidero a otra parte.

Angelo la escuchaba con una expresión afligida y estoica. Pero, para cada queja, tenía una solución:

Para las mentiras: "Amada mía, si hicieras gato asado, te quedaría tan sabroso que te robarían la receta".

—Oh —decía ella, parpadeando.

Para la irrespetuosa de Mariqueta:

—Mañana en la mañana la mando de regreso a su pueblo.

Para los escandalosos de la calle, Angelo le pagó al mozo de su casera para que los mantuviera lejos y, esa noche, se arregló con una banda —una de las buenas— para llevarle serenata a Alice. Eso sí —insistió—, desde el vestíbulo, no desde la calle: era más seguro.

Las cosas empezaron a mejorar y, de hecho, mucho más pronto y de manera más definitiva de lo que cualquiera hubiera predicho o esperado. Estando completamente dedicada a su esposo, Alicia (como Alice empezó a llamarse) se aplicó a estudiar el idioma. No le costó ningún trabajo porque, ¿no era el español *le cousin du français*?

Se hizo amiga de las esposas de muchos de los amigos de Angelo. Eso le resultó tan fácil como meter la mano en un guante; Alicia estaba siempre lista para brindar ya fuera una sonrisa, ya fuera un gesto generoso: panes, mermeladas y otros regalitos, incluyendo la versión de Maryland del pastel de calabaza; es decir, la receta de Mrs. Green. Además de eso, el apellido de su esposo gozaba de fama y, entre los de su sociedad, de reverencia. El teatro más bello de la ciudad era el Teatro de Iturbide; el mejor hotel, el Hotel Iturbide; y, en el Palacio Nacional, el salón más elegante era el Salón Iturbide, sólo para dar unos cuantos de innumerables ejemplos. Cuando quiera la presentaban con alguna nueva persona, en el momento en que escuchaban su apellido, ella podía sentir la reacción de alerta, cómo el aire de la habitación cambiaba literalmente.

Pocas casas en buen estado quedaban en el barrio de la gente decente; las otras se hallaban en ruinas después de tanta revuelta y guerra, la independencia, la invasión norteamericana. Angelo tenía la suerte de haber asegurado el piso superior de una mansión en la calle del Coliseo Principal. La dueña era la viuda del general don Manuel Gómez Pedraza, renombrado estadista y leal amigo de su padre. En los tumultuosos años que siguieron a la caída del Imperio, don Manuel había sido electo presidente en una votación limpia y legal, pero un general ardido armó una revolución en su contra antes de que pudiera asumir el poder. Tres años después, don Manuel llegó a la presidencia, aunque sólo brevemente; para entonces, con los pulmones ya estragados por la enfermedad, había llegado finalmente a entenderse con esa imparable fuerza de la naturaleza que era Santa Anna. Su carrera política había sido una odisea a través de los convulsos episodios que sólo pudieron comprender quienes se hallaban verdaderamente interesados en los asuntos de México. Doña Juliana, su viuda, era una mujer terriblemente amable. Incluso en los primeros días, antes de que la tierna esposa de Angelo pudiera conversar en el idioma, doña Juliana la invitaba a bajar a su sala llena de antigüedades a tomarse un café de olla y un poco de pastelito, que quería decir una rebanada grande de su pastel de chocolate con piñones.

Como doña Juliana no hablaba casi nada de inglés, al principio sus conversaciones eran de escaso interés. La viuda le daba una palmadita a Alicia en su bella mano, le acariciaba sus rubios cabellos, le daba un beso en la mejilla y decía:

—Ay, sí, qué chula, qué linda.

Ya después, cuando pudieron platicar más, doña Juliana empezó a preguntarle por su familia, por su mamá, la señora Green, por sus hermanos y hermanas, refiriéndose a cada uno por su nombre. Y luego se ponía a hilvanar sus recuerdos del emperador Iturbide.

—Nuestro Libertador —dijo muchas veces con un solemne movimiento de cabeza— fue traicionado, como Nuestro Señor.

Era tan valiente… un jinete experto… un ejemplo de discreción. Además de eso, era poco lo que decía de él. De la emperatriz, Madame de Iturbide, no decía nada, aunque una vez se le escapó:

—Ah, sí, don Agustín y doña Ana cenaron con nosotros muchas veces.

En secreto, Alicia fantaseaba con que doña Juliana era su verdadera suegra. Con el fin de proteger la dignidad de su esposa, Angelo no le había dicho a nadie ni una palabra sobre el rabioso rechazo de su madre, excepto a la viuda de Gómez Pedraza, de quien podía esperarse el más estricto silencio. De hecho, ni siquiera Alicia estaba enterada de que doña Juliana sabía algo. Y nunca sospechó.

Llevaban ya algunos años viviendo en la ciudad de México, cuando, en 1861, Angelo recibió una carta de su hermana mayor, Sabina: su adorada madre, a quien Dios le había concedido 79 años de vida, descansaba ya en paz, con sus restos mortales enterrados en la iglesia de Saint John the Evangelist, en Filadelfia. Alicia envió sus condolencias a sus cuñadas y a su cuñado, don Agustín, quien ahora era el jefe de la familia y, llevado por los deberes de su carrera diplomática, se encontraba con la legación mexicana en Londres. Estaba bajo las órdenes —así se dieron las cosas— del general Almonte, que había dejado Washington para irse a la corte de Saint James.

Al lado de su esposo, Alicia asistió a las varias misas que se dieron por el descanso eterno de Madame de Iturbide, disfrutando todo el tiempo la idea de que esa alma, negra como un carbón, habría ido botando hasta dar a un montón de humeante basura en el rincón más profundo del Purgatorio. Pero luego fue y se deshizo en confesión de esos pensamientos.

Tres meses después, por primera vez, concibió.

Y ASÍ LE PARECIÓ a Alicia que todos sus problemas habían sido sólo un puente que ya había cruzado. Pero, ay, un puente no era la mejor analogía; en todo caso, sus problemas eran semejantes a una montaña enorme, como el Popocatépetl o el Iztaccíhuatl, cuyas nevadas cumbres proporcionaban un fondo majestuoso a las azoteas de la ciudad de México. Nuestra Alicia se hallaba apenas —habiendo conquistado una que otra loma— en la vecindad de las primeras cuestas.

Su esposo tenía otra hermana, dos años mayor que él pero más joven que la monja, Sabina. Su nombre de pila era Josefa, pero los íntimos la conocían como Pepa. Siempre atenta a cuidarla, Pepa había tenido una relación muy cercana a su madre. Durante su último año de vida, cuando ya no se levantaba de la silla de ruedas, era Pepa la que, aun con mal tiempo, iba empujando aquel armatoste junto con su rezongona ocupante, toda envuelta en chales y mantas, las cinco cuadras que distaba la iglesia de Saint John the Evangelist. Ciertamente, Madame de Iturbide y su hija asistían a misa todos los días. Aunque nunca perteneció al reino de las bellezas, en la flor de su juventud, Pepa había sido una señorita guapa. Dios le había dado una figura delicada, manos hermosas y unas trenzas que le llegaban a la cintura, las cuales repasaba 100 veces con el cepillo cada noche. Nunca olvidaba el cumpleaños de nadie. Con el paso de los años, su cabellera se llenó de canas. Lo que quedó de ella se vio reducido a la severidad de un chongo y, sólo cuando la ocasión lo demandaba (muy pocas de estas ocasiones hubo), Pepa lo agrandaba con postizos. Su corset, por más fuerte que lo amarraba, ya no era suficiente para ocultar su predilección por las papas, el pan y los pays. Pero —que esto quede claro— no había nada vulgar en esta señorita. Se ponía aretes de diamantes de muy buen gusto y, en el dedo donde debía llevar el anillo de casada, llevaba el anillo de su bisabuela, que era de filigrana de plata con una lustrosa perla negra (cuando era una jovencita y vivía en Washington, la molestaban diciéndole que su sortija parecía una garrapata hinchada. La sociedad mexicana, en cambio, tenía la sofisticación necesaria para apreciar ese raro tesoro que provenía de las aguas del mar de Cortés). Sus manos, resecas y manchadas por la edad, lucían cuidadosamente manicuradas, y ella sabía moverlas con elegancia, ya fuera haciendo ademanes mientras hablaba, ya abanicándose, ya repasando las cuentas de su rosario o levantando la taza con el meñique paradito.

Tras la muerte de su madre, Pepa mantuvo la compostura de una manera que sorprendió a todo el mundo. Aunque era una beata militante, no siguió el ejemplo de su hermana mayor, Sabina, quien se postuló al convento de Filadelfia. Estaba convencida de que Dios le había dado ahora la misión de ver por la familia de su hermano menor. Con esa esposa yanqui y un nuevo bebé, sin duda tendrían mucha necesidad de su apoyo.

Pepa no había aprobado el que Angelo se interesara en aquella muchacha: joven, extranjera y por demás frívola. Sin embargo, quería mucho a su hermanito, y así, cuando él le escribió que había pedido la mano de esa persona, esa tal Miss Green (ay, qué apellido tan común), haciendo gala de un genuino sentimiento de caridad cristiana en su corazón, tuvo un gesto de bienvenida. Los actos hablan mejor que las palabras, como su padre solía decir: le envió a la prometida de su hermanito una antigua mantilla color crema de su propio ajuar, que había conservado durante todos esos años envuelta en muselina. Hay que imaginarse el horror que sintió, llegando a Washington, cuando vio a Miss Green con aquella preciosa herencia familiar enredada en el cuello como si fuera alguna clase de bufanda, sujeta a su vestido con un broche. ¡Un broche estilo escocés de proporciones bárbaras! Le había hecho al encaje un agujero del tamaño de un puño.

Pepa se regresó derecho a Filadelfia y le contó a su mamá.

—Mi hermano no está pensando con la cabeza, eso se lo puedo probar.

Su madre había tratado de hacerlo entrar en razón, pero se encontró con Romeo y Julieta. Después de la boda, cuando Angelo vino a Filadelfia sin su esposa para despedirse antes de viajar a México, no tuvo necesidad de decir nada; en su conducta tiesa y su tono frío, pudieron sentir que estaba ofendido. Su mamá, que no era de las que se retractan, se mostró aún más ofendida: se levantó y se puso los dedos en las sienes cuando Sabina, amablemente, le preguntó a Angelo por Alice. Hablando en voz exageradamente baja, dijo que había visto ingratitud en su vida, pero nunca como ésta. Se retiró a su habitación y se encerró por dentro. A partir de ese día, su salud empezó a precipitarse hacia su declinación final.

Las dos hermanas, Pepa y Sabina, sostuvieron largas discusiones sobre el desdichado matrimonio de su hermano, tanto entre ellas mismas como con sus confesores. Consultaron a la abadesa de su convento. La conclusión a la que llegaron fue que, les gustara o no, Angelo y esa mujer habían hecho sus votos ante un sacerdote. Si la Iglesia de Roma reconocía el matrimonio, no les quedaba otra que hacerlo así también ellas. Ambas le debían respeto a su afligida madre, pero también se lo debían a su hermano y a sus futuros hijos y por lo tanto debían reconocer a su esposa, quien sería la madre legítima de esos niños.

Y así, durante los cuatro años que siguieron a la boda de su hermano con esa loquilla, Pepa les había escrito numerosas cartas, breves pero cálidas en su tono, proporcionando abundante información sobre el clima. Y aun más: cuando quiera que la esposita le enviaba una en español, Pepa la corregía y se la devolvía junto con la suya.

Ahora que había llegado a la ciudad de México y pudo examinar con sus propios ojos el hogar de su hermano, le pareció —de ningún modo para su sorpresa— que le faltaba mucho. Tomó las riendas de la casa, que Alicia le cedió feliz; ahora que estaba encinta se sentía aletargada y, en las mañanas, solía padecer tantas náuseas que apenas si podía levantar la cabeza para mordisquear una galleta. Además —decía con un extravagante suspiro— nunca tendría cabeza para estar dirigiendo a la servidumbre. En Rosedale, naturalmente, su madre, Mrs. Green, asumía todas las responsabilidades. De cualquier manera, los negros eran una cosa, y los criados mexicanos una olla de pescados completamente distintos.

—En eso tienes toda la razón —le dijo Pepa.

Bajo la mano firme de la cuñada, la habitaciones relumbraban, la comida se servía en platos atractivos, y el lino se lavaba, planchaba y cambiaba diariamente. La esposita ya podía dedicarse a su marido como debía ser. Pepa trataba a Alicia como si fuera una niña inválida. Criticaba su manera de tocar el piano (¿no sabía usar un metrónomo?), sus pays (les echaba demasiada canela y una miseria de manteca), el tapiz de las paredes (muy llamativo y mal pegado, con bolsitas en las esquinas). Cualquier otra mujer habría resentido tan abrumadora interferencia, pero a Alicia la emocionaba el que la hermana mayor de su esposo no sólo la reconociera sino también la apoyara activamente. Enfrente de otras personas, Pepa nunca la criticaba; al contrario, la ponía por los cielos: "Qué bien habla el español Alicia, con tan poquito acento (se le nota mucho menos que a Mrs. Yorke, por ejemplo)"; "Alicia iba en el Seminario Femenino de Georgetown, sabe usted, uno de los mejores, bueno, en Washington"; "los pays de frutas de Alicia están divinos"; "creció en una hacienda señorial donde tenían huertos de durazno y de manzana y campos de fresas que nada más se estaban horneando en ese calor húmedo". Y luego, volviéndose a Alicia: "Nunca pensé que llegaría a decir esto, pero tu pay de fresa me hace añorar Washington". Lo mejor de todo era que, con Pepa al pie del cañón, Alicia se sentía libre para salir, sin ningún pendiente en el mundo, a hacer sus rondas de visitas; iba a la ópera, al teatro, a las corridas de toros y a un montón de fiestas.

Muy pronto, sin embargo, tuvo que bajar el ritmo de su vida social. Se sentía cada vez más incómoda. El bebé iba creciendo grande y luego muy, muy grande. Por primera vez en su vida, Alicia tuvo miedo.

—He estado rezando por ti —le dijo Pepa, sentándose junto a ella en el sofá.

Alicia tenía las manos apoyadas en la enorme sandía de su vientre. Deslizó apenas la palma y, al hacerlo, el bebé le dio tal patada que la dejó sin aliento.

—Alicia, ¿qué te pasa?

Alicia se soltó a llorar:

—¡Quiero a mi mamá!

Pepa estuvo a punto de decir: "Yo también extraño a mi madre", pero a tiempo se mordió la lengua. En lugar de eso, dijo con su tono más consolador:

—Aquí estoy yo contigo —y le dio a Alicia su propio pañuelo—. Dios es bueno. Nos ha enviado a María, nuestra Madre. Vamos a rezar un rosario.

A partir de ese día, Alicia y Pepa se volvieron inseparables, y todavía más después del milagroso día —2 de abril de 1863, fiesta de san Francisco de Paolo— durante el cual Pepa estuvo sosteniendo la mano de su cuñada, ya desfallecida en la semiinconsciencia de su agotamiento, ya estrujándola con todas sus fuerzas en sus gritos de dolor.

El niño nació sano. Lo bautizaron como Agustín en honor a su abuelo, el Libertador y emperador de México. El nombre de Agustín era reverenciado en esta familia; tanto el primogénito como el hijo más pequeño del Libertador —este último nacido en Nueva Orleans poco después de la ejecución de su padre— se llamaban Agustín. El primero, Agustín Gerónimo, solterón de 56 años, era un diplomático recién retirado; acababa de regresar a México después de su último puesto en Londres, ya que su salud se deterioraba rápidamente, resultado de toda una vida de intemperancia en la bebida, el tabaco y quién sabe qué. El otro, Agustín Cosme, que a la sazón tenía 41 años, había sido siempre un hombre frágil, obsequioso, soñador y, desde hacía casi una década, torturado por un zumbido de oídos tan fuerte que ya parecía el barritar de un elefante. Se lo curaba con vinos fuertes y tequila. Siendo el más joven de entre tantos hermanos y sintiéndose solo sin aquellos que ya descansaban en paz, Agustín Cosme había experimentado una enorme simpatía por su linda cuñada desde el primer momento en que la vio. Mas ella, que tenía un carácter más despierto que el suyo, encontró en él escasos motivos de interés. La mayor parte del tiempo hacía lo mismo que todos: ignorar a Agustín Cosme.

Para padrinos del bebé invitaron a su tío más grande, Agustín Gerónimo, y a Pepa.

Todavía no cumplía un día en este mundo el bebé Agustín cuando su madrina le colgó en su camisita una medalla de oro de Nuestra Señora de Guadalupe. Ya antes le había tejido cinco suéteres. Las agujas tintineaban a un ritmo furioso. Pepa le tejió al bebé otras cinco prendas, le cosió orillas de encaje a sus gorritos y bordó sus sábanas con su monograma. Como la madre debió guardar cama dos semanas después del parto, Pepa se tomó la libertad de bajar a la planta baja con su ahijado a visitar a la viuda de Gómez Pedraza. Doña Juliana, embelesada, posó sus dedos en la lampiña cabecita y se puso a zurear:

—Agustín, chiquitín.

Pepa había decidido que la cabeza del bebé se mantendría rasurada durante todo su primer año, a fin de que el cabello echara raíces más hondas. Y desde mucho antes del nacimiento le había buscado una chichimama y una nana.

Fue a preguntarle a Lupe, la galopina chaparrita que se había quedado como reliquia entre la servidumbre de doña Juliana:

—¿Qué tanto sabes de bebés?

—Todo lo que Dios quiere que sepa —respondió Lupe con voz temblorosa.

Y así fue como aquel asunto tan crucial quedó resuelto.

—Has traído tanta felicidad a esta familia —le dijo Pepa a Alicia cuando tomó al bebé para ir a enseñárselo a su padrino. Eso sí, antes de permitir que Agustín Gerónimo tocara al niño, le tronó los dedos para que fuera a la sala a dejar su pipa en el cenicero.

Agustín Gerónimo se quedó viendo al pequeño, dormido en el hueco de su brazo. Le dijo, en inglés:

—*My God, I have never seen anything so beautiful in my life.*[8]

Agustín Cosme, acechando desde la puerta, se les quedó mirando con un gozo mudo pero beatífico.

[8] Dios mío, nunca en mi vida había visto algo tan bello.

Pepa se inclinó sobre la cama y besó en los cabellos a su cuñada.

—Te adoro, Alicia —le hizo una caricia en el hombro—. Ahora ya eres una verdadera hermana.

Alicia sentía que su corazón resplandecía de orgullo con el fulgor de 100 soles. La familia de su esposo, la familia más ilustre de México, finalmente no sólo la aceptaba sino la adoraba. Después de tantas desilusiones, de tantas penas —pensaba—, había alcanzado el pináculo de la felicidad, el Olimpo mismo.

PERO AÚN HABÍA MÁS: algo maravilloso, algo que parecía sacado de una novela: el ejército imperial francés llegó a ocupar la ciudad de México. Con su bebé de dos meses en los brazos, Alicia tuvo el privilegio de observar el desfile desde la azotea de la legación estadounidense. Ella y su esposo eran huéspedes personales del ministro norteamericano, Mr. Thomas Corwin. Alicia lucía encantadora con su *chapeau* nuevo estilo parisino, orlado en grogram color manzana. Y el bebé, regordete y chapeado, se veía tan guapo en la chamarrita azul que le había tejido su consentidora tía; todo el mundo, incluyendo a Mr. Corwin, lo admiraba y le hacía *cuchi cuchi*. Abajo, en la calle de San Francisco, fluía el río de hombres: trompetas, flautas, tambores y los casquillos de las botas de los soldados que iban marchando —chum chum— por el empedrado. El ruido era ensordecedor y junto con él venían oleadas de vítores, que la gente gritaba mientras arrojaba flores desde todas las azoteas, balcones, ventanas, quicios…

—¡Vivan los franceses!

—¡Muera Juárez!

—¡Viva el papa!

Ahí iban los veteranos de la formidable batalla de Puebla, marchando en filas de 12: los zuavos con sus polainas blancas y sus pantalones rojos bolsudos, húsares, *chasseurs d'Afrique*, regimientos de infantería, batallones, fusileros, granaderos…

Durante el año anterior, la guerra no había llegado a México, como no fuera en forma de alzas de precios y escasez de maíz, manteca, carbón y tela. Desde las costa de Veracruz, los franceses habían avanzado fácilmente hasta la ciudad de Puebla, última plaza fuerte antes de llegar a la capital. Ahí, el 5 de mayo del año anterior, para asombro de todos, el ejército imperial francés había sido derrotado. Tuvieron que retirarse a Orizaba, que se hallaba mucho más cerca de la costa, a esperar refuerzos. No era posible entrar en la ciudad de México sin tomar Puebla primero, y la batalla de Puebla se convirtió en un demoledor sitio de un año. El retraso fue una humillación para Luis Napoleón; no obstante, el suyo era un ejército con enormes reservas de poder. Bien podían los republicanos presentar una valerosa pelea, muy pocos esperaban un resultado que no fuera Francia conquistando México.

Ante las noticias de que Puebla finalmente había caído, el presidente de la República, Benito Juárez, empacó y huyó al norte junto a los miembros de su gabinete. El desarrapado ejército mexicano marchó con ellos. No tardarían mucho —suponía Angelo— en disolverse y que Juárez corriera a pedir asilo, probablemente a Nueva Orleans. En días pasados, mientras la gente esperaba la llegada de las tropas francesas, el orden, o algo que se parecía a un orden, se había mantenido en la ciudad de México gracias a ciudadanos voluntarios y a guardias prestados por las legaciones extranjeras, incluyendo la de Estados Unidos.

El ministro norteamericano, Mr. Thomas Corwin, sin embargo, se mostró despectivo hacia lo que llamaba "la aventura mexicana de Luis Napoléon". Mr. Corwin era popular en México, tanto entre los republicanos como entre los conservadores, ya que era de dominio público que antes, en 1847, siendo senador por Ohio, había alzado la voz resueltamente para oponerse a la invasión estadounidense de México, considerándola "injusta y deshonrosa". Había tildado de "avaricia hipócrita" la apropiación de tierras de California, Texas y demás. Ahora, con los brazos cruzados sobre su amplio pecho y una expresión que muy bien podía haber sido tallada en piedra, Mr. Corwin observaba el espectáculo del ejército francés con un desprecio que no se molestaba en disimular.

Alineados en junto al parapeto de su azotea, sus cincuenta y tantos huéspedes eran en su mayoría hombres: comerciantes yanquis, ingenieros de minas, gente del ferrocarril y un danés que tenía la nariz colorada por el sol. Mr. Wells, periodista del *Harper's* y *The Overland Monthly,* llevaba un traje a cuadros que no le quedaba bien y un sombrero bombín. Apoyado sobre sus codos, murmuró con un humeante puro en la boca:

—Buen rival para nuestro ejército del Potomac.

Al otro lado de la calle, desde un balcón, una mujer vació una canasta de flores. Desde otro balcón, una mancha color de rosa hizo un arco en al aire antes de desaparecer abajo, entre el río de soldados. Angelo y el danés estaban comentando cómo la policía había recorrido la ciudad por la mañana, repartiendo costales de flores. El bebé comenzó a lloriquear y volvió la cabeza hacia su madre.

—Tiene hambre —observó Mr. Wells.

Aprovechando que con el bullicio del desfile apenas y podían escucharse uno a otro, Alicia hizo como que no había oído esa impertinencia.

—¿Por qué tiene la cabeza rasurada? —Mr. Wells se acercó más—. ¿Le pegaron piojos o algo?

Alicia se volvió hacia otro lado. Se apoyó al bebé sobre el hombro y empezó a acariciarle su diminuta espalda. Sí, ella prefirió quedarse ahí donde estaba; la tenían fascinada esos uniformes: los chacós con su trenza dorada, luego los kepís con velo para el sol, enseguida la tremolante bandera de batalla de un regimiento distinto. *Tirailleurs algériens* en sus turbantes blancos. La caballería. La artillería: de sitio, de montaña, de campo… cada una un mundo. El sol se hallaba en el zenit, así que a ambos lados de la calle las paredes de los edificios se veían luminosas. Todo resplandecía y relumbraba. ¡Y los oficiales! Tan apuestos… su pecho lanzaba destellos, trenzas doradas a todo lo largo de sus brazos. Iban saludando con sus guantes blancos.

—¡Viva Forey! ¡Viva Bazaine! —alguien gritaba los nombres de los generales.

Más rosas, confeti y un apasionado: "¡Viva la Santa Iglesia!"

Angelo tenía una expresión inescrutable. Se sacó el puro de la boca.

—¿Cuántos calcula, Mr. Corwin? ¿15 000 hombres?

—No, señor. Son muchos más.

Mientras tanto, Alicia no podía evitar volverse de tiempo en tiempo al bebé que sostenía en los brazos; miraba cómo sus ojos azul mar se cerraban y luego se abrían para buscarla o para dejarse deslumbrar por el sol; cómo sus labios formaban una "O"; cómo apretaba y aflojaba sus deditos perfectos. Y lo que más maravilloso le parecía era pensar que su propio abuelo —el abuelo de su niño— también había entrado a México al frente de un ejército. Don Agustín de Iturbide, el Libertador, había sido recibido por sus agradecidos compatriotas con los mismos vítores y una lluvia de rosas. Pepa, en aquel entonces una jovencita, escuchaba cómo los ramos pegaban en el toldo del carruaje familiar. El Libertador había unido a México bajo una bandera tricolor: verde, simbolizando la independencia, rojo en memoria de España, y blanco —rubricado con el símbolo azteca del águila en el nopal devorando la serpiente— para representar la Verdadera Fe.

Alicia miró al bebé a los ojos y, en palabras silenciosas nacidas de su corazón, le contó esta historia, que terminaba así: "Y tú no sólo eres el nieto del Libertador: eres su tocayo. Eres el único, el absolutamente especial, que lleva su nombre".

—Tocayito —le susurró, besándolo en la coronilla de su brillante cabeza. Y enseguida, tal como Pepa y doña Juliana le estaban diciendo siempre que lo hiciera, lo tapó con su cobijita.

Platicando ahora con Mr. Corwin, Mr. Wells dijo:

—Apuesto que los franceses van a desangrar este país, y luego —hizo ademán de cortarse el pescuezo—, retirada.

Mr. Corwin parpadeó, pero no respondió nada. De acuerdo con las últimas noticias que se habían recibido en la ciudad de México, hacía un mes que el general Robert E. Lee había derrotado en Chancellorsville a fuerzas de la Unión el doble de grandes que las suyas. En total, más de 30 000 hombres habían caído. Pero, para la Confederación, la batalla de Chancellorsville había sido un triunfo rotundo. Era el norte el que se opondría a un imperio en México y, muy posiblemente, el norte había sido flagelado. En cuanto a qué quería o no quería Washington, ahí estaba el quid. Nadie, al parecer, sería capaz de parar el poder desatado del ejército de Luis Napoleón. Ahí abajo, en la calle de San Francisco, se hallaba la prueba ante los ojos de todos: piezas de artillería, carretas, mulas, más hombres y luego —Alicia sentía ya los brazos débiles de cansancio de tanto cargar al bebé—, marchando en la retaguardia, las ambulancias. Había tantas ambulancias que ella mejor desistió y se metió por un poco de limonada y pay. Era pay de fresa, su favorito.

Ni Angelo ni sus hermanos celebraban la ocupación francesa, pero tampoco eran tan imprudentes como para oponerse abiertamente a lo que bien podía ser el nuevo orden. Juárez había atacado a la Iglesia. Su gobierno, lisiado por la bancarrota, era incapaz de mantener el orden, así que tal vez tenía razón el general Almonte al decir: "Más vale este diablo que el otro".

Después de muchos años en Washington, en Londres y en el continente, el general Almonte había regresado a México. Con el respaldo de los cañones franceses, había asumido el puesto de presidente de la regencia. Un vertiginoso ascenso al poder, como si hubiera usado una garrocha. Incluso sus detractores se quitaron el sombrero ante esa audacia. Pero el general Almonte no tenía la personalidad extravagante de su antiguo mentor, Santa Anna. Era capaz de sacar el pecho y presumir sus medallas, y era celoso con los privilegios de su posición, como lo son todos los hombres de poder que tienen algo de prudencia, pero en el fondo era un caudillo de gustos sencillos. Aunque se había sentado a las mesas de la realeza, como más se sentía en casa era con su jarro de pulque, su plato de frijoles y los tamales de tinga de su esposa. Además era un auténtico escocés en cuanto se refería a prudencia con el dinero y un trabajador incansable, de los de pala al hombro, que se desempeñaba con mayor eficiencia tras bambalinas.

Ahora bien, ser amigo del general Almonte y de su esposa, podía resultar sumamente conveniente; ser su enemigo, por decirlo de algún modo, era poco saludable.

Los Iturbide no eran ni una cosa ni la otra. Después de ocupar la ciudad de México, el ejército imperial francés dedicó las siguientes semanas a extender sus tentáculos hacia la provincia, tomando el control de poblaciones, carreteras, minas y puertos. Como todos los demás espectadores en espera de noticias, los Iturbide tenían que contentarse con leer periódicos sujetos a una estricta censura y con los chismes de salón, que ya llegaban de tercera mano. Algo que ahora le resultaba a Alicia perfectamente obvio era que la procedencia de los Almonte distaba mucho de la exaltación de las distinguidas familias criollas mexicanas. En Washington, ella no sabía casi nada del general. Suponía que el embajador era un ejemplo típico de caballero mexicano. Sin embargo, ya viviendo en México, había alcanzado a oír a doña Juliana y a otras personas hablando de ese pata rajada: "Qué, ¿no lo sabía ella? ¡El general Almonte era el hijo bastardo del cura Morelos! Sí, del padre José María Morelos, el llamado "siervo de la nación", héroe de las primeras batallas por la independencia". No, no, no, nada, absolutamente nada que ver con don Agustín de Iturbide. Cómo, si Iturbide, en aquel entonces coronel, había peleado *contra* Morelos. Morelos era un arriero convertido a párroco de iglesia que dirigía ejércitos de campesinos en insurrecciones sangrientas, hasta que fue capturado y, Dios así lo quiso, juzgado por la Inquisición. No fue sino hasta cinco años después de su ejecución, cuando España cayó en el liberalismo, que la gente decente, los hombres de bien como Agustín de Iturbide, se unieron a la causa de la independencia.

Circulaba una multitud de historias de cómo el bastardo de Morelos había recibido el apellido Almonte. La favorita de doña Juliana era que a la madre campesina, cuando fue a presentarse ante el padre Morelos con el bebé, le dijeron que se lo llevara "al monte".

En cuanto a la esposa, ninguna persona que fuera alguien sabía nada de su familia. Había sido directora de alguna clase de escuela técnica en la ciudad de México y, por instigación suya, su esposo accedió a firmar como autor de la *Guía de forasteros*, un librito sobreestimado que incluía los dibujos de aficionada de la señora: bocetos de los principales edificios de la capital. Con obsolescencia de una década y a pesar de todo, la *Guía de forasteros* se hallaba ahora, de repente, en un lugar especial en las vitrinas de todas las librerías.

De manera ostensible, el general Almonte estaba trabajando con los franceses para instaurar una monarquía católica. La idea, tal como la había formulado un selecto grupo de mexicanos exiliados en Europa, era que esta forma de gobierno, ahora con el incontestable prestigio de un príncipe europeo, le daría a México la estabilidad necesaria para que finalmente pudiera aprovechar su potencial, bajo el reinado incuestionable de la verdadera fe y con la protección, que desesperadamente necesitaba, contra el rapaz vecino del norte. Claro que este monarca tendría que ser aliado de los intereses de Francia. Un gobierno imperial mexicano les garantizaría a los franceses generosas concesiones comerciales y se encargaría de pagar las deudas. Sobre todo, dejaría satisfechos, cosa que no habían logrado los republicanos, a los accionistas de los llamados bonos Jecker. La expectativa era que, con el oro y la plata de las minas mexicanas, hasta la fecha crónicamente subexplotadas, más los recibos de impuestos sobre el renacido comercio, que pronto serían abundantes, la expedición —*voilá!*— se pagaría sola.

Pero esto no quería decir que cualquier príncipe europeo estaría bien. Tenía que ser de impecable sangre real. Tenía que ser católico. Ni demasiado joven ni demasiado viejo. Ambicioso, pero maleable. El candidato de Luis Napoleón era el archiduque de Austria Maximiliano de Habsburgo, que poseía todas esas cualidades y además (la deliciosa cereza en el pastel) era descendiente directo de Carlos V, emperador del Sacro Imperio Romano Germánico y, con el nombre de Carlos I, rey de España en el momento de la conquista de México.

En caso de que el archiduque rehusara la corona, bueno, ahí estaría el general Almonte. Difícil deshacerse de él. Tal vez —pensaba Agustín Gerónimo—, desde su exilio caribeño en la isla de Santo Tomás, Santa Anna habría tenido algo que ver en todo ese plan, después de todo.

—Tal vez —dijo Angelo.

—Tal vez —se oyó el desmayado eco de Agustín Cosme.

PEPA DE ITURBIDE, por su parte, les dio la bienvenida a los franceses. No sentía ninguna piedad hacia los republicanos. Al confiscar las propiedades de la Iglesia, Juárez y su ralea se habían robado el patrimonio de los pobres y merecían arder en el infierno hasta que se hicieran chicharrón. Alicia no atormentaba su linda cabeza con cuestiones de política o religión, temas que, de cualquier manera, su bien educada familia no solía discutir en la mesa. Sin embargo coincidía de todo corazón con su cuñada en que la llegada de los franceses era una cosa excelente: las calles lucían más limpias, los limosneros estaban en orden, los oficiales tan apuestos y galantes. Lo mejor de todo era que había una nueva clase de tiendas y al parecer cada día abrían una más.

Desde el año anterior, los barcos de la Compagnie Transatlantique habían estado haciendo el recorrido entre Saint Nazaire y Veracruz; y ahora, gracias a la nueva carretera de Veracruz a la ciudad de México, uno podía conseguir auténticos corsés de ballena importados, medias de seda de París, telas y encajes de calidad. Pronto empezaron a salir en los periódicos anuncios de importaciones de pianos, sombrillas, máquinas de coser, champaña y coñac, mesas de billar, lámparas de gas que eran mucho más eficientes y no hacían humo. La capital tenía ya una pastelería decente. Las librerías ofrecían los números más recientes de la *Revue des Deux Mondes* y *Le Moniteur*, novelas de Víctor Hugo o las que uno quisiera. Había escuelas de francés, escuelas de música francesa y un sastre francés, Monsieur Bouffartigues, allí a la vuelta en la calle de Refugio número 19. Y todo esto sin mencionar los grupos de teatro franceses que venían a presentarse aquí, ópera francesa y, directamente desde París, el circo Chirini que traía —así lo anunciaba el periódico—: "tres trapecios volantes y un oficial español defendiendo su bandera de los moros marroquíes". Alicia y Pepa se contaban entre las muy pocas señoras de la ciudad de México que hablaban francés o que, por lo menos, sabían que la "ch" se pronunciaba "sh" y que la "z" era muda al final de palabras como "chez". *Très chic* como lo era en Washington, las dos damas salpicaban sus conversaciones en español de *bon mots*, a tal grado que cuando, cediendo a la insistencia de Angelo, Alicia fue a visitar a Madame Almonte, ésta la tomó por francesa.

—*Ma cher madame*…

Cuando Alicia respondió en inglés: "*How do you do?*", la señora parpadeó. Se le quedó viendo fijamente, frunciendo el ceño, y luego dejó escapar una exclamación de júbilo. Agarró a Alicia de los hombros y la atrajo hacia sí, dándole el más cordial abrazo mexicano que terminó con una palmada en la espalda y un beso tronado en la mejilla. Madame Almonte dijo:

—Salúdeme a don Angel —pero no se tomó la molestia de preguntarle cómo estaba ella, su familia, su bebé. Nada. Como tenía en éxtasis a su público de mujeres insignificantes, simplemente siguió contando una historia de cómo ella y su esposo fueron de visita a un tal pueblo minero. ¡Algunas de esas mujeres estaban fumando! Alicia empezó a abanicarse; por poco y le da una congestión, y no precisamente por el humo. El sofá estaba duro y el pastel muy seco.

—¿Ya te vas tan pronto? —le preguntó Madame Almonte en su torpe inglés—. *Please to come again.*

—¡Ay, Moisés! —Alicia le comentó después a Pepa—. ¡Qué monserga!

Mientras tanto, el bebé Agustín se ponía cada día más gordito. Era un pequeñín terco y todo le gustaba morder. A los cuatro meses de edad, ya tenía el hábito de mordisquearse los dedos de los pies; a los seis meses, ya le había roído las esquinas al *Harper's Monthly* de su mamá. Una mañana, Alicia lo encontró mordiendo un botón.

—Lupe —regañó a la nana en su ahora perfecto español—, tienes que ver qué se mete a la boca.

—Sí, niña.

Alicia misma lo malcriaba dándole cucharaditas de nieve de limón de su plato. Si empezaba a moverse como chinicuil, lo bajaba al piso y lo dejaba que gateara. A la hora de las comidas, ella se hacía que no veía cuando su hijo andaba explorando bajo la mesa, tentaleando zapatos, pantalones, faldas. El que más disfrutaba con esto era Salvador, que era primo del niño y tenía 13 años. Era huérfano: el único hijo del hermano menor de Angelo, que también se llamaba Salvador y había ahogado en el Río Tepic dos días antes de la boda de su hermano con Alicia, aunque las noticias de esa terrible desgracia no les llegaron a los recién casados hasta varias semanas después. Un muchacho tímido, delgado pero de espaldas anchas, Salvador vivía con un tío en Toluca y de vez en cuando venía de visita a la ciudad de México. Con una sonrisa abochornada, levantaba su orilla del mantel y se agachaba bajo la mesa.

—Ay, ¿quién me está jalando el zapato?

Alicia respondía, juguetona:

—Papá, ¿no habrá un ratoncito comiendo allá abajo?

Pepa apretaba los labios en un gesto de consternación. Ésa no era su idea de cómo había que criar a un niño.

Muy despacio, las cartas seguían su ruta entre la ciudad de México y Washington. Cuando llegaban, ya las noticias tenían un retraso de tres semanas o tres meses. La respuesta se tardaría otro mes o más en ser leída. Algunas cartas se perdían. La guerra entre los estados seguía adelante y se había vuelto salvaje. El bebé empezaba a dar sus primeros, inseguros pasos cuando, una mañana de primavera de 1864 en que ya no hacía tanto frío y era posible salir de la casa sin chal, su abuela Green tuvo una foto suya en las manos por primera vez. El corazón le brincó de alegría y le dolió de nostalgia por su nieto y por su querida, su adorada Alice, que estaban tan lejos. No había visto a Alice en siete años.

Al parecer, le habían sacado la fotografía la primera vez que pudo sentarse solo. Posando en una silla de madera labrada, estaba mirando algo o a alguien (¿Alice?) que se hallaba a un lado. Llevaba un ropón tan largo que le cubría los zapatitos y se derramaba a los lados de la silla. En la carta, Alice explicaba que Pepa y doña Juliana, su casera, le habían recomendado rasurarle la cabeza, una inofensiva concesión a las costumbres mexicanas, le pareció a Alice. ¿Y qué tal si había algo de razón en ello? Después de todo, el padre de Alice había empezado a quedarse calvo cuando todavía estaba en la marina.

La cara del bebé aparecía algo borrosa, pero su expresión —le pareció a Mrs. Green— era notablemente franca. Tenía inteligencia. Había sacado las orejas de su bisabuelo, el padre de ella, el general Uriah Forrest. La señora se enjugó una lágrima.

"Antes del quebranto está la soberbia", pero, el Señor la perdonara, se sentía orgullosa de su Alice, su niña chiquita, la que fuera su principal motivo de preocupación. Le parecía que apenas ayer Alice estaba recostada en la alfombra, apoyada en los codos, la barbilla en las manos, contemplando el viejo atlas. Había sido una niña obstinada, siempre soñando despierta y, ya de doncella, tan frívola. Mrs. Green trató de convencerla: casarse con un mexicano sería una prueba demasiado dura hasta para un Job. Pero ahora —reconoció— había demostrado que era valiente y decidida, no un meteoro que fuera a caer a la tierra; su Alice era una verdadera estrella.

Mrs. Green dejó el porche y se metió a la casa por sus lentes. Cuando volvió a salir, el viento le trajo un rumor de tambores: los soldados marchaban sobre Fort Reno. Después de tres años de guerra, todavía no podía acostumbrarse a ese retumbar: le ponía los nervios de punta. Se sentó en su mecedora y se puso sus lentes. En la foto, la cara del bebé seguía viéndose borrosa.

La carta de Alice comenzaba así: "El bebé es lo más grandioso que podía haberle pasado a esta familia: un perfecto regalo de Dios".

No había nadie que la viera: Mrs. Green se soltó a llorar.

El archiduque Maximiliano
de Habsburgo o AEIOU

Nuestra historia pasa ahora a un castillo de marfil, encaramado a la orilla de un mar inquieto, a la vista de la ciudad de Trieste. En el extremo nororiental de Italia, entonces parte del Imperio austriaco, *Il castello di Miramare*, o Miramar, era la residencia del archiduque que se hallaba en segundo lugar en la línea de sucesión al trono. Mientras que, en Viena, el antiguo y gris palacio de Hofburg encerraba sombríos patios, Miramar se erguía nuevo, altivo, sin miedo ante el sol de Italia. Incluso hoy en día, en la mañana temprano, justo antes de que el sol ascienda detrás de las colinas y todos los pájaros comiencen a cantar, su torre parece brillar desde adentro. Sí, a veces el principio de una historia engaña el ojo, de la misma manera en que una *fata morgana* proyecta un paisaje que en verdad se encuentra a cientos de kilómetros allende el horizonte. Pero hay ocasiones, también, en que personas que no parecerían compartir ni un rastro de terreno en común, terminan atadas por el destino en dolorosos nudos.

De hecho, en medio del idilio familiar de los Iturbide, más allá del otro lado del océano Atlántico, en su castillo de Miramar todavía en construcción, el archiduque Maximiliano de Habsburgo aceptó con mucha reluctancia el trono de México, el mismo trono que perteneciera al malhadado don Agustín de Iturbide. Su actitud de renuencia fue una cosa de verguenza tanto para él como para todos los participantes en este asunto. Sin embargo, los detalles de este episodio no se dieron a conocer sino años más tarde, cuando la mayoría de los participantes ya habían recibido su recompensa en otra vida, ya que durante la ocupación francesa, tanto en Austria como en México, censores de mirada celosa revisaban cartas, revistas, periódicos y telegramas y no dudaban ni por un instante en confiscar cualquier cosa que sus superiores pudiesen considerar ofensiva. Esto no implica que en México nadie estuviera enterado de los problemas que se tuvieron para que Maximiliano aceptara el trono, sólo que los Iturbide, como la mayoría de la gente de la capital, quedaron fuera de la mayor parte de la información, lo cual vendría a tener consecuencias enormemente infortunadas.

Fueron muchas las tribulaciones que rodearon la aceptación del archiduque, pero el más espinoso de todos fue el llamado Pacto de Familia, documento al que Maximiliano se referiría como "ese maldito papel". De acuerdo con su versión de los hechos, su hermano mayor, el káiser Francisco José, se le apareció de pronto sin avisarle y, literalmente, lo obligó a firmar. Sin embargo, con bastante anticipación y cuando el archiduque visitó Viena en enero de 1864, el ministro del exterior, el conde de Rechberg, había mencionado que, por supuesto, antes de aceptar el trono mexicano, Maximiliano tendría que renunciar a la Casa de Habsburgo, abdicando así a sus derechos como archiduque de Austria. Maximiliano respondió fríamente:

—Eso nunca lo voy a a hacer.

¿Cómo podía renunciar a la Casa de Habsburgo? Era su sangre, sus uñas, la piel misma que lo cubría. Estaba registrado en el *Almanch de Gotha* y ahí estaría hasta el fin del mundo. Él, Maximiliano de Habsburgo, era el descendiente de los reyes del Sacro Imperio Romano, gobernantes por derecho divino. Y fue como miembro de la Casa de Habsburgo, caballero errante por su gloria, que le había dado su palabra a Luis Napoleón de que aceptaría el trono de México. La idea de ceder sus derechos no era sólo inconcebible: ¡era absurda!

Maximiliano asumió que el conde de Rechberg había hablado sin la autoridad del káiser. Y más tarde, ciertamente, se reunió con su hermano en varias ocasiones y ni una palabra dijeron del asunto. No fue sino hasta la víspera de la partida de Maximiliano a Bruselas —ya muy avanzado el juego—, cuando el conde de Rechberg insistió en dejarle el informe del historiador de la corte acerca del asunto de la sucesión, arguyendo nuevamente que, antes de aceptar el trono de México, Maximiliano tendría que firmar el Pacto de Familia. Dicho informe llevaba la firma del káiser, pero —Maximiliano le dijo al conde— era tanta flatulencia intelectual. Maximiliano ya no oyó más del asunto... hasta después de que él y su consorte, Carlota, habían sido celebrados como emperador y emperatriz tanto en Bruselas como en París, después de que flotaron el préstamo para el Imperio mexicano en la bolsa parisiense, después de que cruzaron el canal de la Mancha para ir a presentarle sus respetos a la reina Victoria; esto es, después de que todo, de pe a pa, había sido reconocido de la manera más pública. En su camino de regreso a Trieste, donde la coronación tendría lugar en el castillo de Miramar en cuestión de días, Maximiliano y Carlota pasaron por Viena. Fueron recibidos en el palacio de Hofburg, no como archiduque y archiduquesa, sino como jefes de Estado. Y un día después del banquete, he aquí que el conde de Rechberg se aparece con ese papel: o firmaba el Pacto de Familia o no se le permitiría al hermano menor ponerse una corona.

Una rabia amarga se le atoró en la garganta a Maximiliano. Era un fiasco como el de su gobernatura de Lombardía y Venecia, cuando, no obstante su demostrada competencia, liderazgo y popularidad (una popularidad verdaderamente notable dadas las reticencias de los nacionalistas italianos), Francisco José lo había despedido sin ningún aviso, sin justificación, poniéndolo en ridículo. Francisco José nunca lo había apoyado. Y ahora su madre, la archiduquesa Sofía, venía a intervenir: "No deberías privar a Max de sus derechos. No te estás portando como un buen hermano". Francisco José le respondió enseguida: Felipe V, sobrino de Luis XIV, renunció a sus derechos al trono de Francia cuando se fue a reinar en España, tal como su tía María Luisa se olvidó de los suyos al trono de Austria cuando se casó con Napoleón Bonaparte.

Sin embargo, debajo de los sentimientos de ira de Maximiliano había otra cosa: alivio. Para empezar, aunque Carlota insistió en que no era para tanto, a él le pareció poco digno, como les habría parecido a muchos de la vieja generación, que un Habsburgo aceptara un trono de un simple Bonaparte. Y poner su destino en las manos de un Bonaparte... Maximiliano recordaba que cuando era niño había oído que los llamaban "esa escoria de bandidos corsos". A su tía, la archiduquesa María Luisa, la habían hecho casarse con Bonaparte una vez que éste se divorció de la estéril e infinitamente menos distinguida emperatriz Josefina. Bonaparte, ese oportunista rapaz, sí que era horrible: Krampus, el demonio, lo llamaban en Viena en aquellos días.

¿Levantar un imperio en el nuevo mundo sería tal vez una quijotada tan grande como marchar sobre Rusia? Las finanzas se encontraban algo intrincadas y, francamente, lo dejaban a uno perplejo. De acuerdo con el tratado de Miramar, que Maximiliano firmaría una vez coronado emperador, Luis Napoleón mantendría tropas en México tanto tiempo como fuera necesario, pero a expensas de México: los gastos de transportación, las provisiones, todas las armas, los sueldos y los intereses, las indemnizaciones y, bueno, ¿sería eso posible? Aunque Luis Napoleón le había asegurado a Maximiliano que sí, ni Inglaterra ni España quisieron apoyar la expedición. El cónsul de Estados Unidos en Trieste acudió al castillo de Miramar a advertirle a Maximiliano que no se tragara las melifluas palabras de las delegación mexicana. ¿Quiénes eran esos hombres, después de todo? Don José Hidalgo, un expatriado don nadie que vivía revoloteando en la sociedad parisiense. Don José María Gutiérrez de Estrada, otro viejo exiliado, avecindado en Roma, intrigante consumado, y el general Almonte, un aprendiz de Santa Anna y resultaba que bastardo del héroe guerrillero de la independencia mexicana, el sacerdote Morelos. A esas alturas, el general Almonte ya había regresado a la ciudad de México y fungía como presidente de la regencia, lo que quería decir regente durante la ocupación francesa. Más que en cualquiera de los otros casos, los verdaderos objetivos del general Almonte permanecían inescrutables. (¿No sería, en secreto, leal al dictador exiliado Santa Anna?, ¿o era otro hombre fuerte estilo albanés?, ¿o un visionario y un verdadero patriota como lo había sido su padre, el cura Morelos, el héroe glorificado de las guerras por la independencia de México?) De acuerdo con los informes de los espías de la policía, el ministro de Estados Unidos en Viena se reía de desprecio hacia toda esa empresa; parecía pensar que Maximiliano no había hecho más que echarse la soga al cuello.

Y el ministro norteamericano no era el único que tenía esa convicción. La reina Victoria había recibido a Maximiliano y Carlota no como jefes de Estado sino como sus primos. Durante la cena en el castillo de Windsor, cada vez que oía mencionar México ponía cara de que le hubieran mordido un cartílago y cambiaba de tema (sus perritos, el ingrato clima de Escocia). De regreso de Londres, Maximiliano y Carlota se detuvieron en Claremont para visitar a la abuela de ella, María Amalia, la ex reina de Francia. Ésa fue una escena desagradable. La abuela estrujaba las manos de Carlota, llorando: "No vayan allá, mis amores. ¡No deben ir!" Casi le grita a Maximiliano: "¡Te van a asesinar!" Achaques de una anciana, tal vez, pero hubo muchas otras advertencias. Una, en particular, caló hondo en la mente de Maximiliano, porque vino de don Pedro Moctezuma XV, el único descendiente legítimo del emperador azteca.

El cañón francés los tiene a algunos amedrentados, mas después, cuando se crea que todo se ha sozegado, estallará de repente una contra revolucion terrible... Su alteza ha sido demasiado precipitado en acceptar la oferta al trono de Mexico. Su alteza debe refleccionar bien antes de abandonar su patria, a donde se halla feliz y respetado, para empender su marcha a un pays enteramente desconocido, y que desde 1812 no ha habido un Gobierno ni de hecho ni de derecho... los que componen en el dia la regencia son la estirpe la más desapiadada y entre ellos hay algunos, o casi todos, que por pruebas auténticas se pueden calificar de malhechores, de depravados y usurpadores, que han estafado el tesoro público robando la hacienda ajena, y hasta el culto divino... ellos mismos serán los primeros que desaprueben al Estrangero que los Gobierna para entre ellos escojer el que más convenga a sus miras de desolación y rapiña suplantando a su alteza quizá despues de un trágico fin.

Ciertamente, cuando les ofrecieron el trono, Carlota misma tuvo presentimientos. Su tío, el príncipe Joinville, había visitado México unos años antes. Era un país bárbaro, dijo: asolado por la fiebre amarilla, la malaria, el nauseabundo espectáculo de las corridas de toros y, por si eso fuera poco, lleno de gavillas armadas que recorrían la provincia. "Y si Brasil te resultó inconveniente a ti, una mujer blanca, México lo será aún más. ¿Tú la emperatriz de México?", se había reído Joinville. *Une idée affreuse!*, ¡una idea espantosa!

No obstante, cuando Maximiliano empezó a considerar seriamente la invitación, Carlota no sólo se entusiasmó con la idea: se convirtió en su más enérgica defensora. Y no era que Maximiliano, solar por naturaleza, se hubiera dejado llevar por todo ese pesimismo. Tal como su esposa lo señaló, los enemigos de Francia y los de la verdadera Iglesia pintaban el cuadro con sus propios colores. Tanto ella como su marido estuvieron entrevistando diplomáticos, banqueros, ingenieros de minas y científicos. Leyeron pilas de cartas, informes y, entre todo eso, una biblioteca entera, incluyendo por supuesto el extenso y meticulosamente documentado relato del barón Alexander von Humboldt, *Reise in die Äquinoktial-Gegenden des Neuen Kontinents*, todos los volúmenes, de principio a fin. México, con un pie en cada uno de los dos grandes océanos, rico en metales preciosos y tierras fértiles, tenía un potencial estupendo y el catalizador —ambos esposos estaban convencidos— sería Maximiliano mismo.

Como Carlota dijo, citando a uno de los caballeros de la delegación mexicana, un príncipe de Habsburgo en el trono sería como el Sol para los planetas. Sí, darle ese prestigio personal —el prestigio de la Casa de Habsburgo y, por parte de ella, el de Saxe-Coburg y Gotha— representaría un enorme apoyo para Luis Napoléon; podrían contar con su gratitud más profunda y reverente, como cuenta una catedral con sus cimientos. Y la gratitud de su santidad el papa sería igual, no, tal vez más grande aún. Sí, la ambición de Maximiliano había despertado. Y ¿no era una señal de la aprobación divina el que él, descendiente del rey Habsburgo de España que había comandado a los conquistadores, fuera el elegido para sentarse en ese trono?

Ah, y qué placer más radiante sería el de tener finalmente la oportunidad de gobernar, traer justicia, paz y prosperidad a la gente, sin tener encima la bota de Viena. Reverenciaba a su hermano mayor, pero cuán difícil, cuán absolutamente desesperante resultaba a veces ser un presunto heredero, y más aún tras el nacimiento del príncipe Rodolfo, segundo en la línea de sucesión, sombra inconveniente o pieza menor en el ajedrez, según parecía, de aquellos que vivían intrigando para mantenerse cerca del káiser, esos reaccionarios de hueso colorado. ¡Ah, bien hacían en tenerle miedo a Maximiliano! Hubiera sido él su alteza máxima, no habría gobernado inoculando el temor en el corazón de sus súbditos: se habría ganado su amor con entendimiento y visión. Nadie habría reprimido con fusiles a los estudiantes italianos, arrebatados de las calles para ser golpeados y torturados. *Bravi tutti!* El buen gobernante celebra a su pueblo, es uno de ellos y así se gana un lugar en su corazón. La gente lo había amado en Lombardía-Venecia; muchos de sus súbditos le habían declarado que era el mejor gobernante que hubieran tenido jamás. Habría dado resultado —lo sabía— que hubiera tratado de convencer al káiser de darle una oportunidad…

Maximiliano casi podía sentir el peso de la corona de México en su cabeza, el fresco metal del cetro en su mano. Podía ver, en su mente, su propio sello imperial: el águila azteca coronada, con las iniciales MIM —en latín, *Maximiliano Imperator de Mexico*— y su lema: "Justicia con equidad". Había hecho esbozos de éste en su cuaderno, puliendo muchas veces el diseño.

Pero, ¿separarse de la Casa de Habsburgo? No veía en qué forma podía firmar semejante documento. Así que no podía salir de Austria. A su parecer, su hermano lo había traicionado y había abusado de él.

Pero su hermano era el káiser: la palabra de su alteza máxima era una orden. No había nada qué hacer más que apechugar.

Él y Carlota salieron de Viena con rumbo a Trieste y ahí, donde los vientos de la incipiente primavera agitaban las aguas del Adriático y los árboles del parque empezaban a retoñar, le dijo a su esposa con una *sprezzatura*, una auténtica ligereza que no había experimentado en meses:

—Tenemos mucho qué hacer aquí.

Miramar era todavía, en parte, un cascarón. Sólo la planta baja y el primer piso estaban terminados. No había cuadros ni tapices en los muros. El *parterre* necesitaba trabajo; el camino de la entrada, más grava, y el aviario todavía podía extenderse. Quizás estuviera terminado para junio. Ese verano podrían pasarlo viajando en barco, tal vez, como una especie de *appoggiatura*: Corfu, Patmos y luego algunas benditas semanas en Lacroma, la isla que Carlota, tan detallista, le había dado como regalo. Lacroma era el silencio mismo: pinos y mirtos y las ruinas de Ricardo Corazón de León, un monasterio abandonado del siglo XI con los muros cargados de rosas. Lacroma era tan romántica… un sitio donde él podría dedicarse a la botánica, a leer filosofía o a escribir poesía mientras Carlota pintaba o tocaba la lira.

Y así estaba todo. Tres días antes de su coronación, con una mezcla de orgullo herido, *weltschmerz* y un corazón secretamente regocijado, Maximiliano le informó a don José Hidalgo, quien fungía como cabeza de la delegación mexicana, que no iba a poder aceptar. Se envió un telegrama a París. En cuanto al papa, antes de hacerse a la mar hacia Lacroma, Maximiliano iría a Roma a explicar su decisión personalmente. Y así concluyó el dulceamargo pudo-haber-sido del trono del nopal: curiosa nota al pie dentro de una nota al pie en la historia, o así se la imaginó él.

La respuesta de Luis Napoleón retumbó como un trueno.

Su alteza imperial ha contraído compromisos que ya no tiene la libertad de romper. ¿Qué pensaría usted de mí si, una vez que su alteza imperial hubiese llegado a México, yo dijera de repente que no puedo cumplir con las condiciones para las cuales di mi firma?

Y luego Luis Napoleón se tiró a fondo con el sable: "El honor de la Casa de Habsburgo está en entredicho".

¿Qué hacer?, ¿qué hacer?, ¿qué hacer? Maximiliano se hallaba en un dilema como para rechinar los dientes. No, era más que eso. Sentía como si se lo estuviera chupando una especie de pantano.

La delegación mexicana aún no se marchaba de Trieste. Atónitos, los mexicanos le suplicaban que reconsiderara su decisión. En el castillo de Miramar, desde la ventana de su estudio, Maximiliano podía ver, ancladas en la bahía, la *Novara* y la fragata francesa *Themis* que iba a escoltarlo en su viaje a América. Los capitanes de los barcos, también, aguardaban. Lo esperaban a que cambiara de decisión.

Carlota lo hizo ver que ahora, si rehusaba el trono, ¿cómo podrían mantener la frente en alto?

—Luis Napoleón y Eugenia te van a ridiculizar. Serás despreciado en todas las cortes de Europa.

—Exageras.

—Te van a tener por cobarde.

Él nunca la había visto tan agitada.

—No…

—¡Sí!

Carlota le había alzado la voz. Él levantó la mirada, pero, antes que sus ojos se encontraran con los de ella, se dirigieron a la ventana. Lentamente, una horrible expresión asomó a su rostro; su respiración casi se detuvo.

—¿De verdad? ¿De verdad crees… que… ellos…?

—Max —lo interrumpió ella—, es demasiado tarde.

Se encontraban en la biblioteca. Sobre el marco de la puerta de dos hojas pendía el retrato de Carlota niña, pintado por Winterhalter. Maximiliano se volvió a mirarlo con la expresión más descorazonadora, más desamparada que ella hubiera visto jamás. De repente bajó la vista a la alfombra. Murmuró:

—Dios… mío…

—Max… —Carlota le tocó la mano, pero él la rechazó. Enseguida corrió a la terraza, se inclinó a un lado y empezó a vomitar.

CAYÓ EN CAMA. Carlota, un nudo de nervios, no quiso esperar: entró violentamente a la habitación del enfermo, interrumpiendo al doctor Jilek, y, cerniéndose sobre él, le espetó:

—¿Qué más podía pasarle? El káiser estaba celoso de su talento y su popularidad. Todos esos hombres, esos oficiales de mente rígida que Francisco José tenía a su alrededor, desconfiaban de Maximiliano; iban a seguir intrigando en su contra y ahora esto de que haya rechazado el trono de México les da más armas.

Ayudaron a Maximiliano a sentarse, recargado en las almohadas, su rostro pálido como la muerte. Bajo las mantas, se apretaba el estómago con las manos. Protestó débilmente:

—*No puedo* ceder mis derechos.

Sí —Carlota estaba de acuerdo—, el Pacto de Familia era una horrenda injusticia. "Pero, mira, ¿es justo que tú, un hombre nacido para gobernar, nacido para hacer feliz a la gente, se haya quedado a los 31 años sin nada qué hacer más que construir castillos y andar por el mundo coleccionando bichos?"

Ella misma se hallaba al borde del aburrimiento en Trieste, ese pueblo provinciano de quinta. Los habían exiliado, los habían puesto a pastar, y ¿así se iba a ir el resto de su vida? ¡Un desperdicio! Ella deseaba tanto ser útil, servir: en su corazón sabía que ése era el propósito de Dios para ambos. Sabía cómo se había sentido él de herido al perder la gubernatura de Lombardía-Venecia. Pero ahora Dios le había dado un trono. No cualquier trono. No una Polonia ni una Grecia. ¡No! Éste era un trono respaldado por el poder del ejército imperial francés. Una oportunidad de las que se dan sólo una vez en la vida.

—*Debes* firmar el Pacto de Familia.

Maximiliano levantó la mano como si fuera a hacer algún ademán, pero la dejó caer exangüe a su costado.

—Yo… —cerró los ojos. Murmuró con un hilo de voz—. Yo… no… puedo…

Esta vez, Carlota le recordó que, sin un monarca, por mucho que hiciera el ejército francés (y a estas alturas ya había pacificado la mayor parte de México), el país volvería a precipitarse en el abismo de la anarquía y el derramamiento de sangre. ¿No había dejado bien claro la delegación mexicana que Maximiliano era su salvador? ¿No había expresado su santidad una inmensa gratitud? Miles de hombres habían caído en batalla para liberar a México de los terroristas ateos. ¿Sería su muerte en vano? Habían perdido brazos, piernas, habían muerto de enfermedad como perros. ¿Tantas esposas se habían quedado viudas y tantos niños huérfanos para nada? ¡Todo por los escrúpulos de Maximiliano por un pedazo de papel! Iba a abandonar a la Santa Iglesia a que la saquearan en una nación entera. Las almas se tambaleaban en el precipicio entre la salvación y el fuego del infierno. Millones —¡nueve millones de mexicanos!— dependían de él.

Carlota cayó de rodillas junto a su cama. Con gran ternura, como si se tratara de un niño, tomó su mano entre las suyas. Hablaba suavemente, su voz a punto de quebrarse:

—En el nombre de Dios, *debes* aceptar.

Un horrible sonido como de que se estaba ahogando hizo que el doctor Jilek volviera a la alcoba.

El paciente tenía hiperventilación —dijo—. Indignado, pero con perfecta formalidad, sacó a Carlota y cerró la puerta resueltamente. Por ningún motivo —dijo— podía molestarse a Maximiliano.

En la opinión profesional y personal del doctor Jilek —y él la daba con toda libertad siempre que se lo pedían—, partir a México sería para el archiduque equivalente a un suicidio. No, él mismo se negaba a ir como parte del séquito: no tenía ninguna intención de dejar esa tierra de Dios para acabar presa de la fiebre amarilla o balaceado por algún mexicano. Que otros hombres más jóvenes, más audaces que él tentaran al destino. Si Dios se lo permitía, esperaba continuar al servicio del archiduque, pero aquí.

Como dice el dicho, la sabiduría y su compañera, la compasión, cuestan años y lágrimas. Si Carlota hubiera sido unos años más sabia, habría percibido los riesgos y, también hay que reconocerlo, las ventajas, aunque en una línea muy distinta de esfuerzos, de una personalidad tan agudamente sensible como la de su esposo. Se habría dado cuenta de que la estima que tanto deseaba de él no iba a venir de estarlo presionando. Se habría dado cuenta también de que las cosas no siempre son lo que parecen ser, porque siempre están aquellos que activamente tratan de engañarnos sabiendo que miramos el mundo, y la política en particular, a través del filtro de nuestros temores y anhelos. Nosotros podemos ser nuestros propios enemigos, herirnos solos ciegamente, pero debemos aprender, si es que vamos a continuar con alguna esperanza de felicidad, a perdonarnos. Sin embargo, a la difícil, inmadura edad de 23 años, Carlota era burriciega como una amazona. México era el destino y el deber de Maximiliano, su merecido premio, y ella, por Dios, iba a ganar ese premio para él. Armada para el combate, como pudiéramos decirlo, tomó el tren a Viena para ir a dar batalla al káiser.

Aunque se hallaba tan consternado que no dejaba de frotarse los ojos ni de cruzar y descruzar la pierna, Francisco José se portó con impecable cortesía con su cuñada. Había creído que su esposa, Sissi, era testaruda, pero —*Lieber Gott!*— tenía competencia. Durante las tres horas que pasaron a puerta cerrada, hubo dos ocasiones en que las cosas se pusieron tan color de hormiga que él tuvo que levantarse a la ventana. Pero Carlota seguía discutiendo a su espalda. Insistía e insistía, defendiendo y esgrimiendo sus argumentos, sus qué-tal-si y sus exóticas interpretaciones, llegando a éstas de ésta y de aquella dirección, hasta que, finalmente, el káiser levantó la mano. Le concedió una suma de dinero y unos cuantos miles de voluntarios. No obstante, en lo que respectaba al Pacto de Familia se mostró tan inamovible como un poste clavado diez metros en la tierra. Antes de aceptar el trono, Maximiliano tenía que firmar el documento.

A sus espaldas, el káiser podía escuchar la lluvia golpeando contra su ventana y, a través de la puerta cerrada, el creciente rumor de la multitud que había estado esperándolo en el área de recepción. Era una imprudencia tener a la gente esperando. Entre ellos se hallaban el gobernador de Croacia y el jefe de la Geheim Polizei, la policía secreta. Se puso de pie para indicar el final de esa reunión que, sólo por darle gusto a su madre, había dejado que durara mucho más allá de lo decente. Pero Carlota, rompiendo flagrantemente con el protocolo, se quedó sentada. El káiser se le quedó viendo. Le pareció oírla que rechinaba los dientes. Ella se aferró con las manos a los brazos del sillón. Un rizo de su peinado le caía sobre la oreja en un ángulo peculiar. Se dio cuenta de que él se había dado cuenta. Se acomodó el pelo.

Una sombra de desesperanza cruzó por sus ojos, pero inmediatamente se vio remplazada por una expresión de hierro.

—Con toda seguridad —dijo, poniéndose de pie por fin— no esperará usted que Max venga *aquí* a firmar el Pacto de Familia.

—Puede firmarlo en Miramar.

Carlota apretó la mandíbula. Sus aretes se estremecieron.

—Lo menos que puede usted hacer es concederle la dignidad de su presencia, como káiser y como cabeza de la Casa de Habsburgo.

Él casi se echa a reír.

—¿Quieres que vaya a Miramar?

—Sí —respondió ella.

—No creo que a Max le gustara.

—Se equivoca usted.

Poco después del regreso de Carlota a Miramar llegaron las cartas. Una era de su padre, el rey Leopoldo de los belgas, recomendándole a Maximiliano que firmara el Pacto de Familia. Otra era de la madre de Maximiliano, la archiduquesa Sofía, también para aconsejarle que lo firmara. Como ya le había dicho ella a Carlota, en el palacio de Hofburg: "Como madre, me rompe el corazón, pero es demasiado tarde. Además no hay nada para él aquí; tú lo sabes mejor que nadie".

El doctor Jilek, con cara de víctima de la Gorgona, permitió que Carlota entrara. Con los ojos llenos de lágrimas, se puso de rodillas junto a la cama de Maximiliano y dijo:

—Amor mío, hice todo lo posible.

Las cortinas se hallaban abiertas, pero no había nada que ver en la bahía de Grignano. Se oyó una sirena, ahogada, como un lamento.

—Eres mi ángel —dijo Maximiliano, y le besó las manos.

Se levantó de la cama y le ordenó a su *valet* que lo vistiera.

Aeiou: *Alles Erdreich Ist Österreich Untertan* ("El mundo entero es súbdito de Austria"), el místico lema de su ancestro, el emperador Federico, había sido su credo, el credo de la Casa de Habsburgo. Él era un oficial. Era un caballero. Le había dado su palabra al papa, a Luis Napoleón, a los banqueros de París y —esto de alguna manera también contaba— al pueblo de México. Su propia madre era de la opinión que debía aceptar el trono. Y Carlota lo deseaba tan ardientemente, tan apasionadamente. Le costaba trabajo admitir que, desde hacía ya muchos meses, él mismo había sucumbido al canto de sirenas del poder. Quedarse en Europa —se dijo— habría implicado no sólo faltar a su honor, sino también aplastar las ilusiones de Carlota. Por amor a ella aceptaría. Pero una parte de sí todavía dudaba, apretaba los ojos y esperaba que de alguna manera, en virtud de alguna cosa, tal vez, fuera posible no tener que firmar el maldito Pacto de Familia.

El 9 de abril de 1864, el káiser llegó al castillo de Miramar en compañía del conde de Rechberg, siete archiduques, tres cancilleres, los gobernadores de Venecia y de Istria y una multitud de oficiales. Maximiliano y Carlota los recibieron con la pompa debida. Luego, ya solos, los dos hermanos se reunieron en el estudio de la planta baja. Era un salón acogedor que miraba al mar. Las paredes se hallaban cubiertas de paneles de madera finamente labrada, y el piso de parquet brillaba con el reflejo oval del tragaluz. Sin embargo, la habitación no lucía tan iluminada como podría haberlo estado, ya que el techo era extrañamente bajo en imitación del camarote de oficiales de la *Novara*. Viendo por la ventana, hacia la bahía, podía distinguirse la popa de esa fragata, la misma que alguna vez lo llevara a Brasil. Con hulla y provisiones y casi todas las manos necesarias a bordo, estaba esperando para conducirlos a él y a su séquito a su destino en el remoto extremo del océano. Él no quería irse. No quería quedarse.

Los dos hermanos se miraron frente a frente a través de la mesa. Ambos esbeltos como galgos, tenían la misma forma de cara, las mismas orejas grandes, aunque las de Francisco José se notaban más. El káiser tenía entonces 34 años de edad y ya había empezado a caérsele su cabello rubio, de por sí delgado. Sus ojos brillaban cálidos, pero resueltos. Maximiliano era el más alto, el que tenía las patillas más rojas y, en comparación con su hermano, resultaba extravagante. Su alteza máxima portaba su uniforme de general: blanco, con el cuello de encaje dorado, y pantalón rojo. Maximiliano llevaba su uniforme de almirante: azul de medianoche con charreteras doradas y trenza dorada en los puños.

Luego de besar la mano de su hermano, Maximiliano dio un paso atrás y se mantuvo en posición de atención (uno no puede sentarse en presencia de un emperador sin invitación expresa para hacerlo). El káiser, mientras tanto, se llevó las manos a la espalda y, respirando hondo por la nariz de cuando en cuando, comenzó a dar vueltas por la habitación en el sentido de las manecillas del reloj, según él revisando los decorados, aunque, como ambos sabían, no tenía el menor interés en eso. Buscaba el punto, el punto exacto donde, estando él a la sombra, su hermano menor se vería deslumbrado por la luz. Y esto por un tiempo que a Maximiliano se le hizo una eternidad dantesca. Parecía que, habiéndose detenido ante el bronce de Marco Aurelio, Francisco José iba a hacer un comentario. Pero se dio vuelta y, resoplando, tomó asiento en la silla más grande.

—Por favor —dijo, indicándole a Maximiliano la silla chica.

Maximiliano se sentó y se cruzó de brazos.

—No puedo imaginarme a qué viene todo esto.

Francisco José tomó primero unas almendras saladas del plato que había ahí. Las masticó concienzudamente. Luego respondió con las palabras exactas que había usado antes: que, aunque como hermano se sentía sinceramente apenado, como soberano tenía la obligación, en virtud de un juramento ante Dios, de poner en primer lugar los intereses del Imperio. Si ocurría que muriese, en cuyo caso su hijo, el príncipe Rodolfo, ascendería al trono, sería imposible tener al siguiente en la línea de sucesión al otro lado del océano, unido por un juramento de lealtad a un pueblo extraño y con compromisos financieros y militares con Francia.

—Pero éstos son mis derechos de nacimiento.

—Pero ésta es la situación.

—Yo *nunca* me habría metido en esto si hubiera sabido que éstos eran tus términos.

Le dieron vueltas y más vueltas a los mismos argumentos, hasta que Maximiliano explotó:

—¡Tú quieres deshacerte de mí!

—Max…

Desde que eran niños, siempre había sido así: "¡Me humillas!" Maximiliano dio un puñetazo en la mesa.

—Te estás olvidando de ti mismo.

Maximiliano se puso de pie y empezó a respirar con agitación. Las venas de su frente pulsaban. Tuvo que apoyarse en el respaldo de la silla. Luego, sin una palabra más para su hermano, abrió de golpe las puertas y salió a la terraza. Ahí podían verlo los hombres de la *Novara* y la *Themis*, los jardineros… no le importaba. Estaba ahí, paseándose, sorbiendo a bocanadas el aire marino, estrujándose las manos, meneando la cabeza. Hablaba solo: "No voy a dejar que abuse de mí, esto es un insulto. No voy a ir, no, no. Les voy a decir que quiero quedarme aquí. Pero voy a ser… no puedo… tengo que… ¡Dios mío!" Después de un rato, ya que se calmó un poco, permaneció allí con las manos en la balaustrada. Una pareja de gaviotas volaba arriba en círculos; abajo, un pelícano iba siguiendo su sombra sobre las crestas blancas de las olas. El agua se estrellaba violentamente contra el acantilado y las rocas. Maximiliano podía ver cómo la espuma formaba dibujos, cómo venía a lamer, destellando, el farallón. Los jirones de sargazos que flotaban. Sentía la brisa en sus mejillas. Oía el agudo chillido de las gaviotas. Si el tiempo pudiera detenerse, se quedaría ahí, exactamente ahí, como dentro de una campana de cristal. El sacrílego acto que estaba a punto de cometer —que estaba a punto de ser forzado a cometer— aún no tenía lugar.

—¡Señor!

Maximiliano se llevó los dedos a las sienes. Lentamente, se volvió. Era el *aide-de-camp* del káiser.

—Señor, dice el káiser que sería bueno que volviera usted adentro.

Rígido, Maximiliano obedeció. El káiser había salido del estudio; estaba parado al pie de la escalinata.

—Terminemos con esto —dijo, y sin esperar respuesta de su hermano empezó a subir. Maximiliano lo siguió. En el salón de Estado habría unas 30 personas reunidas. Habían estado aguardando todo este tiempo. Maximiliano se preguntó, con un nudo en el estómago, si no lo habrían visto en la terraza actuando como un lunático. La multitud se abrió en dos grupos para darle paso al káiser. El aire estaba saturado de agua de colonia, lociones para el pelo y betún para zapatos. En la mesa, sobre una carpeta marroquí de cuero verde y oro, yacían el documento y la pluma, una pluma blanca. Maximiliano sintió que el corazón se le caía hasta los pies. *Lieber Gott in Himmel,* una diminuta voz dentro de él clamaba: "Amado Dios que estás en los cielos, ayúdame".

Con mano temblorosa tomó la pluma. Ahí estaba ya: su firma. Y con ella había sacrificado lo que más caro le era en el mundo. La rabia se le empozó otra vez en la garganta. El niño que en el fondo era, quería romper el papel en pedazos y arrojar éstos al aire, dejarlos que cayeran sobre la alfombra como nieve. Apoyó la mano en el borde del escritorio. Le llevó largos instantes recuperar el aliento.

Después de eso se sirvió un banquete. Como siempre, después de cada platillo, en el momento en que su alteza máxima ponía a un lado los cubiertos, todos los platos eran retirados de la mesa. Maximiliano sólo picó la comida, pero se dio cuenta de que Carlota, sentada a la derecha del káiser, no había alcanzado a comerse más que una cucharada de *Topfenknödel* con *gelato* de chocolate. Para la una de la tarde, el káiser ya estaba en la estación del tren de regreso a Viena. Enfrente de todo el mundo rompió el protocolo.

—¡Max! —gritó, y extendió los brazos.

Con el sentimiento de una piedra, Maximiliano dio un paso adelante y se dejó abrazar.

LA CORONACIÓN tuvo lugar al día siguiente en el mismo salón de Estado. Maximiliano llevaba puesto su uniforme de almirante austriaco. Sentía la piel pegajosa, el estómago revuelto. Carlota, serena y altiva, lucía un vestido de satín color rosa y su corona de diamantes. Los mexicanos hablaron. Maximiliano leyó un discurso. Luego, el obispo de Trieste tomó su juramento y el de Carlota. El documento fue colocado sobre una mesa pequeña, pero perfecta para la ocasión: un regalo de bodas de su santidad. La redonda y negra superficie de *scagliola* se hallaba cubierta de mosaicos ovales: San Pedro, el Partenón, el Coliseo, las ruinas del Foro, el templo de Vesta, los arqueros de Séptimo, Severo y Tito.

Trompetas, tambores. Izada en un asta en la torre, la bandera imperial mexicana: un lienzo tricolor con el medallón del águila azteca coronada, parada en un nopal y devorando una serpiente.

Para Maximiliano, las siguientes tres horas se disolvieron sin sentir. Cuando despertó se hallaba de bruces sobre su escritorio, el dorso de la mano de Carlota, tan fresca, en su frente.

—Estás ardiendo —le dijo ella.

El doctor Jilek le prescribió estricto reposo en cama. Nada de visitas. Y por favor —le dijo Maximiliano a Carlota— ni una palabra sobre México. Y así fue como la emperatriz de México presidió el banquete de coronación con los delegados mexicanos, sola.

Le tomó tres días a Maximiliano volver a amortiguar el balance, pero lo hizo.

El 14 de abril, llevando a la emperatriz del brazo, descendió los escalones del muelle. Se abría paso con lentitud entre la gran muchedumbre que se alineaba a lo largo del murallón y en todo el camino desde Trieste. La gente les tocaba la ropa, les besaba las manos, gritando: "¡Que Dios los acompañe!", "*Arrivederci!*", "¡Adiós!" Rosas y margaritas caían en sus hombros y parecían navegar sobre su cabeza. La banda de música interpretaba el zumbón tamborileo del recién estrenado himno imperial mexicano, tan peculiar después de cantar toda la vida, reverentemente, el *Gott Erhalte Unsern Kaiser*: Dios salve a nuestro rey. En el extremo del muelle acechaba la pequeña esfinge de piedra, recuerdo de su viaje a Egipto. La gente se amontonaba alrededor de ella. Un niño pequeño estaba trepado en la cabeza, meciendo las piernas. Maximiliano había planeado, como era su costumbre, tocarle la nariz para que le diera buena suerte, pero le fue imposible hacer nada aparte de ayudarle a Carlota a abordar la lancha. Luego, con pasos en cierta forma tambaleantes, subió él mismo. Le dijo adiós con la mano al doctor Jilek, a todos sus leales amigos y criados.

El cielo de ese deslumbrante día tenía el color de los huevos del petirrojo. Más allá del muelle, la bahía de Grignano se veía llena de remolcadores, fragatas, vapores y lanchas de pesca. Desde las chimeneas de la *Novara* y de la *Themis* se abrían paso hacia el cielo espirales de tizne, mientras los barcos de guerra, los fuertes, la ciudad misma disparaban salvas de cañón. En medio de este clamor, llevado por el agua como si no lo impulsara el remar de los marineros sino los vítores ya asordinados de la gente de Trieste, Maximiliano miró hacia atrás: su castillo, las torres de marfil luminosas contra el firmamento, la extraña bandera tremolando en la brisa, las colinas que se levantaban detrás, ubérrimas y verdes de encinas, robles y fresnos. Y empezó a llorar.

UNA VEZ A BORDO de la *Novara*, Maximiliano se metió bajo cubierta y, dando órdenes estrictas de que no lo molestaran a menos que el barco estuviera en peligro de hundirse, se encerró en su camarote. El rumor y el traqueteo de las máquinas lo calmaron. Le pareciera como si lo hubieran asesinado y luego enviado a una especie de matriz para que de ahí renaciera, como los hindúes. "Yo soy mexicano", empezó a practicar diciendo, aunque le sonó ridículo. Se puso de pie ante el espejo con que se rasuraba: "Yo soy el emperador de México". Se quedó ahí, en angustiada comunión consigo mismo, hasta después del desayuno del día siguiente.

Luego se reunió con los otros en la cubierta. Ahí estaba el conde Karl "Charlie" Bombelles, cuyo padre había sido su instructor, y el viejo profesor Bilimek, el botánico, y Schertzenlechner y Monsieur Eloín: toda una partida de consejeros expertos y algunos de sangre azul. La emoción de hallarse ante la aventura de su vida corría por sus venas, abrillantando sus ojos y haciéndolos reír por cualquier motivo.

Navegaron siguiendo la costa de Apulia: Trani, Bari, Brindisi, la antigua Brundisium desde la cual Octavio zarpó para ir a conquistar a Marco Antonio y a Cleopatra. Para cuando remontaron la costa de Calabria, su humor era excelente. Pasaron sin problemas por el estrecho de Messina. Del otro lado alcanzaban a vislumbrar la humeante isla de 900 metros de alto de Stromboli. Para el atardecer se encontraban ya suficientemente cerca como para poder ver las cabras que pacían en su escarpado flanco. Cuando el sol se hundió detrás del volcán, el cono se tornó en el más exquisito matiz de lavanda crepuscular, y el mar se volvió sangre. Era una de las puestas de sol más sublimes que él, que sabía de puestas de sol, había visto jamás. Esa noche, la luna creciente vino a pulir las olas, y las pavesas del Stromboli se pusieron a danzar, geniecillos rojos, en medio del aire. Las estrellas formaban un dosel de diamantes. "Dios ha bendecido esta empresa", dijo Carlota y, otra vez, Maximiliano le besó las manos.

Al día siguiente, cuando quedaron envueltos en la niebla y no pudieron ver el Vesubio, él se sintió abrumado de melancolía, pero tampoco eso duró. En Roma, donde la recepción de su santidad fue más de lo que cualquier soberano hubiera podido esperar, se sintió joven otra vez, con energía de sobra para subir al monte Palatino y luego pasear por el foro, dejando atrás con las damas a su cicerone, o guía, un pintor alemán. Iba saltando sobre el cascajo y las columnas caídas. Charlie fue el único que pudo seguirle el paso; Schertzenlechner y Eloín se quedaron atrás, los dos gordos sudando como un par de caballos de tiro. A causa de la fiebre romana era imprudente andar afuera al atardecer, pero simplemente se sentía a prueba de balas. Fueron a ver el Coliseo a la luz de la luna, y su cicerone les describió todo tan vívidamente que, como dijo estremeciéndose el ama de llaves imperial, Frau von Kuhacsevich— podían oír el rugido de los leones y los gritos de los mártires cristianos.

Visitaron los baños de Tito y el Panteón, esa excelsa obra de genio encargada por el emperador Adriano, donde tuvieron el sobrenatural privilegio de ver una neblina luminosa descendiendo desde el *oculus*. Admiraron la fuente de Trevi, del barroco tardío. Dieron un paseo por los jardines de la Villa Borghese con sus magníficas estatuas y sus árboles y arbustos de los cuales goteaban flores de los más exquisitos aromas. Venía a la mente la sentencia de Goethe: "Sólo en Roma puede uno educarse para Roma". La ciudad de Miguel Ángel, Maderno, de Borromini y Bernini y de todos los espectros de los emperadores del pasado; la Ciudad Eterna, cuna de la civilización, del arte de la arquitectura y de la majestad sin paralelo… cómo hacía al espíritu volar… y luego caer. Porque, después de Roma, ¿la ciudad de México? Habiendo estado en Río de Janeiro, Maximiliano bien podía imaginarse lo que iba a encontrar: gente con aspecto de niños cuyo sentido del gusto se hallaba sólo en su boca.

Durante el mes que duró la travesía a América, su estado de ánimo se mantuvo cambiando en oleadas: ira, entusiasmo galopante, amargura, gratitud. Carlota se veía con frecuencia pálida a causa del mareo. Pasaban la mayor parte de los días encerrados en sus respectivos camarotes, trabajando. Ambos comprendían la regla de hierro de un gobierno ordenado; la fortaleza, por así decirlo, que defendía la paz y la prosperidad del pueblo contra la anarquía criminal: que el prestigio del soberano se conservara y mantuviera por medio de un protocolo elaborado y rígidamente respetado. Había mucho qué hacer: detallar reglas de etiqueta, organizar la corte, definir categorías y rangos, asignar privilegios, crear medallas de honor. Todas las tardes se reunían para tomar el té y comparar sus notas. A Maximiliano le resultaba cansada la inteligencia de las mujeres —se ponía a la defensiva cada vez que Carlota contradecía algo que él hubiera escrito—, pero agradecía que le ayudara. Estaban creando una monarquía desde los cimientos: una tarea titánica. Como hija del rey Leopoldo de los belgas, prima en primer grado de la reina Victoria de Inglaterra y nieta del rey Luis Felipe de Francia, Carlota era un experta en protocolo. No obstante, a Maximiliano le parecía que era demasiado joven y estaba más que tantito enamorada de la pompa. Ella reclamaba que no, pero era obvio: se gloriaba en la pompa. En Milán, cuando él era el virrey, Carlota estaba tan emocionada de ser virreina que no podía esperar para salir al balcón de su palacio a recibir las aclamaciones de sus súbditos. Con la delegación mexicana fue lo mismo, ¡y en el palacio de Hofburg! Cómo se complacía en su altura, en el hecho de ser igual en rango a su cuñada la emperatriz Sissi. Carlota era como un perrito con un hueso de pollo. Era un defecto de su carácter: él ya se lo había hecho ver muchas veces.

Pero Carlota veía por él. Lo apoyaba. Siempre antepuso su interés al suyo propio, como debía hacerlo una buena esposa. No era la primera mujer que amaba, pero le habría confiado su vida. Una mañana plácida, justo al sur del paralelo 13, hubo un raro instante en el que se quedaron solos en la cubierta de popa. El agua se agitaba color turquesa. Dos delfines venían saltando en la espumosa estela que desde el barco se desenrollaba hacia esa inmensidad que parecía fundirse con el cielo. Hacia el oriente, a unas veinte leguas de distancia, venían barriendo los nubarrones de una tempestad.

—¿No son hermosas criaturas? —dijo Carlota.

Fue tal vez la dulzura de su rostro mientras contemplaba esos delfines desde la frescura de su sombrilla, o tal vez fue que llevaba el cabello cubierto con una mascada de seda azul apenas un tono más oscura que el mar, que le hizo recordar una cierta *madonna* de Botticelli… el caso es que Maximiliano abrió su corazón. Confesó que aunque estaba, como dicen los ingleses, *taking it coolly*,[1] tenía que firmar el Pacto de Familia…

---

[1] Tomándolo con calma.

—Lo sé —respondió ella.

Los ojos de Maximiliano se llenaron de lágrimas. Había tratado de enterrar su ira, pero surgió de nuevo, amarga, en su garganta.

—Pues así fue —dijo él, temblando—: injusto.

La emperatriz se apoyó su sombrilla en el hombro y se volvió a mirarlo. Los poros de su nariz se dilataron:

—La injusticia más grande.

Al día siguiente, él se quedó atónito y a la vez hondamente conmovido cuando Carlota entró a su camarote con un borrador de —Maximiliano parpadeó dos veces al leer la perfectamente trazada caligrafía— un "Repudio al Pacto de Familia". No se le había ocurrido protestar. Pero ella, que se pasó despierta casi toda la noche consultando los libros de derecho que había en la biblioteca del barco, argumentó que, en primer lugar, el Pacto de Familia era inconstitucional: una modificación en el orden de sucesión al trono no podía proceder por medio de un documento como ése; en segundo lugar, Maximiliano no había sabido nada de él hasta el último momento, cuando fue forzado a firmarlo, y en tercer lugar, ni siquiera había podido leerlo en su totalidad. Por lo tanto, concluyó, el Pacto de Familia no podía considerarse con valor legal.

—¡Justo en el blanco! —exclamó Maximiliano—. Pero —se jaló la barba—… no sé… tal vez no sería prudente enviarlo.

—Bueno, ¿no es para eso que tenemos consejeros?

Tenían a bordo dos cancilleres, al buen Schertzenlechner y a Monsieur Eloín, más un ingeniero de minas belga que el padre de Carlota, el rey Leopoldo, les había recomendado (preciso es aquí decir que ninguno de ellos hablaba español; no es que eso tuviera nada que ver en esta situación en particular, pero era muy revelador).

Después de que tanto Schertzenlechner como Eloín hubieron leído el borrador, Maximiliano dijo:

—Caballeros, me siento inclinado a firmarlo. Pero tengan ustedes la gentileza de darme su opinión imparcial.

Monsieur Eloín se volvió primero a Carlota. Ella asintió, casi imperceptiblemente. Monsieur Eloín se dirigió entonces a Maximiliano:

—Le aconsejaría a su majestad que lo firmara.

Maximiliano se le quedó viendo a Schertzenlechner. No hacía mucho que éste era un simple *valet*, de ninguna manera la clase de consejero que podía esperarse de un archiduque, ya no digamos de un emperador, pero Maximiliano apreciaba su destreza en el billar y su rusticidad, que tomaba por honestidad de campesino:

—¿Y tú?

Schertzenlechner, sentido porque no le habían preguntado a él primero, hizo un puchero.

—Bueno —esperó un instante, a fin de dar tiempo a que toda la atención se concentrara en él—. Bueno —repitió—, más vale temprano que tarde.

—¿Qué quieres decir?

—Que lo sepan de una vez: no pueden darle una patada a su majestad así como así.

—¡Correcto!

Pero, para estar absolutamente seguro, Maximiliano mandó llamar al conde Karl Bombelles. Charlie, como le decía, venía a la cabeza de la Guardia Palatina. Poseía una brújula precisa para calcular en qué punto las necesidades de Maximiliano coincidían con las suyas. Y tenía una manera de ser tersa, achocolatada, la voz ronca, la nariz larga, igual que los dedos, ojos de hurón, una barba erizada que lo hacía ver como de mandíbula protuberante y un bigote que le cubría la boca. Venía de la sala de billar y olía a cerveza.

—Usted es un Habsburgo —dijo Charlie—, con documento o sin documento. Ésa es la verdad de Dios, señor.

Maximiliano firmó de una vez el repudio, y lo hizo con tanta fuerza que casi rompe el papel. Hizo su firma más grande que antes y más elaborada la curva que la subrayaba. El sobre fue sellado con cera escarlata sobre la cual quedó impreso su monograma imperial: MIM, por el lema en latín, *Maximiliano Imperator de Mexico*. En el siguiente puerto que tocaron, Fort-de-France en la isla de Martinica, este documento fue entregado a un paquebote francés. Luego se despacharon telegramas al efecto a todas las cortes de Europa.

Maximiliano habría podido enviar lo mismo un costal de pescado podrido. En una carta que llegó a la ciudad de México dos meses después, el padre de Carlota, el rey Leopoldo de los belgas, los reprendía a ambos y decía que había tenido que trabajar a marchas forzadas para evitar un conflicto en las relaciones Austria-México. Ningún otro gobierno se dignó comentar. Infortunadamente, como el telegrama se había transmitido vía Nueva Orleans, los agentes de Juárez lo descubrieron y recibieron la noticia antes que nadie. "Ya ven", se burlaban los republicanos: "Maximiliano ha venido a México de mala fe".

A PESAR DE LA CENSURA FRANCESA, para la primavera de 1865, Angelo de Iturbide ya estaba enterado de los rumores acerca de la protesta de Maximiliano por el Pacto de Familia, pero, tal como le comentó a su hermano mayor, Agustín Gerónimo, no sabía uno en qué creer. Después de todo, en lugares aislados del norte de México, los combates continuaban entre los franceses y la guerrilla. De todos lados llovían mentiras.

Agustín Gerónimo respondió con uno de los refranes de su mamá: "No firmes carta que no leas, ni bebas agua que no veas". Cualquiera que fuese la verdad o la mentira en esa historia sobre el llamado Pacto de Familia, lo cierto era que el segundo emperador de México había tomado posesión de su reino sin ser visto.

Se les había ocurrido a los hermanos Iturbide que Maximiliano se habría puesto a pensar en lo que le pasó a su padre, don Agustín, aunque tal vez no habían llegado a sus oídos los detalles más escabrosos. En sus momentos más amargos, y de éstos hubo muchos, Madame de Iturbide había dicho con frecuencia: "Los mexicanos son un pueblo que no merece a sus héroes".

El barco de Maximiliano se esperaba en Veracruz cualquier día. Esa mañana, el general Almonte y su esposa, junto con un grupo de los más entusiastas conservadores, había partido hacia la costa, todos fuertemente escoltados.

Pocas veces los hermanos Iturbide revelaban sus ideas políticas. Pero en la sala de la casa de Angelo, a una hora en que las mujeres ya se habían retirado, las ventanas se hallaban cerradas y las cortinas corridas, con una botella de coñac ya vacía y una partida de dominó por empezar, el hermano más joven, Agustín Cosme, empezó a hablar:

—Si las barbas dieran sabiduría, los chivos serían profetas.

Angelo dijo:

—¿Le ves cara de tonto a Maximiliano?

—La nave de los locos —respondió el mayor de todos, Agustín Gerónimo, haciendo un ademán con su pipa para indicar que no tenía interés en el tema. O tal vez quiso incluir en su comentario a toda la creación.

La brisa que sopla en un bosque de otoño

Corría junio de 1864, época de lluvias, cuando Maximiliano y Carlota llegaron a la ciudad de México. No obstante, como si el Todopoderoso mismo hubiese querido mostrar alegría, ese día el cielo parecía un vidrio recién lavado de tan claro. Miles de personas llenaban la calle más importante de la capital, la calle de San Francisco; cientos más aguardaban bajo el sol en azoteas y balcones. Se había erigido una serie de arcos triunfales de madera y argamasa, cada uno de lado a lado de la calle y tan altos como un edificio de cinco pisos. Eran el "Arco de la Paz", el "Arco de las Flores", y así seguía la serie, con figuras alegóricas, cornucopias, inscripciones elaboradas: "Oh Carlota, los jardines de flores de México te saludan con palmas, rosas y laureles". Durante días, esta calle había sido escenario de un frenesí de martillos y herramientas; los baches se rellenaron con arena, las banquetas se barrieron; decoraron los balcones con gallardetes y arreglos florales y con la bandera imperial de México, verde, blanca y roja. De nuevo, la policía anduvo en la mañana repartiéndole a la gente costales de flores para que las aventara. Los mejores balcones se rentaban a 80 y a 100 pesos por cabeza. Según decían, un periodista le había ofrecido a una tal Mrs. Yorke hasta 500 pesos por el suyo.

Angelo y Alicia de Iturbide, sin embargo, no pudieron disfrutar su mirador privilegiado del año anterior, cuando el ejército imperial francés pasó marchando por la misma calle; en protesta a las ambiciones de Francia sobre el hemisferio que consideraba de su cartera de responsabilidades, Estados Unidos había llamado a su ministro, Mr. Thomas Corwin, de regreso a Washington. El edificio que ocupara la legación estadounidense, vacío durante no más de lo que lleva silbar una tonada, servía ahora para alojar a oficiales franceses. Desde el balcón del comedor de los Iturbide, en el tercer piso, si uno se asomaba por los barrotes del lado extremo derecho, podía ver un pedacito de la calle principal. Angelo y sus hermanos no se dejaron tentar por la ventana. Se quedaron en la mesa, fumando y jugando dominó. Habían dejado al bebé en su recámara con su nana; todos podían oírlo berreando y a ella tratando de arrullarlo con una canción de cuna. Alicia y Pepa llevaban ya un rato esperando en el balcón. El sol estaba fuerte. En ese reducido espacio, las sombrillas pegaban una contra la otra a cada rato.

La idea de ver cómo esos extranjeros eran celebrados igual que lo habían sido sus padres le traía a Pepa recuerdos que le estrujaban el corazón. De por sí ya estaba de mal humor porque un promiscuo número de miembros de la sociedad mexicana había sido convidado esa noche a ver los cohetes desde la azotea del palacio imperial, y nadie de su familia estaba en la lista de invitados. Esa lista debían de haberla urdido el general Almonte con su esposa y su ralea: la clase más ínfima de trepadores y artistas charlatanes.

Podían oír hasta ahí los tambores, pero el desfile no parecía estarse acercando. Cerrando de golpe su sombrilla, Alicia dijo:

—¡Qué lata! Vámonos adentro.

—Sí —respondió Pepa—. Vámonos —y fue la primera en meterse.

En el transcurso de una semana, las tiendas quedaron inundadas de tarjetas de visita, fotografías coleccionables de la pareja imperial. Doña Juliana de Gómez Pedraza, la anciana casera de los Iturbide, observaba las más recientes con su impertinente de aros de carey. Los martes eran su día de recibir. Devolviéndole la *carte de visite* a su dueña, Mrs. Yorke, doña Juliana observó secamente:

—En persona, a Maximiliano se le ve la barba más roja de lo que uno pensaría.

—Oculta un mentón débil —comentó Pepa. Tomó la tarjeta de visita y, apenas mirándola, se la pasó a Alicia, que estaba sentada junto a ella en el sofá, suficientemente cerca para que sus codos se tocaran.

Alicia se puso a verla con una lupa.

Desde el sofá opuesto, Pepita de la Peña, la sobrina de 16 años de doña Juliana, dijo:

—No creo que esté tan mal, pero sus dientes…

—¿Dijiste "sus dientes"? —Pepa tuvo que ponerse la mano en la oreja para poder oír. Se le quedó viendo incrédula a Pepita de la Peña—. Niña, ¿puedes ver *eso* sin lupa?

Mrs. Yorke, que ya llevaba muchos años en México y cuyo español era excelente, dijo:

—Pues es una muy buena fotografía.

Pepa le echó una mirada languideciente:

—He visto mucho mejores.

A pesar del comentario, Alicia se puso a examinar con la lupa el otro extremo de la foto: los zapatos de Maximiliano. Eran muy diferentes. Puntiagudos. Volvió a meter la foto en su marco en el álbum de Mrs. Yorke. Había dos *cartes de visite* en cada página, cada una de cartón grueso con su borde dorado. El álbum mismo, de cuero finamente trabajado y con un broche de bronce que parecía inspirado en el portón de algún monasterio medieval, era del tamaño y grosor de un ladrillo. Alicia volvió la página. El corte y la calidad de esa ropa era para quedarse con la boca abierta. Alicia se puso a estudiar el vestido de la emperatriz: el diseño de los pliegues y el encaje festonado de las mangas, y qué tenía en el pelo y el volumen exacto de su peinado. "Carlota", la llamaban los mexicanos en lugar de Charlotte. Tan fácilmente como ella, abracadabra, se había convertido en Alicia.

—¡Ay, cómo! Yo no me atrevería a decir que Carlota se ve hogareña —doña Juliana estaba discutiendo con Mrs. Yorke.

Se pusieron a viborear otra fotografía, haciendo comparaciones con lo que habían vislumbrado un día en que tuvieron la suerte de ver pasar el landó imperial. Casi todos los días, el emperador pasaba de prisa por la calle de San Francisco, levantándose la chistera para saludar a los entusiastas simpatizantes que lo vitoreaban. El carruaje de Carlota, asimismo, andaba con frecuencia de aquí para allá, como contaba en detalle el nuevo periódico, uno de color durazno que se llamaba *La Sociedad*. Su majestad tenía una apretada agenda de visitas a escuelas, hospitales y orfanatos, aunque no al que desde hacía mucho tiempo patrocinaba doña Juliana, viuda del presidente Manuel Gómez Pedraza. Miembros menores de la sociedad mexicana ya habían recibido atenciones, pero a ninguna de estas damas, excepción hecha de Mrs. Yorke, la habían invitado a las tertulias del palacio imperial ni a las cenas en la residencia imperial, el castillo de Chapultepec. Resentimiento y esperanza, como vinagre y jugo de naranja, hacen una mezcla poco apetecible. Para decirlo con todas sus letras, las jerarquías de la sociedad capitalina estaban siendo crudamente reorganizadas por una sarta de extranjeros ignorantes, junto con el general Almonte y su esposa y sus achichincles. Todos eran completos donfulanitos, que simplemente habían tenido la suerte de hacerse escuchar por el emperador en esas primeras, doradas semanas. Pero, bienvenidos o no, adorados o desdeñados, Maximiliano y Carlota eran un tema de interminable fascinación. Ningun miembro de la realeza europea había puesto jamás un pie en México. Ni en Washington, excepto por la visita del príncipe de Gales, que para la inconsolable desilusión de Alicia había tenido lugar en 1860. Le contaron todo en cartas que se tardaron siglos en llegar.

—¿Gales? —preguntó Pepita de la Peña—. ¿Dónde queda eso?

Alicia se tapó la boca para ocultar su sonrisa. Con orgullosa auto-suficiencia, Pepa dijo:

—Eso no importa, Pepita linda. El príncipe de Gales no vive ahí: es nada más el título que se le da al príncipe heredero de Inglaterra.

Pepa era un manantial de información sobre la genealogía real. La consanguinidad era la regla, declaró. En otras palabras, toda la realeza estaba emparentada. Carlota, por ejemplo, era prima en primer grado de la reina Victoria, tal como su padre, el rey Leopoldo de los belgas, era hermano de la madre de la reina Victoria. Y su primera esposa era la princesa de Gales, que murió de parto. Después de eso los belgas lo aceptaron a condición de que se casara con la hija del rey Luis Felipe de Francia, que…

—¡Ahí hay un berenjenal! —interrumpió doña Juliana. Le molestaba la condescendencia con que Pepa trataba a su sobrina; sin embargo, después de esa advertencia ya no dijo nada; se acomodó en su asiento y se puso a jugar con su mantilla de encaje negro.

—¿No le cortaron la cabeza a ese rey? —preguntó Pepita.

—No, no —Pepa corrigió a la nietecita de doña Juliana—. Estás confundiendo a los Borbones con los de Orleans. El abuelo de Carlota, el rey Luis Felipe, abdicó en 1848 y posteriormente murió en exilio.

—¿Dónde? —preguntó Pepita.

—En Inglaterra —le respondió Pepa.

—Entonces conoció al príncipe de Gales.

—Puedes estar segura.

Pepita de la Peña, una belleza inmaculada, con sus largas pestañas, tenía el rostro de un arcángel, al mismo tiempo infantil y muy mujer, y con un toque (tal vez fuera el hoyuelo en su barbilla) masculino. Era excepcionalmente hermosa, aun en su consternación:

—Pero… ¿qué pasó entonces con su reina, ésa a la que le cortaron la cabeza?

—Que no, te digo, ése fue otro rey: el rey Luis XVI, la Revolución, 1789, todo eso. El abuelo de Carlota, Luis Felipe, ascendió al trono mucho después, en 1830.

—Um… ¿entonces Luis Napoleón es tío de Carlota?

Esta vez, Alicia tuvo que agacharse a toser para disimular su risa.

En muchas ocasiones, Alicia y Pepa se habían puesto a comentar sobre el aterrador nivel de lo que en México se llamaba "educación", especialmente para las mujeres. Una como Pepita no sabría la diferencia entre Roma y Ragusa o entre *La Ilíada* y *Ivanhoe*. Su francés, aunque respetable en términos de vocabulario y gramática, adolecía del acento más atroz. ¿Su inglés? No existía. Y lo mismo podría decirse de su dote. ¿Qué esperanza había para ella?

Más tarde, ya que se subieron a su piso y la nana le dio el bebé a su madrina, Alicia dijo:

—Hermana, tienes tanta razón respecto a la importancia de la educación. Yo de verdad quiero…

Pepa terminó la frase:

—… lo mejor para nuestro Agustín.

—Sí —Alicia se acercó a su bebé detrás de la tía, de modo que pudiera besarle sus ricitos. No había sacado nada de Pepa, pero se parecía a su madre y, todo el mundo lo decía, había salido igualito a su abuelo paterno, Agustín I.

Mientras su consentidora tía se lo levaba otra vez escaleras abajo, él dijo en inglés:

—*Goo bye.*

—*Tootle-oo* (adiosito) —le respondió su madre, moviendo los dedos en señal de despedida.

Con Mimo, su conejo de juguete, en la mano, el niño le respondió igual.

El invierno de 1865 vio el primer baile formal en el palacio imperial y, por fin, los Iturbide fueron invitados o, como el cuñado mayor de Alicia, Agustín Gerónimo, sarcásticamente lo puso, se les mandó llamar.

La noche indicada, a la hora indicada (se les había avisado que a los que llegaran tarde les iban a cerrar la puerta), su calesa iba avanzando lentamente entre la multitud de indios y mirones. En la entrada principal del palacio, unos zuavos franceses, armados con rifles y garrotes, mantenían a raya a la muchedumbre para que los invitados pudieran bajar. Sobre la azotea, iluminada alternativamente con lámparas rojas y verdes, la Vía Láctea destellaba en un cielo frío. Bajo sus "mantones", como les decían a sus chales chinos de seda bordada, Alicia y Pepa llevaban vestidos de satín y tul, no nuevos, qué pena, sino arreglados por el mejor modista de la ciudad de México para que lucieran como los más recientes modelos importados de París. El escote de Pepa brillaba con uno de los collares antiguos de su mamá. Alicia llevaba las perlas de su abuela y unos aretes, regalo de su esposo por el nacimiento de su hijo, que también eran de perlas. Les habían avisado que el protocolo de un baile imperial era elaborado y estricto. Los hombres debían hacer caravanas, las mujeres doblar la pierna, y nadie podía dirigirle la palabra a una alteza a menos que se le hablara. Alicia sabía de esas cosas nada más por sus lecturas. En comparación con eso, una *levée* de la Casa Blanca, con su campesino de presidente, no era más que una pachanga de aldeanos. ¡Ay, ese lugarcillo a la orilla del Potomac, con sus burócratas consulares de tercera clase, era como un pato al lado de una verdadera águila! ¡Como un burro al lado del elefante de un pachá!

¡Si aquellas muchachas de la plaza Lafayette y de Georgetown pudieran verla ahora!

Y pensar que hubiera alguien que la miró con menosprecio porque se casó con un mexicano y se vino a vivir a México. Las cosas iban a ser radicalmente distintas con un Habsburgo aquí, eso le quedó claro a Alicia desde el momento en que alcanzó a ver a los guardias palatinos: vikingos con abrigos blancos como la nieve y cascos de plata que lanzaban destellos a la luz de fantásticas antorchas; adentro, las pantagruélicas arañas venecianas de lágrima derramaban su luz sobre la crepitante masa de huéspedes perfumados, diplomáticos y oficiales en uniforme, civiles de frac y corbata blanca, las mujeres relumbrantes con sus joyas. Cientos de personas, en realidad mil tal vez, estiraban el cuello. ¿Quién estaba invitado? ¿A quién se podía reconocer? "Don Roberto, ¡qué gusto!", "Ceci, ¡qué tal!" Alicia reconoció a una condesa mexicana, al capitán de la caballería húngara que se hospedaba en su calle, al embajador belga y, con un gigantesco cinturón de terciopelo y un diamante del tamaño de un garbanzo en su corbata, a don Eusebio, el hombre más rico de México.

Un murmullo rezumbante llenaba el aire al pie de la escalinata. Entre besos a las amistades y apretones de mano a los conocidos, el enjambre iba subiendo los peldaños alfombrados de rojo, pasando tapices, jarrones de Sèvres, fantásticos ramos de flores con forma de pavorreales. Una vez en el pasillo principal, todavía agarrada al brazo de su esposo, Alicia miró por casualidad hacia arriba: ¡las vigas de cedro tenían un baño de oro! Resultaba difícil creer que esto era la misma ruina infestada de piojos donde doña Juliana de Gómez Pedraza se había negado a vivir, allá en la década de 1830, cuando su esposo fue presidente por un breve lapso. Ni siquiera el suegro de Alicia había vivido allí (el así llamado palacio del emperador Iturbide, en la calle de San Francisco, era ahora el hotel de diligencias).

Más aún, sus majestades estaban usando este palacio sólo para recepciones formales; aunque tenían habitaciones aquí, habían establecido la residencia imperial en el castillo de Chapultepec, que antes era el Colegio Militar (esto Alicia lo entendía perfectamente porque, como les había comentado a Mrs. Yorke y a otras personas, la residencia de su familia, Rosedale, se hallaba a una distancia igual de cómoda de la ciudad de Washington). Si el interior del castillo de Chapultepec era la mitad de suntuoso que esto, debía ser como de cuento de hadas, pensó Alicia, apretándose con la mano el corazón que le latía acelerado y con la esperanza de que un día la invitaran también allá.

El palacio imperial se extendía a todo lo largo del costado oriental de la Plaza Mayor. Los salones asignados al baile formaban una extravagante serie de pisos de parquet brillantemente iluminados, uno tras otro, todo cortinajes y espejos y candelabros, hasta que hallaban su fin ante las puertas cerradas del salón del trono.

A las 9:00 horas se cerró la entrada de la calle, y el maestro de ceremonias, con ayuda de una batuta de plata y dos asistentes, dividió en dos a la multitud: las damas alineadas a lo largo de un muro, los caballeros enfrente. El barullo se convirtió en susurros y luego en un repentino silencio. Alicia se paró de puntas: sí, las puertas del salón del trono se habían abierto.

Pronto pudo ver a Maximiliano en su uniforme de general mexicano, saludando a los hombres, y a la emperatriz, seguida por sus damas de honor, avanzando ante la fila de mujeres. Llevaba su pelo oscuro arreglado en forma de cojín sobre las orejas. No portaba diadema sino, a la española, una sola rosa color sangre. Su collar y sus pulseras eran de diamantes; lanzaban destellos a la luz de los candiles. Su vestido era de brocado verde menta y escarlata, con una cola de encaje de hilo de seda. Avanzaba grácilmente, con una altivez contrastada de cuando en cuando por la más leve de las sonrisas. Junto a

Alicia, dos señoras chaparritas y rotundas que se abanicaban nerviosamente empezaron a murmurar y a reírse.

—¡Shsh! —las regañó Pepa.

Requería un verdadero esfuerzo quedarse junto a la pared; todo el mundo quería ver bien a la pareja imperial, que se acercaba, pero uno de los asistentes del maestro de ceremonias los hacía retroceder siempre. Alicia podía oír ya las conversaciones. Carlota murmuraba *"Enchantée"* y hacía alguna pregunta sobre las obras del telégrafo o decía suavemente, en español: "Buenas noches". La emperatriz hablaba en el idioma de cada dama a la que se dirigía: una palabra en castellano aquí, flamenco allá, alemán o francés o inglés. ¡Esta hija del rey de los belgas hablaba no menos de siete idiomas! Alicia sentía mariposas en el estómago. Parpadeó y se llevó la mano a sus perlas: ¡había llegado su turno! Hizo la cabeza hacia adelante y se inclinó en la reverente caravana que había estado practicando toda la semana. Una vez que volvió a su posición normal, le sorprendió descubrir que ella y la emperatriz eran exactamente de la misma estatura.

—Buenas noches, señora —dijo Carlota. Repitió el saludo, con una ligera inclinación de cabeza, sus diamantes lanzando destellos, cuando Pepa bajó la cabeza (como tenía una dolencia en la cadera, no pudo hacer la reverencia).

La emperatriz estaba a punto de pasar adelante cuando Madame Almonte, la Dama Mayor, se apuró a susurrarle algo al oído.

Carlota se inclinó hacia Alicia y le dijo en un español perfectamente pronunciado, deliberado, innaturalmente lento:

—Señora de Iturbide, es un placer para nosotros recibirla aquí.

—*Ma'am, oh, delighted!* —a Alicia le salió la frase en inglés, en voz extrañamente alta.

—Ah, habla usted inglés —observó Carlota, cambiando a este idioma.

—¿Sí? ¿Lo hablo? Ay, ay, yo…

—Es de Washington —interrumpió Pepa.

—Muy bella ciudad, según he oído, con los bulevares de Monsieur L'Enfant —y, antes de que Alicia pudiera recuperarse, Carlota ya había avanzado y estaba saludando a la esposa del ministro mexicano del Exterior.

LA MÚSICA DE LA ORQUESTA hizo erupción. Sus altezas tomaron asiento en sus tronos bajo el dosel de terciopelo escarlata. La plataforma para éstos se hallaba cubierta con la misma gruesa alfombra roja que corría a todo lo largo del pasillo y la escalinata. Muy erguido en su asiento, Maximiliano descansó sus delgados brazos en los del trono y cruzó los tobillos. Carlota se sentó con las manos enlazadas; en su regazo, sus pulseras le lanzaban chispas que parecían pecas de luz en su garganta y en su rostro. Maximiliano y Carlota se pusieron de pie; él la tomó de la mano y la condujo a la pista de baile. Abrieron con una cuadrilla y luego se retiraron a sus tronos.

La pareja imperial se quedó sentada, observando en silencio y —le pareció a Alicia— con ternura cómo, en ese crepitante torbellino de tules y satines, las damas y sus caballeros se reunían y, con ayuda del maestro de ceremonias y sus asistentes, tomaban sus sitios en la pista de baile. Era un cuadro que Alicia nunca olvidaría en tanto viviera: en uno de los espejos se vio a sí misma, su pelo rubio coronado con una guirnalda de rosas amarillas en miniatura, su menuda mano enguantada en la de su esposo y, a izquierda y derecha y detrás de ellos, las filas de los otros bailarines, tantos espléndidos uniformes, vestidos en todos los colores del ramo de flores más opulento. Se vio bailando como nunca había bailado antes, con una ligereza y una precisión tales que parecía que la música —ba-bum, tra-la— era su propio corazón galopando, cantando. ¡Oh, seguro que de sus zapatillas, como de los tobillos de Mercurio, habían brotado alas!

Cuando la orquesta hizo su receso, con toda la estampida de gente, Alicia quedó separada de su esposo. Anduvo errante, abanicándose, acomodándose algún cabello fuera de lugar (el baile había hecho travesuras en su peinado). Una de las puertas de los balcones estaba abierta y dio la casualidad que, yendo ella para allá, tres oficiales que habían estado disfrutando el fresco aire nocturno pasaron rozándola. Se le quedaron viendo groseramente de arriba abajo.

—*Bonsoir, mademoiselle* —dijo el último, un capitán, con tono cochambroso.

—*Madame* —lo corrigió Alicia, cortante.

Así que tenía el balcón para ella sola. Abajo, en la vasta Plaza Mayor, se extendía una vista impresionante: cientos de caras miraban hacia allá en silencioso arrobamiento. La luz de la luna proyectaba sus sombras sobre el pavimento. Algunas de esas personas empezaron a señalarla. Detrás de ella, la música comenzó otra vez, excitante, elevándose en los aires. Por primera vez, Alicia se dio cuenta de que ellos también, los humildes, envueltos en sus cobijas, habían estado ahí escuchando. Nunca habían oído una música como ésa, nunca habían visto tanto refinamiento, y todo el viejo palacio, antes tan abandonado, ahora palpitaba de luz… como con voluntad propia, su mano se levantó: Alicia iba a saludar pero, en lugar de eso, se llevó a los labios la mano enguantada. "Así se ha de sentir ser parte de la realeza", pensó. Un sentimiento intoxicante, todavía más intoxicante de saber que su propio esposo había sido, hacía mucho tiempo, un verdadero príncipe. Si la historia se hubiera desarrollado de manera distinta, ahora sería el solterón de su cuñado Agustín Gerónimo quien estuviera sentado en ese trono. "¡Imagínense!", pensó. Su propio esposo sería príncipe heredero. Toda la gente la conocería como —lo susurró en voz baja—: *La princesa Alicia*.

El fresco de la noche hizo que se le erizara la piel en sus brazos desnudos, pues no era capaz de dejar ese mágico puesto en las alturas. Su esposo ya la hubiera regañado severamente; los mexicanos tenían esa idea de que exponerse al aire frío de la noche podía causar dolores de oído o paralizarle a uno la cara. Gente todavía más rudimentaria, creía que la noche era el territorio de los fantasmas, los espantos y toda clase de *nagualli*. Tanto era el poder magnético de la realeza que había podido sacar a esas personas que estaban allá abajo al aire nocturno de las calles. El pavimento debía de estar horriblemente frío, pensó. Se preguntó si algunos de ellos no tendrían hambre. Se mordió los labios. No pudo contenerse más: temblando ligeramente levantó su mano derecha. Pero sólo una persona le respondió el saludo. Era un policía a caballo.

DESPUÉS DE LA CENA de medianoche, Angelo quería ir a sentarse, pero Alicia insistió en que siguieran bailando: el vals, el chotis y la redova, la habanera… ya tenía ampollas en los pies, pero seguía dando vueltas, la cabeza ligera con tantas copas de champaña rosada. Estaba segura —extraño, pero *así lo sentía*— de que, desde sus tronos, Maximiliano y Carlota los observaban. Sus fantasiosas reflexiones se habían convertido en una noción persistente, rutilante: que ella hubiera sido —lo susurró de nuevo—: *"La princesa Alicia"*.

—¿Qué, mi amor? —le preguntó su esposo.

Ella se echó a reír y le apretó el brazo y en ese momento sintió que él se tropezaba. Había empezado a gotear cera de las arañas al parquet; uno tenía que tener cuidado, le dijo Angelo. Él ya había tenido suficiente de baile. Enjugándose la frente con su pañuelo, sacó a Alicia de la pista. Ella hizo un puchero. No había nada qué hacer más que ir a sentarse con su cuñada en una de las bancas con tapicería de brocado.

—Demasiado pudín —comentó Pepa agriamente. Tenía la cara sonrojada y, como había perdido su abanico, estaba haciéndose aire con el programa musical. Alicia le agitó la mano a Madame Almonte, pero ésta se pasó de largo, como un barco imperturbable en otro mar.

Para hacer conversación, Alicia preguntó:

—¿Y nuestro hermano, Agustín Gerónimo?

—Quién sabe.

—¿Bailaste?

—No a mi edad.

La mayoría de las damas se hallaban sentadas; los hombres se habían reunido en grupos y fumaban. Sólo unas cuantas parejas jóvenes, aquí y allá, seguían bailando. El parquet, como un girón de playa que el océano hubiera dejado al descubierto al retroceder, aparecía sembrado de detritus: un abanico, flores, un arete, una pisoteada tarjeta de baile...

Pepa lanzó una mirada al otro lado del salón, a Maximiliano y Carlota.

—Quisiera que ya se levantaran.

Ésa, les había informado el maestro de ceremonias, sería la señal de que el baile había terminado. No estaba permitido que nadie abandonara antes el palacio. Sin embargo, tan pronto como Pepa dijo eso, el conductor, un alemán calvo con gafas, cortó el aire con su batuta, la música calló de súbito y, como obedeciendo la orden personal de Pepa, la pareja imperial se levantó de sus tronos. A esa acción le siguió un murmullo que lo habría hecho a uno pensar en la brisa agitando un bosque en otoño, si no hubiera sido por tanto toser y arrastrar de muebles. Alicia se volvió; como si las hubieran hechizado, todas y cada una de las personas que había en el salón de baile se pusieron de pie.

LIBRO II

Toma lo que quieras, dijo Dios, y paga por ello.

PROVERBIO ÁRABE

El príncipe está en el castillo

Atín le había pegado a su pelota azul con la mano, pero no fuerte. ¿Entonces qué la hizo ir rueda que rueda tan rápido? ¿Un golpe de brisa? En esta extraña casa en el cielo siempre se siente brisa, el viento se cuela entre las rendijas de las puertas, azotando la bandera en el asta de afuera. Atín lo escucha: thwik, thwik. Tiene toda la mañana desde que lo dejaron aquí para que jugara. Atín se va gateando atrás de su pelota, pero llegando ésta a la orilla del piso color hueso que se abre a la escalinata como si bostezara, cae: benk, benk...

Con la boca abierta de consternación y de dolor, Atín se deja caer también, de sentón en el suelo duro y frío, y empieza a llorar.

Príncipe Agustín de Iturbide y Green, ése es su nombre, que apenas y cabe en la boca de tan grande. Es alto para su edad, dos años, pero más pequeño que cualquier cosa de las que le rodean en este lugar: sofás —unos color ciruela y otros con los bordes negros—, una urna leche con verde en una base, una estatua blanca como la luna de una mujer envuelta en una sábana, torciendo el brazo hacia la enorme araña de cristal soplado. Detrás de él, un tapiz amortaja los muros; la brisa que sube de la escalinata mueve las orillas ligeramente.

No ve a su tiíta Pepa, que viene a él por detrás de la urna estrujándose las manos, con sus ojos duros y casi sin pestañas derritiéndose en una ternura pegajosa.

—Shsh, Agustinito —dice Pepa, sobándole el cabello—. Shsh.

Le limpia las lágrimas bruscamente con su pañuelo, y en seguida —Atín no espera esto— lo levanta en brazos apoyándoselo en la cadera.

—*Ball* —dice Atín en inglés, señalando por detrás de ella hacia la escalinata. Grita para que Pepa entienda, porque a veces ella no lo oye. Trata de zafarse de sus brazos, pero ella se lo aprieta contra la cintura con toda la fuerza de su brazo.

—Deja de hacer berrinche. Ya estuvo bueno —Pepa siente que le falta el aire—. ¿No eres un niño grande? Los niños grandes no hacen berrinches.

A Atín no le gusta que lo apretujen, no le gusta que los tiesos cabellos blancos de Pepa huelan a perfume. Su vestido hace mucho ruido y al caminar estampa los pies como papá. Su tía se lo lleva cargando por un pasillo largo como un túnel, da vuelta, retrocede, baja por una escalinata cuyas paredes apestan a pintura.

Pisos ajedrezados ahora. Y luego dos soldados vestidos de verde, con sables al cinto, abren las puertas hacia una habitación de techos altos, tan llena de luz que Atín tiene que hacer gestos. A través del vidrio, de cuya existencia no se da cuenta por un momento, ve cómo la bandera es izada en su asta: un papalote colorido, extraño. Pepa se abre camino entre la gente sin soltarlo. Su tía es más grande que su mamá, y la falda tan amplia hace que las caderas se le noten gigantes. Pepa ocupa espacio, hace que las personas (ese hombre con los flecos dorados en sus hombros) tengan que hacerse a un lado. ¡Déjenla pasar! Su mirada de acero parece decir: yo sé adónde voy.

—Es el chiquillo —murmura el abuelo de voz ronca cuyas cejas se antojan dos azotadores que tuviera pegados. Su monóculo, hundido en la arrugada piel, refleja la ventana. Una dama con aspecto como de que se hubiera tragado un huevo, susurra, agitando sus dedos hacia él:

—¡Agustinito! ¡Hola, Agustinito!

Frente a un hombre que se halla sentado en una silla, Pepa baja a Atín y le acomoda la parte de atrás de su túnica. Atín deja que su mirada gire en esa confusión de colores, rostros…

—¿Dónde está su mamá? ¿Y su papá?

Pepa se agacha. Pero no hay nada qué recoger del suelo.

—Ven, niño. Ven aquí, pequeño —dice el hombre de la silla. Se inclina hacia adelante, sus pálidas manos tratando de alcanzar a Atín desde las mangas oscuras. En la mano derecha lleva un gordo anillo de oro.

Atín frunce el ceño: quiere quedarse con su tía Pepa. La dama que se encuentra en la otra silla, junto al hombre, tose detrás de su abanico, los ojos vigilantes. Atín puede oír su propia respiración: cómo el aire le sale de los poros de la nariz.

El hombre de la silla aplaude.

—¡Niño! Te digo que vengas para acá.

La dama de la otra silla le echa una mirada feroz a Atín, como si fuera él una cosa que se le hubiera pegado en la suela del zapato.

—Ve cuando te llamen —le ordena Pepa, conminándolo con la mano hacia el hombre de la silla. Su pulsera salpica la pared de motas de luz.

—Debes ser mi niño bien portado.

¿Para qué le habla Pepa en el idioma de la nana? Atín hace un puchero. Quisiera gritar en inglés: ¡No! Y está a punto de hacerlo, pero el hombre de la silla lo agarra por la cintura y se lo sienta en las piernas.

El aliento del hombre huele a té. Y sus patillas lucen doradas como el fuego, bien peinadas, como una melena de león que le cubre desde la barbilla hasta las orejas. La punta de su barba se riza como el pelo de Atín cuando Lupe, su nana, se lo enrosca en el dedo. Se ve suave como la lana de un cordero. ¿Y si toca Atín la barba del león? Aprieta los puños porque... porque no está seguro.

Nadie habla mientras el hombre león mira a Atín arriba y abajo. Sus ojos, enmarcados en pestañas escasas y rojas como un tejocote, tienen el mismo tono azul acuoso de las piedras de la pulsera de Pepa. Son a la vez débiles y amables y fríos.

El hombre león dice:

—Qué rojos cachetes tiene —y le da una palmada a Atín entre los omóplatos, tan fuerte que él puede sentir el anillo.

El hombre empieza a hablar con los grandes; sus labios tiemblan como si le costara trabajo moverlos sobre sus dientes, pero su voz flota en la habitación, fuerte y clara. Está diciéndoles todo de todas las cosas a todos y lo que deben hacer. La dama de al lado abre su abanico y empieza a agitarlo furiosamente; la sombra del abanico, negra, rápida, juguetea en su nariz. Pepa sigue parada frente a él, el hombre león, sonrojada y con los ojos brillantes como si algo emocionante estuviera pasando, pero no hay nada.

—*Ball* —le dice Atín al hombre león—. *My ball, down!*

—Tu pelota —lo interrumpe el hombre león.

Atín deja escapar un suspiro: la palabra "pelota" toda aristas en la boca. Ahora, como si estuvieran parados de puntas, todos los grandes se le quedan viendo. El abuelo del monóculo le hace una mueca desde atrás de Pepa, mostrando sus dientes chuecos.

—*Ball down* —Atín señala hacia las puertas donde se hallan los soldados, tiesos como juguetes de hojalata y con las manos a los lados cerradas. Ay, ¿dónde están esas escaleras por donde se fue rebotando su pelota? Esta casa es tan grande, y Atín siente que se marea. ¿Y por qué tiene que sentarse en las piernas de este hombre extraño?

—Se le fue su pelotita —ruge el hombre león desde su barba dorada, echando la cabeza hacia atrás.

Un eco de murmullos responde desde la multitud.

—Pues que te encuentren tu pelota. Y si no la encuentran —le toca a Atín la nariz con el dedo—, ¡vas a tener una nueva!

—¡No! —Atín quiere *su* pelota azul.

Contra el brazo de su silla, la dama cierra de golpe su abanico. Al otro lado de la ventana, la bandera tremola en la brisa. Un pájaro cruza raudo, en picada: un relámpago negro. El hombre león se dirige a los grandes otra vez; no le interesa la pelota de Atín. Su barba se mece de acá para allá junto con su cabeza, cepillándole los hombros a Atín. Sus rodillas huesudas lastiman (no son como las de papá). Todavía hablando, el hombre león lo baja al suelo; como si lo hubieran lanzado con una honda, Atín corre a los brazos de su tiíta Pepa. Pero, con todo y que está mullidamente acolchada, la falda de satín gris acero se resiste a sus brazos como una pared resbalosa. La jala de la mano. La mano de Pepa no es como la de su mamá; se cierra sobre la suya, fría y reseca como una hoja vieja. Poco a poco, Atín y su tiíta se abren paso entre la multitud callada, sonriente: un mar de telas que se divide en dos.

TRANSCURRE UN LAPSO de tiempo tremendamente largo. Es hora de comer: algo con queso, y el queso saliéndose de la tortilla en tiras grasosas, resbaladizas.

—Deja de hacer berrinche —Pepa tiene una voz áspera.

—Cállate, niño —le susurra la nana, en voz baja para que Pepa no pueda oírla—. Ya. Basta.

El pelo de esta nana, azul de tan negro y bien restirado hacia atrás, brilla como ala de cuervo. El partido en medio señala hacia la nariz, haciendo que Atín se imagine un pico. Y luego tiene un hueco entre sus dientes de enfrente y, siempre que se agacha cerca de él, sus cabellos huelen a aceite de lámpara. Para los labios como si fuera un pájaro que quisiera picarlo. Se llama Olivia, pero él no piensa pronunciar su nombre. *No lo hará*. Ella *no es* su nana Lupe. No lo *quiere*. Debería mejor cuidar cochinos.

SÓLO DESPUÉS DEL PUDÍN, va Salvo a buscarle a Atín su pelota azul. Salvo es primo de Atín. Tiene una cara amigable, de barbilla que parece una albóndiga, y sus dedos huelen a cigarro. Le está saliendo bigote: apenas unos cuantos pelitos a través de los cuales se ve perfectamente su piel pálida como la masa. Salvo es fuerte. Se carga a Atín en los hombros —¿Ya estás en tu silla?— y le aprieta los tobillos con sus manos carnosas, húmedas. Lo deja que le jale las orejas o le dé de cachetadas. "¡Grrrr!", gruñe porque es un oso pardo, y Atín se echa a reír. Salvo se lo lleva cargando por el corredor donde los candeleros de cristal —Atín va con las manos en alto— tintinean cuando ellos pasan.

Y luego, pasando puertas casi tan altas como el techo, llegan de pronto a una sala donde rectángulos de sol bostezan por todo el piso. El polvo flota brillando en medio del aire. Hay un gran piano negro, con un florero de rosas alrededor del cual una mosca zumba perezosamente. Todo lo demás ha sido acomodado contra los muros: los sofás y las sillas de un chillón verde manzana, palmas de plumas, pantallas y mesas atiborradas de más rosas. Su fragancia es dulzona, con un toque amargo de hierba; pétalos color rosa con las orillas café tapizan el suelo. El techo (con las manos en las orejas de Salvo, Atín tuerce el cuello para mirar arriba) se halla cubierto de bajorrelieves con hojas blanco queso. Salvo baja a Atín.

—¿Tu pelota azul dijiste?

Hincado o en cuclillas como un mono, Salvo empieza a buscar. Se agacha para ver debajo de una otomana. Atín va detrás de su primo, chupándose el dedo gordo.

—Nada aquí —dice Salvo, poniéndose de pie, sin tomarse la molestia de sacudirse las rodillas. Arrastra una mesa de su lugar—. Nada de pelota por aquí, chiquito —le da vuelta a una pantalla—. Uh uh —luego se asoma bajo un sofá.

Qué tonto se ve Salvo con el trasero al aire. Tiene un agujero en el zapato.

Salvo levanta la tapa del piano y lo deja abierto con ayuda de un palo que estaba adentro. Busca ahí:

—Hmmmm —se rasca el bigote.

Se pasa al frente del piano y se pone a toquetear las teclas con sus dedos: bink, bink, dooong. Al ver que se acomoda los faldones de la levita y apuntar con el trasero hacia el banco, a Atín se le encoge el estómago porque ya lo sabe: Salvo no va a seguir buscando.

—¿Qué tal si tocamos *Hail Columbia*?

—¡No!

Pero a Salvo no le importa qué quiera Atín; empieza a tocar dándole duro a las teclas. Mamá toca piezas alegres, melodiosas, y le canta a Atín. ¿Dónde está ella? Atín ya quiere irse a casa. ¡Ya ha pasado *casi todo* el día! Y ha perdido su pelota azul. Deja caer la cabeza y se pone a lloriquear. Salvo sigue duro y dale:

Ever grateful! Foooor the! Prize!
Let its altar! Reeeeach the! Skies!

Atín berrea, pero Salvo trata de ahogar sus chillidos con la música. Atín se avienta abajo de la negra y tronante masa del piano, y pega de gritos. La tapa cae de golpe.

—¿Qué quieres? ¿Despertar a los muertos? —dice Pepa—. Qué clase de ejemplo… ¡Tu comportamiento es una abominación! ¡Arriba! ¡En este instante!

El piano todavía sigue vibrando.

—¿Estás sordo? ¡Arriba, dije!

Desde abajo del piano, Atín puede ver cómo Salvo se soba los dedos.

—Pudiste haberme roto uno.

—¿*Qué* cosa tienes el descaro de decirme?

—Pudiste haberme roto un dedo.

—¡Siempre tienes que contestar con esa insolencia! ¿No ves en qué posición te encuentras? La importancia de tu ejemplo…

Salvo da una patada al piano y se va.

—Y tú —Pepa saca a Atín del cuello de la túnica—, haciéndole segunda —resopla— como un bebito —le da una nalgada, haciéndolo berrear más fuerte. Su mano se cierra como una tenaza sobre la de Atín, y ahí va atrás de ella, sollozando entre hipos todo el camino.

DESPUÉS DE LA SIESTA, Atín se pone a jugar con sus cubos. Su mamá mandó todos sus otros juguetes en un canastón de vara: su gatito de terciopelo, su conejito Mimo con sus ojos de botón. Pero a él ninguno de éstos, ni siquiera Mimo, le gusta tanto como su pelota azul. Junta los cubos y se pone a cantar el alfabeto —*Ayyy, Beee, Seee*—; el resto lo va canturreando tan bien como puede: *an' Teee, an' Veee*. Es su canción especial (su nana Lupe no habla su idioma). Pepa la canta rápido, como si quisiera terminar de una vez. Pero su mamá lo hace irguiendo la cabeza y trazando cada letra en el aire con su dedo. La A es hacia arriba, luego abajo, con el palito atravesado en medio (agita el encaje de su manga). Luego de que llega al final, el zig y el zag de la Z, junta las manos y muy despacio, deja caer las palabras como gotas por una escalera, cantando: *Tell me what you think of me…*

Atín canta en voz baja:

—*Meeeeee* —balando. Pone el cubo rojo encima del cubo verde.

No le gusta que la alfombra raspe, ni que el aire se cuele por la rendija debajo de la puerta, rozándole las piernas con su frío. Al otro lado de la ventana no hay nada más que cielo. Es un lugar feo, lleno de viento y demasiada gente. ¿Todos tienen que vivir aquí o también tienen una hora para irse a casa? Ya. Atín ya está listo. Quiere irse a casa. Ya.

A LA LUZ VERDOSA del atardecer, esa nana mala, Olivia, le da de cenar. Su mamá y su papá no han venido por él. ¿Por qué? ¿Y por qué no puede estar aquí su nana Lupe?

—Ay, niño —dice Olivia cada vez que le limpia toscamente la barbilla. Quiere que Atín abra otra vez la boca, pero no puede obligarlo. Su nana Lupe, *ella* es la que debería darle de cenar. Lupe sabe que a él no le gusta la salsa roja, sino la verde que tiene semillitas y no pica tanto, y que le gusta comerse su queso fundido con trocitos de tocino. Olivia trata de meterle en la boca otro poco de ese mazacote rojo, pero Atín lo rechaza, y la cuchara va a dar al suelo.

Pepa le da su atole. Le ayuda a sostener el jarro con esa bebida espesa, dulce. Él lo sorbe sonoramente.

—*Goo' bye* —Atín repite lo que dice su mamá.

—¿Qué dijiste? —Pepa está parada junto a él—. Habla bien.

—*Goo' bye!*

—No, no vas a ser un *buen niño* hasta que te termines todo tu atole —Pepa le empina el jarro y, con las manos extendidas sobre la charola de su periquera, Atín levanta la cabeza para que la última gota se deslice desde el fondo del jarro. No quiere, pero se lo traga.

Pepa le da una palmada en el hombro.

EL VIENTO HA CESADO cuando Pepa lo envuelve en una cobija extraña y lo acuesta en una cuna igualmente extraña. La orilla de la cobija se siente fría y resbalosa en su cuello, pero él tiene demasiado sueño como para llorar por eso. Cuando Pepa se inclina para besarlo, sus aretes fríos le hacen cosquillas en el cachete.

—Que Dios te bendiga —dice Pepa en voz más bien alta, en el idioma de la nana— y que todos los santos y los ángeles te acompañen —le hace en la frente la señal de la cruz.

"Estás a salvo", así entiende esto Atín. "Y hay quien te cuide." En la mañana, entonces, Pepa le va a traer su pelota azul. En la mañana se irán a casa.

Atín es un niño especial. Vagamente lo presiente ya, aunque no tiene idea de cuán bello se ve con su boca de Cupido entreabierta. Bajo su capa de noche, sus rizos suaves como la seda derraman sobre la almohada el oro más pálido.

Las estrellas empiezan apenas a titilar. Con dos jalones resueltos, Pepa cierra las cortinas.

NUNC ET IN HORA MORTIS NOSTRAE. Amen.
Justo cuando el reloj de la mesa da las ocho y media, Pepa termina de rezar el rosario. Se levanta con esfuerzo por la artritis de sus rodillas, agarrándose con la mano a uno de los postes de la cama. Temblando un poco, se echa sobre los hombros su bonita *chemise de nuit* con orlas de encaje. "Qué tonta", se regaña. ¿Por qué no lo pensó? Por supuesto que iba a hacer más frío allá arriba, en el castillo de Chapultepec; sin la protección de los árboles, el viento se lleva todo el calor. Sin embargo, después de gastar una suma tan exorbitante en su nuevo guardarropa, un guardarropa de ninguna manera ostentoso, sólo lo necesario para la dignidad de su rango, tendrá que esperar otro mes para poder comprarse la franela para un camisón más caliente. Deja su rosario en un platito. En las paredes de la habitación se agitan nerviosas las sombras que proyecta la luz de la vela. No está contenta con la manera en que el criado ha arreglado las lámparas. A pesar de eso, observa con satisfacción que su alcoba es tan amplia como el recibidor de su hermano menor, y su sala, el doble de grande. Hay flores en casi todas las superficies. Al pie de la cama hay un diván con tapicería de brocado, y la jofaina de porcelana —se puso sus lentes para darle vuelta y examinar la marca— es de Sèvres.

Pepa se sienta en la orilla de la cama, que cruje bajo su peso. La mano en el regazo. Esa mujer tan vulgar a quien Alicia invitó a cenar está equivocada. La línea —repasa con el dedo la curvatura de su mano en la base del pulgar— está cortada. ¿Y qué? Es una fortuna gloriosa, cosa que no todos son capaces de reconocer, ¿o sí? "Mi querida prima", así es como Maximiliano de Habsburgo condesciende a llamarla ahora, y cada vez que piensa en ello se hincha de orgullo. No, *no* es orgullo, Pepa se corrige de inmediato. Este espléndido sentimiento es gratitud, gratitud *de corazón* porque al fin es capaz de servir a su país. Han pasado 42 años desde que su propio padre, descanse su alma en merecida paz, fue coronado emperador y protector de la verdadera fe. En el exilio no había dote para las hijas del Libertador asesinado. Ella se resistió a la vida del claustro, con tanta vehemencia deseaba tener hijos. ¡Cuánto le había rezado a san Antonio, el que hace las parejas! Los jóvenes que podían ser buen partido iban sobre las doncellas cuyo nombre podía reconocer su madre. Ninguno quería cortejar a la exótica y casi sin un centavo señorita Iturbide. Claro que muy pocos de ellos eran católicos. De cualquier forma, su mamá tenía un prejuicio visceral contra la idea de que sus hijos se casaran con extranjeros. ¿Un diplomático chileno? *¡Imposible!* ¿Aquel caballero peruano de su parroquia? *No quiero eso de yerno.* Los yanquis, mamá solía decir, no tienen cultura. Por naturaleza son ambiciosos y malnacidos. ¿Aristócratas de Tidewater? Puros mercaderes, comerciantes de tabaco. Se requirió un esfuerzo supremo para que mamá reconociera a los vecinos. En Georgetown hubo una que se presentó sola en el callejón trasero: "¡Cuando iba sacando su cubeta de cáscaras de papa!"

Y así se fueron los años. Pepa se quedó con el sentimiento, que cada vez la corroía más, de que nadie en el cielo había escuchado su voz. Esto era lo que Dios quería. Dios, después de todo, tenía una sabiduría omnisciente. Porque, ¿quién más iba a hacerse cargo de mamá? Como Pepa se decía a sí misma, habría sido muy egoísta de su parte seguir poniendo sus esperanzas en algo que a nadie más le convendría.

Aunque esté desilusionada de san Antonio, Pepa nunca ha vacilado en su fe, la verdadera fe. La ha llevado puesta como una armadura. ¿Y no lo ha sido? Servir aquí, ahora, es la recompensa divina. El Todopoderoso, recuerda, inspiró a Maximiliano para que aceptara el trono de México, tal como le dio inspiración para que hiciera del sobrino y ahijado de Pepa su presunto heredero.

Domine Salvum Fac Imperatorum, Dios salve al emperador, el mismo canto lo había oído cuando su padre estaba parado allá en lo alto de los escalones rojos con su manto imperial, y mamá a su lado con las estrellas en su manto blanco como el plumaje del cisne y las perlas trenzadas en sus cabellos. Ayer, qué magnífica se oía la voz del arzobispo llenando la catedral. Sólo de pensar en su padre, honrado así en la casa misma del Señor, Pepa siente como si una parvada de palomas levantara el vuelo desde su pecho. Ayer, en el día de la independencia de México, durante la ceremonia, ella tuvo que morderse los labios para no llorar. Cuando terminó todo, Maximiliano gritó desde el balcón del palacio imperial: "¡Viva Nuestra Señora de Guadalupe! ¡Viva México! ¡Viva Iturbide!" Desde la Plaza Mayor subía el rugido de la multitud; cómo la bañaban los vítores con sus caricias de seda. Más tarde, con Carlota y Madame Almonte, Pepa —ahora su alteza, la princesa doña Josefa de Iturbide— salió otra vez al balcón para ver la noche bombardeada de silbantes cohetes chinos: crisantemos de diamantes y rubíes.

Encima de su buró, junto al platito con el rosario, se encuentra el *Reglamento y ceremonial de la corte*, grueso como una Biblia, impreso con un "Capítulo uno" totalmente nuevo: "Sobre los príncipes de Iturbide". Se especifica su rango, que se halla por encima de todos los demás con excepción de los príncipes imperiales (de los cuales no hay ninguno), de los cardenales, de los pocos a los que, como al general Almonte, el emperador ha distinguido con la medalla de la Orden del Águila Mexicana, y de sus majestades. La princesa de Iturbide puede hacer visitas en sociedad y dejar su tarjeta; sin embargo, no tiene que devolver visitas excepto a cardenales, Águilas Mexicanas, embajadores, ministros de Estado y esposas. Cuando sus majestades se encuentran en el trono debe colocarse a sus pies, en el primer escalón, a la izquierda de la emperatriz. En la iglesia su lugar se halla en la primera fila, la banca cubierta de terciopelo. Pero no debe presentarse con el agua bendita. Hay tanto qué estudiar, tanto qué recordar. Pero Dios la ayudará.

—Por favor —le dijo el maestro de ceremonias cuando le trajo este libro, junto con las páginas manuscritas sueltas del "Capítulo uno"—. Estoy a sus órdenes.

—Se lo agradezco —respondió Pepa, pero con la firme intención de hacer innecesarias las preguntas.

En lugar de poner el libro en sus manos, el maestro de ceremonias dio un breve paso hacia atrás. Sosteniendo el volumen como lo haría un mesero con su charola, levantó la pasta y deslizó su guante sobre el cuadrito de un certificado que habían pegado adentro.

—Por favor —dijo—, verá usted que este libro es para su uso personal. Sin embargo sigue siendo, ahora y siempre, propiedad de su majestad.

Pepa se puso sus lentes. El maestro de ceremonias bien pudo haberle dado vuelta al libro para que ella pudiera leer el certificado, pero no lo hizo.

—Cada ejemplar —prosiguió— tiene un número de registro.

—Ya veo.

El maestro de ceremonias presionó la lengua contra la parte interior de su cachete. Parecía que iba a decir algo más, pero no. Con un aire infinitamente reservado, cerró el libro e, inclinando ligeramente la cabeza, se lo entregó a Pepa.

Pesaba tanto, que ella tuvo que cargarlo con ambas manos.

Ahora, sentada en la orilla de su cama en el castillo de Chapultepec, de nuevo, Pepa se besa el pulgar para tener buena suerte. Se lleva la mano al corazón y sonríe con agradecida satisfacción, recordando cómo esta mañana, enfrente de toda la corte, el príncipe Agustín se echó a correr hacia *ella*.

Ya tiene a su niño.

Mete las piernas entre las frías sábanas. Extiende la mano hacia la vela y la apaga con los dedos.

PASANDO EL SALÓN, en una alcoba fría y sin adornos excepto un crucifijo, el emperador ronca, y esto es raro en él, que tiende a dormir superficialmente (con frecuencia, su *valet* se queda despierto por la luz de la lámpara que entra por debajo de la puerta entre las dos recámaras). Maximiliano duerme a pierna suelta el sueño de los que están satisfechos de sí mismos: de una manera tan brillante como Metternich, mató no dos ni tres, sino cinco pájaros de un arabesco tiro de piedra. Al celebrar la independencia de México, elevar el estatus de los Iturbide a príncipes y poner bajo su tutela a los dos nietos, Agustín y Salvador, en primer lugar ha demostrado que no es ningún títere de los franceses; en segundo, ha favorecido al general Almonte, hijo del otro héroe de la Independencia, el cura insurgente Morelos; en tercero, ha cooptado un elemento potencialmente peligroso de la sociedad conservadora; en cuarto, ha provisto un heredero presunto, y en quinto, le ha dado un poderoso motivo al káiser para rescindir el Pacto de Familia. Ah, qué parvada de hermosos pájaros. Y ahora, los hermanos de uno verán que un imperio de los Habsburgo en las Américas es viable, ¿y se lo van a dejar todo al nieto de un criollo oportunista? Se van a poner demasiado celosos por el trono como para dejar que *eso* suceda, seguramente. Los ávidos hermanos de uno querrán disfrutar el fruto de esta magnífica obra de la Casa de Habsburgo. *Etiam sapientibus cupido gloriae novissima exuitur*: el deseo de gloria es la última debilidad incluso de los sabios, como bien lo sabía Tácito. Sí, en el momento en que la pluma de uno tocó el contrato con la familia Iturbide, uno sintió —y fue una sensación casi física— como si las cuerdas se desenroscaran, y luego, como si... ¡el ancla hubiera mordido! Carlota, como buen soldado, se ofreció para ir a Europa a traerse al sobrino de uno con su nodriza y un doctor. La carnada: las noticias de que ya han traído a esta corte al pequeño "príncipe" Agustín de Iturbide. Ya se ha telegrafiado a Veracruz; en una semana, las noticias estarán cruzando el Atlántico a todo vapor. Vendrán cartas y pronto, en Viena, todo el mundo estará hablando, y en poco tiempo, todo, todo el atribulado barco de esta empresa mexicana estará navegando a salvo.

Con la cara hundida en su almohada, Maximiliano se embarca en las aguas del sueño... y ahí está otra vez en Brasil, contento, cazando al vuelo monstruosas *saturniidae*, mariposas tan grandes como estorninos. Hay palmeras y, muy alto en el dosel de la selva, chillan los pericos color dulce. Él observa los pericos: cómo se precipitan en su vuelo, veloces como balas, y luego se alejan. ¿Adónde? Uno se ha perdido en un horizonte de lavanda.

CERCA DE ÉL, en una recámara más espaciosa, la emperatriz ha caído en el bilioso sueño de quien se ha permitido —aturdida en un laberinto de racionalizaciones cristalizadas— coludirse en su propia humillación; no hay otra palabra para ello. Se siente como se ha de sentir el agua cuando está a punto de derramarse desde el borde de la copa. Entre las níveas sábanas de lino y los almohadones de pluma, Carlota se ha hecho bolita, sus rodillas tocándole la barbilla. El aceite de su lámpara de buró ya sólo despide una débil llama azulosa. El libro que estaba leyendo, la *Imitación de Cristo*, ha caído sobre la alfombra. Se va a sentir mal, mañana, cuando vea que la lámina a colores de las cinco heridas del Salvador se maltrató. Sin embargo, no tendrá otro motivo para sentirse mal; nadie le dirá que han ignorado olímpicamente las órdenes que dio respecto al pequeño príncipe Agustín de Iturbide: que le den todos los días un baño de agua fría y una cucharada de aceite de hígado de bacalao. Los mexicanos creen que el "susto" del agua fría puede causar enfermedad, y en cuanto a ese aceite de pescado, Olivia, la nana, se aprieta la nariz y lo echa por la ventana en unos arbustos. "No se lo daría ni a un puerco", le dice Olivia a Pepa, y Pepa, a pesar de sí misma, se ríe.

Entre el *bergère* de Carlota y un espejo dorado, hay una pequeña puerta que conduce a otra habitación, no más grande que un clóset, donde su camarista, Mathilde Doblinger, se incorpora sobre un codo para ver, debajo de aquella puerta, la franja de luz amarilla grisácea.

"*Ja*, la emperatriz sigue despierta... ¿no se cansan sus pobres ojos de tanto leer? Se puede una quedar ciega." Mathilde vuelve a hundirse en su almohada. Este día ha sido demasiado extraño para su sangre alemana. Es como el truco de una lámpara maravillosa: ¡tener a esos Iturbide aquí, bajo el mismo techo que un Habsburgo y una Saxe-Coburg! Respecto a ese "emperador" de hojalata, Iturbide, ya ha oído toda la historia, tan misteriosamente parecida a la de Murat, ese trepador hijo de un mesonero al que Bonaparte hizo rey de Nápoles. Al igual que Murat, Iturbide era un rufián incompetente y sus súbditos acabaron echándolo. Como Murat, era demasiado ambicioso como para digerir su exilio; como Murat, fue tan tonto que regresó, y apenas acababa de bajarse del barco cuando ya lo estaban cargando al paredón de fusilamiento. Y después de eso, los mexicanos, esos simios, ¡desenterraron el cadáver para robarle las botas! Y ahora el hijo de Iturbide vende su niño a cambio de una pensión, como si fuera una caja de *spécaloos*. La madre se ha de haber vuelto loca como la luna. La tía del bebé, esa bruja, se lo ha devorado: una pildorita deliciosa, y todo el mundo puede verlo. Qué buen arreglo para una solterona insignificante esto de vivir aquí, ¡y como su alteza imperial! Ese vestido que se puso para la audiencia —Mathilde lo vio después colgado en el guardarropa— ¡era un andrajo! Muaré barato, del color de un pescado de tres días.

Mathilde se acomoda sobre las orejas su gorro de dormir. ¿Cómo le va a hacer Carlota con esta perversión de la naturaleza? ¡Un patito en el nido de un pavorreal!

Después de ocho años de matrimonio, Carlota, una mujer vigorosa de 25 años y con perfecta salud, ya podría tener cinco o seis niños propios. Si su prima, la reina Victoria de Inglaterra, los hace aparecer, los saca del horno. Pero es que Maximiliano no le hace visitas a su esposa. En el castillo de Miramar, se pasaba las noches en un cuartucho como para guardar trapeadores pegado al salón de la entrada principal. Mathilde no lo habría creído si no hubiera escuchado a Carlota contarle a un visitante que esa recamarita era una copia del camarote que Maximiliano tenía en su yate. Igual el estudio adyacente, que por eso tenía el techo tan bajo.

Es verdad: Mathilde le tiene cierto odio a Maximiliano, aunque nunca, por su alma mortal, dejaría escapar de sus labios una palabra de reprobación. Su vida es estar al servicio de Carlota. Lo que vaya a pasar, o debería pasar, o no debería pasar, no es cosa que una camarista deba saber o indagar. Lo que sea que pase es la voluntad de Dios. Mathilde sólo se permite rezar, con los dedos entrelazados y los nudillos hundidos en su frente: *"Santa Maria, ora pro nobis…"*

Las palabras se van flotando en la fría noche.

ESTÁ POR LLOVER: el aire inerte, el cielo de un negro sólido. Desde el castillo de Chapultepec, atravesando una inmensa superficie de campos oscuros de lodo, el camino llega hasta la orilla de la ciudad, a Buenavista, un palacio, joya del barroco. En esta "ciudad de los palacios", el de Buenavista es uno de los más dignos, aunque peculiar, puesto que no fue construido con el rojizo tezontle habitual, sino con piedra gris, y su característica más notable es un enorme patio central elíptico. Sus habitaciones se abren en curva a este patio; en uno de los lados, a la calle y, en la parte trasera, a unos jardines. Es un palacio —su ocupante se queja a menudo— con demasiadas ventanas.

Pasos de botas: un guardia en la azotea. No es posible verlos desde el balcón trasero, pero en el jardín hay otros dos; uno está apostado pasando la fila de manzanos, el otro en la reja.

Ésta es, por ahora, la residencia del general François-Achille Bazaine, comandante supremo de las fuerzas imperiales francesas. En bata y *babouches* (sus pantuflas árabes), el general Bazaine ha salido al balcón a fumarse el último de unos espléndidos puros. Contempla las luces a la distancia: el reguero de alfileres que es la ciudad de México, y más allá, hacia el oeste, encendido en medio del aire como una casa incendiada, el castillo de Chapultepec. Aprieta el puro contra sus labios.

Así que —Bazaine empieza a fumar— ayer, en el aniversario de la independencia de México, Maximiliano hizo una fiesta para Iturbide, el héroe mártir: una manera de echarles algunas flores a los mochos y a los curas ¡y una patada de lodo a la cara de los franceses! Desdeñando los servicios que ha recibido, Maximiliano no lo consultó ni a él ni al embajador francés. El general Almonte debe de haber tenido que ver en eso. Sólo Dios sabe.

A quién se le ocurre convertir al pequeño Iturbide en heredero presunto y pasarle a esa familia semejante pensión, semejante pila de dinero, cuando al tesoro mexicano no le alcanza ni para equipar ni para alimentar propiamente a ese chiste que es el ejército imperial mexicano.

¡Bazaine por poco y se cae del caballo!

Como su *aide-de-camp* señaló, semejante arreglo ha generado serias preocupaciones. ¿Por lo menos se halla contemplado en la constitución mexicana que Maximiliano nombre a su heredero? Su *aide-de-camp* estuvo estudiando el tratado de Miramar, pero éste no decía nada al respecto.

La guerrilla está oponiendo una feroz resistencia en el norte; los secuestros están a la orden del día, lo mismo que los asaltos a las diligencias... No, este trono todavía no tiene raíces firmes. Si el experimento fracasa, bueno, en ese caso no se puede esperar que Francia defienda una dinastía para la cual no se le consultó.

Como su *aide-de-camp*, sonrojado, espetó: "La desconsiderada ingratitud de este austriaco es para dejarlo a uno helado".

Bazaine, sin embargo, sólo alzó las cejas y se frotó la boca.

Bazaine es un soldado, lo cual significa que obedece órdenes, y sus órdenes, hasta que se le diga otra cosa, son apoyar a Maximiliano. Más aún, Bazaine no es pronto a la ira. Si ha llegado tan lejos es porque, cuando todo el mundo ha perdido los estribos, él mantiene un bajo centro de gravedad.

Tranquilamente, le da una fumada a su puro y se pone a darle vueltas en su mente a lo que podrían haber sido los motivos de Maximiliano.

Conque: el problema de Iturbide, si había alguno, ha quedado resuelto.

Hsss, Bazaine exhala.

Sí, tal vez Maximiliano estaba preocupado porque la sociedad conservadora (que se está desencantando de él) pudiera unirse alrededor de un miembro de la familia del Libertador. Claro, el otro día, en la cena, por enésima vez, el arzobispo comparó a Iturbide con nuestro

Señor mismo. Habiendo empalado un espárrago, el arzobispo se le había quedado viendo a Bazaine con una expresión tan maligna que hubiera puesto de nervios a cualquier otro. Pero Bazaine, con la sangre fría de una piedra, notó que al prelado le temblaba la mano. Un tazón de salsa de mantequilla vino a dar sobre el mantel de encaje. La voz del arzobispo se volvió delgada y nasal:

—Nuestro Libertador fue traicionado por los masones, tal como los hebreos traicionaron a nuestro Señor.

Bazaine siguió cortando su carne, lo cual le llevó algún tiempo. El corte estaba duro como cuero de mula.

—Eso, señor, fue el principio de la desgracia de este país.

Bazaine, con un codo en la mesa, se llevó a la boca un trozo de carne.

Éste era el mismo ultramontano cabeza de puerco que, antes de que Maximiliano pusiera su precioso pie en suelo mexicano, había amenazado con la excomunión a todos los funcionarios designados por Bazaine. Era un corcho fácil de botar; sólo requería colocar unas cuantas piezas de artillería enfrente de las puertas de la catedral.

De tout façon... Iturbide, los masones... eso podría —Bazaine reflexiona ahora, fumando su puro— haber sido cierto. *N'importe*. Fue antes de que él llegara.

Et bien, qué se le va a hacer si lo que la emperatriz se consiguió es un imbécil sin cojones. Se pone a cazar mariposas, aprovecha cualquier oportunidad para mostrarles su misericordia a los guerrilleros, cuando sus hombres —los hombres de Bazaine— han muerto como perros tratando de capturarlos. La semana pasada, la guerrilla se llevó a tres de sus oficiales, los castraron, los colgaron de un árbol por los pies y los dejaron ahí a que se murieran de sed, cubiertos de sangre y moscas. Y hay cosas peores. *Oui*. Cuando sale a caballo con sus hombres al campo y ve las milpas quemadas, los jacales en ruinas, los patios llenos de cascajo, los perros muertos de hambre, las gavillas de niños pidiendo limosna, Achille Bazaine lo sabe hasta los huesos: éste es un país sin Dios. Y a él y a sus hombres los han enviado a arar el mar... hasta que los llamen de regreso a Francia o los embarquen a Sidi-bel-Abbès, o sólo el Diablo sabe, a la Cochinchina.

Bazaine se lleva la mano a la boca y eructa. Demasiado asado. Esa salsa tenía cebolla. Avienta a un lado la colilla de su puro y con un pequeño bostezo, seguido de un bostezo de boca bien abierta, voluptuoso, da vuelta para entrar.

EL GENERAL FRANCÉS es sagaz como un zorro y resistente como un camello, tanto de cuerpo como de carácter. Su padre, que era ingeniero, abandonó a la familia en Versalles. François-Achille fue enviado a una escuela buena, pero no lo suficientemente buena; reprobó el examen de admisión a la École Polytechnique. ¿Qué importaba? Desde que era un niño pequeño, François-Achille sabía lo que quería: acción. ¿Acaso no era su segundo nombre el del guerrero invencible? En la Legión Extranjera, Bazaine peleó en las montañas de España, en las arenas de Argelia, en Crimea, en Solferino. Incontables las balas le pasaron zumbando en los oídos. A su alrededor, otros hombres caían balaceados, bayoneteados, tasajeados, molidos a golpes, aplastados, decapitados. Le mataron siete caballos mientras iba montándolos, lo derribaron tres explosiones y varias veces cayó fuego de mortero justo donde acababa de estar parado. Tiene buena estrella, lo sabe, demasiado buena como para que no se disgusten los celosos dioses. Bazaine era uno de los oficiales mayores en el barco que traía las tropas a México, y en medio del océano sintió por primera vez que algo era diferente, algo para lo que no hallaba las palabras exactas, algo rasposo y amargo en la garganta. Ahora empieza a entender que esa sensación era pavor.

Los años que Bazaine pasó persiguiendo a Abd-el-Kader y sus despiadados jinetes, sitiando poblaciones en los oasis y entrando a bayoneta calada en esos apestosos laberintos, lo marcaron con una desconfianza profundamente arraigada hacia todo lo que parece demasiado fácil; y sin embargo, conserva una apertura casi infantil, esa flexibilidad que se necesita para inclinarse hacia la fragante, madura flor de la oportunidad.

México: *pourquoi pas?* Su último "presidente", un indito abogado de nombre Benito Juárez, atacó a la Iglesia y se negó a reconocer las deudas de su país con Francia. Estados Unidos invadió México en 1847, pero, como la Unión y la Confederación se ensartaron en su Guerra Civil, Francia no tuvo ningún obstáculo para reclamar lo suyo y, en el proceso, traerle a este desdichado pueblo ley, orden... en pocas palabras, civilización. Bazaine no fue el único oficial en alardear de que todo ese acopio de armas iba a ser sólo para celebrar un desfile triunfal. Podía esperar que sufrieran bajas en el puerto de Veracruz, principalmente de tifoidea y fiebre amarilla, pero entrarían con tambores y flautas, cantando canciones mientras lindas señoritas les aventarían flores (y *bien sûr*, también otras cosas, si a uno le gustaban las mujeres como tomaba su café); el cuerpo principal del ejército imperial francés marcharía por esas tierras calientes y por las sierras, liberando fácilmente Orizaba, Puebla y por último —*touché*— la ciudad de México. Todavía no salían de los muelles de Francia cuando el general Lorencez ya andaba por ahí diciendo: "Somos tan superiores en organización, disciplina y moral. ¡Ya somos los amos de México!"

Los árabes tienen un dicho: aquel que desprecia al corderito va a llorar por el rebaño. La vanidad adormece los sentidos, y para el combate hay que tenerlos afilados como una navaja. Lección uno, entrenamiento básico. Y uno debe ser capaz de pensar como el enemigo, de anticiparse a cada uno de sus pasos.

Uf, ¿qué fue lo que pasó? El 5 de mayo de 1862, el ejército imperial francés irrumpió en la ciudad de Puebla y se rompió como un jodido lápiz. En ese solo día se gastaron la mitad del parque, los cartuchos se hundieron en el lodo, 462 hombres fueron masacrados por la artillería y la caballería de los mexicanos… como perros apaleados. El ejército imperial francés tuvo que retirarse a Orizaba y aguardar refuerzos. Para que el prestigio francés pudiera restaurarse fue necesario traer 20 000 hombres más, remplazar a Lorencez con el general Forey, otro año y un feroz sitio de Puebla que se extendió 62 días y terminó en un combate calle por calle, casa por casa. Después de la entrada triunfal en el cascarón que quedó de esa ciudad y luego en la ciudad de México, Forey fue ascendido y lo llamaron de regreso, y François-Achille Bazaine quedó como comandante supremo en México, ascenso con el que había soñado, por el que había intrigado, al que se había agarrado. Y extrañamente, ahora que lo tenía lo dejaba frío.

Al principio se miraba en el espejo y decía: "Yo soy el amo de México". Luego apareció una mota de caspa en su cuello. El año antes de que llegara Maximiliano, Bazaine llegó a pensar de sí mismo que era como esos perros que andan corriendo detrás de los carruajes. Ahora que él tenía el carruaje —uno condenadamente grande—, una maldita carreta municipal de basura ¿qué carajo quería hacer con él? Dormir en un colchón de plumas, no tener nada qué hacer más que sentarse la mitad del día en reuniones ociosas con burócratas cabeza de alfiler, oportunistas, intrigantes, contratistas corruptos, periodistas y curitas codiciosos (con éstos era el padre, el hijo y el peso santo). Luego, después de que Maximiliano llegó, más almuerzos, cenas, tés, bailes con opulentos *buffets* y champán rosado, por supuesto. Bazaine se lo ha estado empacando; lo siente en sus tobillos y en sus rodillas cuando se baja del caballo. Tuvo que mandarse hacer uniformes nuevos, y aún así los pantalones le quedan apretados y la chaqueta le lastima en las axilas. La vida tiene tantas delicias que ofrecer, no sólo esos tamales de res "bien picositos" y los frijoles refritos; en los últimos días de primavera se casó con una linda mexicana, Pepita de la Peña, lo suficientemente joven para ser su nieta, y *pourquoi pas*? Él también es joven, por lo menos de corazón.

"Mi corazón", lo llama Pepita.

Pepita de la Peña, Madame Bazaine, tiene la gracia, la chispa y la feroz dulzura de un ángel. Y tiene una anciana tía, doña Juliana de Gómez Pedraza, que dijo, sonriéndole a él desde detrás de su impertinente:

—Me atrevo a decir, general, que es usted un hombre con suerte.

Su Pepita vive para él y ahora él vive para ella y para los hijos que tengan, porque ha deseado mucho tener hijos. Hasta ahora estaba triste de pensar que marcharía al ocaso de su vida sin ellos. Tuvo una esposa, Marie, a quien debió dejar en París. Él y sus oficiales hermanos pensaron que podrían traerse a sus esposas, o que los llamarían de regreso a Francia en cuestión de meses. Pero las cosas iban arrastrándose por demasiado tiempo. Luego de la caída de Puebla, poco después de que mandó por Marie, llegaron noticias de que…

Pero se ha prometido no pensar en Marie.

Y el final, que va a llegar rápidamente después de México: *la belle France*, su honor de guantes blancos, su pecho cubierto de listones y medallas ganados por la gloria del imperio de Luis Napoleón en el fondo de su corazón, no le van a importar a François-Achille Bazaine más que la colilla del puro que acaba de aventar por el balcón. Abandonada abajo en el empedrado, y todavía ardiendo.

MIENTRAS TANTO, en su apartamento de la calle de Coliseo Principal, Angelo y Alicia avientan cosas en baúles. ¡Cajas! ¡Canastas! ¡Una vieja jaula de hierro para perico! Están apurados: les han dado órdenes de salir de México, no cuando quieran sino antes del amanecer. En menos de una hora, unos guardias del palacio los van a escoltar al hotel Iturbide; ahí, justo antes de que cante el gallo, abordarán la diligencia a Veracruz. De allí van a tomar el primer vapor a Nueva York y luego, sin demora, a París. Los Iturbide serán recibidos en la corte de Luis Napoleón como altezas del Imperio mexicano. Será una vida de glamor y comodidad, así que deben estar agradecidos. Cualquier otra idea que pudieran tener, como el guardia palatino insinuó, "no sería lo mejor para su salud".

Alicia baja corriendo las escaleras con los brazos cargados de enaguas. Angelo se apresura a su escritorio y empieza a buscar frenéticamente entre sus papeles. En la habitación contigua, su hermano mayor, Agustín Gerónimo, recargado en una cobija enrollada, se mantiene tranquilamente alcoholizado con lo último que queda del coñac. Agustín Cosme, ¿dónde anda? Y en medio de toda esta locura, la nana a quien despidieron, Lupe, una mujer pequeña y avejentada, con una expresión de miedo y desesperación, se mete a escondidas al comedor. Mira a la derecha, mira a la izquierda y luego coge un candelabro de plata y lo envuelve en su chal.

—¡Lupe!

El corazón de Lupe se salta un latido. Pero sólo es doña Alicia, que la llama desde lo alto de las escaleras.

Lupe sale al pasillo para contestar.

—Sí, niña.

—Lupe, traéme la canasta del mercado. La necesito para los zapatos. ¡Apúrate!

Pero Lupe no va a la cocina por la canasta. En el comedor, se espera hasta que oye que los pasos de doña Alicia desaparecen en la recámara, luego saca una cuchara de plata del cajón y la echa en el monederito que lleva bajo su blusa. Lo abrocha bien.

—¡Lupe! ¡Apúrate!

—Sí, niña —pero lo que Lupe hace es quitarse los huaraches para poder bajar las escaleras sin hacer ruido.

En la cocina, se retaca una bolsa con tortillas, queso y varios puñados de pasas. Luego se pone otra vez sus huaraches y, dejando abierta la puerta de la casa, se desliza al callejón, hacia la noche.

Arriba, Alicia vacía sobre el colchón su delantal lleno de zapatos. Resopla. "¡Ay, esa floja de Lupita, ha de tener *tzictli* en la suela de sus huaraches!" Al llegar al descanso, Alicia se topa con su reflejo en la ventana enrejada. Pero no va a preocuparse por cómo se ve (su pálido cabello está todo despeinado y húmedo de sudor), no va a detenerse, no va a ponerse a pensar en Lupe ni en los otros criados ni en las mil cosas; debe correr, correr, pasar por la puerta cerrada de la recámara del bebé y bajar las escaleras por la canasta para los zapatos. Hay una presa de entumecimiento dentro de ella, y lo que está reteniendo es un Niágara.

Pasada la medianoche

Pasada la medianoche, el cielo se abre desgarrándose, vertiendo agujas de plata sobre la ciudad de México y todo el vasto valle de Anáhuac; incontables miles de almas yacen despiertas: no pueden dormir por el ruido y el temor a las inundaciones, los caminos anegados, la siembra echada a perder y los animales ahogados. En su cama, con su brazo de oso en la cintura de su mujer, el general Bazaine se siente culpable al pensar en sus hombres, que están en tiendas de campaña. Pero los franceses no son los únicos soldados que sufren esta noche. A las puertas del castillo de Chapultepec, un voluntario austriaco tiembla bajo su impermeable. Su rifle está tan frío que los dedos se le han entumido. Para evitar quedarse inmóvil se pone a canturrear, aunque los dientes le castañetean, una canción de cervecería: *Ein, zwei, drei und der Hündschen…* la lluvia asordina sus palabras. A doce pasos de distancia, el otro centinela no puede oírlas. En el piso más alto del castillo, donde la azotea retumba y, pasando la ventana, los desagües gotean y salpican, la camarista de la emperatriz, Mathilde Doblinger, después de rezar 100 rosarios, hila listas en su mente, contando con los dedos los quehaceres para mañana: lavar y remendar los dobladillos de los vestidos que se llenaron de lodo, limpiar las suelas de los zapatos, pegar en su lugar una rosa de seda que se le cayó a un jubón…

Pero Carlota, aunque la lámpara de su buró sigue ardiendo, duerme. Abajo, Maximiliano duerme. En el otro pasillo, Pepa, serena princesa, duerme. Y el más tierno de todos, un ángel en almohadas de tenue gasa, duerme el pequeño Agustín con el pulgar en la boca, sin soñar jamás que su casa está siendo abandonada, que están empacando las cosas de su padre y de su madre: ropa, zapatos, accesorios, joyas, libros y papeles. Para las 03:00 horas, todas las camas y su cuna están ya desmanteladas y la ropa de cama guardada en un baúl.

Los libreros, el piano y los armarios de caoba serán recogidos por un agente que va a subastarlos (las ganancias las enviarán a una cuenta de París). La biblioteca de su padre, las últimas botellas de vino de Madeira y el retrato de su abuelo —el auténtico don Agustín, en su uniforme de comandante militar imperial— que colgaba sobre el piano, se los encargaron a doña Juliana de Gómez Pedraza. Y si las cortinas se quedaron todavía colgadas en los cortineros, una cafetera de porcelana fue olvidada entre la basura en un rincón del comedor, y un candelabro de plata y varias cucharas cafeteras desaparecieron junto con la nana Lupe, no importaba: estaban bajo la vigilancia de dos guardias palatinos. Alicia, Angelo y sus hermanos Agustín Gerónimo y Agustín Cosme, y hasta la última canasta salpicada de lluvia, la última caja y valija de mano y la jaula de hierro del perico repleta de zapatos, fueron depositados en la diligencia a Veracruz.

Angelo es el último pasajero en subir a bordo, y todavía no está bien sentado cuando ya le cerraron la puerta de un azotón. Los guardias, un par de húngaros, van a caballo escoltando la diligencia; irían con ellos, adivina Angelo, hasta que salgan de la ciudad. Son aristócratas de algún rango menor, pero estuvieron observando cómo subían las cosas al coche con la sombría, estúpida expresión de los matarifes de un rastro.

En la oscuridad, Angelo se pasa la mano por el cabello. Luego aprieta el puño contra su boca. Ya sospechaba que Maximiliano se rebajaría a esto. Sí, lo hizo. La idea de que lo hizo es un martillo que golpea en su cabeza más fuerte que la lluvia. Se le hace un nudo en la garganta de pensar: ¡Los hizo viajar en época de lluvias! Cuando la fiebre amarilla está en su apogeo. Agustín Gerónimo lo tomó como toma todo: con otro trago. El otro hermano, igual: Agustín Cosme apesta a coñac y está roncando con la barbilla clavada en el pecho. Al lado de Angelo, Alicia va toda apretada junto a un enorme comerciante belga, con una caja de sombreros en el regazo. Hay 11 pasajeros, más comprimidos que chiles jalapeños en un frasco. Antes de llegar a la costa, ¿cuánto tiempo tendrán que pasar atrapados en ese miserable armatoste?, ¿dos semanas?, ¿cinco? Los caminos, si puede llamárseles así, son puros lodazales. La semana pasada, *La Sociedad* reportó que, pasando Orizaba, una recua entera, 18 mulas, habían caído en la ciénaga y se habían ahogado. Los arroyos secos estarán inundados; en cualquier punto del camino, la espera para cruzar en alguna posada repleta de alimañas podría durar días. En la sierra alta, ya cerca de los bosques de pinos que hay por Río Frío, podrían atacarlos los bandidos. Luego, ya bajando hacia tierra caliente: la tifoidea, el cólera, la malaria, la fiebre amarilla... en esta época del año, Veracruz es una trampa mortal. Angelo está lívido: contra Maximiliano, pero todavía más contra sí mismo. Ah, el elegante almuerzo en el castillo de Chapultepec, las resplandecientes medallas de la Orden de San Carlos para Alicia y Pepa, y de la Orden de Guadalupe para él y sus hermanos... así deslumbra la púrpura de la capa del matador.

Angelo nunca habría firmado por su propia voluntad semejante acuerdo. Habría podido resistir la presión de Pepa sola, pero todos, incluso Alicia, estaban convencidos como rocas de que esto sería lo mejor para la familia, lo mejor para el bebé, lo mejor para México. Alicia arguyó:

—Nuestro hijo *es* heredero aparente al trono; esto sólo lo hace un hecho oficial, y las promesas para él...

—No estás pensando con la cabeza —la interrumpió Angelo, y durante días se negó a oír ni una palabra sobre el asunto.

Pero si su esposa era casi 20 años más joven que él, una muñeca a quien nada le gustaba más que chismorrear de modelos de vestidos y frivolidades (cómo le encantaba a él cuando meneaba la cabeza: "Mi amor, ¿qué se te hace más *recherché* para mi sombrero, los narcisos o las plumas de avestruz?"), era testaruda como un hombre. No lo dejaba en paz, como un tejolote al molcajete. Señalaba:

—Tú fuiste el que quiso ponerle el nombre de tu padre. Tú fuiste el que insistió en que era la herencia que le correspondía.

Sí, Angelo había insistido en que le pusieran Agustín a su hijo, pero sólo después de que su hermano mayor lo sugirió. Agustín Gerónimo: el hijo de él era el que debía haber llevado ese nombre. Pero por supuesto, tal persona no existía, y con su salud en ruinas como estaba, nunca llegaría a existir.

—Oye, es tuyo —Agustín Gerónimo había cumplido los 56 ese año, pero con esa nariz llena de venas rojas y esas bolsas en los ojos, podría pasar por un hombre de setenta. Diez años antes, había anunciado que nunca se casaría. Las mujeres, dijo, esperan castillos en el aire; o si no, hasta donde él podía asegurar, tenían una manera de pensar que estaba en chino. Angelo adivinó que esa puntada de Agustín Gerónimo era para encubrir su orgullo herido.

La madre de Alicia, Mrs. Green, escribió que ella votaba (¡como si esto fuera una democracia!) por el nombre de Uriah, en honor a su padre, el general Uriah Forrest, que había peleado con el general Washington y había perdido una pierna en la batalla de Brandywine.

—¿Uriah? —dijo Pepa, como si hubiera estado oliendo trementina.

La respuesta de Agustín Gerónimo fue darse un manazo en la rodilla y resoplar.

Así que el nombre de su hijo fue Agustín de Iturbide. "¿Y qué?", le había dicho Angelo a su esposa, dándole a entender que no quería saber nada del plan de Maximiliano.

Alicia tomó aire:

—¿Cómo es posible que no te importe su educación? Nosotros no podemos ni soñar con darle la educación que Maximiliano le daría.

—Pero… —empezó Angelo.

—Un Habsburgo —lo interrumpió Pepa.

Alicia saltó:

—Piensa en eso: conocer Europa. París, Londres, Viena, toda Italia… y tener la oportunidad de viajar a Brasil, a Egipto. Va a conocer a los sobrinos de Maximiliano y…

—A los príncipes de Francia, de Prusia —intervino Pepa.

—Y de Rusia —dijo Alicia.

—¡Y de Inglaterra! Podrían mandarlo a la mejor escuela…

—En Londres o en Yorkshire, y luego a Oxford…

—Heidelberg —dijo Pepa.

Alicia extendió la mano sobre el brazo de su sillón para tocar el hombro de Pepa.

—San Michel, en Bruselas, es de primera.

—Saint Cyr…

—¡La Sorbona!

Dejando de mirar a Pepa, Alicia se volvió hacia Angelo con su expresión más de mujer de negocios.

—Tú mismo has tenido una educación que habría sido imposible en este país. No me parece justo negarle una oportunidad semejante a tu propio hijo.

Angelo, abrumado, se volvió hacia su hermano mayor.

Agustín Gerónimo había estado acariciándose la barbilla. Hizo un ademán con los dedos. Levantó los ojos a la pared, arriba del piano. Allí, en su marco dorado, colgaba el retrato de su padre, el Libertador, con su glorioso copete de pelo castaño rojizo, luciendo más joven que todos ellos, excepto Alicia.

Agustín Gerónimo dijo con un hipo:

—Importante. La educación —otro hipo—. Un hombre necesita. Exact-a-mente.

PEPA, ELLA FUE LA PRIMERA que le metió a Alicia en la cabeza el gusanito de la idea. Meses antes le había dicho:

—Lo que Maximiliano nos está ofreciendo es nuestro deber sagrado aceptarlo. Hermano —le apretó el brazo a Angelo—, ¿no lo puedes ver? —tenía los ojos brillantes—. Es por la santa Iglesia. Nuestro padre, nuestra madre, tú sabes que así lo hubieran querido.

—No —dijo Angelo, y se sacudió la mano de su hermana. Ya estaba hasta la coronilla de estas mujeres.

Pero a Angelo no le faltaba respeto por su padre. Al contrario, puede que ante su esposa y sus hermanos hubiera mostrado una cara de póquer, pero una fibra secreta de su corazón se había emocionado de pensar que después de ese desierto que fue su exilio, después de los mil y diez insultos a su apellido, se le tenía otra vez respeto y gratitud a su padre.

—Don Agustín de Iturbide fue nuestro enviado de la Providencia —fue en el pasado Domingo de Pascua cuando el arzobispo dijo estas palabras ante la multitud reunida. Al oír la reverencia y la incuestionable autoridad de esa voz, Angelo sintió alegría y al mismo tiempo la punta de navaja del miedo. ¿Quería el arzobispo provocar a Maximiliano? A principios de año, cuando el emperador no le devolvió a la Iglesia las propiedades que la república, con Juárez, le había confiscado, el emisario papal se regresó a Roma hecho una furia. El arzobispo había estado irritado con los franceses. No era ningún secreto que detestaba al general Bazaine y después se rumoraba que, en privado, se había referido a Maximiliano como "ese alemán".

Para todos los Iturbide era un artículo de fe que su padre había sido un genio y el patriota más grande de México, y si sus rivales lo tildaban de ambicioso era sólo porque le tenían celos. Mamá siempre lo dijo: como sus íntimos lo sabían y como cada una de sus acciones lo revelaba, don Agustín de Iturbide no albergaba ambición alguna, sino el más puro e inmaculado deseo de servir a su país, que era España, hasta que, en sus propias revueltas, abandonó a sus hijos en las Américas. En 1821, de las cenizas de dos atribuladas décadas de guerra civil, insurrecciones y anarquía, el Libertador proclamó el plan de

Iguala, erigiendo así esta nación, que él decidió llamar México, como una monarquía constitucional bajo tres garantías: independencia, la unión de mexicanos y españoles (puesto que todos los hombres son iguales) y la religión católica como su única y verdadera fe. El Libertador ofreció luego la corona de México a Fernando VII de España y a sus hermanos, y ellos la rechazaron. Sin darse por vencido, el Libertador envió una delegación a Viena para solicitar un archiduque austriaco, pero la corte no le ofreció nada más que desprecio. México era un huérfano y, sin rey, se estaba deslizando otra vez en el pantano del caos. Francia había sufrido ya su Reino del Terror. ¿En cuánto tiempo más México estaría empapado en la misma sangre? Todas las ciudades, desde Acapulco hasta Zacatecas, se hallaban infestadas de ladrones, saqueadores, jacobinos. El pueblo de México empezó a clamar para que su Libertador, su generalísimo, fuera su rey. Como cristiano y como patriota, ¿qué opción tenía? Como se lo dijo a su familia, estaba obligado a aceptar "estas cadenas de oro". La emperatriz, los príncipes, las princesas, todos tuvieron que aceptarlas. Si los Iturbide estaban prisioneros —y así le parecía ya a Ángel, rodeados de guardaespaldas en todo momento del día y de la noche—, habían sido elegidos (así se lo explicó su hermana mayor, Pepa, entonces de ocho años) por Dios.

Ya no podían decirle a su padre "papá". Se había vuelto "su majestad". Se veía muy apuesto con sus anillos. Cuandoquiera entraba en una habitación, todo el mundo se ponía de pie. Siempre había mucha gente a su alrededor. Siempre, afuera de su despacho, había una multitud esperando verlo. Antes, como era la costumbre, los niños les basaban la mano a sus padres; pero a su majestad había que besarle el anillo. Su majestad era como un césar romano, tan ancho de hombros y con su cabello castaño rojizo. Sacerdotes, oficiales, toda clase de hombres importantes, tanta gente, incluso indios con su ropa colorida y sus pies descalzos, venían a doblar la rodilla ante él y a besarle el anillo. Ángel creía que el trono, con sus patas labradas de tal modo que semejaban haces de trigo, era de oro sólido, incluso después de que Pepa le dijo:

—No le vayas a decir a nadie: es pintado.

Su hermano el grande, Agustín Gerónimo, era príncipe imperial: larguirucho, de pies grandes, la cara picada de acné. Se ponía todo enfadado con los chiquitos que querían tocar su espada y sus pistolas con los dedos mugrosos. A Ángel, confundido a sus seis años de edad, se le hizo que todo terminó casi tan rápido como había empezado. En su palacio, los vidrios se hicieron pedazos sobre la alfombra. Podían oír que abajo, en la calle de San Francisco, gritaban: "¡Muerte a Iturbide!" Ya fuera de la ciudad, la familia tenía que dormir en su carruaje y en el campo. El sacerdote que se vino con ellos iba a las casas de los campesinos a mendigar comida. En la costa se encontraron con un mar enfurecido como si hubiera estado vivo. Podían ahogarse todos, dijo su padre, pero mamá contestó, con un resabio de dureza en su voz: "mejor sería para todos morir que seguir un momento más entre gente tan ingrata". En el mar, en esas noches de sacudidas y zangoloteos, Ángel se caía de la litera. A la hora de las comidas, la sopa se derramaba, los platos resbalaban y se caían. Pronto a todo el mundo se le pegaron piojos. Y había gusanos en la carne salada y en las galletas de marino. Alguien intentó envenenar a Ángel y a su padre, y el capitán se negó a detenerse; tenía órdenes estrictas de continuar, dijo, aun cuando a causa del vómito (su padre le había dado a Ángel un vomitivo) el niño estuvo a punto de morir. El barco era un hervidero de infecciones, pero cuando anclaron en Livorno los hicieron quedarse a bordo, en cuarentena, otros 30 espantosos días. Los Iturbide no eran bienvenidos ni en Italia ni en París. No había lugar para ellos, al parecer, en ningún lado. En Londres, su padre se enteró de que los españoles estaban tramando invadir México. Por puro patriotismo, se sintió inspirado a regresar para dar la noticia y ofrecer su ayuda.

A los pequeños que se quedaron yendo a la escuela, en Inglaterra, se les hizo que ese verano pasaba arrastrándose, cada día más lento y más empapado que el anterior. Los juegos que les gustaban a los niños ingleses eran indescriptiblemente aburridos: canicas, matatena, y luego se ponían a correr guiando un aro con un palo, como niñas. En México, Ángel les clavaba cuchillos a los perros. Sus guardaespaldas lo llevaban a las corridas de toros. En Inglaterra, de codos en el alféizar de una ventana con vidrios emplomados, Angelo —ése era su nombre ahora— observaba cómo las vacas mascaban su forraje bajo la lluvia. Una mañana gris lo llamaron a la biblioteca del rector. Tenía libros que olían a moho desde la alfombra hasta el ornamentado techo y, detrás de un escritorio, un globo terráqueo de cuero en su base. Hizo girar con su dedo el globo, y éste dejó escapar un rechinido. Apareció un sacerdote. Angelo vio su expresión sombría y pensó que había venido a golpearlo, pero, en vez de eso, el padre se puso a hablarle en español; le dijo que su papá estaba con Dios. Dios está aquí, en la tierra, había dicho uno de los maestros, así que Angelo quería saber: ¿cuándo va a venir mi papá por nosotros?

Durante muchos años después, Angelo tendría el sentimiento de que el tiempo se había detenido en el instante en que tocó con su dedo el globo de cuero: magia negra. Los mandaron a Estados Unidos, donde se reunieron con su mamá y con el nuevo bebé, Agustín Cosme, en Nueva Orleans. Luego se fueron a Washington, a vivir en Holy Hill de Georgetown, cerca del colegio jesuita. Ahí siguieron viviendo, pero fuera del tiempo; en un sueño en el que hablaban en inglés, si es que México era real, o recordando ese sueño moteado de música de arpa, si es que eso era su país.

Angelo tiene 48 años. Educado por los hermanos sulpicianos de Baltimore y más tarde por los jesuitas de Georgetown, es, como por naturaleza, un hombre con estilo, meticuloso y previsor. Se sintió contento de servir a su país como diplomático en Washington, pero nunca buscó ser un hombre público. Muchos se dejan deslumbrar por el glamor de eso. Pero, como él siempre lo ha sabido, la vida pública está sembrada de indignidad. Pierdes tu condición de humano y te conviertes en una cosa, un títere al que se puede amar, aplastar, difamar, decapitar. Tu destino depende de tus conciudadanos, que pueden ser nobles amigos o, cuando menos lo esperas, ingratos asesinos. Ya emperador, ya presidente, tú y tu familia son propiedad de la nación, y la nación es una bestia de dos caras, como Jano.

Llegó a pensar que ya había escapado al destino de un hombre público.

Ha oído hablar de barcos que en la oscuridad se van contra los icebergs. Tener que irse de México otra vez era algo así: súbito, implacable. Horrendo.

Del exilio, mamá solía decir: "Es nuestra jaula". En sus momentos más pesimistas, cuando no sabía de dónde iba a sacar el dinero para pagar la renta, se llevaba los puños a la frente, desesperada: "¡Válgame Dios! ¡Esto es como estar enterrada viva!" Lo había perdido todo. Odiaba Washington, "ese fangal", como lo llamaba, y Filadelfia le parecía insoportablemente fría. Madame de Iturbide, como insistía en que la llamara todo el mundo, excepto sus hijos, se pasaba los días chismorreando sobre mexicanos a quienes no había visto en años y, en el convento, intrigando con las hermanas sobre trivialidades burocráticas. El convento era lo que había para sus hijas, con excepción de Pepa. En cuanto a los hijos, su objetivo era que se casaran con muchachas de las mejores familias; es decir, aquellas a quienes ella conocía y que poseían títulos y tierras suficientes para proporcionar un ingreso sustancial, todo lo cual era como esperar encontrarse un fénix en un gallinero. En Washington, ¿qué mexicanos había? Mamá tenía una baja opinión de los chilenos, los peruanos: "todos ésos de allá abajo". Los españoles eran otra cosa, pero en Estados Unidos los españoles de importancia podían contarse con los dedos de una mano, no, ni eso: con dos dedos, y ciertamente tenían alternativas mejores para sus hijas. No ayudó para nada el que Agustín Gerónimo se volviera famoso en todo Georgetown porque una vez sacó su pistola y se puso a agitarla en el aire en una reunión de té que más bien fue de brandy.

Angelo tenía ya casi 40 años cuando, como una brisa de primavera, vino a iluminar su vida Miss Alice, la de dorada cabellera y risueños ojos, cuyos diminutos pies en sus zapatillas de seda parecían flotar en los salones de baile. Nada importaba excepto Miss Green. Cada uno de sus pensamientos, cada una de sus acciones, cada sorbo de aire que tomaba era por Miss Alice Green. Le llevó flores, le hizo una tarjeta de san Valentín y, en su cumpleaños, le dio un ramillete de orquídeas. En verano fueron a los conciertos en los jardines de la Casa Blanca; en otoño, a la ópera y al teatro Nacional a ver una pieza. En invierno, después de patinar en el hielo: "¿Se le antojaban a la señorita unas castañas asadas?" Le compró un cucurucho lleno de las más calientes, recién salidas del fuego. Angelo no era su único pretendiente, y su madre, Mrs. Green, nada más lo toleraba, y eso no muy de buenas. El tiempo era esencial, ya que, para progresar en su carrera diplomática, Angelo tendría que regresar pronto a la ciudad de México, y podía hacerlo ahora que muchos de los enemigos de su padre ya estaban muertos y Santa Anna camino al exilio. Le pidió a Miss Green su mano y, para alegría suya, aceptó. Había pensado que la madre de su amada se opondría, pero, sorprendentemente, la señora dio su consentimiento pronto, aunque sin entusiasmo.

Lo que lo dejó pasmado fue la reacción de mamá. Desde Filadelfia le escribió que había tenido que guardar cama, postrada como estaba por la pena. Con un tono respetuoso y tranquilizador, él le contestó recordándole lo que ya le había dicho: que, naturalmente, Miss Green era católica; seguro ella se acordaba de Mrs. Green, de Holy Trinity (y Mrs. Green, tuvo el cuidado de añadir, era la dama que se sentaba a veces junto a Mrs. Decatur, la viuda del comodoro). Los Green eran una familia respetada en la sociedad de Washington; Miss Green era bisnieta del gobernador Plater, de Maryland, y nieta del general Uriah Forrest, que había combatido junto con el general Washington, y perdió una pierna en la batalla de Brandywine. Angelo le explicó además, subrayando esto dos veces, que tenía toda la intención de llevarse a su esposa a México, en lo cual ella estaba de acuerdo. "Tengo la certidumbre, madre querida, de que sabrás entenderme y de que hallarás en tu corazón un lugar honorable para la amada de tu devoto hijo." Junto con la carta, puso en el sobre un boleto de tren para que ella y Pepa pudieran venir desde Filadelfia para asistir a la boda. Pero no recibió respuesta hasta la mañana del día en que iba a casarse.

Angel,
     Sabina me ha dicho que por fin has resuelto casarte mañana, o el sábado. Esta resolución que has tomado me da claramente a conocer que tu cabeza no está en su lugar. Ruego a Dios que esta carta llegue a tus manos a tiempo para ver si te hace retraer del paso que vas a dar. Pero si contra *toda* mi voluntad estás resuelto a desobedecerme, *jamás* quiero que siquiera me menciones a esa mujer; y si alguna vez vienes a verme, te exijo palabra de honor, por mi tranquilidad y tu decoro, de no presentármela *jamás*.
     A Don Angel, ponte en lugar de esta tu afligida A.M.

Mamá no tenía idea de cuán cruel podía ser. Tenía corazón, sí, pero le habían salido cayos en él. Había desempeñado su papel en la vida dentro de un escenario muy grande: había sido una de las muchachas más ricas de toda la Nueva España, esposa del héroe de la nación, coronada emperatriz, y luego se encontró en el exilio, viuda, con el problema de educar a sus hijos, dependiendo de la caridad de los sacerdotes. Necesitaba el drama como un adicto necesita de su opio. Y cómo la había amargado tener que vivir en Estados Unidos, ese país que con tan desdeñosa facilidad, con tan hipócrita arrogancia cortaría pedazos del suyo como si fuera fruta madura, lista para comer.
     La boda tuvo lugar en la sala principal de Rosedale, la residencia de los Green, que dominaba las cumbres arriba de Georgetown. Ya después, solo, Angelo tomó el tren a Filadelfia. No le mencionó nada acerca de su esposa a mamá, pero no ocultó el anillo nuevo que llevaba en el dedo. Cuando ya se marchaba, al día siguiente, ella le estrujó la mano entre las suyas:
     —Prométeme que mis nietos serán mexicanos.

Angelo le besó las manos. Le hizo la promesa.

—Te vas a quedar en México —dijo ella.

Él le prometió también eso.

Angelo y su esposa llegaron a México justo a tiempo para una sangrienta pachanga de gobiernos, leyes y constituciones cocinadas por payasos y radicales. México parecía atado a una rueda, pasando por las mismas tragedias y reveses una y otra vez. Estados Unidos lo había invadido en 1847, el turno ahora era de Francia. Y no que esta vez fuera tan fácil: cuando el bebé nació, los franceses todavía estaban batallando para tomar la ciudad de Puebla. Luego Juárez se marchó, los franceses ocuparon la capital y, en junio de 1864, llegaron Maximiliano y Carlota. Hubo un torbellino de bailes, cenas, tertulias... Alicia y Pepa estaban emocionadas; se mandaron hacer guardarropas totalmente nuevos con sombreros estilo parisino adornados con plumas de cisne, plumas de avestruz, encaje belga, todo un espectáculo, ya que antes de que Carlota apareciera en escena, las señoras usaban mantillas, no sombreros. Pero a Angelo todo le daba lo mismo: le importaban un comino esos europeos. Pepa y Alicia harían caravanas, pero él y sus hermanos, hijos del Libertador, no iban a agacharse y doblar la rodilla. Sin embargo, tenían cuidado con sus palabras. Siempre habían tenido razones para ser cuidadosos.

Tanto en casa como en público, los Iturbide hablaban en inglés e, incluso ahora, rara vez discutían de política. Donde quiera que pudiesen escucharlos, usaban palabras en clave: el general Bazaine era "el abuelo" y Maximiliano "el hermano menor". No obstante, Angelo había expresado en privado sus reservas sobre las cuestiones mayores de la estrategia diplomática. La intervención francesa en México se había construido, parcialmente, sobre la suposición de que la Confederación obtendría su independencia y, así, el Imperio mexicano contaría con un vecino amigable y un amortiguador entre sí mismo y el Norte. Pero Luis Napoleón había subestimado a la Unión. Era verdad que Angelo había hecho amistad con el embajador de Lincoln, Mr. Thomas Corwin, antes de que éste dejara México, pero también había visto por sí mismo los puertos, los astilleros, los rieles de Baltimore, Filadelfia, Nueva York, y en cuanto a los de Boston no, personalmente, pero el año pasado les había dicho a varios a caballeros:

—El Norte es un ciclón y la Confederación va a quedar aplastada.

—Es *rouge et noir* —respondió el general Bazaine a través de su nube de humo de cigarro.

Atlanta ya había sido quemada hasta los cimientos.

—Con todo respeto, señor —disintió Angelo—, el Sur está enterrado. Y los Estados Unidos no van a ser amigos de este Imperio.

En febrero de 1865 llegó a la ciudad de México la noticia de que Charleston había caído. En mayo se supo que, en abril, el general Lee se había rendido en Appomattox. Angelo esperaba ver caras tristes por todos lados, pero no; para los "mochos", los conservadores mexicanos, todo iba de maravilla con el Imperio de Maximiliano. Ese mismo mes, cuando supieron que Lincoln había sido asesinado, algunos mochos celebraron brindando con champán. *La Sociedad* declaró que el nuevo presidente de Estados Unidos reconocería a su majestad el emperador Maximiliano, y el comercio pronto estaría activándose no sólo en la frontera de Matamoros, que la Unión había bloqueado, sino también a través de Campeche, Tampico, Veracruz. México se volvería un imán para los colonos: refugiados confederados, la mejor gente con educación y capital, no había ni que decirlo.

—¿Qué le parece a usted, don Ángel? —le había preguntado a Angelo el embajador prusiano, el barón Magnus, todo muy *sotto voce*; el barón había visto una copia de la carta de condolencias de Carlota a Mrs. Lincoln—. ¿Cree que lo reconozcan?

—Es ingenuo pensar eso —respondió Angelo.

Agustín Gerónimo murmuró:

—La chingada que lo van a reconocer.

Eso fue todo: los hermanos Iturbide no dijeron nada más. Angelo demostró haber estado en lo correcto en todo: la Confederación cayó, y el nuevo presidente de Estados Unidos no sólo rehusaba reconocer a Maximiliano sino que había enviado 40 000 soldados hasta abajo de Texas, desde donde podrían, en cualquier momento, abrir fuego y reducir Matamoros a polvo.

En junio pasado, en la boda del general Bazaine, los hombres se juntaron en un rincón del jardín. El embajador español le preguntó directamente:

—A su juicio, don Ángel, ¿las tropas norteamericanas cruzarán el río Bravo?

—Es un alarde —dijo Angelo—. Están cansados de la guerra.

Un periodista inglés se metió entre el grupo y se presentó inclinándose ligeramente en una obsequiosa caravana.

—¿Entonces cree usted, Mr. Iturbide —preguntó—, que ahora los americanos van a pasarle sus armas y sus municiones a Mr. Juárez?

—Quién sabe —Angelo se metió las manos en los bolsillos. Uno nunca podía saber quién sería un agente pagado por quién.

Poco después de eso, empezaron a seguirlos a él y a sus hermanos en la calle a donde quiera que fueran.

Luego Alicia hizo burla del traje de charro del emperador. Pero, carajo, ¿quién no? Pepa dijo que Maximiliano parecía ranchero a lazar una ternera. Incluso su anciana casera, doña Juliana, la viuda de don Manuel Gómez Pedraza, la tía de Madame Bazaine y una mocha completa desde sus pantuflas de terciopelo hasta su mantilla de encaje negro, en cuanto vio a Maximiliano trotando con esa ajustada chaqueta corta y sombrero cual lebrillo, exclamó (por lo menos lo suficientemente alto para que Alicia la oyera):

—¡Dios nos dispense este sainete!

Tres días después, un guardia palatino fue a dejar un sobre para Angelo. La criada de doña Juliana lo tomó por una invitación, lo llevó arriba y lo dejó en la repisa junto con otras. En la noche, con sólo un sentimiento de satisfacción, Angelo cortó ese pesado papel marfil que tenía un grabado en oro. No, no era una invitación para un baile más. Era el estampido de un rayo en un cielo claro: una orden, sin ninguna explicación, para que los Iturbide salieran de México. Alicia se soltó a llorar. Al oírla, el bebé empezó a berrear.

Angelo sintió una patada de mula en el estómago. ¿Por qué? ¿De quién venía? ¿Quién los había calumniado? Sucedía todo el tiempo: la gente inventaba cosas, falsificaba documentos. Su mente se puso a recorrer todo un laberinto de posibilidades. ¿O era alguien que estaba tratando de pescar un soborno?

No tenía idea de qué era esto, no tenía idea de qué hacer, pero habló con calma:

—Mi amor, no te pongas así —le puso la mano en el hombro, tranquilizándola—. Voy a ver a Agustín Gerónimo, él arreglará todo.

Por protocolo, su hermano mayor era el que debía haber recibido esa comunicación. A la mañana siguiente, Angelo lo encontró en su hotel. La habitación a oscuras olía a ropa sin lavar. En el buró, un plato con moronas de queso ya había atraído a las hormigas. Había dos copas y una botella vacía de champán. El corcho yacía en el piso, junto a un montón de ropa. Como era su costumbre en las resacas, Agustín Gerónimo se había puesto en la frente un guante de ópera para dama, blanco, bien relleno de hielo. A Angelo le recordó una trucha pelada, obscena.

—¡Hermano! ¡Hermano! —sacudió uno de los postes de la cama.
Agustín Gerónimo gruñó:

—Ah, chin —y aventó el guante.

Angelo se hizo a un lado. El guante fue a dar al pie de la cama con un golpe húmedo. Angelo lo recogió con la punta de los dedos y fue a echarlo en la palangana. Su hermano, mientras tanto, se dio vuelta de cara a la pared. Después de eso, Angelo no tuvo manera de levantarlo. Le dejó la carta parada en su buró.

No fue sino hasta ya tarde, ese día, que la familia pudo reunirse en la sala de la casa de Angelo. Quedaron petrificados, Angelo más que todos los otros, cuando Agustín Gerónimo anunció que ya había enviado una respuesta diciendo lo siguiente: Su majestad debía considerar que, durante más años de los que llevaban los franceses en el país, la pensión de su familia no había sido pagada por completo por ningún gobierno en turno. Si Maximiliano reanudaba sus pensiones y tal vez les concedía un pequeño extra, lo necesario para llevar un estilo de vida compatible con su posición, los Iturbide, todos ellos, se irían gustosos.

—¡Yo no me iría gustosa! —exclamó Pepa.

—Con una pensión suficiente, sí —dijo Agustín Gerónimo.

Alicia se veía derrumbada.

—¡Yo no me quiero ir a vivir a Washington!

—¿Quién dice que tienes que…? —Agustín Gerónimo iba a decir algo más, pero se dobló en un acceso de tos. Angelo pensó: era ignominiosa la manera en que la salud de su hermano mayor había decaído. Adonde quiera fueran a dar —¿Filadelfia? ¿Londres?—, ahí iban a enterrar a Agustín Gerónimo.

Todos esperaron a que el jefe de la familia se compusiera. Estaban sentados alrededor de él en herradura. Alicia y Pepa de un lado, juntas en el sofá; Angelo de pie detrás de la silla recta en la cual se hallaba sentado el hermano menor, Agustín Cosme.

Pepa no pudo contenerse más:

—Hubieras esperado a oír lo que teníamos que decir nosotros —jaló aire con indignación—. ¿Qué se supone que hagamos ahora? ¿Esperar una respuesta colgados del tendedero?

—O que vengan a tocar a medianoche —Angelo se quitó la mano de los ojos, que se había cubierto—. ¡Dios mío! —murmuró mirando al techo—. Podrían arrestarnos a todos.

—¡N'ombre! —dijo Agustín Gerónimo, volviendo a guardarse el pañuelo en el bolsillo—. No con la casera que tienes.

Alicia intervino:

—¡Sí! ¡Doña Juliana nos ayudaría! Podría ir a hablar con el general Bazaine. Si es prácticamente su yerno.

Eso hizo resoplar a Agustín Gerónimo.

Pepa le echó una mirada lacerante:

—No veo nada gracioso en esto —luego se volvió hacia Alicia—. Involucrar al general no sería la mejor idea.

En una cosa todos estaban de acuerdo: no iban a arriesgarse a aparecer en público.

Angelo regaló sus boletos para la ópera y, aduciendo que se hallaba indispuesto a causa de la gota, declinó todas las invitaciones para cenar. Alicia y Pepa suspendieron sus rondas matutinas de visitas. A fin de evitar que los vieran en la iglesia, doña Juliana arregló que un tal padre Fischer, un alemán que acababa de llegar de Texas vía Durango, viniera a tomarles la confesión y a decir misa en su sala. Doña Juliana tenía suficientes sofás, un par de reclinatorios y un altar ennegrecido por el tiempo que alguna vez fuera el orgullo de la capilla de una hacienda ganadera dominicana. Ante el altar se hallaba un cofre de Manila, sobre el cual el sacerdote dispuso su mantel y colocó el cáliz y la hostia. Después, todos subirían al comedor de Angelo y Alicia por café y pay de manzana. El padre Fischer siempre tomaba tres cucharadas copeteadas de crema batida, diciendo con un suspiro de satisfacción: "*Ach, mit Schlag*".

El padre Fischer tenía la cara regordeta, amigable, de quien invariablemente ha comido bien. Pero algo había de servil en él: nariz romana, cabello rojizo hirsuto y unos ojos de hurón, saltones como si estuvieran midiendo en secreto las posibilidades, a fin de calcular mejor sus diezmos. Lo más desagradable era el hábito que tenía de, en medio de una confesión, examinarse las uñas y, de tanto en tanto, darles una buena mordida. Alicia hizo un puchero y dijo que el padre Fischer olía a cerveza y a col agria y murmuraba el Padre Nuestro de una manera que no se le entendía: su latín era atroz. Ciertamente, él no pertenecía a esa elevada clase de alemanes que ella había conocido entre el *corps diplomatique*, en Washington. Alicia había oído que su padre era carnicero en una aldea al norte de Stuttgart. Incluso, el padre Fischer había ido a San Francisco durante la fiebre del oro y, violando sus votos como sacerdote, se hizo de una amante y luego la abandonó junto con sus hijos. Pero —Pepa lo defendió— los chismes ociosos era mejor ignorarlos. El hecho era que el padre Fischer había conocido a Maximiliano en Roma. Tenía conexiones de alto nivel con el Vaticano.

—Va-ti-ca-no —remarcó Pepa, pronunciando las sílabas como si le hablara a una niña chiquita—. Y el padre Fischer es alemán.

—¿Y? —Alicia miró para arriba.

—Ten tantito sentido común, siquiera una vez —le respondió Pepa.

Doña Juliana, mientras tanto, había ido a hablar con el general Bazaine. Él no sabía de la carta a los Iturbide y, afligido como estaba por eso, juzgó el asunto "fuera de su cartera de responsabilidades". Con la mayor discreción, doña Juliana trató de averiguar más, pero la corte de Maximiliano, compuesta principalmente de oportunistas y extranjeros, permaneció impenetrable.

Pasaron tres semanas antes de que los hermanos Iturbide se atrevieran a meter un dedo del pie en el agua. Acompañado por el padre Fischer, Angelo se dejó ver en el restaurante Parisien. El general Bazaine y algún oficial austriaco cuyo nombre se le escapó se acercaron a su mesa a saludar. Angelo escrutó su rostro cuando intercambiaban plácemes. Fue muy poco lo que se dijo de importancia directamente. Uno tenía que deducir lo que quedaba tácito, percibir matices muy sutiles en la escala de grises: ¿Dijo eso con un tono más afilado? La inflexión, aunque fuera infinitesimal, ¿fue de deferencia o de desagrado?, la sonrisa ¿fue de afecto o fue una máscara para una nerviosa incomodidad?

Del palacio imperial venía una ráfaga de silencio.

Poco después leyeron en *La Sociedad* que su majestad andaba recorriendo la provincia, empezando con excursiones en canoa por el lago de Texcoco, luego fue a Teotihuacán a ver las pirámides del Sol y de la Luna y luego a Chapingo, Otumba y Tulancingo. Su majestad había visitado una escuela, un hospital y una fábrica de vidrio. Había admirado el acueducto de Zempoala y se había dirigido después al norte para visitar las minas inglesas en Pachuca. Había mucho que leer sobre Pachuca: páginas y páginas.

—Parece —dijo Pepa— que Maximiliano fuera a llevarse toda su corte a Pachuca.

Todavía una semana después de que el emperador regresó a su residencia en el castillo de Chapultepec, los Iturbide seguían sin oír nada. Agustín Gerónimo dijo:

—Tal vez les haya echado la bolita allá abajo, a los del tesoro —refiriéndose al asunto de sus pensiones.

Sin embargo, pasada otra semana, Angelo llegó a pensar que nunca los arrestarían si se quedaban quietos. Muy quietos.

Mientras tanto, doña Juliana logró pescar una joya de información de inteligencia: el padre Fischer se había hecho amigo de Frau von Kuhacsevich, ama de llaves imperial, y de Mathilde Doblinger, la camarista vienesa de la emperatriz. Eran dos de las personas más cercanas que gozaban de la más alta confianza por parte de sus majestades; se habían venido con ellos desde el castillo de Miramar, en Trieste.

Angelo se lo planteó directamente al padre Fischer: ¿creía él que ya hubiera pasado el peligro de ser arrestados por no obedecer la orden imperial de salir de México?

Los ojos de hurón del padre Fischer se deslizaron a la izquierda:

—Eso no me toca a mí decirlo.

El primer domingo de agosto, después de la misa en la sala de doña Juliana, después del pay de manzana y la crema batida y después de que doña Juliana, apoyándose pesadamente en el brazo de su vieja cocinera, regresó abajo, el padre Fischer hizo su proposición.

Angelo pensó que no había oído bien.

—¿Maximiliano quiere hacer *qué*?

El padre Fischer sonrió melifluamente al repetir:

—Su majestad desea tomar bajo su tutela a su hijo Agustín.

Un mamut podría haber roto el techo en su caída y aplastado el piano reduciéndolo a astillas. Angelo abrió la boca, pero no pudo formular palabra. Se encontró con que estaba de pie, pero sus rodillas se sentían de pronto vacilantes. Se apoyó con una mano en el respaldo de la silla de Alicia. Alicia, no obstante, se iluminó como un árbol de Navidad.

—¿Nuestro Agustín iría al castillo de Chapultepec? ¿Con sus majestades?

—Con sus majestades —respondieron al mismo tiempo el padre Fischer y Pepa.

A Angelo se le cayó la mandíbula. Se quedó viendo a Pepa.

—Hermana… ¿tú…?

El padre Fischer continuó:

—Su majestad asumiría la responsabilidad de su educación. También se encargaría de la educación de su sobrino Salvador en Francia.

—*Todos* seríamos elevados al rango de altezas —añadió Pepa—, con los títulos de príncipe y princesa —mirando primero a Agustín Gerónimo y luego a sus dos hermanos más jóvenes, repitió—: Todos.

Agustín Cosme, el único hijo del Libertador que nunca había tenido el rango de alteza imperial, pues nació poco después de la muerte de su padre, se despabiló al oír eso, aunque no dijo nada. De cualquier manera, a nadie le interesaba su opinión y, si la hubiera dado, ésta habría tenido el peso de una pluma.

Desde su silla, Agustín Gerónimo carraspeó.

—Eh, ese título ya lo tuve hace unos cuantos años. Tú también lo tuviste, hermana, cuando le llegabas a las rodillas a un pato de charco.

El padre Fischer, a su manera meliflua, dijo:

—Mi estimado señor, bien podría usted considerarlo como el palacio, si se lleva a su apreciada familia bajo su… —alzó la mirada al techo, como si las palabras se fueran aleteando.

—Protección *especial* —completó Pepa.

Agustín Gerónimo dijo:

—Puro aire caliente, padre —se llevó una mano a la cadera—. ¿Qué hay de las pensiones? Ahí está la clave del asunto. No podemos salir de México si no tenemos los medios.

—Todas sus pensiones serán totalmente restablecidas —dijo el padre Fischer—. Y habrá otras sumas, más que generosas.

—¿Qué tan generosas? —Agustín Gerónimo levantó la cabeza.

—150 000 dólares para cada uno de ustedes.

—*En écus bien comptés?*

—30 000 dólares en efectivo y el resto en pagarés, a cobrar el 15 de febrero en París.

—¡París! —se echó a reír Agustín Gerónimo. Levantó su copa—. Salud.

Luego recordó, dirigiéndose a Angelo:

—Bueno, se trata de tu hijo. ¿Qué dices tú?

—¡N-no!

—Bueno, pues eso es —Agustín Gerónimo se volvió hacia Pepa—: un hueso duro de roer.

—*Un hueso duro de roer* —la expresión de Pepa era de rabia.

—Déjate el gorro puesto, hermana —Agustín Gerónimo hizo ademán de calmarla—. ¿Qué dice usted, padre: puede regresar con Maximiliano y decirle que qué tal si nos da nuestras pensiones y la educación de Salvador, pero que no cuente con mi sobrino Agustín: él se queda con sus padres?

Los ojos del padre Fischer parecieron hundírsele en sus carnosas mejillas.

—Como ustedes deseen —fue todo lo que dijo.

ANGELO HABÍA QUEDADO PERPLEJO, no sólo por lo inesperado —¡lo atrevido!— de la proposición, sino también porque luego, en los días que siguieron, Alicia se tomó en serio la idea. ¡Le imploró, lo acosó, lo presionó!: "¿No te importa nada tu familia? ¡Tu hijo podría tener en Europa la mejor educación! ¡Piensa en su futuro! ¡El futuro de tu país!"

¿Dónde, *cómo* habían perdido el hilo de la razón en esa niebla de chispas y polvo mágico?

Una noche, jugando baraja con sus dos hermanos, Angelo le dijo a Agustín Gerónimo:

—Yo no quiero hacerlo, pero Alicia…

Agustín Gerónimo trató de aconsejarlo:

—La mujer se ha empecinado en esto. Ella es la madre, estarás de acuerdo —se tapó la boca con sus cartas y empezó a toser—. Yo lo haría.

—¿Tú lo harías? —Angelo entrecerró los ojos.

Agustín Gerónimo sacó una carta de su mano y la colocó en la mesa: caballo de espadas.

—Volverás sordo, nunca te dejará en paz.

—¿Tú lo harías?

Agustín Gerónimo sacó otra carta. Una vez que arregló su juego, volvió la vista a la ventana, hacia la calle.

—Eso fue lo que dije.

—Es tanto dinero, carajo —respondió Angelo sombríamente.

El más joven de los tres, Agustín Cosme, dijo como para tranquilizarlo:

—No es nada más por el dinero. Pero sí… y Pepa dice…

—Ya sé lo que dice Pepa —atónito, Angelo se puso de pie tan violentamente que la silla se tambaleó detrás de él. Salió de la habitación. No iba a entregarle a ningún otro hombre su propia carne y sangre. Y la idea de que el pequeño Agustín fuera heredero presunto —o "aparente" o lo que sea—, bien podría ser así, pero pensar en que algo iba a salir de todo esto ¡era risible! Maximiliano y Carlota eran todavía jóvenes: Carlota tenía apenas 25 años.

¿No había dado él la señal más clara posible?

Pero al día siguiente, precedida por un arreglo de aves del paraíso, azahares, lirios y rosas, orquídeas, gladiolos y helechos, tan ostentoso que no podía caber por la puerta (los sirvientes tuvieron que deshacer el arreglo y luego volver a armarlo), la emperatriz misma llegó al número 11 de la calle de Coliseo Principal. Dejando en la calle a sus guardaespaldas, subió las escaleras hasta el departamento del tercer piso. Con un rumor de sedas y tafetán, su majestad aterrizó en el sofá y aceptó una taza de café. La criada que se lo trajo estaba temblando tanto que por poco suelta la charola. El resto de los sirvientes pegaron la oreja a la puerta (Angelo podía ver la sombra de sus pies por la rendija de abajo). Para él no era emocionante, sino tristemente desconcertante tener aquí, en este departamento mexicano, a Carlota, hija del rey Leopoldo de los belgas, nieta del rey Luis Felipe de Francia, prima en primer grado de la reina Victoria de Inglaterra, cuñada del káiser Francisco José de Austria. Todo estaba mal ahí: el tapiz de la pared, que detrás de la mesita tenía una peladura en forma de dedo pulgar, la alfombra barata, el forro que ya estaba raído en los brazos de la silla. El olor rancio a tocino frito. En el cojín del sofá, junto a la manga del vestido de su majestad, que era de encaje y terciopelo, había una mancha de cuando, hacía meses, el bebé vomitó (voltear el cojín habría revelado una mancha de café).

Luego de que el bebé fue entregado a su nana, Carlota dijo:

—Podemos asegurarles que tendrán noticias frecuentes de Agustín.

Alicia, con una cara inocente como la de una niña, estaba sentada en la orilla del sillón.

—¿Todos los días? —preguntó.

—Comunicación constante —dijo Carlota.

Alicia había colocado el arreglo de flores, como pudo, sobre la repisa. Angelo se sentía enfermo de ver esa cosa, tan ridículamente desproporcionada, y de oler su opresiva pestilencia.

Esa noche soñó que lo llevaban a punta de espada a la orilla de un precipicio, y luego, sin que nadie le ayudara, caía. Despertó sobresaltado, cubierto de sudor. Esa misma semana tuvo un acceso de gota tan terrible que tuvo que andar con bastón. Y luego le salió una asquerosa ámpula en la parte de atrás del cuello.

Tendrían que irse de México, pero, ¿cómo?

En el norte, los insurgentes controlaban el campo. Los franceses habían tomado Chihuahua finalmente, pero en los pueblos todavía tenían combates sangrientos con la guerrilla. En todas las carreteras que iban al norte, las diligencias eran emboscadas regularmente. Había francotiradores en las peñas.

En lugar de irse por ahí, la familia podía tomar la diligencia hacia el sureste, a Veracruz, una ruta casi igual de traicionera, y de ahí embarcarse en un vapor hacia el norte. Pero llegar a Veracruz ahora, en época de lluvias, la época de la fiebre amarilla, sería una locura. Y si salían de México vivos, sin un puesto en el cuerpo diplomático, sin propiedades, sin pensiones, ¿dónde iban a vivir?

Angelo sabía la respuesta, y ésta le remolía los intestinos: en Washington, bajo el mismo techo que Mrs. Green. En su maldita granja.

—Estás siendo egoísta —lo acusó Alicia—. ¡Debemos considerar el futuro de nuestro hijo!

Angelo tenía que admitirlo: era fabuloso pensar que su hijo pudiera ser educado bajo la tutela de un Habsburgo.

Pepa, como el segundo en un duelo, apareció detrás de su cuñada:

—Esto es algo más grande que tú, hermano. Nuestro soberano está solicitando nuestra ayuda y haciendo una oferta magnánima. ¿No te importa tampoco que México sea un país católico? ¿Permitirías que Juárez y sus criminales destruyeran nuestro país? ¿No tienes temor de Dios? Todos nosotros en esta familia, y tú, hermano, estamos en una posición crucial para hacer un servicio.

La criada puso aparte la cuchara que había tocado los labios de Carlota, le amarró un listón en la pata y la puso sobre la repisa, junto a esas horribles flores. La cocinera guardó la taza y el platito en una repisa en alto, aparte. Angelo nunca había visto a su hermana tan llena de energía, tan risueña y solícita con Alicia, a quien, hasta ahora, nada más había tolerado como tolera uno a una niña tonta y latosa.

La emperatriz fue a visitarlos otra vez, conminándolos con melosas sonrisas a que realizaran ese acto noble, bello. Pero debajo de la pose de su majestad, pulida como la plata y que tan boquiabiertas tenía a las mujeres y a los sirvientes, Angelo pudo detectar la amenaza: "¡O aceptan o no va a haber nada para ninguno de ustedes!"

Después de todo, Maximiliano bien podía apropiarse del niño por la fuerza y luego exiliar al resto de la familia sin un peso. O algo peor. Maximiliano disfrutaba con la grandiosa exhibición de su misericordia (era un secreto a voces que cada vez provocaba más al general Bazaine), pero su majestad, después de todo, era el hermano menor del káiser Francisco José, cuya policía secreta, la Geheimpolizei, había limpiado las calles de Viena, Trieste, Milán de cientos de personas inconvenientes. Liberales, anarquistas, estudiantes de cabeza caliente, quien fuera, eran balaceados, estrangulados, torturados, pateados hasta reducirlos a pulpa. Esa clase de cosas siempre habían ocurrido en México, y sólo un simplón podía esperar que fuera diferente ahora. La semana pasada, por ejemplo, al sombrerero que tenía su negocio en la esquina lo habían obligado a marchar, a pleno día, con la cabeza sangrando y las manos atadas a la espalda. ¿Por qué? Ni doña Juliana ni los sirvientes lo sabían. Por supuesto, no decían nada de eso en *La Sociedad*. La suerte de uno podía cambiar al tronido de los dedos de su majestad. O al de uno de sus lacayos. Sin influencias en los niveles más altos, uno era vulnerable: un toro sin cuernos, o, mejor aún, una tortuguita arrugada arrastrándose sin su caparazón.

—Pero con el arreglo de Maximiliano —dijo Pepa. Alicia asintió: Sí, sí, sí—, no sólo podemos contar con la protección de su majestad, sino que se abrirán brillantes perspectivas para nuestro Agustín.

Cuando se dirigían a la ceremonia de firma del acuerdo, en el castillo de Chapultepec, Angelo tuvo que parar el carruaje dos veces para poder bajarse a vomitar. En el castillo, los fueron pastoreando por la escalinata de mármol; subieron y luego bajaron a una galería donde colgaban arañas de cristal veneciano; después, pasando dos hileras de soldados y guardias, se encontraron en un salón con cortinajes de terciopelo rojo. El contrato yacía en una mesa de patas torneadas con chapa de oro. Maximiliano tomó la pluma y firmó. Cómo se le clavó a Angelo ese sonido: como de metal rechinando en un vidrio. Agustín Gerónimo fue el primero de la familia en firmar; luego, como Angelo no dio un paso adelante, siguió Agustín Cosme. Pepa firmó: *scratch, scratch*. Y luego firmó Alicia: *scratch*.

Cuando otra vez Angelo no se movió para tomar la pluma, el padre Fisher lo presionó con la mano.

—Por México —le dijo. Sus ojillos lo miraron saltones, pero su voz sonó como una campana, queda y meliflua—. Por México.

Don José Fernando Ramírez, el ministro de Relaciones Exteriores, se llevó el puño a la boca y tosió.

Angelo podía sentir sus miradas. Maximiliano, que olía a loción para el cabello, aguardaba con los dedos de una mano sobre la mesa, como posando para una fotografía. Reparó Angelo en ese momento en que la tela del uniforme de su majestad era extraordinariamente fina; las charreteras con flecos de oro —era algo notable— le quedaban perfectamente. A su padre nunca le quedó tan bien el uniforme. Usaba unas botas muy gastadas y el cuello almidonado, ya pasado de moda, rozándole la mandíbula. ¿Dónde estaba su cara?

¿Por qué, en todos estos años, jamás había podido conjurar en su mente la cara de su propio padre? Angelo se sentía mareado de náuseas. El dedo gordo de su pie derecho, atacado por la gota, era una pulsante agonía. Sus ojos se llenaron de lágrimas (parpadeó para retenerlas) y, con un movimiento tan brusco que pareció como si una fuerza externa empujara sus pies hacia la mesa y su mano hacia el pergamino, firmó. Cuando levantó la pluma del documento, sintió que la sangre se le había ido de la cara. Fue como si, en ese instante, un miembro de su alma hubiera sido amputado. "Dios mío", una voz pequeña clamó en su interior. "Dios mío."

AHORA, EN LA DILIGENCIA, Angelo no logra sentirse cómodo; no con su bastón entre las rodillas y su hombro apretado contra la ventana, el codo en la caja de sombreros de su esposa. A través del aguacero alcanzan a distinguirse borrosas siluetas de puertas que pasan. De tanto en tanto, la lámpara del coche arroja un velo de luz sobre un tramo de cables de telégrafo, algún empapado macizo de arbustos, una cruz medio enterrada en el lodo. Una palomilla —nota Angelo por primera vez— revolotea atrapada dentro de la lámpara, junto a la ventanilla. El comerciante belga ronca. Agustín Gerónimo empieza a retorcerse con una tos seca que lo hace temblar.

Angelo se siente tan mal. En París, si es que logran llegar hasta allá, hay una leve posibilidad de que la legación mexicana le dé algo qué hacer: traducciones, trabajos de esa naturaleza; no puede esperar más, pues el embajador se va a sentir celoso de sus responsabilidades y relaciones. Se le ha ocurrido que, con el dinero de las pensiones, podría iniciar algún tipo de compañía de exportaciones: máquinas de coser o pianos. Pero cuando se pone a pensar en que hay que arreglar permisos, calcular tarifas aduanales, asignar un presupuesto para sobornos, le parece como si estuviera observando desde una gran distancia a alguien que no es él, la marioneta sin alma de un filisteo.

Podría desempeñar el papel de erudito y escribir una historia de su padre, de las revueltas independentistas de México, del primer imperio y su caída. Muchas personas, incluyendo al arzobispo, se lo han sugerido. Pero, para Angelo, meterse en esos temas sería abrir otra vez su herida, dejarla en carne viva y exponer el dolor que siente; sabe que eso estaría por encima de sus fuerzas.

"Dios los proteja", dijo la viuda de Gómez Pedraza. Por primera vez, desde que Angelo era niño, doña Juliana le puso la mano en la parte de atrás de la cabeza y le dio un beso en la frente. Se quedó despierta, tan tarde después de la medianoche, para despedirlos.

—¿Mi amor? —dice Angelo. Se inclina hacia su esposa. La caja de sombreros que lleva ella en el regazo se le encaja en las costillas.

—¿Qué?

Él le toca la mano: está tan fría. Una horrible idea penetra en su mente: están muertos. De alguna manera, se da cuenta, lo están; y esta caja de miseria en la que viajan todos apretados, arrojados de aquí para allá como lomos de un caballo enloquecido, es su Purgatorio. Le viene a la mente una imagen de la plaza de toros: concluida la antigua ceremonia, las mulillas arrastran con cuerdas el toro muerto; detrás de ellas, los areneros remueven, rastrillan la arena.

—Qué —dice ella otra vez, alzando la voz por encima del crujido de ruedas y el retumbar de pezuñas—. ¿Qué pasa?

Él le entibia la mano entre las suyas.

—Nada.

—Tienes las manos heladas —se queja ella, y retira su mano.

CON MEDIA HORA de ventaja sobre la diligencia, una carreta cubierta de lona se va meciendo en sus ruedas de madera, que parece fueran a vencerse en cualquier momento, chirriando, rechinando. En la parte trasera, acurrucada entre tambaleantes alteros de cajas, va sentada Lupe. Es vieja como Matusalén, pero tiene miedo de que, más que este frío húmedo, los sustos sean la causa de su muerte. El primer susto fue cuando doña Alicia le dijo que el bebé iría a vivir con el emperador. Luego, ayer en la mañana, a pleno sol, la emperatriz viene al departamento y ella y doña Pepa se llevan al bebé. Doña Alicia y don Ángel dicen que se van. Hasta el otro lado del mar. Todavía ahora —le viene en vahídos de náusea—, Lupe siente como si le hubieran quitado el suelo debajo de los pies.

Durante un rato, ahí en la parte trasera de esa desvencijada carreta, iba sobándose y dándose palmadas en los brazos para no temblar, pero ahora ya nada más va sentada, con los dientes castañeteándole y los ojos oprimidos por un dolor exhausto, entumecido. Tanto brinco y zangoloteo es un martirio para sus viejos huesos: ya se pegó dos veces en el hombro y se lastimó la espalda; cada una de sus articulaciones, desde la base del cuello hasta los dedos de los pies, le duele. La lluvia truena sobre la lona y, colándose por una rotura, el agua fría ya se ha encharcado alrededor de sus huaraches. Son unos huaraches chiquitos. Lupe no es más alta que una niña desnutrida de 12 años.

No tiene familia. No sabe qué edad tenía, sólo que estaba muy chica, allá en el orfanato, el año en que el terremoto tumbó el techo del cobertizo. Puede que tuviera 11 o 15 años cuando las monjas la mandaron lejos, para siempre, acomodándola de galopina en la casa de una de las benefactoras. Durante más de 60 años, la casa de los Gómez Pedraza fue su casa. Las monjas le habían enseñado a hacer muchas cosas que ella, como niña, se imaginaba que eran muy de mundo: quesadillas y gorditas rellenas de flor de calabaza, tostadas de frijoles y pollo deshebrado con trocitos de canela. La dejaban echarle cebolla al cocido de pata de cerdo que, decían todas las monjas, sabía aún mejor recalentado. En ocasiones especiales, como el día de Nuestra Señora de Guadalupe, o cuando algún sacerdote o benefactor venía de visita, ayudaba a hacer el mole. Se arrodillaba para moler en el metate los chiles, el chocolate y las especias, y atizaba el fuego debajo de la cazuela grande, hora tras hora, hasta muy noche. Antes del amanecer, ayudaba a preparar las jarras de agua de sandía, mango, horchata, y en otoño, después de que pasaban las lluvias, agua de tuna endulzada con piloncillo.

Pero en casa de doña Juliana de Gómez Pedraza, ¡era otro nivel! La cocinera le enseñó a moler las almendras hasta reducirlas a un polvo fino, a batir la crema. Doña Juliana las ponía a preparar cosas muy elegantes —¡Ay, las más elegantes!—: trucha blanca en un lecho de cáscaras de limón en vinagre, chiles poblanos rellenos de nueces asadas y carne molida y salpicados con semillas de granada, y pato y ganso y codorniz, faisán en salsa de mantequilla con nuez moscada con trocitos crujientes de pimiento. Muy pronto, observando a Chole, Lupe aprendió cómo hacer la sopa de tortuga con jerez y la ensalada de lechuga con plátano y cacahuates quebrados (encima, con mucho cuidado, como doña Juliana le enseñó, Lupe acomodaba rebanadas de fresa formando estrellas). Antes de la comida, para su digestión, Lupe le servía a don Manuel su vaso de tepache. Siempre le agregaba un chorrito de limón porque así le gustaba a él.

—Gracias, Lupita —murmuraba don Manuel, tomando el vaso de la charola.

Lupe bajaba la vista y respondía en voz baja:

—Para servirle, señor.

Don Manuel era más alto que la mayoría de los otros hombres, y el copete que se hacía cepillándose hacia arriba su grueso cabello lo hacía verse todavía más alto. Unas patillas en forma de cuchillas enmarcaban su rostro pálido, alargado, impecablemente rasurado. Tenía unos labios delgados que rara vez sonreían. Pero no había nada maligno en él.

—Declaro —le dijo un día a su esposa— que ha de haber ángeles en tu cocina.

Uuuh, bueno, Lupe pudo haberse convertido en la cocinera, pero eso era casi tan probable como que un ratón pusiera un huevo porque Soledad —doña Chole, como la llamaban esos vendedores lambiscones del mercado— era la cocinera. Doña Chole, viejo aliento de ajo y brazos flácidos, le sacaba a Lupe una cabeza de estatura, pero se fue encogiendo al envejecer hasta que —el día llegó— ella y la chaparrita Lupe se miraron de frente.

Pero, vieja o joven, Chole era tan fea que hubiera derretido la cera. Tenía unas manos que de un solo jalón le habrían quebrado el pescuezo a un guajolote macho grande. Sacando la mandíbula, siempre encontraba la manera de hacerlo menos a uno. Sin ninguna razón, nada más por desprecio, le daba a Lupe un coscorrón. Si Lupe quemaba una tortilla, Chole le pegaba: "No vales ni un grano de mostaza", la escarnecía sin importar que ella misma hubiera quemado tortillas suficientes para alimentar a un ejército, y más de unos cuantos pasteles; sí, una vez Chole quemó todo un lechón; ¡quedó convertido en un ladrillo negro! Como si no le costara ni un peso a la señora, que tuvo que darles sobras a sus huéspedes: rebanaron el chorizo de venado del desayuno para echárselo a la sopa, y no alcanzó. Y cómo podría olvidársele a nadie, si pasó en el año de la bala de cañón, cuando pegó en la fachada de la casa del conde Villavaso, cruzando la calle; cuando Chole dejó una bolsa de arroz en el piso, en lugar de ponerla en el zarzate. Semanas enteras la cocina estuvo llena de ratones y cacas, y de cucarachas. Una vez, cuando lo estaba bajando de la repisa de arriba, Chole soltó el platón de vidrio azul que había sido uno de los regalos de boda de doña Juliana. ¡Hecho pedazos! La señora llegó a la cocina corriendo ¡y en camisón! Fue un milagro divino que doña Juliana no se muriera de la gripe que le dio después de ese susto.

Pero, ¿acaso decía la señora una bendita palabra por cualquiera de estas cosas? No, nunca. La mamá de Chole había sido nana de doña Juliana, así que por todos lados, de cabeza y revés, de martes de Cuaresma a martes de Cuaresma, Chole era sin ningún esfuerzo la sirvienta consentida en la casa de los Gómez Pedraza. Chole caminaba sobre las aguas, y sus pedos eran perfume de lilas. Ella lo sabía también. Si había que decorar un pastel —y Lupe, habiendo preparado los piñones, el jengibre endulzado, la cáscara de naranja y las pasas, ponía cada cosa en sus respectivos tazones—, Chole sacaba la cebolla más grande y decía: "Tú, pica esto"; o: "tú, saca la basura al callejón"; o: "Tú, barre las cenizas". Su alteza doña Chole no enjuagaba ni una taza si podía ordenarle a la galopina que lo hiciera.

Muchas veces, Lupe subió a la azotea, a la habitación que compartía con Chole y otras criadas, a tirarse en su cobija y ponerse a llorar. Pero si Chole o alguna de las otras muchachas estaban ahí y se fueran a burlar de ella, Lupe se quedaba en la azotea y se escondía entre las sábanas y la ropa colgada en los tendederos. Odiaba estar ahí arriba, sola, expuesta como un conejo bajo el cielo abierto. La vista de la nieve en los volcanes la hacía sentir tanto frío. El perro que tenían amarrado en la azotea vecina le gruñía y le ladraba. Ella le gritaba: "¡El Diablo te lleve!" Llevaba una provisión de piedras para aventarle.

Chole era la cruz que a Lupe le tocaba cargar. Se lo habían enseñado las monjas en el orfanato: "El Todopoderoso nos ha dado una posición en la vida. Es su voluntad que obedezcas a tus superiores. La fe en su sabiduría es tan necesaria para tu salvación como el aire que respiras para tu cuerpo mortal".

A veces Lupe se quedaba viendo al crucifijo que colgaba en la pared arriba de la cama, o al que estaba sobre la olla grande de hierro, o al que se hallaba en el pasillo que daba a la sala (ciertamente, no había escasez de crucifijos en casa de los Gómez Pedraza) y se obligaba a recordar lo que estuviera sufriendo, ¿era clavarle clavos en las manos y en los pies? No llevaba en la cabeza una corona de espinas, no le escurría sangre por la cara. ¡No la azotaban ni le aventaban piedras los soldados y los hebreos! Esta casa tenía a Chole, pero el hecho es que era una casa decente, donde había temor de Dios. Don Manuel y doña Juliana les hablaban a todos con respeto: uno al otro, a sus parientes, a sus amigos e invitados, a sus sirvientes. Para los sirvientes siempre había frijoles y tortillas, e incluso carne, aunque fuera la cabeza de la ternera o las tripas o los pedacitos medio quemados o con nervio. Los sirvientes comían carne todos los días excepto viernes, pero los viernes tenían un montón de queso y huevos.

"Los mansos recibirán la tierra por heredad", era la promesa de nuestro padre celestial, y la idea nunca dejó de parecerle maravillosa a Lupe, tan maravillosa como lo había sido la capilla del orfanato, sí, con su cúpula altísima, hinchada de luz, y el altar todo cubierto de conchas doradas y la cara de flan de vainilla que tenían los santos y los ángeles. Y el templo de la Profesa, adonde asistían los Gómez Pedraza y sus sirvientes, era más grande; tenía 10 arañas de oro que proyectaban su sombra en los muros de mármol rosado y en los cuadros de las estaciones de la Pasión, que se hallaban alineados a todo lo largo de la nave. Había muchos santos sufrientes, y profetas sufrientes también. Cuando el padre y los monaguillos se ponían a columpiar los incensarios de plata, brotaban bocanadas del humo más fragante; el mismo humo, Lupe aseguraba, que Nuestra Señora de Guadalupe debía de estar respirando en el cielo, junto con el de sus hermosos ramos de rosas.

Cubriéndose la cabeza con su viejo y pringoso chal, Lupe volvía a casa y se hundía otra vez en la penumbra de la cocina.

—¡Pon agua a hervir para el té de la señora! —si no era lo bastante rápida, Chole le jalaba las cejas o le pegaba con la cuchara de madera.

—Perra —le decía Chole, y a veces nada más porque sí.

Pasaron 20 años. Un día, el demonio hizo que Lupe murmurara:

—¿Quién platica?

Chole, que estaba en el fregadero pelando chícharos, se dio la vuelta y le lanzó una mirada feroz:

—¿Qué dijiste?

El corazón empezó a latirle más rápido a Lupe. Bajó los ojos.

—Nada.

Debía ser mansa, se reprendió, una y otra vez. Las monjas se lo habían hecho aprender a golpes. "Obedece a tu patrona, obedece a quienes son mejores que tú y, sobre todo, obedece a tus superiores, que es obedecer a Dios." O si no, te vas a ir a arder a las llamas del infierno.

El orgullo mancha el alma, así que tal vez era Chole, *ella* era quien se iba a ir a arder. Esta idea le dio mucho gusto a Lupe, y pronto, donde se hallara, por decir, rebanando una sandía, se imaginaba que Chole no estaba en el lebrillo pelando chícharos o cortando la carne de una gallina hervida, sino con las manos atadas detrás de un poste. La pila de leños y ramas que tenía a los pies empezaba a sisear y a echar humo; pronto, Chole estaría gritando, retorciéndose, chillando. "¡Piedad! ¡Tengan piedad de mí!" Pero Lupe nada más veía cómo las llamas le lamían los tobillos y luego las pantorrillas. La falda y el delantal de Chole florecían en llamaradas, y luego la lumbre se propagaba a las mangas de su blusa; y luego, en medio de la más horrenda pestilencia, sus trenzas empezarían a chamuscarse, su carne chirriaría... un olor como a tocino.

Ji ji ji, Lupe enjuagaba el cuchillo, lo secaba en su delantal y se ponía a arreglar la sandía en un platón.

—¿Qué te da risa? —le preguntaba Chole.

—Nada.

Al principio, Lupe iba a confesarle al padre sus malos pensamientos y en penitencia rezaba sus avemarías: 10 avemarías, 100 avemarías, 500 avemarías... pero el demonio insistía. Al paso de los años, esa malvada escena se fue haciendo más y más vívida cada vez que, despierta, la soñaba. Una vez, Lupe se imaginó que estaba parada ahí frente a la hoguera con una cubeta de agua. La voz de Chole chillaba a través de las negras nubes de humo: "¡Piedad! ¡Lupe, te lo imploro: pooor favooooor!" Lupe metía en el agua de la cubeta la cuchara de madera, la misma cuchara con que Chole le pegaba. Le salpicaba apenas lo de una cucharada cafetera, atinándole a uno de los muslos enrojecidos y burbujeantes de Chole: ¡zuzz! Se desprendía una pequeña nube de vapor.

Tal era el secreto, dulce consuelo de Lupe conforme fueron pasando los años, cada uno idéntico al siguiente, le parecía; pero cuando recapitulaba, vaya que había muchos cambios. En el año de Nuestro Señor de 1822, don Manuel fue nombrado comandante de la ciudad de México. ¡Qué espléndido uniforme! En la casa hubo un desfile de gente yendo y viniendo, cenas, tertulias y a veces, a altas horas de la noche, hombres importantes venían a hablar con don Manuel. Los sirvientes sabían que eran importantes porque, desde la azotea que daba a la calle, podían ver a los guardaespaldas, figuras sombrías a la luz de la farola, que fumaban y jugaban dados en la banqueta. Siempre había un montón de oficiales militares en la cena. Desde la cocina, las criadas podían oír el rumor de sus voces, las súbitas explosiones de risa, primero uno, luego todos juntos. "¡Por don Manuel!", y venía el chocar de copas. "¡Salud! ¡Salud!"

En el año de 1828, don Manuel fue electo presidente. Qué hermosa cena de celebración tuvo la familia: tías, primos en primero, segundo y tercer grado. Lupe nunca había visto tantos parientes en esta casa. Primero se ofreció consomé con jerez sobre un huevo de codorniz hervido en cada plato. Hubo cuatro pavos y dos jamones y, de postre, una melada de papaya (que a Lupe le costó un hombro adolorido), torrejas de piña y "botones" de yema de huevo, nata y azúcar. Pero, inmediatamente después, un grupúsculo de generales inició una revolución. Desde la Plaza Mayor, a sólo unas cuadras de ahí, podían oír el rugido de los cañones y, desde la calle vecina, el estampido de los rifles. Los sirvientes se taparon los oídos y se tiraron al piso. Más tarde, doña Juliana vino a la cocina a decirles, tan tranquila como es posible imaginarse, que no se preocuparan, que don Manuel volvería tan pronto como las cosas se calmaran. Y eso fue exactamente lo que pasó.

Y en el año de 1832, otra vez, don Manuel fue electo presidente. Como el palacio había recibido tantos cañonazos y había servido de cárcel, doña Juliana se negó a instalarse ahí. Su casa siguió siendo donde era y, de cualquier forma, don Manuel siguió siendo presidente sólo unos cuantos meses antes de que Santa Anna regresara. Y los yanquis vinieron y luego se fueron. La mayoría de los sirvientes, todos parientes de Chole, se regresaron a su pueblo, San Filomeno de Cuajimalpa. Lupe era la única de esta casa que nunca había puesto un pie en San Filomeno de Cuajimalpa, y nunca lo haría.

Como ya sólo con Chole la compartía, la recámara de la azotea le parecía mucho más fría. Ya sólo mataban y guisaban un pollo, no cuatro o cinco. Un día, después de la cena, cuando estaba leyendo el periódico en su sillón junto a la ventana, don Manuel le pidió a Lupe que le trajera su vaso de tepache. Cuando ella volvió con la charola, encontró al patrón caído de lado. ¡Los labios se le habían puesto azules! Sus ojos de color pálido estaban bien abiertos, las pupilas vacías de mirada. Sus lentes yacían sobre la alfombra. Lupe no se atrevió a tocarlo; fue corriendo por el plumero y se lo puso frente a los labios. Así fue como lo supo: el general don Manuel Gómez Pedraza, a quien el Señor había concedido 63 años en la tierra, descansaba en paz.

Durante mucho tiempo la casa estuvo callada como una tumba.

Sin embargo, no fue sino hasta unos años después cuando doña Juliana le rentó el piso más alto de su casa a don Ángel de Iturbide, el hijo de aquel emperador. Don Ángel y sus hermanos venían de regreso del norte, y todo el mundo andaba alborotado: los boleros y el sereno, los muchachos que vendían periódicos y panfletos, el que hacía escobas, el que vendía el agua, el ropavejero y el afilador… toda clase de gente pasaba despacio por la puerta principal de doña Juliana para ver si alcanzaban a columbrar al príncipe. Don Ángel de Iturbide tenía un porte de tipo militar, con el pecho ancho y un bigote maravilloso, usaba mangas con olanes y sombrero de copa. De los peldaños de la entrada a su carruaje (el cochero se estacionaba enfrente para esperarlo) caminaba a zancadas largas, rápidas (a menos que, como sucedía a veces, lo estuviera afligiendo la gota). Tiempo después llegó la hermana solterona, doña Pepa. Era corpulenta y tenía tantas canas que mucha gente la confundió con la madre de don Ángel, doña Ana.

Pero doña Ana había fallecido en el norte. Eso se lo sacó Lupe a doña Pepa y luego se encargó de pasarle el informe al sereno, a los boleros, al escobero y a quien quiera que le preguntara, así como a muchas personas que ni siquiera pensaban preguntarle. Ay, una reina, tal como su madre, doña Pepa usaba un anillo con una perla negra. Cuando salía, se ponía unos guantes de piel suave como la mantequilla y, con lluvia o con sol, cargaba su sombrilla de seda negra.

En cuanto a la esposa de don Ángel, doña Alicia, era una yanqui pero de modales decentes y bonita como una muñeca. Tenía una cara acorazonada y el pelo color miel de alfalfa, que llevaba recogido pero no tan apretadito como el de las damas mexicanas, y usaba los zapatos más pequeños y preciosos. Tenían la punta redonda, no como los zapatos de hebilla que se ponía doña Juliana. No, ninguna señora de la ciudad de México usaba zapatos como los de doña Alicia.

Don Ángel y doña Alicia necesitaban una cocinera y, ¿a quién mandó doña Juliana para arriba?

¡El gusano se había convertido en mariposa!

Chole estaba verde de envidia. En cuanto a Lupe —doña Lupe, como empezaron a llamarla los vendedores del mercado. Oh, no, ya no era nada más "marchantita"—, no había para ella néctar más dulce que aparecerse en la cocina, porque era la misma cocina: la compartían, y ordenarle a Chole en voz alta:

—Hazte a un lado. Don Ángel quiere su desayuno.

Lupe se disfrutó contarle a Chole que arriba, en el departamento de los Iturbide, en la alacena sólo el gabinete de los vinos estaba cerrado con llave. Así era: Lupe podía comerse todo lo que quisiera: tocino, almendras garapiñadas, pasas, cinco huevos hervidos en el desayuno, nadie le llevaba la cuenta.

Doña Alicia le enseñó a Lupe a hacer pay de manzana, pero puedes hacerlo, le dijo, de fresa, chabacano, camote. Eso era algo para verlo: doña Alicia se arremangaba las mangas y se ponía a aplanar la masa ella misma, le echaba tanta harina que las dos empezaban a estornudar. El secreto de la masa perfecta, le explicó doña Alicia, está en batirla nada más hasta el punto en que, si agarras un pedacito entre los dedos, se siente como el lóbulo de tu oreja. Para demostrarle este principio a Chole, Lupe le dio un jalón a su propia oreja. Y doña Alicia tenía un libro de recetas tan gordo como la Biblia de doña Juliana. Tenía ilustraciones de pays a color. Lupe se reía: "Yanquis: eso es todo lo que comen: pays".

A través de todo esto, Chole estaba sentada en su banco, quieta como un sapo.

Chole tenía poco trabajo aparte de hacer tortillas y arroz con leche y empujar verduras hervidas a través de un cedazo. La digestión de doña Juliana podía tolerar pocas cosas más. Las cenas elegantes habían quedado a años de distancia. Aparte de los domingos, cuando había que hacer cocido para los parientes que venían de visita, y los martes, su día de estar en casa, cuando quería un pastel y cosas así para sus visitas, doña Juliana se pasaba los días en su sillón junto a la ventana, tejiendo suetercitos de bebé para sus sobrinos nietos y para el orfanato. Su casa era sombría, y la sala olía a cuero viejo y a moho.

Pero arriba, en el piso superior donde vivían los Iturbide, el mobiliario lucía brillante y el aire era fresco y dulce. A don Ángel le gustaba comer coco con limón y chile en polvo, chilaquiles de salsa de tomatillo, tan picosos que lo hacían a uno moquear, y trozos de piña y gajos de naranja arreglados en espiral, y rociados de nueces tostadas. Retapizaron sus paredes en tiras color mango sobre un fondo amarillo girasol. Y Lupe le ayudó a Alicia a colgar las nuevas cortinas, hechas con una tela que había traído de su país, suave como la piel de venado. Los Iturbide habían traído muchas cosas de allá: un piano, una cajita musical que tenía una abeja de bronce en la agarradera, y un cuero de oso pardo que usaban de alfombra en la biblioteca de don Ángel y, para el comedor, una campanita con los bordes redondeados. Siempre que era hora de traer el siguiente platillo o de recoger los trastes, doña Alicia tocaba esa campana.

Lupe pensaba con frecuencia en que debía de ser triste para doña Alicia estar tan lejos de su país. Cuando llegó, no hablaba español mejor que un niño. Aprendió a hablarlo, pero, al principio, siempre tenía que estar preguntando qué era esto, qué era aquello. En el mercado señalaba:

—¿Cómo se dice?

—"Chícharos" —le decía Lupe. O "huitlacoche". Doña Alicia le fruncía la nariz a eso, pero Lupe le enseñó: para la cena dominical de los Iturbide hizo crepas de huitlacoche con la receta de doña Juliana, y doña Pepa dijo que era el mejor platillo que había probado en muchos años. Las crepas de huitlacoche, dijo don Agustín Gerónimo, eran la comida más sabrosa de México.

Don Ángel comentó, levantando su copa de vino:

—Exquisito, Lupe.

Y doña Alicia dijo:

—Gracias, Lupita.

Lupe inclinó la cabeza y dobló tantito las rodillas, segura de que si seguía con sus huaraches bien plantados en el piso, se iba a ir volando hasta el techo. Murmuró:

—Para servirle, niña.

"Niña": así es como los sirvientes ya mayores llamaban a sus amas, si las querían.

Chole no le decía "niña" a doña Alicia. Y le habría enseñado mal alguna palabra, sólo para oír a una yanqui usándola y luego poder reírse a sus espaldas.

Sí, por dentro Chole estaba negra como las entrañas de un chivo, y tenía el vientre lleno de envidia. A cualquier otra persona, pensaba Lupe, esa envidia le habría marchitado el cuerpo. Chole cargaba en el cuello un amuleto de pelo de cabra y, como tenía problemas con cierta prima suya llamada Mariqueta, le había pagado a una bruja para que le hiciera una limpia con huevo de gallina. Pero las monjas le habían enseñado a Lupe que esas "supersticiones", como las llamaban, eran una invitación para el demonio. "Rézale a Santa María, madre de Dios, de rodillas; eso es todo lo que tienes que hacer." Le habían enseñado las palabras mágicas en el idioma divino de los Santos: *Santa Maria, ora pro nobis*.

Lupe rezaba y lo hacía con todas sus escasas fuerzas, y le parecía que, aunque había sido el plan de Dios que ella sufriera, en su nueva vida en el piso de arriba tenía cada vez más bendiciones. Un día, doña Pepa le dijo:

—¿Qué tanto sabes de bebés?

Tomada por sorpresa, Lupe le respondió:

—Todo lo que Dios quiere —que equivalía a nada.

Pero así quedó establecido: Lupe sería la nana del bebé de doña Alicia. Le pusieron el nombre de su abuelo, el emperador don Agustín de Iturbide.

Lupe no podía recordar cuándo fue la última vez que cargó un bebé. En el orfanato, su lugar había estado siempre en la cocina. La sorprendió: era ligero como un conejo. Tenía la cara enrojecida y arrugada como la de un viejo. Ella deslizó su meñique entre los deditos del bebé, tan, tan pequeños. Tenía que compartirlo con una chichimama, pero siempre que Agustinito necesitaba que lo cambiaran de pañales, venía de una vez a los brazos de Lupe. Cómo se bebía ella su aroma dulce, de leche. Lo envolvía en una cobija como un tamalito en su hoja, pero le encantaba levantar el borde y hundir su nariz en esos cabellos dorados y suaves.

Cuando quiera que doña Juliana lo viera, la mirada se le llenaba de ternura como si estuviera mirando al mismo Niño Dios.

—Buenos días, Lupita —decía cálidamente. Se agachaba sobre la carriola. Del negro velo de encaje salía un dedo arrugado para hacerle cosquillas en la barbilla al bebé—. ¿Quién es este pollito? ¿Es Agustín, chiquitín? ¿Lupita cuida bien a mi primor?

—Sí, señora —trinaba Lupe.

A medida que el bebé crecía, a Lupe se le hicieron musculosos sus viejos brazos. Pronto aprendió a caminar, agarrándose precariamente a la falda de ella, y luego, sostenido de su mano, empezó a gatear. Al poco tiempo, Lupe tenía que andarlo correteando. Él tenía una pelota azul, y todo el tiempo la echaba escaleras abajo. Este niño, Atín, como él se llamaba a sí mismo… todo lo que ella quería hacer era abrazarlo, cargarlo, besarlo. Su cara se encendía como un sol. Ella lo amaba con toda su alma, más de lo que nunca se imaginó que fuera posible amar a alguien. Si Atín quería su queso con trocitos de tocino, eso le hacía; y si antes de dormir él quería cantar la canción del cochinito, eso hacían; y si se ponía chillón porque tenía sueño, lo llevaba en brazos a su cuna.

Y ahora estos brazos tenían que cortarse, porque iban a mandar a Agustinito al castillo de Chapultepec, y así le cayó la noticia a Lupe. Sabía, sin que fuera necesario decirlo, que una vieja galopina como ella no podía esperar poner sus huaraches en ese lugar. No. Que le arrancaran el corazón, ¡que se lo echaran a los perros! Lupe trató de no temblar, ¡pero esa pena! Su alma estaba quebrada. Podía sentir cómo los pedazos empezaban a quebrarse, se iban flotando.

Doña Alicia le dijo, tocándole el hombro:

—No hay para qué llorar.

Entre las lágrimas y los sollozos, Lupe no pudo oír lo que Alicia le estaba diciendo.

—Niña —le suplicó, jalandola de la manga—, ¡lléveme con usted!

—Es imposible —doña Alicia ya había hablado con doña Juliana, le dijo. Lupe podía quedarse en la casa: tenía un lugar en la cocina.

¿Bajo las órdenes de Chole? Fregar cazuelas, recibir cachetadas y golpes con una cuchara de madera, después de ser no sólo la cocinera de la familia Iturbide, ¡sino la nana del nieto del único rey de México! La respuesta de Lupe salió a quemarropa de sus labios:

—Me voy para mi pueblo.

—Entiendo —dijo doña Alicia. Pero no, doña Alicia no entendía. Lupe no había visto San Miguel de Telapón en más de 60 años. A decir verdad, ni siquiera estaba segura de que fuera un pueblo; tal vez era sólo una ranchería, unos cuantos jacales. Aparte del nombre, Lupe recordaba una loma rocosa, cubierta de pinos. También recordaba, vagamente, haber visto unos pollos rascando entre los vidrios de una botella. Los miraba desde el poste al que la tenían amarrada de un tobillo. Un hombre viejo y encorvado salía cojeando a partir leña; hacía mucho ruido: suspiraba y tosía entre cada golpe del hacha. Ella tenía siempre un nudo de hambre. En la noche, los aullidos de los coyotes la hacían llorar. Ella no sabía quién era ese hombre, si su padre o su abuelo o alguien más. Incluso si pudiera encontrar San Miguel de Telapón, tal vez ni un alma la recordaría. Había oído que los franceses (¿no eran éstos los hebreos que mataron a nuestro salvador?) estaban quemando los pueblos, prendiéndole fuego a las milpas, robándose los animales, abusando de las mujeres. A los hombres que capturaban los mataban. El campo era un avispero de bandidos y guerrillas, y quién sabe quién era quién o quién era peor.

Además, como todo el mundo sabía, en la noche el campo abierto era el territorio de la Llorona. Las monjas les advertían a los huérfanos: "Quédense en su cama en la noche, porque si no…" La Llorona va arrastrando por el suelo su mortaja carcomida y sus cabellos largos y enredados, pero sus pies fantasmales no tocan la tierra. Va flotando, sus ojos son dos rosas negras; llora por sus hijos muertos, los busca y, con sus largos y helados dedos, la Llorona agarra a cualquiera que encuentra.

Ahora, corriendo a través de esa noche anegada de lluvia, en la parte trasera de esa carreta que avanzaba a brincos y sacudidas, Lupe sentía que el corazón le palpitaba como el de una chuparrosa y que las rodillas se le habían vuelto gelatina. Había sido tan orgullosa. ¿Era por eso que Dios la castigaba? Su único consuelo, ¡gracias a María Santísima!, era que el carretonero era sacerdote. Sí, un joven cura de aspecto fuerte, con un brillante diente de oro. Lupe le había preguntado:

—¿Conoce usted San Miguel de Telapón?

Él le sonrió de lado, despacio.

—Conozco todo el país como la palma de mi mano, abuelita.

—¿Cuántos días se hacen para allá, padre?

—Llegaremos cuando Dios quiera. Ándele, abuelita —le señaló con un gesto la parte de atrás de la carreta—, súbase.

Lupe no pudo subirse, tan chiquita estaba. Así que el padre la cargó de la cintura y la acomodó entre sus cajas.

—¿Qué hay aquí? —se atrevió ella a preguntar antes de que él cerrara la lona.

El padre le dio una palmada a una de las cajas.

—Imágenes de santos.

No mintió, pero tampoco dijo toda la verdad. Ay, sus santos, hechos de yeso, son para que los rompan: van rellenos de balas, pólvora y seis docenas de carabinas yanquis Spencer. Y ese carretonero no es ningún sacerdote, sino el Mapache, que debe su apodo a que le habían dejado morados los dos ojos en una pelea, hace ya largo tiempo; es la mano derecha del Tuerto, el jefe de los bandidos que recién se han unido a las fuerzas juaristas. Los Ciegos, se llaman a sí mismos esos bandidos porque, como uno de ellos dijo una vez de broma, en tierra de ciegos, ¿no es el tuerto el rey? Los Ciegos se han atrincherado en la sierra de Telapón, cerca de Río Frío. Se dice que están hostigando a una brigada austriaca y, desde el domingo pasado, han asaltado dos veces la diligencia.

La misión del Mapache es entregar el parque en la hacienda de Los Loros, pero un teniente del ejército republicano le informó allá en el almacén, ya que había subido a la carreta la última caja, que la hacienda de Los Loros había sido bombardeada y quemada.

Todavía estaban parados atrás de la carreta. El Mapache inquirió:

—¡Cuándo!

—Hace dos semanas.

—Hijo de perra —el Mapache le dio un puñetazo a una de las cajas.

El teniente se llevó la mano al puño de su espada y dijo:

—Respete.

El Mapache se sobó los nudillos. Había roto la caja.

—Sí, sssseñor —siseó.

—Y a propósito —con la punta del sable, el teniente sacó del gancho la punta de la lona y la dejó caer—, la contraguerrilla colgó a siete de nuestros hombres en los árboles del camino de la entrada.

Una lastimosa imagen. Y el Mapache hubiera ido corriendo a verla: una mosca en una embarrada de mierda. Sintió que la sangre le hervía de ira. El teniente era de cara fina y, aunque le sacaba una cabeza de estatura, el Mapache habría podido ganarle en cualquier pelea a trancazos o a cuchillo, excepto, tal vez, con el sable (su especialidad era la daga. En los riñones). Los ralos pelitos que tenía ese oficial en su barba de muchacho eran un precario remedo de piocha. Pero algo tenía —su actitud decidida, su manera de mirar a los ojos— que, de mala gana y contra todos sus hábitos, le inspiraba respeto al Mapache.

El teniente devolvió su sable a la vaina.

—Y usted guárdese los puños en los bolsillos.

—Sí, sssseñor.

Pero ahora —le explicó el teniente— querían que se llevara toda la carga a un granero, una legua al sureste de Orizaba. ¡Tres jodidos días pasando Puebla! Con las lluvias, la única forma de llegar hasta allá era por la carretera de diligencias, que patrullaban los zuavos franceses. Una misión para un buey. ¿De eso le había visto cara el teniente? El Mapache no le respondía a nadie excepto al Tuerto. Allí y en ese momento había decidido que lo que iba a hacer era llevarse la carga a Río Frío, la primera parada de noche de la diligencia. Allá en su campamento en lo profundo del bosque de pinos, hablaría con el jefe. Si el jefe le decía que sí, los muchachos se repartirían el parque y el resto lo enterrarían. Responderle a un pendejo, carajo, ¿eso era ser juarista?

—Escuche —le dijo el teniente, suavizando el tono—, esto tiene que hacerse. Y si alguien puede hacerlo, es usted.

Nada más le estaba dorando la píldora… pero, chingada madre, funcionó. Y los juaristas, recuerda ahora el Mapache, son los que consiguen el dinero y las armas de los yanquis. Desde San Francisco, cargamentos de rifles y pólvora llegan por barco a Acapulco; luego viajan por los vericuetos de las montañas de Guerrero hasta llegar a las entrañas de la capital, bajo las narices mismas de Maximiliano. Los franceses pueden quemar todos los jacales de aquí al Pacífico, pueden fusilar a todos los hombres, mujeres y niños, y reducir a grava todas las ciudades; y los curas y las monjas y todos sus amigos mochos, esos catri-

141

nes traidores, pueden ayudarles a hacerlo. Pero los juaristas, ¡ésos son los que van a ganar este juego! Y Los Ciegos están con el que gana.

—¡Abajo el imperialismo! —grita el Mapache bajo la lluvia—. ¡Abajo los traidores blancos!

La anciana que va atrás chilla:

—¿Qué?

El Mapache le responde con otro grito:

—¡Cállese!

Ese camarón de viejita… dijo que su pueblo estaba en la sierra, dos días por el camino de atrás de Río Frío. San Miguel de Quién-sabe-qué. Para él era Cuautitlán, pero le dijo lo que ella quería oír. Ella dijo que le iba a cocinar, así que no pensó pedirle nada. Pero la viejita sacó de entre su chal un candelabro. Plata maciza y más brazos que un pulpo. Quién sabe a quién se lo robaría, pero a caballo regalado no se le ve el diente; la plata compra balas, y cualquiera de esas balas puede ser la que mate a Maximiliano.

Sólo de pensar en el dizque emperador, el Mapache aprieta la mandíbula y siente que tiene ganas de pegarle a alguien. "¡Ese payaso austriaco! ¡Títere de extranjeros y lacayos papistas!" Azota a las exhaustas mulas, gritando hacia el aguacero:

—¡Arre, pinches mulas!

Pero, a causa de la lluvia y sus propios gritos, no oye la diligencia que viene alcanzándolo. De repente, el carruaje con sus 20 mulas y grandes ruedas lo rebasa como un bólido, salpicándolo con un confeti de lodo. Sus mulas se hacen a la derecha, la carreta se va de lado, las cajas resbalan, todo va a dar a… no puede ver.

¿Una zanja?

Olivia no puede entender

El hombre león le prometió a Atín una nueva pelota. Bueno, ¿dónde está?

Pero Atín quiere la suya. Su pelota *azul*.

La nueva nana, Olivia, saca su conejito, Mimo, de la canasta. Agita el juguete frente a su cara.

—Conejito —dice—. Te gusta tu conejito.

Atín le da una patada al juguete, que va a dar abajo de la silla.

Olivia se hinca para buscarlo. Lo saca de las orejas.

—Aquí está tu conejito.

Atín siente que la barbilla le tiembla. ¿Dónde está su nana Lupe? ¿Y mamá?

Más tarde lo visten con una túnica y zapatos nuevos. Se sienten tiesos en sus pies.

Necesita que le suenen la nariz otra vez. Respira por la boca. No le gusta que Pepa lo abrace. Su costado es duro. Esa cosa que usa tiene huesos.

Su nana Lupe… ella es la más suave con sus hombros, sus trenzas blancas como el algodón y su cara color nuez. Sus mejillas se sienten como la piel de las manzanas viejas. Cuando le agarra su meñique, Lupe le canta con su voz cadenciosa: "El bonito y el chiquito…" Con sus toscos dedos oscuros, Lupe le coge un dedo, luego otro: "El que lleva los anillos, el tontito, ese que lame las cazuelas". Y cuando llega al pulgar de Atín, se lo aprieta con el suyo y le dice con voz de hombre: "El que mata los bichitos".

¿Dónde está Lupe? ¿Por qué tiene él que estar todo el día con Olivia?

Ese queso de hebra otra vez, y sin los trocitos de tocino: grita.

POBRE OLIVIA. Y peor para ella: ocurrió que, en sus primeros momentos en la residencia imperial, le tocó presenciar el improbable destino de la pelota azul de Agustín. Había estado siguiendo al ama de llaves imperial, quien la había contratado apenas un día antes tras la más informal de las entrevistas. Un sacerdote alemán, un tal padre Fischer, le pidió al padre de su parroquia que preguntara si alguien tenía una hija soltera disponible para servir como niñera del príncipe Iturbide. Olivia solicitó el puesto por no dejar: una invitación tan vaga no era como para esperar resultados, y de cualquier manera, su familia no conocía a nadie que trabajara en la residencia imperial o en el palacio imperial. Cuando Olivia les contó a su madre y a sus hermanas que la habían contratado, no daban crédito: "¿Tú?", dijo su madre. "¿Un trabajo en el castillo de Chapultepec? ¡Me voy a comer una piedra de desayuno!" Estaban seguras de que se estaba chanceando.

Y así, esa dorada mañana, ahí estaba realmente ella: el corazón le latía muy fuerte, y las manos le sudaban tanto que se la pasó limpiándoselas en el vestido, su mejor vestido de bombasí negro. Atada a la cintura, llevaba la bolsa bordada con flores de cempasúchil que su mamá le había hecho especialmente para este día, y se había puesto los aretes de plata y jade de su abuela. Su abuela le había puesto este tesoro en las manos, insistiendo: "Eran para que te los pusieras el día de tu boda. Pero, ¿cómo me voy a esperar? Estamos tan orgullosos de ti". Cuando Olivia salió a la puerta, todos los miembros de la familia se pusieron en fila para darle un abrazo, incluyendo al hermanito que, en otras ocasiones, le jalaba los cabellos hasta que ella tenía que darle un manazo.

Para Olivia, estar aquí, en el interior del castillo de Chapultepec, era como haber entrado en un sueño maravilloso. En todos sus 17 años, nunca se había imaginado que ella, Olivia Pérez, hija de un boticario (su abuelo no era más que un yerbero del mercado), ¡llegaría a ser la niñera del nieto del Libertador! Ni que el castillo de Chapultepec, que todos los días de su vida veía asentado en lo alto de su roca, pudiera ser tan majestuoso por dentro. ¡María Santísima! Esto era como despertar a un cuento de hadas: esas urnas tan altas como un hombre, y masas de cortinas, malaquita verde esmeralda goteando oro, sillas de terciopelo verde manzana del emperador de los franceses, candelabros de un tamaño tan imponente... esas arañas eran venecianas, dijo el ama de llaves (cualquier cosa que significara "venecianas"). Olivia se sentía mareada de mirarlas. Las gotas de cristal con forma de diamantes tintineaban ligeramente. Y, por Dios santo, ¿qué tal si se estrellaban en el suelo en un terremoto?

Señora von Kuhacsevich era el nombre del ama de llaves y, como era un nombre extranjero, Olivia no se atrevía a intentar pronunciarlo. La señora von Kuhacsevich tenía una masa de rizos teñidos bajo su gorro de encaje, el cual aplastaba su peinado como la tapa de una olla desbordada de orozuz. Deambulaba lúgubremente: al parecer, los zapatos le apretaban tanto como el corsé. En un cordón de terciopelo atado a la barriga (no se podía decir que tuviera cintura) llevaba un llavero erizado de llaves que se columpiaban como un péndulo sobre sus pliegues y crinolinas. A cada rato se detenía para recobrar el aliento, o bien para enderezar alguna pantalla que alguien hubiera dejado chueca, o para, con la punta del pie, acomodar cualquier pequeña irregularidad de la alfombra. Todo esto mientras acribillaba a Olivia con rápidas instrucciones en un español con acento gutural, salpimentado con las palabras más extrañas.

—Aquí tenemos una alfombra, por supuesto —dijo la señora von Kuhacsevich—, pero ha sido enviada para *riparazione*.

Se hallaban en la entrada del salón, un enorme piso de mármol ajedrezado blanco y negro. La señora von Kuhacsevich se había detenido al pie de la escalinata. La escalinata más elegante que Olivia había visto jamás en su vida. El salón de la entrada lucía bañado en una penumbra que daba escalofríos, pero esta escalinata, brillante con la luz del cielo, casi le lastimaba la vista. Parpadeando, Olivia tragó saliva. Sintió que los brazos se le ponían de piel de gallina.

—*Riparazione* —la señora von Kuhacsevich dijo otra vez esa palabra—. ¿Me entiendes?

—Sí —mintió Olivia.

La señora von Kuhacsevich le disparó una mirada de irritación:

—Sí qué.

—Usted perdone —Olivia tenía miedo de que los dientes empezaran a castañetearle. Se abrazó los hombros.

—Tienes que decir: "Sí, madame".

—Madame. Digo, sí, madame.

La señora von Kuhacsevich frunció los labios.

—Y deja de sobarte los brazos. No es de personas educadas.

Olivia tuvo ganas de contestarle: "No es de personas educadas. ¿Y qué sabe usted de eso, costal de manteca con brazos de salchicha?" En lugar de decirlo, se le quedó viendo a la señora von Kuhacsevich con una insolente máscara de amabilidad, un esbozo de sonrisa. Tenía práctica. Como solía decir su abuelo, el yerbero del mercado, no se paga la renta dejando que los clientes te provoquen. A veces eran groseros porque tenían algún dolor, o Dios, en su infinita sabiduría, los había hecho tan cabeza hueca que no sabían cómo tratar a otros cristianos, y entre más viejos, menos probable parecía que aprendieran, y mejor tener lástima de esas criaturas y acordarse de alabar a Dios.

Olivia descruzó los brazos y murmuró:

—Sí, madame.

—*Voilá!* —exclamó la señora von Kuhacsevich.

Olivia no conocía tampoco esa palabra, pero siguió la mirada de la señora hacia una pelotita azul que venía rebotando escaleras abajo, en dirección a ellas. *Benk, b-benk*, la pelota ganaba velocidad a medida que caía, rebotando lo bastante alto para saltarse dos, tres, seis escalones hasta que, en el penúltimo, se disparó ligeramente al lado, de modo que fue a darle a la señora von Kuhacsevich justamente en medio del pecho.

—¡Uf! —la señora von Kuhacsevich la atrapó. Se la echó en el bolsillo del saco.

Arriba se oyó que un niño empezaba a chillar.

Olivia se llevó la mano a la garganta.

—¿Ése es el príncipe Iturbide? —"por supuesto, muchacha tonta", se regañó a sí misma, pero, para su consuelo, la señora von Kuhacsevich no la había oído: iba ya hacia el salón contiguo.

Frente a la puerta del apartamento de los Iturbide, la señora von Kuhacsevich, acezando, colocó su mano regordeta en la perilla y se detuvo.

—¿Tienes un cigarrillo?

—Sí, madame.

Olivia se puso a buscar su cigarrera de plata en la bolsa que le colgaba del cinturón. Para su sorpresa, lo que la señora von Kuhacsevich tomó no fue un cigarrillo, sino la cigarrera. La cerró de golpe y ¡se la dio a un lacayo! Con sus guantes blancos, el hombre le dio vueltas y vueltas: se le hacía un misterio qué debía hacer con ella.

—¿Madame? —le dijo a la señora von Kuhacsevich.

La señora le dio la espalda. Se volvió hacia Olivia y dijo:

—Las damas no fuman, y ni en sueños fumarían en presencia de cualquier miembro de esta corte.

Olivia sintió que la sangre le calentaba las mejillas, pero logró tartamudear:

—Sí, madame.

—Ya veo —dijo la señora von Kuhacsevich— que tendremos que repasar algunas reglas básicas.

—Sí, madame.

—Cuando te hable un superior, debes mantener la vista en el suelo.

Olivia miró al suelo.

—Sí, madame.

—No puedes dirigirle la palabra a nadie, y mucho menos a sus altezas, a menos que se te hable primero.

—Sí, madame.

—Eso incluye a la princesa Iturbide.

—Sí, madame.

—Nada de preguntas metiches.

—Sí, madame.

—Nada de preguntas tontas.

—Sí, madame. Pero qué tal si…

La señora von Kuhacsevich la interrumpió:

—¡Nada de preguntas!

—Sí, madame —Olivia podía sentir la mirada de la señora von Kuhacsevich taladrándole el cráneo.

—A menos que por alguna razón te llamen a su presencia, debes *evitare, evitare* —dijo la señora, agitando las manos para dar más énfasis a sus palabras— tener encuentros con sus majestades. Si a pesar de tu supremo esfuerzo, resultara que estás sola en el pasillo cuando el emperador o la emperatriz van a pasar, te escurres al siguiente corredor y, si no hay uno a la mano, te metes a un clóset o a cualquier puerta que encuentres abierta. Si esto te ocurre en el jardín, te escondes detrás de algún arbusto. Debes estar limpia y bien presentada, y esto significa —agitó su dedo frente a Olivia— *todas* las mañanas, no sólo cuando se te ocurra. Lávate los dientes con un *spazzolino da dente* y tállate bien la parte de atrás del cuello y debajo de la mandíbula. Tienes que usar el cabello sin adornos, bien peinado y recogido de modo que no estorbe, sin excusas. Las joyas no deben ser vulgares, nada de aretes que cuelguen como los que traes. Quítatelos.

—¿Éstos? —Olivia se llevó un dedo a las cuentas de plata y jade de su abuelita.

—*Ho fretta*. No tengo todo el día.

147

—Sí, madame —Olivia se quitó los aretes rápidamente, con miedo de que se los fueran a confiscar como la cigarrera, y los guardó en su bolsa.

Y luego fue presentada a la princesa Iturbide. ¿O era aceptable que, como la señora von Kuhacsevich la llamara por su nombre de pila: "doña Josefa"? ¿O debía ser sin excepción "su alteza imperial"? ¿O simplemente "su alteza"? ¿O estaba bien "*madame*"? ¿Y tenía que hacerle caravanas *todo* el tiempo? Esto era peor que las clases de la escuela: ¡tantos nombres y reglas que meterse en su atribulada cabeza! ¡Y aquí nadie quería preguntas!

El príncipe, un niñito malcriado de cara sonrojada, se tiró al piso y empezó a gritar más fuerte que el perico que ella tenía en casa. ¡Qué pulmones! Hacía falta que le sonaran la nariz, pero él no la dejó acercársele; siguió en su pataleta.

—¡Lupe! —gritaba y gritaba—. ¡Quiero Lupe!

El día transcurrió entre una neblina de frustraciones. Todo el tiempo, Olivia sintió que el estómago le iba a dar una maroma. Mejor se hubiera quedado en casa, en la botica, ayudando a pesar los polvos y los ungüentos, las tinturas de láudano y todo eso. Sus hermanas tenían razón: era rara esta gente, estos aristócratas y estos extranjeros que respingaban la nariz. Las personas como Olivia Pérez no tenían nada qué hacer en el castillo de Chapultepec. Pero tenía miedo de irse a casa: su familia estaba tan orgullosa de ella. Y necesitaban el dinero. Por otra parte, tenía miedo de quedarse: estaba segura —lo veía venir como una cubetada de agua fría en la cara— de que iban a correrla. La pregunta: ¿qué tan pronto?

Una hora antes de vísperas, la princesa Iturbide le dijo:

—El príncipe Agustín perdió su pelota. Se le cayó por la escalera, supongo. Dile a uno de los lacayos que la suba ahorita.

—Sí, su alteza, madame —dijo Olivia. Pero se preguntó, por todos los cielos, ¿cómo una niñera, una criada en su primer día de trabajo, se atrevería a pedirle al ama de llaves imperial que le devolviera esa pelota? (¡y su cigarrera de plata!). Olivia se moría por un cigarrillo; en su país, incluso damas del más alto rango habían fumado siempre, si les gustaba el sabor. ¡Su mamá fumaba! Y todas sus hermanas y su abuelita disfrutaban un cigarrillo después de las comidas. Madame Almonte y el general vivían muy cerca de la botica: subiendo la calle. Bueno, pues Madame Almonte también fumaba. Era la costumbre.

¿Y quién era esta extranjera, esta señora von Cucaracha para decirle algo sobre eso?

En cuanto a la pelota azul del príncipe, Olivia no dijo nada. La señora von Kuhacsevich nunca la devolvió. ¿Por qué —se preguntaba Olivia— querría esa señora guardarse un juguete? Tal vez el príncipe era un malcriado, pero ¿no era sólo un niño? Era cruel hacerle eso.

¿Qué clase de gente era ésta?

Los ojos de Olivia adquirieron un brillo duro. En su mente, resentimiento, temor y confusión azotaban como el viento que agitaba la bandera en la terraza.

LA SEÑORA VON KUHACSEVICH, o más bien, como se llamaba a sí misma en tanto ama de llaves imperial, Frau von Kuhacsevich, tenía un manojo de cosas en la cabeza. Su trabajo, le decía frecuentemente a su esposo, quejándose, era como si le hubieran pedido empujar una carretilla colmada de aserrín en medio de un viento fuerte mientras hacía malabares con cocos y sandías y mantenía a raya una pandilla de monos. Ya que condujo a la niñera Olivia a los apartamentos de la princesa Iturbide, para no llegar tarde a otra entrevista más, tuvo que bajar corriendo a su oficina, casi sin aliento. Oculto detrás de una alacena, había un pequeño cuarto sin mucha luz, con espacio apenas suficiente para su escritorio y un banco, más una silla para quienes venían a visitarla con asuntos de negocios y una repisa para su legajos encuadernados en piel, un reloj de cucú y una cesta de pan que usaba para los recibos. El muro detrás de su escritorio tenía una mancha de humedad en forma de palomilla que, en época de lluvias, se convertía en una gran palomilla y empezaba a ponerse verdinegra en los bordes. Pero la había tapado con una acuarela de orquídeas enmarcada. Era una pintura de aficionado, pero ella la atesoraba porque se la había regalado el profesor Bilimek, botánico y uno de los favoritos de Maximiliano. El profesor Bilimek era un fraile capuchino y tan tímido que la gente se reía a sus espaldas de cómo hablaba y cómo se encerraba en sí mismo, siempre ocupado y ocupado clavando mariposas, catalogando escarabajos. Todos los alemanes que entraban en su oficina reparaban en la acuarela. Le decían:

—¿El profesor Bilimek se la dio? ¿De verdad?

Y, como ella era una respetable mujer casada, Frau von Kuhacsevich podía responder con una sonrisa llena de orgullo.

Pasando la ventana, el viento volaba los pájaros en el cielo y, a la distancia, nubes de lluvia se tendían sobre la sierra como un sucio andrajo. Con la velocidad a la que se movían las nubes, la lluvia llegaría en cuestión de minutos. Esta habitación tenía un olor desagradable, agrio. Para airearla un poco, la señora abrió apenas el único ventanuco que había. Los recibos de la cesta se agitaron.

Revisó su agenda, que se hallaba clavada en una tabla de corcho junto a la puerta. Las entrevistas estaban marcadas con lápiz rojo. Ya debería estar aquí un candidato para el puesto que acababan de abrir, de asistente del chef de pastelería. Bueno, con esa lluvia tal vez llegara más tarde, si es que llegaba. Se sentó pesadamente ante su escritorio e, ignorando las llamadas del cucú que salía del reloj, mojó su pluma en un tintero.

Meine Lieber Freundin!

Acababa de empezar esta carta para su mejor amiga de Trieste, cuando una ráfaga de viento abrió más la ventana, volcando el tintero.

—*Ach!* —gritó de horror. No sólo se habían arruinado varias hojas de papel para carta, que estaban escasas, sino que la tinta le había salpicado el saco. Tan caro su saco de gamuza azul turquesa, con broches de cuerno labrado que se ajustaban con cordones chinos rojos. Se lo habían hecho el año en que ella y su marido vinieron de Viena para hacerse cargo de Maximiliano, en ese entonces soltero, en Trieste. Lo hicieron lo bastante grande para usarlo encima de un suéter grueso; por esa razón, era uno de los pocos artículos de vestuario que se había traído de Europa que todavía le venían.

No había remedio para una mancha como ésa. *Ach*, y ¿no era todo así en ese muladar inundado de "residencia imperial"? Frau von Kuhacsevich estaba hasta el copete de ese viento, del olor amoho en sus habitaciones, de encontrarse cacas de ratón en todas las alacenas, de que su pobre marido sufriera de calambres y diarrea, y de la altura: sus pulmones no se habían adaptado a ella en año y medio. Tener que andar de arriba abajo, subir esa escalinata, ay, todo era una pura, espantosa tortura. Y lo peor de todo era tener que lidiar con esos mexicanos perezosos y ladrones. ¿Creían que ella no se daba cuenta de que se estaban robando la velas y el jabón? Todo eso iba a quitarle días de vida, y a su esposo también. Él era el tesorero de la Casa Imperial: ¡un trabajo para un Hércules! Quien dijera que los árabes eran los más mentirosos, no había estado en este país.

¡Y las corridas de toros! No sólo los lacayos sino hasta las criadas iban a esa horrible plaza de toros a gritar y a rugir "¡Ole!" y arrojar al aire sus sombreros, tan emocionados como los romanos cuando veían cómo los leones despedazaban a los cristianos miembro a miembro. Como le había escrito a su amiga de Trieste (y más de una vez), para salvajismo, los mexicanos les ganaban incluso a los croatas. Y en la carta de hoy, estaba a punto de escribir: "Lo que es más, la nueva niñera del pequeño Iturbide vino a la Residencia ¡con una cigarrera! Tiene la nariz ganchuda y los dientes de enfrente tan separados que podría pasar entre ellos una cuadrilla de caballos, y un color de piel que la tomarían por gitana. ¡Y ésta es la flor entre el montón que uno tiene para escoger!

—Aguántate, mujer —le decía su esposo en las ocasiones en que se ponía así—. Una píldora amarga es mejor tragarla que masticarla.

Sin poder ver bien por las lágrimas, Frau von Kuhacsevich se deshizo de su arruinado saco y lo aventó a la silla. Píldoras amargas, píldoras amargas, estaba harta de píldoras amargas. Se las tragaba, por Dios, pero ella, que no tenía responsabilidades políticas, no necesitaba mentir acerca de México, decir que todo era ciruelas en almíbar. Rechinó los dientes. Tomó la campana y llamó a un criado.

En el Hofburg, los sirvientes aparecían antes de que uno terminara de rezar un Padre Nuestro. En Monza, cuando Maximiliano era virrey de Lombardía-Venecia, era igual que en el castillo de Miramar, en Trieste: uno nunca tenía que esperar más de tres minutos; se tardaban más y alguien salía despedido. Pero aquí, en el castillo de Chapultepec, pasaba lo mismo que en todas partes, con todos, con todo en este chiquero: "Quién sabe".

La lluvia empezado a golpear el ventanuco. No podía evitarlo: estaba llorando. ¡No tenía pañuelo! ¿Y por qué? Porque la lavandera había traído los pañuelos doblados, sin tomarse la molestia de plancharlos. Muy de malas, Frau von Kuhacsevich se los había mandado de regreso. Se limpió la cara con el dorso de la muñeca, pero no fue suficiente; tomó una de las mangas de su arruinado saco y se llevó la gamuza a la cara, pero sólo —ay, era tan suave, tan bonito su azul turquesa— logró llorar más.

Trató de componerse. Sorbiendo su llanto, volvió a tocar la campana.

Un año antes, habría tenido la caridad de imaginarse que nadie la había oído llamar a causa de la lluvia. La semana pasada, cuando quería té, acabó bajando a la cocina por él y casi se tropieza con el ayudante del chef de pastelería, que había bebido tanto jerez para cocinar que se le enredaron las patas y fue a dar al suelo. ¿Dónde estaba Tüdos, el chef húngaro? Enfermo de diarrea. ¿Y el resto? Le sacó la información a aquel mexicano de mirada desvaída: ¡tenían fiesta en el cuarto de uno de los lacayos!

Con estos mexicanos es *nada, nada* y *nada*: "*No hay*", "*no sé*", "*es la costumbre*", "*ahorita*", hacían los dedos como si agarraran un pellizco de sal. Pero Frau von Kuhacsevich ya había aprendido la traducción correcta de eso: "No aguantes la respiración".

Esta gente… no podían imaginarse ni la mitad de lo que ella y su marido, para no hablar de Maximiliano, habían sacrificado para traer civilización a su país. ¿Gratitud? Había un montón de lamebotas por aquí, pero ni una sola vez oyó a un mexicano expresar una gratitud auténtica, consciente.

Sería bueno que… y había estado a punto de confesar esto en la carta a su amiga… (se mordió los labios pensando en esa posibilidad catastrófica y fascinante)… que… Maximiliano… pudiera…

Abdicar.

Dios la perdonara. ¡Qué ganas tenía de irse a casa! ¡A Trieste! ¡Ay, a cualquier lugar donde hubiera por lo menos un brillo de civilización! Si seguir con Maximiliano significaba irse a vivir a Dubrovnik o, Dios la ayudara, a pasar los inviernos en Corfu, saldría adelante en Corfu. Ay, sí, Corfu, hirviente de calor, lleno de griegos y su comida aceitosa, ¡pero era Grecia! ¡La cuna de la civilización! ¡La tierra de Aristóteles, de Eurípides, de Sócrates! ¿Con qué habían salido estos aztecas, aparte de bárbaras pilas de rocas esculpidas con serpientes y calaveras? ¡Altares al demonio!

Y podía ocurrir… pronto… Frau von Kuhacsevich tenía un secretito que había estado a punto de darse el lujo de compartir, pues sospechaba que su amiga de Trieste ya sabía algo. Los jardines del castillo de Miramar se hallaban abiertos al público en ciertos días; todo el mundo en Trieste que se tomara la molestia de ir y verlo con sus propios ojos se daba cuenta: Max seguía construyendo y decorando el castillo de Miramar.

¿Para qué, si no para regresar?

Su propio marido, Jakob von Kuhacsevich, tesorero de la Casa Imperial, estaba arreglando los pagos a los arquitectos, decoradores y jardineros. Maximiliano quería blanco de cascarón de huevo en los marcos de las puertas y en las molduras, damasco escarlata en las paredes y cortinas con su insignia imperial, jaulas extras para el aviario y cuatro cargas más de grava para el camino de entrada.

Lo que es más, al conde Bombelles, jefe de la Guardia Palatina, se le había escapado decir que Maximiliano iba a enviarlo a Viena para renegociar el Pacto de Familia. Qué corazón tan duro el del káiser, que había forzado a su hermano a firmar semejante documento. En el Hofburg todos tenían miedo de Maximiliano porque era tan bueno, tan capaz, tan peligrosamente popular, sobre todo en Hungría. Fueron los viejos conservadores de línea dura de Francisco José los que hicieron un lío en el Lombardo-Véneto, *no* Maximiliano, aunque luego le echaron la culpa. El príncipe imperial, Rodolfo, es un niño frágil, y la emperatriz Sissi, tan excéntrica y enfermiza muchacha, no es probable que dé otro hijo. ¿Y quién sigue en línea para el trono del Imperio austriaco directamente después del príncipe Rodolfo? ¡Maximiliano! Y si el príncipe Rodolfo se corona emperador, ¿quién sería la opción más lógica para regente? ¡Maximiliano! Ah, pero no cuando le han cortado las alas con el Pacto de Familia. Si después de México regresara a Europa, ¿podría tener un futuro? Frau von Kuhacsevich había tenido el atrevimiento de preguntarle a Bombelles. El pequeño pavorreal infló su pecho:

—Voy a Viena a asegurar eso —dijo.

Y ahora, de pensar en Trieste y en la buena gente temerosa de Dios de allá, Frau von Kuhacsevich sentía que se le rompía el corazón.

¡Ay, lo que daría por ver otra vez el Adriático, en lugares de esos océanos de nopales polvosos y rastrojo de maíz! El chef húngaro, Tüdos, hacía lo mejor que podía, especialmente con el *goulash*, pero, ¡ay, si pudieran servirle debidamente una cena decorosa de *Tafelspitz mit G'röste* y pasteles hechos no con manteca sino con buena mantequilla alemana! Un poco de espagueti y una copa de *chianti*. Dormir en una habitación fresca que oliera bien, encontrar un sastre que supiera cómo cortar siguiendo un patrón y coser en línea recta, zapateros decentes, sirvientes decentes, sacerdotes capaces de decir una misa sin hacer un revoltijo de latín, y una congregación que usara zapatos y se sentara derecha en las bancas, con el respeto debido a Dios. Aquí, indios medio encuerados se acuclillan o se recargan en los pasillos. Cuando se les hace bueno, carraspean y escupen sus gargajos en el piso. En la Catedral ha visto incluso gatos y perros correteando justo frente a la capilla de San Felipe Mártir. ¡Ay, esos perros callejeros mexicanos son lo más indecente! Te les acercas a media legua y ya te infestaron de por vida. Mejor dejarle México al pequeño príncipe Iturbide, sí, hay que dárselo en charola y con una solemne misa, tacos para toda la gente. ¡Y con cohetes también! Que la princesa Iturbide, que ciertamente parece capaz, sea la regenta. Y para completar el carnaval, el general Bazaine y el general Almonte, Miramón, Mejía, Uraga... hay generales a pasto, ¡como langostas en Egipto!

Según el reloj de cucú, habían pasado ocho minutos antes de que una criada respondiera: la misma muchacha de cara redonda a quien Frau von Kuhacsevich había sorprendido besuqueándose en un clóset con el asistente del chef de pastelería. Tomando el saco con los dedos como si fuera un trapo sucio, Frau von Kuhacsevich lo dejó caer en los brazos de la muchacha. Se había olvidado completamente de la pelotita azul que iba en el bolsillo.

—Haz con esto lo que quieras —dijo fríamente—. No quiero volver a verlo.

28 DE SEPTIEMBRE DE 1865

One takes it coolly

"*One takes it coolly*", se recuerda Maximiliano. Pero a una mujer no se le puede decir todo. Con qué facilidad Carlota hace una cosa grande de una pequeña.

—Cuando *él* tenía esa edad —dice—, el Niño de Francia tenía un asiento especialmente hecho para ir en el carruaje, de modo que la gente pudiera verlo *adecuadamente*. ¿Cómo pudiste dejar que el niño estuviera *parado* en tus rodillas, tambaleándose como un bolo? Pudo haberse *lastimado*.

—No se lastimó.

Carlota se pone tiesa.

—El Niño de Francia...

—¡Basta! —dice Maximiliano, hundiendo la cara entre las manos—. Uno ha oído más que suficiente sobre el Niño de Francia.

Se encuentran solos en el estudio de él, de frente a los ventanales de la terraza que mira hacia el valle de Anáhuac. El trabajo del día ha terminado y ellos están sentados, cada uno en una silla, solemnes como las deidades de Menfis. Fue durante su primer crucero a África, hace ya años, cuando Maximiliano adoptó religiosamente la costumbre de mirar los atardeceres; aquí, en el castillo de Chapultepec, es como contemplarlos desde un globo aerostático: el lujo del cielo. Miramar era el nombre que le había dado a su castillo de Trieste; Chapultepec, entonces, debía ser Miravalle. Este estupendo valle con sus lagos de plata fundida y volcanes con sus cumbres nevadas, el Popocatépetl y el Iztaccíhuatl, el primero, un cono; el segundo, una masa rebajada. No hay nada en los Alpes que pueda compararse. Sólo por eso, uno habría venido a México.

Kein Genuss ist vorübergehend, ningún placer es transitorio, como dijo Goethe. Cada momento de la vida se queda grabado en la eternidad.

—¿Un bombón? —extiende el tazón de bombones. *Bombeeren mit Mandeln.* Es un tazón impresionante: rojo anaranjado como el sol en época de cosechas y, enroscada alrededor, esculpida profundamente en el barro, tiene una oruga negra. Es una pieza totonaca, posiblemente de cientos de años de antigüedad.

—Gracias —susurra Carlota. Toma uno por la envoltura, pero hay algo pegajoso.

—Están viejos —dice Maximiliano.

—¿Quiénes?

Él se le queda viendo como si estuviera tarada. Toma otro bombón.

—*Éstos.*

Al otro lado del cristal, el horizonte, aserrado por las montañas, se ve pálido, y la nieve de los volcanes ha adquirido un salvaje tinte lavanda, el matiz exacto, se le ocurre a Maximiliano, del labio menor de una orquídea *phalaenopsis.* Desde el mes pasado ha estado lloviendo casi todas las tardes y a veces durante la noche, pero esta tarde, las nubes, piezas de un rompecabezas gigantesco, se han abierto para revelar un jirón de translúcido azul océano. Hacia el oriente, un banco de nubes borronea la sierra como un suave carbón. Más cerca, una nube aislada dispara espadas de oro. Los pájaros vienen a sus ramas alrededor del lago, en el parque de abajo. Un águila ronda lo alto de los ahuehuetes. A la distancia, las campanas de las iglesias empiezan a llamar.

Un crepúsculo del sur: ¿puede haber algo más sublime en este mundo? Hasta antes de venir aquí a Chapultepec, "cerro del Chapulín" en el idioma de los aztecas, uno creía que el *ne plus ultra* era el atardecer sobre el golfo de Nápoles, visto desde Capodimonte. El disco ardiente, el ojo mismo del Gran Artista-Helios-Huitzilopochtli. Su puesta le quema a uno los pensamientos con un inefable anhelo y con la tierna esperanza de que volverá a contemplarlo.

Pero sólo de pensar en el día siguiente —más reuniones con el ministro de Finanzas y luego con el antediluviano general Bazaine—, siente uno que el estómago se le hace nudos.

Bazaine no lo dirá así, pero seguro considera que el paseo en carruaje de esta mañana, con el príncipe Agustín, fue tanto una provocación como un serio error de cálculo. Uno trata de tener contentos a sus súbditos, de darles la impresión de que el Imperio se encuentra bien anclado, para decirlo con las palabras del general Almonte; de que el gobierno de uno *no* es un títere de los franceses. Pero probablemente, para la cruda manera de pensar de Bazaine, la vista del pequeño Iturbide, que se portó como un mocoso malcriado, sólo sirvió para recordar a los súbditos de uno que, después de ocho años de matrimonio, sus soberanos no ha producido un hijo. Los juaristas han estado regando el rumor de que es por la sífilis, por deformidades ginecológicas, calumnias demasiado viles como para dignarse pensar en ellas.

Lo peor no fue que algún rufián tuviera el atrevimiento de estrellar un huevo en el carruaje imperial, ni que un lunático fuera ejecutado esta mañana por planear asesinarlo a uno (uno debe hacerse de temple para esas cosas: son parte del trabajo). No. Lo peor fue que la madre norteamericana del pequeño Iturbide, luego de pasar Río Frío y quedarse varios días en la ciudad de Puebla, ¡tuvo la noción de regresar! ¡Y fue directamente con el general Bazaine! Ese tonto vanidoso ha de estar ahora mismo, no cabe duda de eso, burlándose de uno por allá con sus oficiales.

Anteayer uno leyó la carta de Bazaine y la de esa norteamericana Iturbide, que Bazaine había enviado junto con la suya (¡Qué patético lloriqueo! "Pobre de mí" y "Justicia para mis sentimientos") y uno sintió que temblaba del coraje. Uno aventó las dos cartas el escritorio.

Y luego, esa misma tarde, llega otra carta: ésta de Agustín Gerónimo de Iturbide, el jefe de esa familia. Una carta tan insolente, tan falta de protocolo, escrita con una letra tan absurdamente irregular… uno tuvo que leerla tres veces para creerlo. Cada palabra se le clavó a uno en el cerebro.

PUEBLA, 23 DE SEPTIEMBRE DE 1865
A S.M. EL EMPERADOR. MÉXICO

Señor
No sé cuál sea la experiencia de s.m. en estas materias, pero, según la mía, es preferible vérselas con 500 salvajes que con una dama furiosa y sentimental que reclama a su hijo. Mi opinión es que s.m. debería dejar que mi hermana política se quede con su hijo dos o tres años, para que no se vaya a ir por el mundo con clamores y denuncias.

Mi recomendación para s.m.: devuélvale al niño y manténgala cerca en alguna excelente vivienda, una de ésas de las que hay muchas en esta capital y donde yo también recibiría especial alivio.

Señor, con el más profundo respeto, soy el adicto servidor de s.m.
A. de Iturbide.

¡Ese insolente, indolente borracho! ¿Y qué: su hermano Ángel va a abandonar a su propia esposa? Sólo de pensar en eso, uno no puede evitar echar chispas. ¿Qué *sentido* tiene?

Cómo se atreve esa mujer a regresar y aparecer en esta ciudad. Quiere dos años con el bebé, pues luego va a querer tres y, carajo, probablemente vuelva a cambiar de idea. ¿No habían firmado, ella y todos los Iturbide, un solemne contrato? Un contrato firmado por su propia y libre voluntad, firmado por testigos, rubricado, sellado, amparado por la ley, porque, si eso no es amparado por Dios, ¿qué cosa lo es?

Y, ¿no se les había recompensado a cada uno con 30 000 dólares en efectivo, más 120 000 en pagarés cobrables en París, además de generosas pensiones? ¡6 100 al año! ¡Vitalicias! Más aún, ¿no habían estado de acuerdo, de hecho no habían expresado en cartas, por escrito, su "sincera e inmensa gratitud" de que no sólo Agustín sería educado bajo la tutela personal de uno, sino que el huérfano Salvador se iría a estudiar a Sainte Barbe des Champs? Se les ha honrado en ceremonia pública. Y luego, después de firmar ese solemne contrato, de hecho 24 horas *después* de dejar al niño en la residencia imperial, esa mujer le escribe a Carlota: "*Habiendo puesto a mi adorado hijo bajo el cuidado especial de v.v.m.m., debo, señora, ofrecerle los sentimentos de gratitud y amistad conque tengo el honor de ser de v.m. sincera servidora*".

Y a todo el montón condescendió uno a hacerlos altezas de su Imperio, cuando, ¿qué son, después de todo, sino la progenie de un criollo oportunista trepado al poder? No más que los príncipes de Murat, ciertamente, descendientes de un posadero. Las revoluciones hacen brotar esa clase de personas.

¿Qué hacer? La deshonrosa intriga de esa norteamericana ha puesto perfectamente en claro que no tiene ni el carácter moral, ni el equilibrio mental para ser una madre adecuada.

Pero, como siempre, *one takes it coolly.*

Uno lo discutió con la tía y cotutora del niño, doña Pepa, una dama equilibrada y bien educada; uno se siente satisfecho de condescender a llamarla "prima".

Aunque profundamente mortificada, doña Pepa reaccionó con dignidad de soldado.

—Alicia —dijo llanamente— *era como una niña.*

—¿Estará usted de acuerdo, entonces, en que podría decirse que ella… —cómo expresarlo, se preguntaba uno frotándose las manos— padece una tendencia a la histeria?

Doña Pepa no tenía ni asomo de duda:

—Estoy de acuerdo, señor.

Después, en privado, uno le dijo a Carlota:

—Dios mío, esto es lastimoso.

—Esa mujer debería ir a dar a un manicomio —dijo Carlota.

Era una sugerencia repulsiva. Pero, ¿qué hacer? ¿Qué hacer? Charlie Bombelles ha ido a Viena a renegociar el Pacto de Familia. El padre Fischer anda haciendo visitas por la provincia. El canciller de uno, Schertzenlechner, aconsejó arrestar a la mujer como a una delincuente común. Schertzenlechner puso el puño sobre la mesa:

—Haga que su marido y sus cuñados vengan por ella. Y enciérrelos también.

—¿Y tiro la llave?

—¡Sí! —gruñó Schertzenlechner.

—¿Y los tengo a pan y agua?

—¡Ni eso!

Uno se rió mucho. Bueno, uno no tiene una mente sanguinaria. Esta mañana, uno hizo que detuvieran a la mujer Iturbide y la mandó regresar con su esposo y los otros, que se quedaron esperando, valientes como una manada de hienas, en la ciudad de Puebla. Uno no condescendió a responder esas cartas de los Iturbide. Uno hizo que el intendente general de la Lista Civil les transmitiera la orden de salir de Puebla sin demora y dirigirse a Veracruz; ahí van a abordar el vapor que debe zarpar el 2 de octubre. La carta de la secretaria concluyó exactamente como uno se la dictó:

S.m. el Emperador espera que Uds. no lo pondrán en la triste necesidad de tener que demostrarles que, si bien posee un buen corazón, también tiene la severidad debida a su posicion Soberana y a su propia dignidad.

El intendente gral. de la Lista Civil de la Casa Imperial
M. de Castillo

La Sociedad no publicará ni un susurro de este asunto, pero no hay duda de que los chismes ya andan pululando. Si por lo menos el hermano menor de uno aceptara enviar un niño a México rápidamente, tal vez Francisco Fernando o el bebé Otto... uno confía en que la familia aceptará su magnífica invitación y, al hacerlo, quedará

159

rescindido el Pacto de Familia. Pero, ¿y si no? Se verá mal, muy mal en Viena.

Ahora, en la silla que mira hacia el valle, uno se pone la mano en la cabeza y rechina los dientes. Qué despreciable es que uno tenga la cabeza dando vueltas, una ardilla en un charco.

—Es tan bello —dice Carlota.

Un tono mango ha lavado el cielo. Una franja rosada se desvanece hacia el color de la papaya. Todo pasa tan rápido… su vestido, gris con los dobladillos azul zafiro, se ve casi negro. Con un ligero esbozo de sonrisa, Maximiliano se retuerce el bigote.

—No te gustan.

—¿Quiénes?

—Los *Brombeeren mit Mandeln*.

Carlota dice:

—Estoy segura de que me gustarían, sólo que no puedo quitarles la envoltura.

Dice algo más, pero Maximiliano no está escuchando. Abre de golpe las puertas de la terraza. Después de la lluvia, el aire tiene un olor tan dulce; le recuerda cómo, tras el interminable desierto del mar, uno olfatea ese primer perfume de la tierra sintiendo que se le doblan las rodillas. Sus manos descansan en la humeda cantera de la balaustrada. Abajo, una parvada de gorriones explota desde un árbol como siguiendo la orden de una varita mágica. El aire vibra en *staccato* con los cantos de los pájaros. Estos atardeceres mexicanos, cómo le traen a la mente Egipto y la fiereza del cielo desde la Kasbah de Argel. Hay una calidad peculiar en este aire crepuscular del sur, una ligereza, una levedad que agita la imaginación. El emperador Moctezuma, con sus sandalias de oro macizo y su penacho de plumas de quetzal, debe haber estado en este mismo sitio, vigilando su reino. Los aztecas sabían que Cortés iba a venir antes de que nadie hubiera visto un hombre blanco; sus adivinos habían soñado el futuro: el cometa, luego, las ruinas humeantes de Tenochtitlán. Pero en los sueños se confundió el tiempo. Creyeron que Cortés no era su destructor, sino que era Quetzalcóatl, dios y gobernante tolteca, la serpiente emplumada que, por fin, venía de regreso del este. Y así los aztecas recibieron a Cortés como los troyanos recibieron el caballo. La maravilla de un atardecer es que cada uno es ajeno al pasado y será siempre único en el futuro. La parvada de gorriones desaparece en un escarlata de terciopelo; su belleza —uno se lleva la mano al corazón— es casi dolorosa.

Carlota ha salido; a uno le molesta un poco el rumor de sus faldas. Pero ella también comprende que estos cielos son un vislumbre de la gloria de Dios. Cuán profundamente ese vislumbre le proporciona a uno la sutil pasión de un sentido siempre renovado de fe y paz.

PERO UNA HORA más tarde, en su angosto camastro, uno no puede dormir. Se vuelve hacia un lado, acomoda la almohada de otra manera.

¿Se ve uno ridículo?

Uno debió haber seguido ese consejo de Schertzenlechner y poner a la mujer Iturbide bajo arresto, en la cárcel que había en los sótanos del palacio imperial. ¡Pero qué idea más espantosa! Uno es cristiano. Misericordia, es bueno mostrar misericordia. Schertzenlechner es un cerdo.

¿Por qué —Carlota está siempre jodiéndolo a uno— uno tolera una compañía tan vil como la de Schertzenlechner? Uno le responde que, como dijo una vez el rey de Francia: *"Je me repose"*.

Pero, ¿debía uno haber devuelto el niño a su madre? Bazaine lo recomendó mucho. Qué horrible sensación en las rodillas, como de algo viscoso. Pero así fue: los Iturbide lo firmaron, cada uno de ellos firmó *un solemne contrato*. Eso qué importa. Ahora van a tomar el vapor a Nueva York, de ahí a Washington y luego, llegando a París, pondrán en ridículo al gobierno de uno.

Tácito lo sabía: "Para aquel que tiene un imperio no hay punto medio; es o las alturas o el precipicio". Uno debe mantener la serenidad de un equilibrista. Rigidez no, uno necesita equilibrio, equilibrio.

Y estas vacilaciones… ¿no fue esto precisamente lo que precipitó en la revolución a Lombardía-Venecia? Las malas lenguas dicen que el káiser le quitó a uno ese virreinato por suavidad, pero no fue suavidad. El malestar nacionalista italiano era un asunto peligroso; requería una percepción mucho más sutil de lo que aquellos viejos y pendencieros soldados de Viena podían concebir. El káiser estaba ciego como un topo ante eso, pero uno *tenía* un procedimiento sabio y cuidadosamente calculado para el gobierno virreinal. ¡Qué necesidad había de arrasar con la oposición! La brutalidad no sólo aleja a los estudiantes y a los trabajadores, sino que ahuyenta a los hombres de negocios, a los hombres de dinero, aquellos que más importan en un reino próspero y pacífico. Desde Milán, uno trató de explicar, enviar telegramas, cartas, pero Francisco José tenía oídos sólo para esos generales cabeza de salchicha. ¡Los muy cretinos, picapleitos, imbéciles! Duros y rígidos como la cota de malla, ¡con un sentido de la justicia civil como para el siglo XI! Una cosa es entusiasmarse, como lo está Francisco José, con los uniformes y la parafernalia militar (aunque qué cosa tan infantil, aburrida y ensordecedora es eso), y otra muy distinta es seguir nada más los consejos de esos hombres para quienes la vida se reduce a ejercicios militares y soldados sudorosos en barracas, hombres que no reconocerían la belleza en cualquiera de sus múltiples formas ni aunque la madona de La Piedad de Miguel Ángel levantara los ojos, aventara sobre el mosaico el cuerpo de Cristo, atravesara la nave y fuera a darles una bofetada.

Un buen capitán establece su derrota y la sigue. Cierra las trampillas, da algún golpe de timón si es necesario, pero ¡sigue la derrota! Así que… no, el paseo en carruaje de esta mañana no fue un error de cálculo; al contrario, ¡fue una manera brillante de hacer política! Como suele decir el suegro de uno, el rey Leopoldo de los belgas: "El trabajo de nosotros los de la realeza es como el de un actor. Ponte las plumas y todas las medallas que puedas clavarte en el pecho, yérguete; que la gente vea a su soberano. Entre más espectáculo les demos, más nos quieren". Leopoldo llegaba al extremo de usar polvos y maquillaje.

Ugh, la pompa. Lo convierte a uno en una sombra. Uno se siente contento vestido de civil: camisa de algodón, botas de campesino, un sombrero de paja para irse a caminar por ahí con el profesor Bilimek por toda compañía, adonde sólo lo ven las vacas lecheras o, tal vez, algún halcón solitario.

Cuanto menos puede uno dormir, con más ganas lo desea. La almohada de este lado. La almohada. Uno abraza la almohada.

El lastre de este barco —lo dijo Carlota misma— es el niño. El Niño de México. Como el Niño de Francia, debería se fuerte, atractivo, inteligente y, sobre todo —el momento para empezar fue ayer—, espléndidamente educado, tanto moral como intelectualmente. Debe aprender filosofía, historia, latín, griego y sánscrito y debe estudiar a fondo los jeroglíficos egipcios (esto le ayudaría a descifrar los mayas), y geografía y matemáticas y astronomía. Historia natural, por supuesto. Derecho, ciencias forestales. ¡Y debe practicar mucho montañismo para llenarse de aire fresco!

Si tiene uno que arreglárselas con el pequeño Iturbide como heredero presunto, resulta fortuito que a una edad tan temprana se le haya retirado de tan inadecuados padres. El barro, antes de cocerlo es maleable. Ya los olvidará, como es conveniente.

Estuvo completamente bien mostrar este niño a los súbditos de uno. Si acaso, en el transcurso de estos días pasados, uno ha estado tal vez demasiado vacilante. Después de todo, Francisco José hizo coronel del ejército al príncipe heredero, Rodolfo, el día en que nació. ¡Ese monito llorón con un pañal bajo su uniforme! (Uno ha oído que ya tiene seis años y todavía es hipersensible y enfermizo.)

El Niño de Francia, ese sí que es un niño hermoso. Lo sacaron a la vista antes de la última cena de Estado en las Tullerías. Traía un traje de terciopelo verde musgo, con el cuello y los puños de satín blanco. De no ser por las pecas, su cara, con esos ojos oscuros tan sombríos, podría haber sido pintada por Caravaggio. Eugenia le compuso el cabello con su mano.

—Luis, cuéntale a sus majestades del libro que has estado leyendo.

Él volvió los ojos a su madre, desconcertado.

—Tu libro de estampas de México —le dijo Eugenia.

Entonces el niño se puso a recitar una lista maravillosamente larga de frutas y verduras: aguacate, chicozapote, garambullo, maguey… el príncipe se mordió el labio y levantó la vista al techo. Uno tenía ganas de aguantar la respiración nada más de observarlo. Mamey, papas, plátano. Tenía una voz de niñito tan seria, aflautada, que lo hacía a uno pensar en convertir todos sus prejuicios contra los franceses en una risa de corazón abierto.

Es verdad: un príncipe así vale más para un imperio que un ciento de generales enmedallados.

Luis Napoleón y Eugenia presentan al príncipe imperial con todos los embajadores, todos los banqueros, cualquier agregado militar. La gente se amontona donde quiera que va pasando su carruaje, en el Bois, en el circo. Tiene su propia escolta de Cent Gardes. Los que usan cascos con colas de caballo blancas. Exacto. El niño tiene dos lindos *spaniels* chiquitos: Finette y Finaud. ¡Oh! Por qué se pone uno a pensar en estas tonterías.

Veamos el otro lado. No hay que hundir el codo bajo las costillas.

Pero los yanquis, a ellos qué les importa. "No van a cruzar el río Bravo", dice el general Almonte. Y Bazaine, recargándose con los codos sobre el mapa, a través de su nube de humo de puro, dice: "No. No, si seguimos teniendo cuidado de evitar cualquier conflicto". Pero, ¿qué están tramando esos yanquis, amontonados ahí tras la puerta trasera de uno? Esperando dejarse caer sobre lo que puedan, la parvada de buitres. Pero si fueran a invadir, señaló Bazaine, se habrían cruzado desde Texas en junio. Para julio ya hace demasiado calor. ¡Y agosto! En esa época del año, en toda el área del río Bravo hace tanto calor... ¿cómo lo dijo Bazaine?

Bazaine dijo: "como para freírle el buche a un pollo mientras cacarea". Qué frase tan ridícula. Bazaine tiene una cabeza gorda, y esos ojos de chino calculadores, marrulleros. Bah, es un campesino. Tiene vello en las orejas. Cómo puede soportarlo su esposita mexicana, es un misterio. Con sus alardes de vanidad, como si por haber ganado unas cuantas batallas, *él* fuera el soberano. Cómo lo irrita a uno, cómo de veras lo oprime a uno tener que tratar con gente como Bazaine, que ha hecho toda su carrera en la Legión Extranjera, esa turba de mercenarios tatuados, charrasqueados, borrachos, picapleitos.

Pues octubre ya está aquí. Hace menos calor, pero los yanquis siguen acampados frente a la frontera mexicana, esperando a...

Han llegado al escritorio de uno informes de que los juaristas están abriendo puestos de reclutamiento en Nueva York, Nueva Orleans y San Francisco. ¿Será cierto que Juárez ha negociado un préstamo para comprar armamento en Nueva York? (*¿Será?*)

No hay crédito para México, *rien*, dice el francés experto en finanzas de uno, con su quijada de caballo. Tiene el detestable hábito de ponerse a jugar con el lápiz. Cómo lo hacen a uno gruñir esos cuentafrijoles.

Cualquier crédito en Nueva York tiene que hacerse con reconstrucción. Y los americanos están hasta el copete de guerra. Ya han tenido suficientes baños de sangre: Gettysburg, la marcha de Sherman hacia el mar. Deben de estarlo. (*¿No lo están?*)

Pero no hay que olvidar que, como Carlota ya lo señaló, los yanquis están hambrientos de tierra, y cada capítulo de su historia lo demuestra. Como dicen los mexicanos, se sirven con la cuchara grande.

Como esa americana Iturbide. Sí, ella quiere ser una princesa, quiere su pensión, quiere honores para su hijo, quiere que su hijo tenga la educación de un príncipe de la Casa de Habsburgo; quiere toda la carne con aderezo y champán y un dulce de crema batida, pero luego *¡tra-la!* se va sin pagar. "Perdone usted, ésa no es exactamente la comida que yo quería."

Uno podría estrangularla con sus propias manos.

Uno se acuesta sobre el estómago, uno se acomoda de espaldas, uno patea lejos la sábana.

Qué monserga, estos Iturbide… si van a París… si van a… ¡Dios! ¿A Viena? ¿No debería uno mandar a los zuavos de Bazaine a que tomen la carretera y los arresten antes de que lleguen a Veracruz? ¿Sí? ¿No? Uno no quiere involucrar a los franceses… el general Almonte… él podría… no… pero tal vez… antes de que los Iturbide lleguen a Orizaba… y luego…

¡Despreciables vacilaciones! La decisión ya está tomada. Que se vayan.

Uno prueba acostarse sobre el lado izquierdo, las rodillas dobladas.

Con los juaristas esto se está convirtiendo en una guerra a muerte. Su bestial salvajismo es cada día peor que el anterior. Bazaine, como viejo maestro de escuela, se pone a dar una clase:

—Los guerrilleros son criminales peor que bestias, y si su majestad les muestra misericordia, nada más se creen. Lo ven débil. Su majestad, si uno tiene un sable, ¡a usarlo! Córtelos de tajo.

El ministro de Guerra lo presiona a uno para que firme el bárbaro Decreto Negro: "A cualquiera que sorprendan con un arma, fusílenlo como el gusano que es". Es como de la Edad Media esto que sugiere el ministro de Guerra, el mismo juego que los franceses han estado jugando en Argelia: una burda conquista, nada más. Uno vio, en una visita allá hace años, cómo los jeques se inclinan ante los franceses, pero sus ojos revelan un odio ardiente nacido de la humillación. Aquí debe ser distinto. Uno ha sido *invitado* a México *a servir*, y si algo viene uno a conquistar, que sea el corazón de la gente: una conquista lograda por medio de sabiduría y ejemplo cristiano.

Uno debe *seguir* la derrota, seguir la derrota, seguir la derrota… Dios. Tonterías. Pero, tal como van las cosas, uno podría terminar abdicando. Y sin embargo, a menos que renegocie con el káiser el Pacto de Familia, uno no tiene la posibilidad de volver a Europa. Ciertamente, uno *no* va a regresar a Europa sin pensión, sin posición. Uno *no* va a ser humillado.

—Quítese el guante de terciopelo, su majestad, y ¡enséñele a la guerrilla su puño de hierro! —Schertzenlechner estuvo de acuerdo con el ministro de Guerra.

El padre Fischer lo ha estado diciendo todo el tiempo:

—El deber de un monarca cristiano es aplastar a los enemigos de Dios.

Del otro lado. ¡Vaya al suelo esa maldita almohada!

Uno ha hablado con el profesor Bilimek.

—¿Debe uno permitir que, en nombre de la ley y el orden, la contraguerrilla mate a cualquiera que encuentre con un arma?

El profesor Bilimek tomó el palo de su red de mariposas entre las manos y le dio vuelta dos veces. Detrás de los lentes, sus ojos pequeños se le hicieron redondos.

—La religión cristiana es de amor, no de odio ni de venganza. En nombre de todo lo que es sagrado en la tierra y en el cielo, le suplico que rechace esos consejos impíos.

Así que... no.

Carlota dijo, con la cara de alguien que acabara de despertar de un sueño:

—No puede haber llegado a eso.

No a la carnicería. Porque, ¿qué es lo que uno ha traído a este país abandonado de Dios, si no civilización?

Uno no ha consultado al profesor Bilimek sobre el asunto de los Iturbide. ¿Por qué debería hacerlo? ¿Por qué tiene uno que consultar a los franceses o, para el caso, al general Almonte? Es un asunto de familia, y ya está —sí— decidido.

El Niño de México.

La última noche antes de que salieran de París, el Niño de Francia dijo que le gustaría visitar México.

Carlota lo tomó de la mano y se la acarició. Le dijo:

—Nos daría *mucho* gusto que visitaras nuestro país.

Su bella cara rompió en una enorme sonrisa, mientras inflaba su pequeño pecho:

—¡Me gustaría escalar su montaña más alta!

—El pico de Orizaba es muy alto —le respondió Carlota— y tú eres muy valiente al pensar así. Estoy segura de que un día lo harás.

Eugenia dijo:

—Da las buenas noches, Luis.

—Buenas noches —obedeció el niñito, con toda la seriedad de un embajador siamés.

Ahora... el príncipe de México es un niño igual de atractivo. O más, porque se ve como un pequeño anglosajón con su pelo rubio y sus mejillas rosadas (y tiene sus buenos pulmones, carajo que sí).

Bueno, ¿y Bazaine no ha echado a Juárez de Chihuahua, forzándolo a replegarse en la frontera? Uno casi podría declarar que Juárez ha abandonado el territorio mexicano, en cuyo caso no puede llamarse "presidente de la República de México", más que presidente de...

Uno mejor se endereza en la cama. Uno lo va a declarar. Lo va a publicar en *La Sociedad*: "JUÁREZ HUYE A ESTADOS UNIDOS". Y qué tal esto: "Juárez ha establecido su gobierno en exilio en…"

Ay, ¿dónde, dónde, dónde…? ¡Santa Fe! Ja, ¡eso es mejor que un ciento de bodegas repletas de pólvora hasta las vigas!

Eso rufianes juaristas inventan mentiras. Bueno, uno puede aventarles de regreso la misma pelota. Y encima de todo, sí, cuadra perfectamente: "Cualquiera que sea sorprendido con un arma será considerado bandido y puede ser fusilado". Uno *debe* firmar ese decreto.

Pero uno no es sanguinario: ¡Matar o ser matado!

Sin embargo… ¿qué tal si… este decreto ablandara a Juárez, lo hiciera ver que no le queda más que hacer las paces con el gobierno de uno? Este golpe con puños de bronce, ¿o una bienvenida de brazos abiertos para él y sus simpatizantes? Para domar una bestia, primero hay que alimentarla. Uno le va a ofrecer a Juárez una manzana bonita, gorda, brillante. ¿Por qué no, ya que tiene fama de ser un abogado talentoso, le da uno la presidencia de la Suprema Corte?

¡Ah, ja! Como siempre, uno tiene alas para elevarse por encima de los paradigmas mundanos. Carlota siempre me lo ha dicho: "Eres un hombre nacido para gobernar".

Y Carlota, como siempre, tiene razón: uno debe decirle a Kuhacsevich, inmediatamente, que consiga un asiento de niño para el carruaje.

Su majestad de camino a Yucatán

En la orilla de la carretera, un burro levanta la cabeza de un banquete de paja. A través de una fila de eucaliptos, el sol cae en astillas sobre el techo de tejas de un establo. Una pared derruida, un vasto pastizal amarillo y la ciudad de México se desvanece: cúpulas que brillan a la distancia.

Como cuervos asustados, los días se han ido. El año se sumerge ya en un otoño inusualmente frío. Con un vestido café chocolate que no se había puesto desde hace dos inviernos, en Viena, lleva los hombros envueltos en un chal de lana con las orillas de mink; el peinado recogido como abrigándolo bajo un sombrero de terciopelo negro, y el rostro oculto tras el velo. Su majestad la emperatriz de México va camino a Veracruz, desde cuyo puerto saldrá hacia Yucatán. Va subiendo las montañas por un camino muy malo. Evidentemente, nadie ha hecho nada para mejorarlo. Estos brincos le tirarían a una los dientes, y a este paso, *pour Dieu*, se necesita tener la paciencia de una santa Marina.

Igual de atroces eran las comunicaciones; fluían a la velocidad de la miel fría. Se habían tendido cables de telégrafo a través de estas montañas y bajando a tierra caliente, hasta el Golfo de México, pero incluso cuando no han cortado ninguno ni han tumbado o bombardeado algún poste, los mensajes tardan en llegar más horas de las que deberían porque ciertos operadores los detienen. Por lo menos en este asunto, su majestad puede estar de acuerdo con el general Bazaine: un buen número de ellos son juaristas. Deberían sacarlos y fusilarlos. ¿Y qué pasa con los vapores que vienen de La Habana, Nueva Orleans, Nueva York? ¿Y con el de Saint Nazaire? El correo podría igual estar cruzando, como tan bien lo dice Max, un lago de olvido.

Anoche, en vísperas de la partida, recibió del cónsul belga un cable que llegó de Veracruz (¡enviado más de *siete* horas antes!). El

Manhattan lo trajo y luego, a su vez, lo telegrafió. Según éste, el *New York Herald* reporta que el rey Leopoldo de los belgas ha caído gravemente enfermo. Pero, ¿de qué? ¿De los pulmones? ¿Cálculos renales? La noticia es de hace cuatro semanas. Tal vez para ahora, *à la grace de Dieu,* papá está ya recuperado y sentado ante su escritorio en Bruselas, despachando los asuntos de su valija oficial. Pero ella no pudo dormir por la preocupación, y en la mañana los ojos le dolían de cansancio, cuando debería estar emocionada de partir. Se siente como un reloj colgando de la cadena: se va para acá, luego para allá. ¿Papá está bien? ¿Se va a morir?

¿Lo han envenenado?

También fue ayer —¡apenas!— que llegó a la ciudad de México el correo, junto con el paquete de Saint Nazaire, recibido en Veracruz hace *diez* días. Las cartas de París estaban fechadas a mediados de octubre; las de Viena y Trieste, desde el 27 de septiembre. ¡Ya eran historia! Ay, que en todo ese montón de papel hubiera habido siquiera una línea de papá.

Detrás del velo, su cara se ruboriza de vergüenza; piensa en cuán profundamente, cuán horriblemente equivocada estaba al quejarse en cualquier forma de las cartas de papá. Siempre le había parecido un martirio leer su letra ("esos garabatos han de estar en urdu", le comentó a Max). La última carta le llevó a su esposo más de una hora descifrarla. En agosto, Max le había preguntado a papá cómo veía la idea de pagar agentes en Washington para que sembraran rumores de cuán espléndidamente iban las cosas. Porque a él y a su ministro del Exterior les parecía una idea genial contraatacar la propaganda juarista, que estaba llenando de prejuicios a no pocos miembros del Congreso de Estados Unidos en contra de reconocer el Imperio, cuando el reconocimiento podría nutrir tanto el comercio y la inversión que México desesperadamente necesitaba. El secretario de Estado norteamericano, Seward, un abogado de Nueva York que tenía la nariz y todos los modos de una guacamaya, había estado haciendo sonar su espada con eso de la "doctrina Monroe", una absurda declaración en el sentido de que Estados Unidos debe ejercer el control de ¡todas las Américas! Papá le contestó a Max: "En Estados Unidos la única cosa que cuenta es el éxito". Pero luego la letra de papá se veía como urdu. Después de estar mucho rato entrecerrando los ojos ante la carta, le pareció a Carlota había podido escribir: "Cualquier otra cosa es poesía y desperdicio de dinero".

Pero en el correo de ayer ni una palabra de papá, y las únicas cartas de familiares y amigos fueron una ingrata sorpresa. Todos pusieron el grito en el cielo por el Decreto Negro de Max, del 3 de octubre, de que todo el que fuera sorprendido con un arma ya no sería considerado "combatiente enemigo" y podía ser fusilado. Bueno, ¿qué se supone que haga Max? ¿Mimar a los terroristas? Su decreto del 3 de octubre estaba *completamente* justificado, ya que Juárez ha abandonado México (de cualquier manera es creíble decirlo, ya que puede ocurrir de un momento a otro) y, por lo tanto, estas personas no tienen por qué portar armas. Bandidos y asesinos, gusanos. ¡Deberían fusilarlos! La responsabilidad de Max es *salvar vidas*. Su decreto del 3 de octubre es la única vía de acción responsable. Ésta es la triste realidad de la necesidad en México. Una ha intentado, verdaderamente ha intentado transmitir en su correspondencia privada la maligna naturaleza de este terrorismo, tan pernicioso, tan similar, realmente, a la clase de cosas que Francia misma tuvo que confrontar en el pasado. Ay, el talento de una no merece esa tarea. En su carta, el tío Joinville, que tiene el hábito de leer periódicos liberales, quería saber qué fue esa "atrocidad", como la llamó, de mandar fusilar a 450 dizque "bandidos" en Zacatecas. Una quiere al tío Joinville, pero eso fue una impertinencia.

Y Grand-maman sigue escandalizada por los honores que Max le concedió a la familia Iturbide en septiembre, y otra vez hizo un montón de críticas hirientes, entre todas las cosas, porque una apareció "goteando diamantes" y con un "suntuoso manto escarlata y oro" en las celebraciones del cumpleaños de Max. De eso hace ya *mil* años, ¿y no ha dejado una *más que suficientemente claro*, en sus cartas anteriores, que era la misma diadema y el mismo manto, la misma vieja cosa remendada, que usaba cuando era virreina de Lombardía-Venecia? El problema es que a Grand-maman se le olvidan un poquito las cosas, a veces. Y nunca ha apoyado el proyecto mexicano. Con la abdicación de Grand-pére y el hecho de que tuvieran que huir para salvar su vida se hizo muy débil, se le adelgazó la piel. Cuando llegaron a Inglaterra, al principio, Victoria los invitó; pero Grand-maman nunca pudo animarse a ir a tirar: así la había dejado el estampido de los disparos. Cuando las gaitas empiezan a tocar, se le alteran los nervios y mejor pone pretextos para meterse. Su sensibilidad parece haberse ido haciendo más delicada al paso de los años. Antes de zarpar para México, en Claremont, una habría esperado por lo menos unas palabras de ánimo y unas copas de champán. Pero Grand-maman ofreció sólo té. Sombría, suplicó:

—No vayan. No deben ir.

Regañó y discutió, y al final le estrujó la manga a Maximiliano:

—¡Te van a asesinar!

Una prima escribió que, después de que se despidieron, fue necesario ayudar a Grand-maman a subir las escalinatas; se había derrumbado, llorando, sobre la silla. Contar eso fue muy mala fe por parte de la prima.

María Antonieta, aquella parienta de los Habsburgo de la época de las pelucas empolvadas, sí que tenía que darle cuentas a Dios: nunca le importó nada más que los juegos de cartas, las joyas, pasarse los días frívolamente allá en su Petit Trianon. Pero Carlota, nieta del rey Luis Felipe de Francia, hija del rey Leopoldo de los belgas, consorte del genio Maximiliano, es una soberana moderna: se ha puesto entera en su reino. México: crudo como la carne. Cada día, sin falta, Carlota les dedica tiempo a sus súbditos: visita orfanatos o una escuela, un hospital, una casa para prostitutas rescatadas de la calle, inválidos y, sí, leprosos. Ha tenido que espantarse las moscas que vienen a pararse en sus guantes. Ha comido guisados endiabladamente picantes de sabe Dios qué cosa zambutida en una tortilla. ¡Es una monja en servicio! Nada de pavorreales, nada de que a la niña la encantan, como alguna vez lo hicieron, con frivolidades, lisonja de lacayos y gritos de "¡Viva!" Ha cortado sin misericordia las cabezas de serpiente de su vanidad. ¿*Por qué* no es posible que los íntimos de una, y sobre todo Grand-maman, reconozcan que en cualquier lado del océano, ¡por favor!, los periódicos *se benefician entreteniendo* a sus lectores con novedades *hechizas*? Es de *esperarse* que los reporteros describan el manto de una y cada joya que lleva, no importa cuántas veces las hayan visto, como si fueran maravillas acabadas de aparecer.

En cuanto a los honores que Max le confirió a la familia Iturbide, ella *ya* le ha explicado a Grand-maman (con las palabras precisas que Max aprobó) que no fue nada más que un acto de *justicia* encaminado a darle *protección* a la familia de un emperador destronado y que, en todo caso, ni siquiera tienen sangre real. Un infante, Agustín, está siendo educado bajo la tutela de Max; un primo mayor, Salvador, ha sido enviado al colegio de Sainte Barbe des Champs, cerca de París; sus padres (que desgraciadamente, después de vivir muchos años en Estados Unidos, degeneraron en jugadores y borrachos) se van a ir también a París. Una hija del emperador, una solterona, está de acuerdo en ser la cotutora de su pequeño sobrino. A la tía y al sobrino se les han dado departamentos en la residencia imperial, pero esto es solamente *temporal*, hasta que se encuentre algo adecuado para ellos en la ciudad de México. *C'est tout dire*, ¡eso es todo lo que hay que decir! Pero Grand-maman manda otra vez preguntas, preguntas, una plaga de preguntas. *¿Tienes una idea de cómo se ve esto? ¿De qué se trata realmente esto?*

Ésa es la cosa que Carlota nunca dirá. No a Grand-maman. A nadie.

PODRÍAN DESHACERSE DE ELLA. Esta idea, que ha estado rondando agitada los bordes de su mente, cristalizó de pronto la primavera pasada, durante el infernal día cuando visitaron la isla de Martinica: la primera tierra que veían después de 17 días cruzando el Atlántico. Había esperado que las cosas serían distintas ahora que Maximiliano y ella portaban corona. Había luchado por ir a México tan valientemente porque estaba peleando por mucho más que una corona. Porque, en todos estos años, Maximiliano la había evitado. Una monarquía requería un heredero, obviamente. Pero, durante la travesía, Maximiliano no visitó su camarote ni una sola vez. Si ella se le acercaba, se ponía a platicar con otra persona. Si le tocaba la mano, la quitaba. En cuanto terminaban el trabajo, él desaparecía; se iba abajo a jugar billar con sus favoritos, Bombelles y Schertzenlechner. Si se lo encontraba más tarde en la cubierta, él inventaba algún pretexto para ir a la biblioteca. Si ella lo seguía allá, él necesitaba irse a su camarote y acostarse a descansar. Carlota no había sido capaz de remediar esa abominación de que tuviera que firmar el Pacto de Familia, pero había redactado una carta de protesta elocuente y bien fundada, ¿o no? Le era leal —¡ay!—, y lo amaba valientemente. ¿Por qué, *por qué* él la rechazaba tanto?

Años atrás, su hermano mayor, Leopoldo, le había advertido: "Maxie es un bicho raro, un Narciso, un Ícaro". Pero, para ella, ¡nada de eso! Cuando se conocieron, pensó que Max era el más romántico de los príncipes, tan refinado, tan culto, tan hombre de mundo y —esto lo ponía por encima de todos los demás— capaz de los sentimientos más profundamente nobles. Estaba guardándole luto a su prometida, su prima la princesa María Amelia de Braganza, hija del ex emperador Pedro I de Brasil. Delicada como una rosa de porcelana, había muerto de consunción en la isla de Madeira. Max usaba un anillo en donde tenía guardado un rizo de sus cabellos. Se lo mostró a Carlota: un rizo dorado como de ángel. Porque María Amelia era un ángel, decía él, y cuando Dios la llamó fue para llevársela a su verdadero hogar. Max se había jurado solemnemente no quitarse nunca ese anillo.

—¿Ni siquiera cuando te bañas?

—Ni siquiera cuando me baño.

Éste era un hombre que merecía un compromiso total. Si se iba como virrey a Lombardía-Venecia, ella se iría con él para servirlo. Si prefería irse de botánico a Brasil, bueno —su corazón suspiró—, ella sería su Penélope. Había querido acompañarlo a Brasil, pero ya estaba mareada de navegar para cuando llegaron a Madeira. Max decidió prohibirle que continuara. La besó gentilmente en la frente:

—Sería un riesgo muy grande para la madre de mis hijos.

—Pero podría ayudarte con las plantas.

—El profesor Bilimek se las arreglará.

Para Carlota, esos meses invernales en la isla de Madeira fueron de una soledad insoportable. Llovía con frecuencia. En las mañanas y en las noches, la niebla flotaba sobre los peñascos. Por supuesto, fue a visitar la tumba de María Amelia. Entró a la casa donde María Amelia había muerto. Entró a la recámara. Se sentó en la orilla de la cama. Cada domingo iba a misa a la iglesia adonde María Amelia solía ir. Y cuando recibía la hostia en sus labios, no podía evitar pensar: "esto pasó también por *sus* labios". Y así con el vino de Madeira, con las albóndigas de pescado con ajo, con cada cucharada de azúcar mascabado que mezclaba en su té. El aire, siempre, olía a océano frío. Estados de ánimo negros envenenaban los días de Carlota. Pero éstos —se decía— eran el castigo de una pecadora que había asegurado su felicidad gracias a la muerte de otra.

Cuando Max volvió de Brasil, bronceado y musculoso, ella se arrojó en sus brazos, la cara bañada en lágrimas de felicidad. Esa noche, sin poder evitarlo, le dijo:

—Por favor, quítate ese anillo. Hazlo por mí.

Había suficiente luz en la recámara para ver que él había empezado a darle vueltas tratando de sacárselo. Finalmente el anillo se aflojó, revelando una circunferencia blanca en la piel de su dedo. Pero entonces una mirada peculiar ofuscó su rostro. Volvió a acomodarse el anillo en su lugar.

—Nunca —dijo, y le dio la espalda a Carlota. Se hizo un ovillo, pequeño.

—Perdóname —Carlota lo tocó, pero él se sobresaltó como si algo le hubiera picado.

Ella se recostó en la oscuridad, quieta como un cadáver, escuchando la respiración agitada de su esposo.

Dijo otra vez:

—Perdóname —lo tocó en el hombro—. ¿Max?

Él se levantó, se envolvió en su bata y salió de la recámara. Desde entonces, parecía que una cama compartida con ella era para Maximiliano como un lecho de alacranes.

Como no había ido a Brasil, la primera experiencia de Carlota en los trópicos fue en Martinica, cuando desembarcaron en Fort-de-France a fin de cargar hulla y provisiones para el resto del viaje a México. Ella había olido el trópico mucho antes de poder distinguir los edificios y los muelles del llamado "pequeño París" de las Islas de Sotavento: un perfume de azúcar y verduras putrefactas, al mismo tiempo seductor y repelente. En los árboles y arbustos que llenaban la plaza central había tantos pájaros ruidosos que el guano había alfombrado el pavimento. No se podía hacer nada más que caminar sobre eso. En medio de la plaza se erguía una estatua de mármol de la nativa más famosa de la isla: la emperatriz Josefina. Viuda con dos hijos crecidos, había ayudado al pequeño corso oficial de artillería en su meteórico ascenso, pero él, poco después de proclamarse emperador, como Josefina ya no estaba en edad de darle hijos para su dinastía, se divorció de ella.

La esposa del gobernador, una miniatura de mujer con turbante de muselina, se puso a hablar y hablar sobre esta estatua, la única obra de arte digna de notar en toda la isla. Aunque un ejército de negros iba abanicando al grupo con palmas, el aire, un baño turco, resultaba enloquecedor. Carlota podía sentirlo cocinándole los sesos. El calor vaporizaba del pavimento. La estatua, aunque cacariza y manchada de hongos tropicales, era casi demasiado brillante para mirarla. Los hombres, escasamente interesados, se le quedaban viendo de mal modo y se enjugaban la frente. Monsieur Eloin se amarró su pañuelo bajo el cuello de la camisa. Con todo y su flexible sombrero amarillo, al profesor Bilimek se le habían puesto las mejillas alarmantemente rojas. Frau von Kuhacsevich llevaba los brazos en alto para así recibir mejor la brisa de los abanicos. En el pequeño jirón de tierra que rodeaba el pedestal de la estatua había rosas recién plantadas, pero ya el sol las había quemado. Varias colgaban en grupos; sus pétalos abrasados tapizaban la tierra. Como todo el mundo lo sabía, Josefina, originalmente llamada Rose Tascher, de la plantación Trois-Ilets de Martinica, había sido bella, la beldad de París, a pesar de sus dientes renegridos. Pero como emperatriz incapaz de darle hijos a su emperador, sabía lo que le esperaba. Andaba por ahí diciéndole a todo el mundo que la iban a envenenar.

La esposa del gobernador dijo:

—No creerían ustedes la de calumnias que la gente le ha levantado a Josefina, incluso en esta isla.

Bombelles se rió maliciosamente.

El rostro de mármol, cuyos ojos ciegos, inundados de sombra, resultaban impenetrables, miraban hacia el agua. El mar retumbaba. Insistía: "Divorcio o veneno. Divorcio o veneno". Carlota —Charlotte— se sintió incierta sobre sí misma. Apretó los ojos tratando de alejar esas palabras de su cabeza. Pero habían caído en suelo fértil.

A LA DISTANCIA, las nubes proyectan formas sobre la sierra. Magueyes, milpas, una capilla a la orilla del camino con su cruz tumbada de lado. En el carruaje, Carlota se acomoda su chal de lana y aprieta los párpados. Es *tan* terrible, mucho más de lo que una hubiera imaginado, no poder ver a la familia, no poder darle un beso a Grand-maman en sus mejillas de papel viejo, tomarle la mano entre las de una. ¿Y papá? *Cher* papá. Los ojos se le llenan de lágrimas a Carlota. Ninguna de sus dos damas de honor, la señora Plowes de Pacheco y la señorita Varela, puede ver su cara a través del velo. Así que Carlota deja que las lágrimas corran por sus mejillas. Dos, luego tres, caen calientes sobre la muñeca de su mano. La voz dentro de su cabeza sisea: *Por todo lo que está en juego, tus pinches problemas personales son insignificantes.* ¡Por qué tiene una que engolosinarse en esta pútrida autocompasión! *Pútrida, pútrida. Eres una glotona, una pecadora inmunda.* Debía parar eso. *Pararlo.* Mortificar la carne. Deslizando una mano dentro de su manga, busca la parte más suave de su brazo y se pellizca, fuerte. Se traga un sollozo, que cree disimulado por el violento bamboleo del carruaje.

—¿Madame? —la señora Plowes de Pacheco se inclina desde el asiento de enfrente.

Carlota vuelve la cabeza hacia el sonido de esa voz. Cuando se siente libre, intenta imaginar que es Eugenia: serena, amada, sabia. Tiene que ser impasible ante el dolor como Juana de Arco. Debe tener la rectitud de la reina Victoria. El valor de María Estuardo reina de Escocia. Cleopatra... ¡se acabó gracias al veneno de un áspid! María Luisa de Borbón, reina de Carlos II, el último de los Habsburgo españoles... 10 años sin un hijo y de pronto se le cayeron las uñas. Cólera, dijeron que era, pero su cuerpo no se descompuso. *Tlapatl*, mucho mejor que el arsénico: quita el apetito mientras mina la mente. *Mixitl*: constriñe la garganta y hace que la lengua se quiebre. *Nanacatl*, en una cucharada de miel, la hace a una volar... desde el precipicio. Hay una miríada de formas para deshacerse de una reina.

—Madame, ¿está usted bien?

A través de lo borroso de las lágrimas y del velo, su majestad observa el rostro de la dama, su frente con arrugas de preocupación. Observa también el broche que lleva en la garganta: un retrato de ella, de su majestad, enmarcado en rosetas de plata.

En el asiento brincaban moronas de galletas.

—¿Madame? —la señora Plowes de Pacheco dice otra vez.

¿El *Reglamento y ceremonial de la corte* no hace perfectamente claro que es una flagrante violación a la etiqueta iniciar conversación con un soberano?

La voz de su majestad es mármol pulido:

—Se siente encerrado aquí. Tenga la amabilidad de abrir una ventana.

EN EL ÚLTIMO y más modesto de los 12 carruajes que forman el convoy de su majestad, su camarista, Mathilde Doblinger, está preocupada: ¿Estará Carlota bien abrigada con el chal de orillas de mink? Aquí y allá, dependiendo de las curvas del camino, aparece sobre los pinos el bultito brillante de la nieve. Mathilde misma lleva sólo un saco de lana hervida sobre su blusa, pero tiene calor ahí apretujada con estas siete camareras mexicanas. Frau von Kuhacsevich lo dijo: "Esta gente habla como pericos que hubieran enloquecido con café: *yakita-yakita-yakita*". Con la barbilla apoyada en los nudillos, Mathilde mira el polvo que levantan los otros carruajes. En la retaguardia los siguen unas 15 carretas con equipaje, cargadas hasta una altura que las hace avanzar precariamente y cubiertas con lonas. Mathilde supervisó cómo subían los baúles con el guardarropa de Carlota. Una de las puntadas de su trabajo diario es lidiar con estos mexicanos cabeza de piedra que no entienden que un baúl con ropa debe cargarse boca arriba. A los triestenses, Mathilde ya los daba por caso perdido, ¡pero a estos cabeza dura, chileros, escupe tabaco! Perdiendo el español al mismo tiempo que la paciencia, le gritó al capataz: *"Aufrecht! Aufrecht!"* ¡Boca arriba! Y este interminable resonar de pezuñas... 40 zuavos franceses escoltan a la comitiva de su majestad, pero Mathilde podría creer que son 100 o más. Cada carruaje lleva un par de soldados sentados en el pescante junto al cochero; por lo menos 12 cabalgan en fila a ambos lados del carruaje imperial, y un número desconocido de otros van de dos en dos por las orillas de la carretera, si es que se podía llamar así a esos caminos disparejos.

En una curva, la carretera desemboca en un llano grande, pantanoso, cercado por un bosque de pinos. Los zuavos se abren en abanico a todo galope. Primero tres, luego cinco se separan del grupo, los pantalones rojos flameando sobre los flancos de los caballos, y sus armas, rifles, sables, bandoleras, destellando con el sol... hasta que se los tragan los árboles. Siempre están reconociendo.

Mathilde se ha mantenido atenta a los bandidos, pero sólo ha visto chivos. Y unos cuantos indios que pasaban a pie, doblados bajo el peso de la carga que llevaban amarrada a la frente. Sobre el coche, una correa del equipaje se ha roto; va chicoteando contra la ventana, con cada brinco, como una serpiente: *slap, slap*. El polvo cubre el frente de su delantal, sin importar que a cada rato se lo esté sacudiendo con el cepillito para ropa que lleva en su bolsillo. Para proteger sus pulmones, Mathilde oprime contra su boca la manga de su saco. Está hasta la coronilla de esta ventana llena de polvo. Ya ha visto de este país más de lo que el diablo podría abarcar con su cola. O columbrar.

La gente de Mathilde Doblinger son alemanes, y eso es eso. Una mujer de huesos grandes, con cabello castaño oscuro, tiene las facciones olvidables de una empleada que uno podría encontrarse detrás de un mostrador en una tienda de provincia. Mathilde no es una persona amigable, pero se ha acercado a los otros alemanes del personal más de lo que lo hubiera hecho en Europa, donde las diferencias de rango habrían impuesto entre ellos un golfo imposible de cruzar. En Viena, alguien de la posición de un ama de llaves imperial jamás se habría dignado sentarse a la misma mesa con una camarista. Aquí están solos, tienen ganas de hablar en alemán y de quejarse. La única cosa que Mathilde no va a extrañar este mes es la cháchara interminable de Frau von Kuhacsevich sobre la comida.

—*Ach*, Matty —Frau von Kuhacsevich se quedó caída de hombros el otro día, en el comedor del personal, cuando les sirvieron arroz con leche—. En nuestra tierra todavía es tiempo de tartas de ciruela. ¿Te acuerdas, Matty, del *Reisauflauf* con crema batida y jarabe de cereza, en el Obersalzberg?

Mathilde pudo sentir sobre sí los ojos nostálgicos de Frau von Kuhacsevich cuando metía su cuchara en el arroz con leche. Estaba aguado por la clara de huevo cruda que le habían puesto. Hasta donde a ella le tocaba, la comida era combustible y, mientras no le hiciera daño, estaba contenta de zampársela.

—Dime, Matty, ¿qué es lo que más extrañas?

Mathilde odiaba que Frau von Kuhacsevich la llamara así.

—Cerveza —contestó.

—Sí, la cerveza… *Oktoberfest*…

Como lo veía Frau von Kuhacsevich, en Austria la carne era más suave; en Austria las zanahorias eran más dulces; en Austria las salsas picaban menos y sin embargo eran más sabrosas. ¡Ay, el *Backhendle* y el *Schnitten* y el *Guglhupf!* Frau von Kuhacsevich siempre se estaba quejando de la comida mexicana, pero eso no le impedía comérsela. En el lapso de un mes, piensa Mathilde, Frau von Kuhacsevich tendrá que mandarse hacer otro guardarropa nuevo. ¿Y con las costureras de aquí? ¡Buena suerte!

Al ir el carruaje cuesta abajo, los resortes rechinan y crujen que desgarran los oídos. Una botella rueda en el piso; una de las camareras la patea, otra se la patea de regreso y se echan a reír. Todas estas muchachas mal educadas usan los aretes largos que Frau von Kuhacsevich ha prohibido expresamente. ¡Descaradas que son! Mathilde no puede seguir el hilo de su cháchara. Le importa un comino por qué se ríen. "Planchar", "botones", "tijeras": Mathilde ha aprendido el español que necesita y ni una palabra más. Su padre era *valet* de un archiduque de la Casa de Habsburgo. Lo que eso *significa* es algo que éstas no podrían empezar a entender.

Se siente como si hubiera sobrevivido a 10 vidas en México cuando, en efecto, sólo ha pasado aquí un año y cinco meses. Llegó en la *Novara*, con el resto del séquito imperial. Desde Veracruz hicieron el viaje a la ciudad de México por esta misma carretera, así que ella ya había visto y sufrido cada centímetro de la misma. Pero no recuerda que el bosque de pinos fuera tan oscuro. Le recuerda los bosques de Viena. Dispersas a lo largo del camino hay pequeñas flores que podrían ser *edelweiss*, pero tienen las hojas más largas, cortantes como dagas. Le gustaría preguntar cómo se llaman, pero las muchachas ya empezaron a cantar y a batir palmas. Basta con taparse los oídos. *¡La go-lon-drin-a!* (Clap clap), *¡La go-lon-drin-a!* Y luego, otra pendiente en el camino, el carruaje se cimbra —otra erupción de risitas— y la correa del equipaje empieza otra vez a chicotear en la ventana.

Es EXTRAÑO ir hasta Yucatán, tan lejos, y en el camino de regreso viajar otra vez al origen, a Veracruz. Con un escalofrío, Mathilde recuerda aquellos últimos días de mayo de 1864, cuando vislumbraron por primera vez ese fétido puerto. Conforme se acercaban por el golfo, durante un tiempo habían podido ver el Pico de Orizaba: flotaba —un trozo de jabón— sobre el mar. Gradualmente se levantó hacia el cielo hasta que resultó no ser más que una nube de nieve. El horizonte era como de arena y luego, despacio, emergieron edificios que parecían ennegrecidos en los techos. En la orilla, la arena se arremolinaba en nubes como fantasmas. A Frau von Kuhacsevich se le cayó su bonete, que quedó perdido en la estela. Una ráfaga repentina volteó de revés la sombrilla de Carlota. El mecanismo se había trabado. Mathilde corrió adentro por otra sombrilla y, cuando volvió a cubierta, a todos se les habían venido a parar esas moscas que picaban. Desde el fuerte, los cañones habían empezado a disparar: habían reconocido a la *Novara*. El humo de los disparos flotaba sobre el agua. Tüdos, el chef húngaro, se puso a dibujar como loco incluso mientras se espantaba las moscas. Pronto, con el aire retemblando por los cañones, se hallaron cruzando frente a las rampas del fuerte; ennegrecidos bancos de coral se levantaban en la bahía, cubiertos de lama. Desde las murallas, los soldados gritaban "¡Viva!" y aventaban ramos de flores, la mayoría de los cuales iban a dar al mar. El agua de la bahía era de un gris metálico; flotaban en ella trozos de jarcia, una botella de boticario y una foca muerta, el vientre hinchado, brillando. Las olas se abrían a los lados de maltrechas quillas y tablones astillados. Desde que trabajaba al servicio de Carlota, Mathilde había visto muchas bahías: Trieste, Ancona, Civitavecchia, Funchal, Fort-de-France. Ninguna era un cementerio de barcos como este horrendo Veracruz. ¿Y qué era eso negro encima de los edificios? Una campana de iglesia empezó a repicar, y lo negro se levantó como una cinta de fieltro. Al elevarse hacia el cielo, resultó que eran parvadas de enormes pájaros negros. El sonido metálico de sus chillidos heló a Mathilde hasta el fondo del alma.

Carlota preguntó:

—¿Cómo se llaman esos pájaros?

El profesor Bilimek estaba a punto de responder, pero, con deferencia, cedió la palabra a Maximiliano, quien, bajando su catalejo, dijo:

—Zopilotes —y se apachurró un mosquito en el cuello.

Esos asquerosos, grotescos pájaros le quitaron el almidón a su ánimo. ¡Y Maximiliano se rió al ver su expresión!

Ahora en noviembre, ya pasado lo peor de la fiebre amarilla, se dice que los hospitales de Veracruz están llenos. Los muchachos se mueren de eso apenas bajando de los barcos de transporte de tropas. A otros se los llevan a través de los campos, temblando y delirando por la malaria. Se mueren llenos de gusanos, gangrenados. Nadie que esté en su sano juicio pondría un pie en este hervidero de pestes, como no fuera para abordar un barco y alejarse a todo vapor. Eso es lo que ellos van a hacer, hacia Yucatán. En lo que respecta a esa provincia, Mathilde se imagina una jungla infernal infestada de serpientes, alacranes, sanguijuelas y, como le dijo el profesor Bilimek a Frau von Kuhacsevich, una especie de salamandras que crecen al tamaño de un gato.

¿Por qué Maximiliano manda a Carlota a esos lugares, cuando no la dejó acompañarlo a Brasil? No es un lugar para una mujer blanca, le dijo a su nueva esposa, y la dejó sola durante meses en Madeira. Pero las reglas han cambiado. ¡Maximiliano truena los dedos!

Frau von Kuhacsevich dice que la razón por la que Carlota tiene que ir a Yucatán es que Maximiliano no puede arriesgarse a salir de la ciudad de México y, si la expedición fuera cancelada, Yucatán podría separarse del Imperio.

—No lo crea —dijo Tüdos, el chef húngaro.

—No —respondió Frau von Kuhacsevich—, *no* es verdad. Es una *completa* mentira que Maximiliano esté planeando abdicar.

—Así es, Matty —le dijo a ella—. ¿Qué son esos rumores de que Bombelles va a Viena a renegociar el Pacto de Familia con el káiser, para que Maximiliano tenga una posición cuando regrese? ¡Puras calumnias! Tú no crees esos chismes, ¿verdad?

—Yo no dije que lo creyera.

Frau von Kuhacsevich se sirvió una segunda porción de flan. Equilibró la trémula masa sobre la hoja de su cuchillo y luego la dejó caer —*plop*— en el plato.

—Puedes estar segura, Matty, de que esas historias se cocinan en los cuarteles del general Bazaine —esta vez le había echado el ojo al platón de crema batida—. *Ach*, no debería… —Frau von Kuhacsevich tomó una cucharada copeteada—. Pero, ¿sabes qué? —Frau von Kuhacsevich miró a uno y otro lado de la cocina: estaban solas—. ¿Sabes qué? —se inclinó hacia adelante y bajo la voz—. El general Bazaine es un ladrón.

Mathilde se sentó sobre sus manos y se quedó estudiando su plato casi vacío. Habría sido imprudente decir algo, pero todavía más imprudente no decir nada.

—Bueno, es francés.

—Claro como la lluvia —dijo Frau von Kuhacsevich. Los franceses son envidiosos y esto y lo otro, bla bla bla. ¿Alguna vez habría dejado descansar su lengua esta mujer?

Una camarista no está en posición de cuestionar estas cosas, menos aun de entrar en discusiones por encima de su nivel, pero esto también la preocupa. ¿Qué va a pasar en la ciudad de México, donde Maximiliano estará solo más de un mes? Estando Carlota lejos —se pregunta Mathilde—, por protocolo, ¿no será la princesa Iturbide la figura femenina de más alto rango, y por lo tanto tomará el lugar de Carlota a la mesa de la cena imperial? La princesa Iturbide va a tener muchas oportunidades para tejer una peligrosa red de influencias. Frunciendo la boca, Mathilde se imagina a la princesa Iturbide embutida en su muaré de escamas de pescado, recibiendo a los embajadores al lado de Maximiliano.

Grill, el *valet* de Maximiliano, oyó de su cochero y le contó a Tüdos, quien a su vez le contó a Frau von Kuhacsevich, que la madre del mocoso Iturbide, una americana medio loca, había cambiado de parecer y ahora quería de regreso al niño, así que se largó a intrigar con el general Bazaine. Maximiliano no tuvo otra opción, explicó Frau von Kuhacsevich, que ordenar la detención de la mujer. Si esa historia es verdad, piensa Mathilde, resulta extraño que Maximiliano retenga al niñito, a menos que de verdad piense hacerlo su heredero. Aunque Tüdos dijo que, tal como lo oyó, hacer príncipe al niño y traerlo a la residencia no fue lo que podría parecer; fue matar "cinco pájaros de un tiro".

—No entiendo —dijo Mathilde.

Tüdos se encogió de hombros:

—Yo no intentaría hacer sopa con eso.

Un palacio es un panal: una abeja obrera debe hacer su trabajo y tener cuidado de no caer en la ilusión de que está enterada de la mitad de lo que realmente pasa. Sin embargo, ¡Mathilde Doblinger no tiene que comerse el cerdo entero para saber que es carne de puerco! El que Maximiliano trajera al infante Iturbide a la residencia imperial fue un insulto a Carlota como mujer.

Es extraño que Maximiliano se mantenga distante de su esposa. Mathilde siempre ha pensado eso. Carlota es tan atractiva, y él (cualquiera puede ver cómo ella se le queda viendo de un lado a otro de los salones) es claramente todo para su esposa. Hay una costura entre esos dos que no ha recibido las puntadas debidas. Hay algo fuera de lugar en la manera en que la tela de ese matrimonio está cortada: no cuelga correctamente. Carlota no ha estado comiendo. La semana pasada, Mathilde empezó a cambiar de lugar los botones y los broches de sus vestidos, un montón de trabajo, especialmente cuando no tiene nadie que le ayude; es decir, ningún mexicano de quien ella pudiera esperar que se acercara a sus parámetros.

Lo que es peor: Carlota ha seguido pellizcándose. La otra mañana, cuando levantó los brazos para que Matilde pudiera amarrarle el corsé, en la parte más suave, cerca de la axila, tenía dos moretones lívidos. Se los hace donde puede tapárselos con la ropa. Pero, cuando se dio cuenta de que Mathilde había visto esos moretones, se puso tensa y bajó los codos. Levantó la cara, observándose en el espejo; no, no se miraba a sí misma. Miraba algo detrás. Mathilde se volvió. No había nada ahí más que la puerta cerrada.

Mathilde ha oído las noticias que llegaron anoche en el *Manhattan*. Frau von Kuhacsevich se ha encargado de contarle a todo el mundo de la enfermedad del rey Lepoldo. Aquí, en el otro lado del océano, Carlota está tan lejos de aquellos que verdaderamente la aman y podrían consolarla. Y advertirle: es cortejar el peligro trabajar tanto: las obras de caridad, los tés, las tertulias, cenas, visitas… ¡y ahora esta expedición a Yucatán! La va a matar.

Maximiliano espera demasiado de su joven esposa. No puede ver la espantosa tensión a que la somete. Y nadie le va a decir la verdad, excepto, tal vez, el padre Fischer. El padre Fischer es la única persona en la tierra en quien Mathilde confiaría. Pero no ha regresado de

Roma. Esta mañana muy temprano, antes de salir, Mathilde se encontró sola en el vestíbulo con Frau von Kuhacsevich y, en su angustia por Carlota, estuvo a punto de decirle algo. Pero recordó que los von Kuhacsevich no son gente de Carlota, sino de Maximiliano. Mathilde Doblinger no es ningún Judas. Mantiene los ojos bien abiertos, las orejas paradas y los labios abotonados.

EL CAMINO DESAPARECE bajo un río desbordado; luego vuelve a salir, peligrosamente reblandecido por la arena. Los zuavos colocan pasarelas. Chorreando agua, las mulas se arrastran hacia adelante, obligadas a latigazos.

En la tarde, una de las carretas de equipaje de la emperatriz se vuelca, pero la levantan.

Más adelante, cerca de Río Frío, un venado cruza saltando entre dos carruajes. Desde su montura, uno de los zuavos dispara; la bala astilla un ciprés.

En el coche de los caballeros, el embajador belga observa:

—*C'est maigre*. Está flaco.

—*Ni la bala valió* —dice el marqués de la Rivera, el embajador español, y así, como experto jinete que es, le jala la rienda a la conversación para llevarla en español.

El único miembro de la partida que no habla español es Monsieur Eloin, el asesor belga de la emperatriz. Apretujado entre los dos embajadores, con su bastón de plata apoyado en la barriga y su enorme cabeza caída hacia adelante, Eloin toma una siesta. Enfrente de este trío, de espaldas a la dirección de la marcha, va el ministro mexicano del Exterior, Fernando Ramírez. Está realmente contento de que Eloin se haya quedado dormido porque, aunque habla un francés pasable, tener que conversar en este idioma lo hace sentir como trapeador. En cuanto al general Uraga, sentado a su derecha (la pierna de palo guardada bajo la banca), el francés es una montaña todavía más alta de escalar.

Es un alivio para Ramírez que, en el camino, no tenga que cumplir con algunas de las formalidades diplomáticas por lo menos; el traje para la corte, por ejemplo (cómo le aprieta el cuello de ese uniforme, y nunca logra que se mantenga erguida la pluma de avestruz del sombrero). Eloin y el embajador belga le han hecho burla esta mañana por ponerse el mismo traje a cuadros estilo *hounds-tooth* y botas de suela gruesa. El marqués, que calza botas de montar inglesas, trajo un costal de naranjas. Las cáscaras alfombran el piso, y su fragancia endulza el aire, asfixiantemente acre por el humo de los puros. Nuevamente se han enfrascado los caballeros en un debate.

—El problema —dice el marqués, en voz tan baja que todos, excepto el durmiente Eloin, tienen que inclinarse para oírlo— es que cada vez presionan más a Luis Napoleón para que se lleve las tropas de regreso a casa.

—Hay presión —interrumpe el embajador belga—, pero…

—Luis Napoleón se encuentra entre la espada y la pared —replica el marqués—, política y financieramente. Todo eso del honor y la gloria, traer paz y prosperidad, la misión civilizadora, sin apoyo de las cámaras legislativas, es como un pedo en una tormenta de viento.

—Pero —el embajador se inclina, pasando casi por encima de la cabeza caída de Eloin, para señalar al marqués con el dedo— de acuerdo con el tratado de Miramar…

—No vale ni un puñado de habichuelas —el marqués deja ver el relámpago de sus bellos dientes.

Ramírez no dice nada, pero se quita los anteojos y se pone a limpiarlos furiosamente con su pañuelo.

—No es una visión optimista —el embajador belga dice fríamente, reclinándose otra vez en su asiento y cruzando los brazos. Hace sobresalir su labio inferior—, pero les garantizo que, militarmente, México ha sido un hueso más duro de roer de lo que cualquiera hubiera anticipado.

El marqués vuelve los ojos hacia la ventana.

—A diferencia de *cierta figura paterna*, yo no observo la situación a través de una copa de champán.

—¿Figura qué? —ladra el general Uraga.

—¡Champán! ¡Espero que alguien haya traído! —Ramírez se palmea la rodilla con una risa exagerada. Está dispuesto a hacerla de Punchinello. *Cierta figura paterna*, Ramírez entiende perfectamente: el marqués se refiere al rey Leopoldo de los belgas, el padre de su majestad Carlota y el único aliado sólido que tiene en Europa el Imperio mexicano, aparte de Luis Napoleón. Todo lo que Bélgica ha hecho ha sido embarcar unos cuantos cientos de voluntarios, tan bisoños que, en el primer combate mayor, ocho oficiales cayeron muertos y 200 fueron tomados prisioneros. Pero la buena fe del rey Leopoldo, el verdadero Néstor de Europa, no es una cosa menor. Y nadie debería herir la dignidad de su embajador y de los soberanos de México.

El marqués se ve como un pequeño pavorreal inofensivo, con sus cortas piernas embutidas en las botas, sus manos manicuradas y un flequito que no logra disimular su pecosa calva. Pero es íntimo amigo de la condesa de Montijo, madre de Eugenia. Sus palabras en oídos franceses podrían hacer muchísimo daño.

Ramírez está tenso, pero sigue con su actitud de displicente bondad:

—Con todo este zangoloteo, ¡bueno!, ¿quién va a sacar el champán?

Eloin se sacude y despierta. Se oye el golpe de su bastón al caer al suelo.

—*Quoi! De quoi parlez-vous?*

Y así la conversación vuelve al francés. Mientras el camino serpentea entre bosques de pinos, el general Uraga no dice nada y Ramírez apenas poco más que nada. Eloin, el embajador belga y el marqués van enfrascados en una discusión sobre el costo, definitivamente criminal, de importar equipo fotográfico; cuál esposa posee la mayor colección de *cartes de visite*, y si será mejor coleccionar cirqueros, actrices o cantantes de ópera; la calidad de los caballos argelinos comparados con los de Andalucía. Y, a propósito de accidentes bizarros, el marqués jura que, una vez, en frente de un café de Valletta, en Malta, vio un enano, un campanero del príncipe heredero de Prusia, aplastado por una carreta de flores que apareció de la nada, bajando sola de la colina.

Pero en todo esto, riéndose y fumándose su puro con los demás, Ramírez sigue alerta al escalofriante hecho de que el embajador español ha hablado, así fuera brevemente, de una manera tan brutal. Aunque el marqués dirigió el comentario a su contraparte belga, la espina iba de hecho dirigida a él, el ministro del Exterior de México, puesto que es el oficial de mayor rango en el séquito de su majestad Carlota. En Veracruz, las cartas y los informes del marqués irán a las bolsas de correo dirigidas a Nueva York, Cádiz, Saint Nazaire. España está fuera del juego, pero los informes de su embajador sobre los asuntos mexicanos serán ampliamente leídos, incluso en las Tullerías.

Ciertamente, el marqués va a informar que el general Bazaine ha sido incapaz de derrotar a la guerrilla, cuyos ataques continúan en escalada. Los toques de queda y la retórica no han logrado un carajo. Casi todos los días explota algún almacén de municiones, aparecen sueltos unos rieles del tren, cortan los cables del telégrafo, se roban mulas, decomisan arbitrariamente pistolas, comida, cobijas, equipo de hospital, emboscan y masacran a las patrullas. Hay tantos asesinatos, asaltos a las diligencias, robos a bancos, secuestros... se ha vuelto imposible discernir cuándo una acción determinada es perpetrada por un criminal y cuándo por la guerrilla, sobre todo porque ahora incluso los ladronzuelos de la calle se proclaman a favor de Juárez si así les conviene. Los planes de Maximiliano para la colonización y la inversión extranjera son fantasías si un hombre no puede estar seguro de que llegará vivo a la ciudad de México. Un avispero de bandidos ha infestado la sierra en las cercanías de Río Frío —la primera parada nocturna de la diligencia que va por esta carretera hacia la costa—, y en todo este tiempo los franceses no han logrado sacarlos de ahí. Lo que han estado informando ampliamente en los periódicos extranjeros es verdad: en el hotel Iturbide de la ciudad de México, los mozos corren a recibir la diligencia con cobijas porque a menudo ocurre que los pasajeros llegan desnudos como vinieron al mundo.

En los círculos de la diplomacia, un paso crucial ha demostrado ser más espinoso de lo que Ramírez calculaba: el reconocimiento por parte de Estados Unidos. Poco después de que los franceses tomaron la ciudad de México, Mr. Corwin, el embajador norteamericano, fue llamado de regreso. Al ministro de México en Washington, que llevaba una carta personal de Maximiliano al presidente Lincoln, le negaron la audiencia. La carta de condolencias de Carlota a Mrs. Lincoln fue devuelta sin abrir. Todo el mundo trae ahora en los labios la llamada doctrina Monroe. Ramírez tuvo que explicársela al general Uraga, quien al principio no podía creerlo. Nunca en su vida, dijo el general, se hubiera imaginado que incluso un pueblo protestante le daría su apoyo a la dizque república de Juárez: un régimen en su propia frontera que defiende la anarquía, el robo institucionalizado y la destrucción descarada de la madre Iglesia.

En cuanto a sí mismo, no hace mucho tiempo, Ramírez, al igual que el general Uraga, había estado inclinándose hacia la causa liberal, pues la idea de que los extranjeros ocupen México le resultaba desagradable. Sin embargo, al paso del tiempo, ha llegado a la conclusión de que México no estaba listo para la democracia. Tal vez en otro siglo. Lo que México necesitaba era una mano firme. Los mexicanos peleando entre sí resultaron presa fácil para Estados Unidos, que tarde o temprano trataría de expandir más su territorio, a expensas de México. En cuanto a los franceses, había que ser realista. Como lo dijo el general Almonte: "Mejor este diablo que el otro". El general Uraga fue más vívido: "Si no puedes apuñalar a tu enemigo, tráetelo

186

cerca; bésale las manos". Y seguramente, ya que los franceses pongan las cosas en orden aquí, Estados Unidos reconocerá que una monarquía es la forma de gobierno más natural para México, y un vecino estable y próspero es lo que más les conviene.

En semanas recientes, sin embargo, Ramírez tuvo muchas ocasiones de reconsiderar lo que oyó en junio pasado, en el jardín, en la boda de Bazaine, cuando Ángel de Iturbide insistió: "Los Estados Unidos no van a hacerse amigos de este Imperio".

Los hermanos, Agustín Gerónimo y Agustín Cosme, bueno, alguien les borró los puntos a sus dados. Pero Ángel es un diplomático con experiencia que ha vivido muchos años en Washington. Después de la guerra méxico-norteamericana trabajó como secretario de la legación mexicana allá, de hecho fue la cabeza, porque tardó algún tiempo para que el embajador, el general Almonte, pudiera ser enviado desde la ciudad de México. Si acaso unos cuantos hombres podían haber tenido el dedo presionando más fuerte en el pulso de las cosas en Washington que Ángel de Iturbide. Ramírez se da cuenta ahora de que debió haberle dado más crédito al comentario de Ángel. Pero en aquel momento la profecía le pareció tan ajena, tan irritante, tan…

¿Qué *era* ese acuerdo que los Iturbide habían hecho con Maximiliano?

Ramírez mismo firmó como testigo el contrato secreto en el castillo de Chapultepec; su propia firma estaba en ese documento. Pero han pasado más de dos meses y sigue sintiéndose confundido. Los honores y las pensiones siempre vienen bien, pero, ¿entregar uno su propia carne y sangre? ¿Cómo pudieron Ángel y la madre, una americana joven, poner sus nombres en una cosa así? ¿Y, para colmo, aceptar irse a vivir al extranjero?

La única vez que Maximiliano mencionó el asunto fue para dar instrucciones de que el estatus de los Iturbide sería "como el de los príncipes Murat al emperador de Francia". Ramírez asintió prudentemente, aunque no tenía ni idea de a qué se refería Maximiliano. ¿Murat? ¿Los príncipes Murat?

Afortunadamente, el gran chambelán poseía un *Almanach de Gotha* que, discretamente y con pretexto de otra cosa, Ramírez pudo consultar. Joachim Murat, leyó, era un oficial francés que, en la época de las revoluciones, se casó con la hermana de su camarada Napoleón Bonaparte. Las coincidencias eran extraordinarias, rayando en lo sobrenatural. Murat, al igual que Iturbide, era un héroe militar.

Como Iturbide, no tenía sangre real (Murat: hijo de un posadero; Iturbide: hijo de un criollo rico de provincia). Murat fue coronado rey de Nápoles; Iturbide, rey de México. Ambos abdicaron, y luego, siguiendo algún mal consejo de regresar del exilio, fueron capturados en una playa y ejecutados por un pelotón de fusilamiento.

Y había más: el retrato de Joachim Murat daba escalofríos. El hombre podría haber sido hermano de Iturbide: el mismo cabello parado, grueso y masculino, el cuello largo, la expresión de genio activo embebido de inalcanzable ambición, los ojos fijos para siempre en alguna estrella invisible a los simples mortales.

Muy, muy peculiar...

Los príncipes Murat, descendientes de la hermana de Napoleón Bonaparte, eran por lo tanto primos en primer grado de Luis Napoleón, que a su vez era hijo del hermano de Napoleón Bonaparte, Luis, y de Hortensia, quien, a propósito, era hija de la emperatriz Josefina y del primer esposo de ésta, el vizconde Beauharnais. Ay, estas genealogías laberínticas... sólo pensar en ellas hace que Ramírez se quite los anteojos y se dé masaje en el puente de la nariz.

Así, la idea que tiene ahora Ramírez sobre el acuerdo con los Iturbide es que era un recurso de Maximiliano para fortalecer su alianza con el partido clerical de México y distanciarse de los franceses, que eran arrogantes y cada vez más impopulares. Ramírez se niega categóricamente a creerlo, pero Eloin, entre otros íntimos de la pareja imperial, conjetura que la adopción del pequeño Iturbide es una trampa de Maximiliano. La idea, supuestamente, es que el hermano menor de Maximiliano, el archiduque Carlos Luis, se ponga celoso y así acepte que uno de sus hijos sea el heredero presunto de México. El káiser lo aprobaría, como una manera de mantener el trono de México en la Casa de Habsburgo. Es una cosa muy estabilizadora para una monarquía tener un heredero, pero, ¿por qué tanto jaleo? Carlota está en la flor de su juventud y en perfecta salud. Hay quienes murmuran que Maximiliano padece una enfermedad venérea; otros dicen que es impotente; otros más, que la del problema es Carlota... bazofia de los juaristas. A Ramírez le disgustan los chismes. Lo hacen sentirse sucio y desleal a su soberano.

Su majestad es un hombre visionario. Bien recuerda esa mañana, ya hace muchos meses, cuando lo mandaron llamar al palacio imperial y lo condujeron no a la oficina de su majestad, ¡sino al salón de billar! Maximiliano no traía puesta su levita de siempre, sino un uniforme de general y botas brillantes. Ahí, sobre el fieltro de la mesa de juego, se hallaba extendido un enorme mapa. Lo habían dibujado en la parte de atrás de un mantel.

—Mire usted las Américas —dijo Maximiliano y, con la punta del taco, señaló la ciudad de Washington, que estaba (Ramírez tuvo que inclinarse sobre la mesa para ver bien las letras) bastante más al sur de Nueva York de lo que él había pensado.

—¿Ve usted? Estados Unidos: el norte —Maximiliano recorrió luego el taco hacia el otro extremo de la mesa—. El imperio del Brasil: el sur.

Ramírez fue rápido al otro lado de la mesa y se inclinó para ver. Sí: Río de Janeiro. A través de sus lentes, entrecerró los ojos para distinguir bien las letras bajo la punta del taco. Petrópolis. Ésta, sabía, era la población que había crecido en torno a la residencia de verano de Dom Pedro II, emperador del divino santo espíritu, primo de Maximiliano y Carlota.

Maximiliano dijo, levantando el taco:

—¿Y el centro?

Ramírez se quedó viendo el mapa. Tenía unos colores espectaculares: las montañas en canela y rojo de óxido, los valles esmeralda y verde helecho, los desiertos teñidos de naranja; los océanos Pacífico y Atlántico estaban indicados con tonos agua. Sobre el Canadá, la *glâce flotante* se veía representada con icebergs y ballenas con su fuente. En la parte inferior, la cola rizada de Sudamérica: la Tierra del Fuego… Ramírez se distrajo un momento observando lo ingeniosamente que estaba dibujada la pequeña muchedumbre de pingüinos de patitas anaranjadas.

¿En medio de todo eso? ¡Por supuesto! Ramírez se empujó los lentes hacia arriba.

—El Imperio mexicano.

—No.

A través del espacio de la mesa, se quedaron viendo uno al otro. Los ojos azules de Maximiliano reían. Luego, en el aire por encima del mapa, su majestad trazó con el taco con un enorme círculo que abarcaba Cuba, todo Sonora, Chihuahua, la Baja California, el archipiélago de las Revillagigedo y el istmo de Panamá.

—Mire, la nueva potencia mundial: el Imperio centroamericano. Un imperio de los Habsburgo en el corazón del nuevo mundo —sin avisar, aventó el taco.

—Uh —dijo Ramírez, abrazándolo.

—¿Y cuál será el ancla, mi ministro del Exterior?

—Pues la ciudad de México, señor.

—No.

Ramírez parpadeó. Sintió que los lentes se le resbalaban por la nariz.

—El ancla —su majestad se inclinó sobre la mesa y puso la mano sobre la península en forma de puño— es Yucatán.

—¿Yucatán?

—El Egipto de las Américas.

Sí, la península de Yucatán era conocida por tener algunas pirámides que quedaron de los indios mayas, pero… ¿el *Egipto*?

Le tomó tiempo a Ramírez comprender la visión de su majestad, pero era brillante, previsora. Yucatán, con sus plantaciones de henequén, entre otras cosechas, podría ser más rica que Georgia, Mississipi y las Carolinas juntas. Sería el ancla del imperio, o, para verlo de otra manera, Yucatán, el eje del Caribe, podría servir como contrapeso a los expansivos Estados Unidos.

Sí, Yucatán es rico, pero también es un cliente tramposo, como su majestad tendría oportunidad de ver. Su casta divina, como se hacen llamar las familias aristocráticas, no es invariablemente leal a la ciudad de México. No hace mucho intentaron separarse del país y unirse a la República de Texas. Los mayas se han levantado en sangrientas rebeliones. Los yucatecos podrían quedarse contentos en un pliegue del Imperio mexicano, pero eso requeriría una visita personal de su pastor; es decir, tanto una diplomacia altamente eficaz como el prestigio propio de su majestad.

Trabajando de cerca con el emperador, Ramírez estuvo planeando la expedición hasta en el número de carretas de equipaje, los obsequios imperiales (200 relojes y 400 broches, todo de plata y con su monograma), la asignación de asientos en las cenas de Estado, los discursos, el material para los cohetes… mil y once detalles. Pero en septiembre y octubre, cuando el clima político estaba tan deteriorado en México, Ramírez cayó presa del temor. La medicinas, la carne y el carbón estaban subiendo de precio día a día, y en la misma ciudad de México le silbaban en las calles a Carlota.

La expedición de su majestad a Yucatán podría ser fatal para el Imperio. Con el emperador ausente de la capital durante un mes entero, los juaristas alegarían que se había regresado a Europa. Habría disturbios, saqueos, asesinatos en las calles. Pero, ¿qué tal si Ramírez estaba equivocado?

No le correspondía a él cuestionar a su soberano. ¿O sí?

El corazón se lo decía: "Háblale con la verdad a su majestad". Pero, ¿cuál era la verdad? Su esposa lo había regañado: "Te oyes como un derrotista". Ya lo decía Tácito: *"Impunitatis cupido... magnis semper conatibus adversa"*: el deseo de escapar, ese enemigo de todas las grandes empresas. ¿De verdad uno veía las cosas como derrotista? Había muchas y muy complejas consideraciones. Sin embargo, expresar su preocupación ahora podría hacerlo parecer débil, incluso traicionero. Para decirlo tal cual, hablar podría costarle su lugar en el gabinete. Entonces, ¿cómo podía ayudar a su país si no tenía poder? Ramírez se sentía morir de indecisión, le suplicaba a Dios: "¿Qué hacer?"

El día de la partida se acercaba. Maximiliano no daba ninguna señal de vacilación. Al contrario, en cada reunión se entusiasmaba con lo que iba a recolectar para el museo de Historia Natural del profesor Bilimek y las ruinas que iba a explorar y a mandar estudiar y fotografiar. Las pirámides de Uxmal le interesaban especialmente, y, cada vez que el tema salía a flote, recordaba haber escalado la pirámide de Giza. En las primeras fases de la planeación, Maximiliano había sopesado astutamente las distintas concesiones políticas y económicas que les haría a los yucatecos, pero ahora parecía perdido en sueños fantasiosos.

Ramírez no pudo morderse más la lengua. Solicitó una audiencia privada y le fue concedido un cuarto de hora, justo antes del almuerzo de su majestad con el embajador austriaco. Fue escolado a la presencia del emperador. Sentado a su escritorio, Maximiliano no levantó la vista. Ramírez se acomodó el chaleco. Sintiendo que el corazón se le había hecho una piedra en la garganta, se dispuso a esperar la señal de que podía hablar.

Maximiliano se hallaba rodeado por un halo de humo. Había estado leyendo un libro. El escritorio lucía regado de envolturas de chocolate. *Brombeeren mit Mandeln*. Le había dado por guardarlos en un tazón totonaca que tenía alrededor una sinuosa oruga similar a una langosta. Se había vuelto un chiste en la corte que uno se sabía en el favor de su majestad cuando éste le ofrecía un bombón. No le ofreció ni uno a Ramírez.

Maximiliano se sacó el puro de la boca y lo sostuvo entre sus dedos.

—¿Sí?

—Su majestad. Lo exhorto, señor, a que posponga…

—¿El almuerzo?

—Señor, quiero decir la expedición a Yuc-Yucatán —tartamudeó Ramírez.

—Por qué motivo —preguntó Maximiliano, sin expresión.

Ramírez sintió que el cuchillo del miedo lo rebanaba desde las tripas hasta los tobillos. Mantuvo su respetuosa distancia de siempre, de aproxiMadamente dos metros y medio, pero se obligó a sí mismo a acercarse un paso al escritorio imperial, para enfatizar la urgencia de vida o muerte de este asunto.

—Señor —Ramírez carraspeó—, con el debido respeto, señor, la situación, señor, quiero decir políticamente, cuando la gente lo vea, el carruaje imperial dirigiéndose a Veracruz… eh, señor, podrían decir, señor…

—¡Suéltelo ya, hombre!

Ramírez se quitó los lentes.

—"¡Nuestro emperador nos ha abandonado! Véanlo: ¡Se va de regreso a Europa!"

Maximiliano le dio una fumada al puro. El espacio entre los dos se había llenado de humo. Una mosca zumbaba en la ventana. En el alféizar, unos pichones alineados como bolos. Desde la Plaza Mayor subía un rumor de música y gritos. Eso es todo, pensó Ramírez. Ahora va a agarrar el hacha.

—La emperatriz irá a Yucatán en mi lugar.

Ramírez se quedó pasmado con la maravillosa simplicidad de esta solución. No sabía qué decir.

—Confío en las manos de usted a la emperatriz y la expedición.

—¡Señor!

—Estoy seguro de que usted no hará menos que un espléndido trabajo.

—Gracias, señor —Ramírez se inclinó en la caravana más profunda que hubiera hecho jamás; tan abajo que, siguiendo el estilo del general Almonte, se apoyó las manos en las rodillas.

Maximiliano se llevó el puro a los labios, pero, en lugar de inhalar, bostezó.

—Eso es todo —dijo. Con un movimiento de los dedos abrió su libro y empezó a hojearlo.

Ramírez se inclinó una vez más y salió de la oficina imperial caminando para atrás.

Ahora, en el carruaje que se acerca a la primera parada nocturna, en Río Frío, Ramírez no acaba de hacerse a la idea de que una consorte tan joven pudiera remplazar la augusta presencia del emperador. Carlota, de hecho, tiene la misma edad que la más joven de sus nueras. Una cosa es presidir bailes de palacio y ceremonias cortesanas, dejarse ver y representar un papel, lucir linda conversando en siete idiomas diferentes con huéspedes asombrados…

No obstante, Ramírez reconoce que Carlota tiene la energía de un hombre. La ha visto montando en el bosque de Chapultepec (algo que una señora mexicana respetable no haría) y la ha visto estarse sentada durante horas con una férrea máscara de amabilidad, escuchando discursos capaces de dejarlo a uno bizco de tan aburridos. Carlota es trabajadora, infatigable y diligentemente trabajadora, una ayuda excelente para su majestad. Pronto llegará el día en que el Imperio mexicano estará montado en la silla de las Américas, fuerte, próspero, unido y en paz.

Ramírez piensa en sus nietos. Van a vivir en un México transformado, no en el que lo ha hecho sentirse desesperado, en el que tantos de sus amigos y parientes han sido asesinados, secuestrados, acuchillados, golpeados en las calles, en donde él ha pasado toda su vida en una casa cerrada y enrejada como una fortaleza, y de todas maneras, en la última revolución, una bala de cañón pasó por el techo y mató a una de las criadas. El suyo es un México en el que, año tras año, uno se pone a temblar de pensar en que tiene que salir de noche o a la carretera. Sólo los tontos y los renegados se aventuran sin escolta en una carretera. El suyo ha sido un México sin honor, un México en el que ninguna propiedad está segura, donde los tiros de las minas quedan abandonados y se llenan de agua, las tierras yacen ociosas, y los patios de las haciendas que alguna vez fueron espléndidas se ven quemados e invadidos de cizaña. Un México que asesinó a su Libertador. Este México del vanaglorioso Santa Anna, que iba a las peleas de gallos antes de molestarse en atender los asuntos de la nación, que se hizo a un lado y dejó que México fuera violado, descuartizado, vendido al mejor postor. ¡Gracias a Dios había llegado Maximiliano! ¡Gracias a Dios que México, por fin, tenía un príncipe europeo, católico, que lo gobernara! En sus oraciones, Ramírez pedía vivir lo suficiente para llegar a contarles a sus queridos nietos cómo su propio abuelito, en 1865, este año de Nuestro Señor, viajó hasta Yucatán con la emperatriz Carlota.

Ramírez limpia con su manga el vaho que su respiración ha dejado en la ventana. En medio del aire, un halcón persigue a dos gorriones que van papaloteando. Se acercan a la parte más alta de la región; los hombres han estado bebiendo coñac de sus licoreras para mantenerse calientes. El camino cruza un pastizal moteado de cabras blancas y luego da vuelta y desciende por otra ladera de la montaña, en una serie de curvas cerradas como pasadores para el pelo, pasando a veces por debajo de los cables del telégrafo. Los jinetes se echan hacia atrás en las sillas. En las partes más empinadas, algunos prefieren apearse y caminar al lado de sus monturas. Ramírez se pregunta si, desde lo profundo del bosque oscurecido, no estarán observándolos los bandidos. Otra vuelta del camino y se alcanza a ver un humo de chimenea que sale de entre los pinos, como un dedo, hacia el cielo palideciente. Abajo, el valle de Río Frío aparece anegado en un extraño resplandor azul.

20 DE NOVIEMBRE DE 1865

Un escalofrío en el aire

Después de tantas dormidas, el mundo ha cambiado, explica Pepa rotando sus manos como si sostuviera una pelota entre ellas. La terraza brilla con el rocío. Pepa levanta a Atín para que pueda ir al barandal a ver algo importante.

—Po-po-ca-té-petl. Puedes decirlo.

—Po —lo intenta Atín. Y puede ver el otro volcán también, su escarpada cumbre con una corona blanca como el merengue de un pastel.

—Es nieve. Si te subes allá, hasta muy, muy arriba, podrías tocarla y la sentirías fría.

Atín conoce esa palabra: nieve. Una vez su mamá le dio una cucharada de nieve verde. Sabía a limón cuando se derritió en su lengua.

—Coranzoncito —le dice Pepa, besándole el cabello—, eres mi niño listo.

Un mechón de sus cabellos juguetea en la mejilla de Atín. Allá abajo, lejos, pasando las copas de los árboles, se alarga el campo. Algunas áreas grandes se ven amarillas. Un hombre y su hilo de sombra avanzan tan despacio que parece como si estuvieran quietos. Y luego, en la distancia azul pálido, se extiende esa masa, que es la ciudad: la misma de siempre, esperando. El recuerdo de mamá y papá pesa en el pecho de Atín.

Y extraña a Lupe. A veces piensa en doña Juliana también, que vivía abajo. No le gustaba su velo: era negro y olía a alcanfor. Pero la quería. Ella le hacía cosquillas en la barbilla y le decía: "¿Quién es este pollito? ¿Es Agustín? ¿Es mi Agustín chiquitín?"

Pepa le explica que hay una época que se llama noviembre. Y en el norte, muy lejos, en esa dirección, donde antes de que Atín naciera, tenían que vivir ella y sus hermanos y hermanas y la mamá de ellos, su abuelita, todos los árboles se vuelven rojos y dorados como si estuvie-

195

ran en llamas. Se les caen las hojas. Y luego, todo: los campos, los caminos, los techos de las casas, incluso los lagos y los ríos, quedan cubiertos por un manto blanco y frío llamado nieve. Aquí no va a pasar eso. Atín no tiene que preocuparse. No, no todos los árboles de aquí van a conservar sus hojas, pero la mayoría sí. "Y la única nieve —la *única* nieve, te lo prometo, coranzoncito— se quedará donde está: allá, en las cumbres de esas montañas. Pero el aire se siente más frío, ¿verdad? Por eso es que, aun cuando no siempre quiere —Pepa le toca el botón superior con su dedo—, el príncipe Agustín debe abrocharse su suéter."

Atín hace un puchero.

—¿No has visto cómo se inflan en el parque los patos y los otros pájaros?

Atín suspira en su hombro.

—Y yo tengo que ponerme mi chal. ¿No es un hermoso chal? —Pepa levanta el borde negro de éste y se lo echa a Atín en la cabeza—. Y así —choca la nariz contra la del niño y dice, tal como la mamá de Atín decía—, estamos abrigados como dos bichos en una alfombra.

—Bichos, bichos —ríe Atín.

ALGUNAS COSAS son distintas ahora. Algunos de los lacayos no son los mismos que estaban aquí al principio. Ni la dama que viene a hacer los peinados. Olivia, esa mala nana, ya no está.

Tere dice:

—Dame tu manita —y entrelaza sus dedos con los de él. Las manos de Tere son más pequeñas que las de Pepa. Como las de su nana Lupe, tienen el color oscuro del piloncillo. Pero las de Tere se sienten muy suaves. A Atín le gusta pasear en el parque con Tere y su tía agarrándolo de las dos manos. Como tiene que levantar los brazos así, el suéter le hace cosquillas en el mentón, pero no le importa porque puede levantar los pies del suelo, y Tere y Pepa lo llevan cargando hasta que... ¡Va a dar a la laguna!

Los patos se alejan nadando en escuadra. Tere le da a Atín un pedazo de tortilla. No puede aventarla lejos: va a caer sobre la lama de la orilla. Un pato chapalea fuera del agua y se la traga. Se queda parado tan cerca que Atín podría tocarle la cabeza. Sus ojos amarillos quieren más tortilla. El pico brillante y húmedo tiene dos hoyitos por poros.

—Cuaaac —dice el pato, y se sacude el agua de su cola.

Pepa lo jala, alejándolo, y agita su chal para asustar al pato y hacer que regrese a la laguna. Tere avienta lejos pedazos de tortilla. El resto de los patos graznan y hacen como cornetas y clavan sus picos en el agua. Demasiado lejos para Atín.

Hay gente que quiere ver a Atín, pero Horst no deja que se le acerquen.

A Atín le cuesta mucho trabajo entender a Horst, pero él de cualquier manera casi no dice nada. Sin embargo, una vez dijo que cuando Atín sea grande le va a enseñar a cazar cuervos. Horst apuntó con su rifle a los árboles y dijo: "*Bak!*" Atín repitió: "*Bak!*" Horst dijo: "*Ja, ja*. Así".

Y hay flamingos. Se esconden detrás de los juncos. Un par de cuellos se levantan, y esos flamingos se peinan solos sus plumas. Sacuden sus picos, grandes como zapatos. Cerca de la orilla opuesta va pasando una canoa, la proa en una red de luz verde esmeralda. Un hombre va remando. Los remos se levantan y luego caen, *clap, swush*. Una dama pequeñita va sentada atrás, con la mano metida en el agua. El bonete hace que su cabeza parezca un huevo. El hombre le gruñe; ella vuelve el rostro.

Horst tiene su caballo aquí en el parque, en los establos. Hay muchos caballos. Pepa deja que Atín le dé una zanahoria al alazán manso. La yegua tordilla ha muerto. Tere se encoge de hombros: "Quién sabe por qué". Está tirada en un rincón de la cuadra, cubierta con una manta del ejército.

Tere le da de comer al mono. Observan cómo pela el plátano con sus dedos de araña.

Todos, menos el mono, dan un paseo en la carreta de ponies de Atín. Sus ponies llevan plumas azules en la cabeza. Se llaman Pinto y Lola, y ambos tienen la cola color chocolate, bien cepillada. La van meneando con un susurro. Mucha gente le dice adiós a Atín con la mano cuando pasa en su carreta de ponies.

Más tarde, con Horst siguiéndolos detrás, Atín, su tía y Tere se van caminando al estanque, donde a veces encuentran nadando al hombre león. A veces hay libélulas allá.

Atín observa siempre con cuidado la cara de la gente del parque, por si acaso fueran su mamá o su papá. Un vez, el corazón le dio un brinco porque creyó ver a su primo Salvo sentado en una banca junto a la fuente. Se estaba comiendo un mango ensartado en un palo. Pero, ya que se acercó, Atín vio que no era Salvo.

Debajo de los ahuehuetes el aire es muy suave; la luz del sol hace que el sendero se vea pinto, como si alguien hubiera pasado antes que ellos regando monedas. Pepa se detiene y se soba la cadera.

De regreso en el carruaje, Tere se sienta a Atín en el regazo y, abrazándolo, descansa levemente la barbilla en sus cabellos. Él tiene sueño. Pepa dice:

—Pásamelo.

Cuando lo jalan, un recuerdo le viene a la mente: el perfume floral del cabello de su mamá, el suave caracol de su oreja. Reclina pesadamente la cabeza en el hombro de su tía y recuerda cómo sentía la respiración de su mamá subiendo, exactamente así. Bajando, así.

—No llores —dice Tere. Se arrima junto a él y lo jala del meñique—. ¿De quién es este gusanito?

—No le des cuerda —dice Pepa—. Necesita dormirse.

Con una sacudida, el carruaje echa a andar.

Es largo el trayecto de subida por la rampa que rodea la montaña, y las dos yeguas rucias, como siempre, se van despacio. Pero a Atín no le molesta regresar a la gran casa del cielo, no tanto como antes. Después de su siesta puede corretear con Tere por las habitaciones. Ella va a gritar: "¿Dónde está Agustinito? ¿Dónde se esconde Agustinito?" Adonde quiera que va, en esta gran casa del cielo, a la gente le encanta verlo.

—Y bueno —dice siempre el hombre león—, ¿cómo está mi guapo primito?

Las damas le hacen fiestas y le acarician sus rizos. Como si fuera una persona grande, los soldados lo saludan:

—Buenos días, señor.

Si Atín quiere mirar el reloj de bolsillo de Horst, Horst lo saca y se lo pone en la mano. Justo esta mañana, el abuelo de las cejas de azotador se hincó en una rodilla para dejar que Atín mirara a través de su monóculo (todo se veía borroso).

—Soy su buen amigo, señor von Kuhacsevich —dijo.

Pero Atín todavía no puede pronunciar ese nombre.

—Kuha —intenta.

Atín conoce las habitaciones de Frau Kuha, con su caja de música tan reluciente que, cuando la toca, sus dedos dejan marcas. Frau Kuha le ha enseñado a contar: *Ein, zwei, drei…* lo que sigue, Atín lo olvida a veces.

—*Vier* —dice Frau Kuha, mostrando cuatro dedos—. ¿Y luego?

Atín le enseña los dientes de abajo.

—¿Qué sigue?

—*Fünf!* —dice Atín, levantando la mano completa.

—*Ach* —le dice Frau Kuha a Pepa—. ¡Ya es todo un lingüista!

Tiene montones de pelotas ahora, rojas y amarillas, moradas con estrellas y una toda blanda, verde aguacate, que no quiere rebotar, sólo rueda. Su favorita es ahora la roja.

Tere lleva a Atín al jardín de la cocina. Una vez su pelota rebotó en la pared del fondo y fue a dar sobre la mata de chiles. El chef, Tüdos, se secó las manos en su delantal y luego, guiñando el ojo, le aventó la pelota a Tere.

Tüdos usa un sombrero que parece hongo. Siempre tiene las mangas arremangadas hasta los codos, incluso en los días fríos.

Con Tere y Tüdos, Atín ha visto el interior de la cocina. Conoce todas las escaleras; ya no le dan miedo como antes. Puede subirse por la escalera que quiera. Tere le ha enseñado cómo bajar los escalones de lado. "De uno en uno", le dice, "puedes hacerlo". Al pie de la escalinata grande hay un par de leones de mármol echados, con sus melenas descansando en las manos. Siempre que Atín tiene ganas, Tere lo carga para que pueda meter su dedo en el hocico del león y sentir su lengua fría y tersa.

En casa, extendía los dedos para tocar el barandal con su madera tan suave… se caía y su nana Lupe lo detenía. ¿O lo soñó? A veces sueña con Lupe. Ha soñado con su mamá y su papá y sus tíos y Salvo también: están en una casa en el agua. Se asoman por las ventanas y todo lo que pueden ver es agua.

Atín siente el peso de la mano de su tía en su espalda. Se mete en la boca el dedo pulgar.

DULCE CORDERO, piensa Pepa. Dulce, inocente criatura de Dios. Lo ama y mucho más, cree, de lo que su madre natural lo habría amado jamás. Pepa ha querido a este niño desde el primer día en que lo vio abrir sus ojos azules, pero, durante este mes y medio, su amor ha florecido en lo más grande que ella hubiera sentido en su vida. Si se estuviera muriendo de hambre, le daría a él su último bocado; si se estuviera muriendo de sed, su última gota de agua. Él es ahora toda la razón de su vida. La relación con sus hermanos y con Alicia ha quedado truncada, aunque no por ella. No, Pepa se considera tan inocente como la nieve que lleva el viento.

¿No resulta siempre la misma historia? ¡Ella es a la que hacen sufrir! Y todavía cuando actúa por patriotismo y temor de Dios. Después de haber arreglado todo para el beneficio *ide ellos!* Sus pensiones son más del doble de lo que esperaban. Y esa americanita debe de haber repetido 100 veces: "¡Ay, vivir en París!" De eso es de lo que sabía hablar. Una tenía que aguantar su interminable cháchara sobre el nuevo guardarropa que se iba a mandar a hacer *à Paris*, después de tener la oportunidad de ver lo que era, como le gustaba decir, *vraiment comme il faut*.

Alicia —Pepa concluyó hace mucho tiempo— es como una niña a quien invitaran a comerse todo lo que quisiera en una dulcería. No tiene control sobre sus apetitos o sus emociones.

Qué sola se siente Pepa aquí. Carlota, que tiene la mitad de su edad, es amable pero fría (aparentemente, de acuerdo con Frau von Kuhacsevich, así es su naturaleza). Han pasado ya casi dos semanas desde que la emperatriz salió para Yucatán, llevándose un séquito de dos damas de honor, Monsieur Eloin, su excelencia Fernando Ramírez, todo un hatajo de embajadores, el general Uraga y lo que habrá sido la mitad de la servidumbre. De acuerdo con el protocolo, Pepa es ahora el personaje femenino de más alto rango en la residencia imperial, y en aquellas ocasiones en que Maximiliano ha condescendido a incluirla en su mesa, la ha sentado a su derecha. Sin embargo, en ausencia de la emperatriz no puede haber bailes ni tertulias: la vida cortesana se ha detenido abruptamente. Las cenas con Maximiliano son una dura prueba. Su melancolía es como un velo de luto que cayera sobre todos los invitados. Pica la comida, pero en el momento en que su majestad deja los cubiertos, el lacayo recoge la mesa, no importa que los demás no hayan terminado.

Muchas noches, Pepa se lleva la cena en una charola a su sala. Entiende algo de alemán, pero no lo suficiente como para ir a reunirse con los demás en el salón de billar. Frau von Kuhacsevich ha tenido la amabilidad de invitarla a jugar con ellos *whist* y palitos chinos, pero Schertzenlechner hace trampa, y además es muy tedioso.

Tedioso: este castillo viejo expuesto al sol siempre ardiente, o al frío, al viento que muerde. Una legión de molestias. Si una cierra las cortinas, bueno, tiene que poner una lámpara, pero las llenan con un aceite de tan mala calidad… hacen humo, y en unos minutos el cuarto ya parece una cocina de indios. El olor se pega en los muebles y en el cabello y en la ropa de una. Los lacayos no tienen idea de cómo mantener o limpiar una lámpara adecuadamente, o es que *Frau* von Kuhacsevich carece del vocabulario para explicarles. Probablemente las dos cosas. El único lugar para escapar es el parque allá abajo, donde una es un imán para mirones y babosos, tantos indios malolientes, y soldados que parecen imaginarse que una no los ve orinándose en los arbustos. Y el maestro de ceremonias impone puras molestias caras, una tras otra (diamantes para este evento, perlas y seda para este otro), y una no puede ni sonarse la nariz sin que por lo menos 11 lacayos, una criada y un guardaespaldas lo vean.

¡Una plaga de metiches! Empezando por la emperatriz, que sabiendo de crianza de niños lo mismo que de canguros, le ordenó a la niñera que le diera a Agustín ¡baños de agua fría y una dosis diaria de aceite de pescado! Ni qué admirarse de que el niño gritara. Y Frau von Kuhacsevich claramente tiene una sobrecarga de trabajo. El personal no la respeta.

Con la aprobación de Maximiliano, Pepa ha resuelto comprar una casa, ¿tal vez la de la calle del Espíritu Santo, que tiene un lindo patio de mosaicos azules? Esto tendría la ventaja extra de que sería una manera de conservar su capital. Enviarlo a Nueva Orleans sería un error político, invertirlo en joyas sería lo mismo que depositarlo en cualquiera de los bancos locales (incluso el muy respetado Banco de Londres y México, con su bóveda): un riesgo inaceptable. No es necesario decir que Pepa continuaría siendo incluida en las funciones cortesanas, pero en su propia residencia podría tomar las riendas, dirigir a su propio personal, recibir sus visitas con discreción y por supuesto, consultando constantemente a Maximiliano, educar al príncipe Agustín sin esa inútil interferencia.

El arreglo no ha resultado exactamente como Pepa lo previera. Maximiliano, antes tan amistoso, se ha vuelto distante. Se distrae peligrosamente con su botánica, sus proyectos de diseño del paisaje, sus excursiones para ir a ver quién sabe qué cosa de los aztecas que desenterraron recientemente: una olla rajada o algún horrible ídolo con collar de calaveras. Una tuvo que asistir con los embajadores a la develación de la Piedra del Sol, un calendario pagano de 16 toneladas métricas. Para tanta fanfarria que hicieron, una se habría imaginado que acababan de encontrar la Piedra Rosetta. Es tan típico de los alemanes entusiasmarse con estas reliquias que mejor deberían quedarse donde las encontraron: en la basura.

Esta semana —se lo sacó a una de las camareras— Maximiliano ha estado indispuesto por otro connato de... ¿es malaria o es nada más algo que comió? Su doctor le ha estado dando dosis de hulla, sal y yema de huevo: remedio de muy cuestionable valor. Monsieur Langlais, el último experto en finanzas que Luis Napoléon se dignó mandar cruzar el charco, todavía tiene que lidiar para poner el tesoro de México en algo parecido a un orden. ¿Y cómo lo va a hacer, cuando los franceses mantienen estrangulados los ingresos de aduanas y de minas? Hay rumores de que ciertas personas, entre ellos algunos franceses de muy alta posición, se han estado retacando los bolsillos de manera desvergonzada.

Hay muchas cosas que a Pepa le gustaría confiar a los oídos del padre Fischer. Aparte de Maximiliano, el cura alemán es su único aliado de fiar en esta corte. Pero con las dificultades que Maximiliano ha tenido con la Iglesia, luego de que el emisario papal se fue tan disgustado del país, el padre Fischer se tuvo que ir a Roma con el encargo de limar asperezas. Roma: el otro lado del mundo. Podrían pasar semanas, incluso meses, antes de que el padre regresara a México, si regresa. Bien podría pasar que Pepa tuviera que pelear sus propias batallas, y las batallas por el futuro de este precioso niño, sola.

LAS COSAS *han cambiado tanto. Sólo el tiempo puede decir si seguiremos otro año aquí.*

Frau von Kuhacsevich cierra esta última oración con puntos suspensivos en la carta para su amiga y se sobresalta: el carruaje de la princesa Iturbide pasa por la ventana con su sonar de cascos y ruedas. La princesa Iturbide ha de traer a su sobrino y a la niñera de regreso del parque.

Frau von Kuhacsevich considera añadir unas cuantas líneas más sobre el niñito: cómo ha crecido, algunas de las cosas chistosas que dice y cómo se parece al príncipe heredero Rodolfo cuando tenía esa edad. Agustín es uno de esos niños chapeados a los que te gustaría estar pellizcándoles las mejillas todo el día. No es ningún ángel, pero, ¿qué niño sano de dos años lo es? Su presencia, sus arrebatos de risa los han hecho sonreír a todos en estos difíciles días. Pero pensar en este niño no puede sino hacerla recordar un asunto inquietante y desagradable.

Frau von Kuhacsevich lo oyó de su cochero, que a su vez lo sacó del cochero de Maximiliano, quien lo hizo jurar que no lo repetiría nunca (pero resulta que Tüdos, el chef, entre toda la gente, ya estaba enterado gracias al parlanchín de Schertzenlechner). La madre del niño, con el corazón roto, corrió de regreso a la ciudad de México y trató de crear una intriga con el general Bazaine. Con su típica generosidad, Maximiliano no la arrestó; solamente hizo que la detuvieran y se la llevaran de regreso a su esposo y sus hermanos, quienes estaban esperándola en la carretera "con el valor de un par de hienas", como se supone que dijo Maximiliano. La última noticia es que su vapor salió de Veracruz el 2 de octubre, hace más de un mes. Probablemente ya estén en París.

¡Que Frau von Kuhacsevich pudiera vivir en París! Bueno, Trieste sería su primera opción y Viena la segunda, pero en el parpadeo de un cangrejo cambiaría la ciudad de México por París.

Lo asombroso, para Frau von Kuhacsevich, es que los padres, ambos con buena salud, accedieran a ceder su hijo. Pero la madre, una americana, se veía tan joven que seguramente se voló con la idea. ¿Quién no lo haría, con semejante oferta de un Habsburgo? La mujer cambió de parecer, pero ya era demasiado tarde y eso fue una lástima. Pobre niñito: tener unos padres tan inadecuados. Frau von Kuhacsevich ha oído, y le parece conveniente creerlo sin cuestionarse, que esos Iturbide son jugadores y borrachos. Y mejor ya no piensa en esos buenos para nada.

En cuanto a la princesa Iturbide, sus ojos de iguana, su cabello recogido, la lengua filosa con que hace pronunciamientos sobre el baño del príncipe Agustín, las siestas del príncipe Agustín, la leche caliente con pan dulce del príncipe Agustín… Frau von Kuhacsevich se siente mareada de exasperación sólo de pensar en esa mujer. Muy al principio, Frau von Kuhacsevich le comentó a su esposo: ¿no es sorprendente cómo se parece la princesa Iturbide a aquella condesa Haake de quijada de acero que era dama de compañía de la emperatriz de Prusia?

Frau Furchterregend, "*Madame* Formidable", fue el juicio de Herr von Kuhacsevich.

Bueno, pues Frau Furchterregend ha asumido su lugar en esta corte con un aplomo que uno pensaría que tiene a su familia en el *Almanach de Gotha*. Típica oportunista. Los sirvientes —camareras y lacayos— empezaron a quejarse de ella desde la primera tarde, pero brincaban a sus llamados como ranas en un sartén caliente, y cuando su alteza no estaba satisfecha ¡se tomaba la libertad de despedirlos sin tener la cortesía de consultarla a una! Una criada que no cambió las bacinicas fue una cosa, pero luego la princesa Iturbide corrió a la niñera, Olivia Quién-sabe-qué, dejándola a una con la lata de tener que encontrar otra ¡y en 24 horas! *Lieber Gott*, eso fue demasiado. En 24 horas, una tuvo que aceptar lo que cayera, que fue la hermana adolescente del asistente del chef de pastelería.

Frau von Kuhacsevich estaba tentada de contarle de todo esto a su amiga, en la carta que le ha estado escribiendo, pero una vacilación originada en la cautela mantiene su mano flotando sobre la página. Tal vez algo más que el frío mantiene tiesos sus dedos. Pensó en encender la estufa, pero en estos difíciles días una debe poner el ejemplo y economizar con el carbón. Finalmente, baja la pluma hacia el papel y empieza a llevarla sobre la página en movimientos pequeños y apretados.

Te suplico que quemes mis cartas. Dios te guarde. Tu amiga que te quiere.

Y firma con su nombre, con su caligrafía rápida y práctica.

Estas palabras tardarán un mes en llegar a Trieste; en un mes más, con la gracia de Dios, podría recibir la respuesta. Durante ese largo y solitario lapso, tiene que *fortwursteln*, hacer un esfuerzo por seguir adelante, con la fortaleza de un Job y la confiada concentración de un malabarista chino. La lavandería, la despensa, la cocina, los centros de mesa que faltan y el problema del martes pasado, que mandaron velas de sebo en lugar de siete kilos de manteca… ¡hay una cantidad imposible de cosas! Pero primero abre el cajón del escritorio, que se desliza con un rumor áspero, y busca en el fondo su provisión secreta de *Brombeeren mit Mandeln*. La ropa le queda tan apretada que no debería comerse ni uno, pero —se dice— merece dos. Están tan viejos que necesita usar la hoja de las tijeras para rasparles la envoltura. Pero, incluso si ya están duros, *ach*, cómo le devuelve los días buenos la dulzura de este chocolate.

Como no tiene pañuelo y nadie puede verla, se lame los dedos.

A ESTA HORA de la mañana, la sombra del castillo y del peñón de basalto en el que está construido se extiende lejos en el parque, allá abajo. Un poco más temprano, esa sombra era lo bastante grande para cubrir a Lupe, que estaba agazapada y temblando en sus harapos, pequeña.

—Las 10:37 horas —dijo el Mapache, y se guardó el reloj en su bolsillo. Estaba orgulloso no sólo de poseer un reloj sino de saber leerlo también; esto, creía, era el signo de un caballero.

Se habían escondido detrás de los arbustos. Los ahuehuetes, de frondas gigantescas de las cuales colgaba, fantasmagórico, el gris heno, hacían a Lupe pensar en la Llorona. Su estómago le gruñó ferozmente. No había probado bocado desde el día anterior en la mañana, y no podía dejar de pensar en que, si se hubiera quedado con doña Juliana, ahora estaría calentándose los huesos frente al fuego y remojando su tamal en una taza humeante de champurrado.

Pero en los días pasados ha visto a su Agustinito ¡tres veces! Y cada una de esas veces sintió que el corazón se le rompía como un plato.

El Mapache se sacudió la tierra de las rodillas.

—Levántese, abuelita —la empujó del hombro.

Agradecida de que el hombre la llamara así, ella obedeció, aunque el cuerpo le dolía. Se escurrió detrás de él por el sendero, hacia afuera del parque.

DOS MESES ATRÁS, cuando su carreta fue a dar a aquella zanja, el Mapache agarró la lámpara y huyó. ¿Por qué abandonaba las cajas con los santos, a las pobres mulas atascadas, por qué corría? ¿Y en medio del aguacero? Lupe se fue siguiendo aquella luz, con sus huaraches chapaleando de lodo, cayendo, levantándose otra vez, gritando:

—¡Padre, estoy viva! ¡Padre, no me deje!

Pensó que él no la había oído y luego —esto la aterró— se dio cuenta de que sí.

—Sígale —fue todo lo que el hombre le dijo, mientras él mismo seguía adelante, con su lámpara balanceándose como una cabeza separada del cuerpo.

Después de que paró de llover y salió el sol, comenzó a andar más rápido. ¡Ella tenía que correr casi!

—¿Padre? —intentó de nuevo. Ahora, a la luz del día, vio que el hombre tenía una cara tosca, quemada de sol, llena de crueldad.

Llegaron a un camino, pero él lo cruzó y tomó un sendero estrecho hacia las montañas. Jirones de niebla colgaban entre los árboles. Vieron las huellas de un venado. Había codornices y zanates y, suspendidas en medio del aire, las mosquitas verdes. Hacía tanto tiempo desde la última vez que Lupe estuvo en el bosque. Había olvidado el aire húmedo y el olor de los pinos, que era como una navaja. Se preguntó si no estarían lejos de San Miguel de Telapón. ¿Por qué tenía tanta prisa el padre?

No habían comido nada en todo el día y, en cuanto al agua, sólo unos puñados de un arroyo lleno de bichos. En la tarde se treparon a un roble que algún rayo había rajado, y desde ahí ella pudo ver la cresta nevada del Popocatépetl. En el aire delgado, ambos respiraban agitadamente. Pero él siguió andando, y ella atrás de él. No fue sino hasta que el cielo empezó a palidecer y una luna creciente apareció sobre los árboles, que finalmente, al resguardo de una cueva, él se detuvo. Unos murciélagos se desprendieron de los árboles. Él se puso a patear la alfombra de pardas agujas de pino y, ya que dejó limpio un círculo de tierra, dejó que ella trajera ramas para encender un fuego. La caminata los había mantenido calientes, pero ahora, con su falda todavía mojada de lluvia, su blusa delgada y la cabeza húmeda de sudor, Lupe estaba temblando. Los pies le sangraban y tenía los brazos y las piernas llenos de moretones de cuando la carreta se volcó. Despacio, con un quejido de dolor, se sentó junto a él.

—No tan cercas —dijo el hombre.

Ella se retiró.

—Dije…

No tuvo que decir más. Ella se arrimó hasta la entrada de la cueva. Se abrazó las rodillas, pero no podía evitar que los dientes le castañetearan. Unos coyotes, o tal vez lobos, comenzaron a aullar en la distancia.

—¿Padre? —dijo, con su tenue voz.

En vez de responderle, él bostezó. Se puso a atizar el fuego. Ya que lo dejó crepitando bonito, se entrelazó los dedos y se los tronó. Luego se puso a cantar una canción, una canción extraña que hablaba de sirenas y ron y una baraja. Su voz era áspera y nasal. Se salía del tono y a veces, le pareció a ella, inventaba las palabras. Mientras cantaba, seguía atizando el fuego con un palo y, de tanto en tanto, extendía la mano detrás en busca de alguna rama echándola sobre la pila.

—Usté cante una —su diente de oro brilló.

Ella se puso a cantar una canción de cuna. Él dijo que le gustaba. Le recordaba a su madre.

—Padre, ¿no vamos a hacer las oraciones?

Él escupió al fuego.

—Pa ná'a que soy padre.

Le dijo que ella podía llamarlo Mapache. Ella no entendió qué significaba eso. ¿Era una broma?

—Está usté viéndolo —dijo él.

Ella se le quedó mirando. Sus dientes no dejaban de castañetear.

—¿No me ha oído mentar? —preguntó él—. ¿El Mapache?

Lupe negó con la cabeza, en silencio.

—¿No ha oído mentar al Tuerto, o a Los Ciegos?

—No —respondió ella, con su voz más baja.

—Tssss —respondió él. Eso fue todo.

Fue la primera noche de su vida en que Lupe recordaba no haber hecho sus oraciones. Bueno, las hizo en su mente, pero no estaba segura de que eso contara. No durmió nada: tenía tanto frío y miedo de los lobos y de la Llorona, sobre todo, de que el Mapache la fuera a dejar ahí. Ella no sabía cómo volver a la carretera. Por sí sola, no tenía manera de llegar a San Miguel de Telapón.

Al día siguiente se fue detrás de él por un sendero a la orilla de una corriente de agua. Cuando fue necesario cruzar, el Mapache le dio la mano. Comerían en su campamento, dijo, donde siempre había chito. Mientras tanto, dijo, ayudaba pegarse a la nariz una ramita de salvia silvestre. Se detuvo tres veces para que ella descansara, una de ellas junto a un poste de telégrafo, el primero de una hilera que bajaba por el costado de un cerro. Con su cuchillo grabó una calavera en la superficie. Desde este lugar podían ver un tramo abierto del camino y, a lo largo de éste, una cinta de pastizal con mulas. Era la entrada de Río Frío, dijo el Mapache, donde paraba la diligencia. Pero no quiso bajar allá: se fueron a través del bosque, hacia el crepúsculo.

En toda la subida del empinado sendero hacia el campamento, ella podía sentir, más y más fuerte y haciéndole agua la boca, el olor de la carne asada. Casi no había luz cuando llegaron: no era más que un claro, unas cuantas chozas de troncos de pino, un cobertizo, un poste para amarrar caballos. Un perro que estaba en los huesos empezó a jalarse de la cadena, ladrando y agitando la cola. De pronto había una docena de hombres alrededor del Mapache, dándole palmadas en la espalda. Uno de ellos tenía una linterna. Excepto el Tuerto, su jefe, todos eran aún más jóvenes que el Mapache y estaban vestidos de una manera que Lupe nunca había visto. Uno de ellos llevaba una blusa con puños de encaje, pero los dedos de sus pies, negros de mugre, le asomaban por la punta de las botas. Otro traía unas chaparreras de esa fina piel de ternera que a don Manuel le gustaba usar, pero su chamarra estaba raída en los codos y no tenía botones. Varios de ellos usaban arracadas. Todos se paseaban con las caderas abultadas de dagas y machetes y pistolas. El suelo, quemado en unas partes, lodoso en otras, se hallaba tapizado de botellas. En la parte trasera del campamento, junto al poste para amarrar caballos, otra lámpara arrojaba una tenue luz sobre una montaña de velices y baúles y cajas y canastas rotas. Tenían unas cuantas mulas con llagas en el lomo, unos pollos. Lupe no podía ver los chivos, pero podía oírlos: su balido desasosegado, su sonar de cencerros. Atrás del poste para caballos, otro sendero desaparecía hacia el bosque.

El Tuerto, un monstruo musculoso, usaba unas chaparreras tan anchas en los tobillos que hacían un ruido peculiar cuando caminaba, y sus pantalones tenían botonadura de plata a todo lo largo de las piernas. El parche de su ojo lo tenía sujeto con un cordón que se perdía en sus grasientos rizos. Su otro ojo se veía enrojecido, irritado. Hizo una seña con la mano. Los hombres, a excepción del Mapache, se esfumaron.

El Tuerto se quedó parado con los pulgares en el cinturón.

—¿Y los rifles?

Como si le hubiera picado algo, el Mapache se dio vuelta y le gruñó a Lupe:

—Váyase pa'llá.

Lupe se retiró hasta donde ya no podía oír lo que estaban diciendo. El Tuerto alzó las manos, y luego se cruzó de brazos, mientras el Mapache, parecía, trataba de explicar.

Mientras tanto, una mujer salió de una de las chozas. Era la choza que, al lado de la puerta, tenía una zalea de lobo colgando de la cola.

—¿Tú quién eres? —preguntó.

Antes de que Lupe pudiera responder, una mujer dijo:

—Ay, comadre, ¿qué se pepenó el Mapache?

Se quedaron viendo una a la otra y soltaron una risita insolente. Tenían aspecto de mujeres inmorales; ambas usaban aretes y collares de perlas, pero andaban descalzas y sus sarapes estaban todos mugrosos. La primera volvió la cabeza y empezó a rascarse la parte de atrás vigorosamente.

A Lupe se le ocurrió preguntar:

—¿Ése es el camino para San Miguel de Telapón?

—Te lleva allá.

La primera hizo un ruido con la nariz:

—P'al día del juicio.

Empezaron a rodearla. Una tercera mujer salió de por ahí, con un cigarro de mariguana en la boca y un bebé apoyado en la cadera y, sin decir ni una palabra, se puso a mirar a Lupe de arriba abajo como si fuera un animal de zoológico. Después, Lupe se aprendería sus nombres: Jipila, Chucha y Ceci. Eran las mujeres del Tuerto, el Piojo y el Sabandijas.

La primera mujer se puso una mano en la cadera y se sacudió el pelo:

—¿Pa' qué quieres saber?

—Es mi pueblo.

—No es un pueblo.

—¿Usted lo conoce, entonces? —como no obtuvo respuesta, Lupe se dirigió a la segunda mujer—: ¿Usted conoce San Miguel de Telapón?

—¿Qué te importa?

Detrás de las copas de los árboles, la luz se había tornado amoratada. Un puñado de estrellas parpadeaban en lo alto. Lupe bajó la mirada al suelo: su sombra se había disuelto en nada. Estaba tratando de no llorar… de susto, de hambre. Ese olor, tan bueno, de chivo asado la hacía sentir que iba a desmayarse.

Dijo otra vez, con su voz más leve:

—Yo nací ahí.

Las mujeres se volvieron a mirarse entre sí. La tercera se pasó el bebé de uno a otro lado de su cadera. El niño tenía costras en los ojos. Parecía más inconsciente que dormido.

Finalmente, la segunda mujer dijo:

—Mira, abuelita. Tal vez hayas nacido allá, tal vez no. Pero eso no era más que un par de jacales y una media barda. Nadie vivía allí. Cuando comenzó la guerra, los franceses quemaron todo lo que había y todos los árboles de alrededor, todo. No dejaron piedra sobre piedra.

—Comadre —dijo la primera mujer—, ésos eran austriacos.

La segunda se encogió de hombros. Luego, mirando a Lupe, dijo:

—Se me hace que un conejo come más que ésta. Le daría una zanahoria, si tuviéramos.

—Vente —le dijo la primera mujer, jalando a Lupe de la manga—. Hay chito.

AHORA, EN EL PARQUE de Chapultepec, el Mapache piensa en lo extraña que es la dama fortuna. Resultó que esta ajada manzanita contenía la semilla de un premio de oro que le traería más que la gracia

209

del Tuerto, más que otra oportunidad de hacer negocios con los juaristas. Le traería riquezas inimaginables, y al mismo tiempo auténtica fama, pues sería él quien, secuestrando al príncipe Iturbide, le daría a Maximiliano la puñalada en el corazón. O por lo menos lo haría verse como un burro, y a él le granjearía una pila de tesoros por eso. El Tuerto le daría entonces su lugar, ¿no? Y los juaristas también. Se darían cuenta de que no les había jugado chueco con lo de los rifles, ¿eh? El Mapache podía ver la expresión del teniente cuando le devolviera el saludo.

Respeto: eso es lo que era.

Todos los días, la mañana del príncipe Iturbide transcurre como un reloj. Las campanas de la capilla del castillo dan las nueve, y ni un momento más tarde su carruaje empieza a bajar la rampa. Ya abajo, en el parque, se apean: el guardaespaldas, la niñera, el príncipe y ésa a la que Lupe llama doña Pepa. Se ve lo suficientemente mala como para despellejar a un gusano, pero está enferma de la cadera y dice Lupe que no oye de un lado. Este lindo grupo se va serpenteando por el sendero hacia la laguna, donde el escuincle les avienta tortillas a los patos. Luego a los establos y a mirar unos pájaros enjaulados y un mono. Luego a dar un paseo en una carreta de ponies. Casi al final de la hora se van al estanque; ahí esta la trampa. Cuando Maximiliano está nadando es un avispero de guardias. Con las campanas de las diez, se suben otra vez al carruaje y regresan por la rampa.

En el parque es de lo más fácil confundirse con la gente. El Mapache usa un sombrero calado hasta las cejas. Lupe trae la cabeza cubierta con su rebozo. Los transeúntes quieren mironear al príncipe, pero ninguno se atreve a acercarse; el guardaespaldas se interpone si lo intentan. Fue la primera vez que Lupe alcanzó a ver al niño cuando el Mapache se dio cuenta, ahora sí, de que ella no lo había engañado. Ella casi grita: "¡Santa María!" Él tuvo que darle un pellizco para mantenerla callada.

El otro día, mientras el príncipe, su tía y la nana estaban alimentando a los patos, el Mapache se puso a remar en una canoa. Al que quería ver bien era al guardaespaldas. Era el hombre blanco más alto que hubiera visto: un alemán de huesos grandes con el andar de un buey. Al principio, el guardaespaldas había estado alerta, examinando con los ojos el camino, los arbustos, los árboles, pero de cuando en cuando caía en una especie de trance: se quedaba como viendo algo que flotaba en medio del aire. En algún momento se sentó en una banca, se puso la pistola en las rodillas y cerró los ojos.

¡El pendejo se estaba echando su siesta!

Esta noche, el Mapache tomará su decisión. Secuestrarán al príncipe en la laguna. Es el punto más alejado del carruaje, de los establos y del estanque. En la orilla, los arbustos dan protección. El sendero da vuelta al acercarse al agua, así que, a menos que se acerque, una persona no puede ver dónde están el príncipe y los demás. Esta operación no es de pistola; se necesitan cuchillos. Los cuchillos más filosos. No debe haber más que un gruñido. Lupe —le explica el Mapache— estará hincada entre los arbustos. Cuando los patos lleguen a comer, y una vez que el guardaespaldas caiga en su ensoñación, ella hará un graznido de pato. Ésa será la señal para que el Mapache se le acerque al imbécil por atrás y le clave la daga en la espalda. Lupe tendrá el cuchillo de carnicero, así puede mantener a raya a las mujeres. El Mapache agarra al príncipe y se echan a correr como si la ropa se les estuviera quemando. Luego se esconden en algún lugar donde Lupe pueda calmar al escuincle: ése es el chiste. Se cambian todos de ropa. Y luego ella saca al príncipe del parque, tapado con su rebozo.

—¿Qué le parece, abuelita? —el Mapache la jode por undécima vez.

Lupe sostiene sobre su cabeza el cuchillo de carnicero: brilla a la luz de la vela. Se encuentran en una choza atrás de un granero, en las afueras de la ciudad, sobre un sendero solitario y lodoso. Nadie sabe que están aquí, excepto unas cuantas vacas flacas. Aunque ni así es su voz más fuerte que un chillido, Lupe gruñe:

—¡Callada, o te lo entierro!

El encanto de su existencia

La rueda que rechina es la que recibe el aceite. Sí, y las de las Tullerías están moliendo demasiado despacio; necesitan aceite. Pero, ¿dónde, en qué eje exprimir el poco, preciado aceite que tiene? John Bigelow, el enviado extraordinario y ministro plenipotenciario de Estados Unidos ante la corte de Luis Napoleón, se sabe un hombre impaciente y cree que ésta es la cruz que le toca cargar. Tenacidad de propósito: ésa es la cualidad que hace fuerte al emperador francés, pero es una cualidad quebradiza, por lo menos en el caso de su universalmente impopular expedición mexicana.

Esta mañana fría y perezosa de finales de noviembre, a punto de despertar, Bigelow soñó que iba corriendo a las puertas de las Tullerías, con su lata de aceite, y la vaciaba en un lecho de tulipanes.

Ahora, en el desayuno, se jala la barba que ya empieza a encanecer, divertido con su propio infantilismo.

—¿De qué te estás riendo solo, viejo? —Mrs. Bigelow cruza el brazo sobre la cesta de pan para tomar la tetera.

—Hmmm. De nada. ¿Y la mermelada?

—Junto a tu codo.

—Ah.

Le unta mermelada de naranja a su pan tipo *brioche*. Al otro lado de la mesa, mrs. Bigelow, una mujer innatamente agradable, pequeña, de cara redonda, con un hoyuelo en la barbilla, asienta su taza en el platito. Su pelo castaño oscuro, recogido sobre las orejas, empieza a pintar canas.

—¿Mr. Bigelow?

—¿Mrs. Bigelow? —él levanta su *brioche* como si fuera una copa de champán. Está a punto de contarle su tonto sueño, pero los niños (Grace, Johnny y Jenny) entran de golpe, y el comedor se convierte en un alboroto de sillas que se arrastran y voces y cubiertos que suenan en los platos. Johnny se para en la silla y se pone a gritar, aunque su madre lo calla:

—¡Pásame *du jambon*! ¡Pásamelo!

Desde que Poultney se va a la escuela, los pequeños se vuelven más traviesos. Lisette, la muchacha francesa, acomoda a la inquieta Annie en la periquera. Annie, un solecito, empieza a azotar la cuchara.

Bigelow está frente a Johnny y Jenny. Entre ellos hay una silla vacía en la que nadie tiene corazón para sentarse; era de Ernst. Hoy se cumplen 126 días desde que el pobre niño, que sólo tenía cuatro años, falleció de una fiebre cerebral. Su padre cuenta esos días como contaría un limosnero sus cada vez más escasas monedas porque, con cada uno, el rostro de ángel se vuelve más borroso en su mente. Qué cruel es que su padre lo recuerde tan poco. Como lo hace en muchos raros momentos, Bigelow está tratando de conjurar algún recuerdo de aquel tímido niño a quien tanto quería. Ernst se sentaba ahí. Su madre le decía: "Los codos fuera de la mesa, mi amor". Los dedos en esa revoltura de huevo que escurría sobre el pan tostado. Mrs. Bigelow lo sacó de sus pensamientos:

—¿Se va a comer su desayuno, Mr. Bigelow, o sólo lo va a contemplar?

Bang, continúa la cuchara de Annie. *¡Bang, bang!*

Bigelow pone su *brioche* en el plato.

—Annie, preciosa, deja de hacer eso.

Mrs. Bigelow extiende el brazo a través de la mesa y le sirve más té.

—¿No quieres un huevo?

Jenny grita:

—¡Yo también quiero jugo! ¡Grace lo tomó todo!

—¡No es cierto!

—¡Sí es cierto!

—Me voy —anuncia Bigelow, doblando su servilleta. Le da un beso a su esposa y luego, rodeando la mesa, uno a cada uno de los niños: a Grace, Johnny y Jenny los besa en esas mejillas como duraznos gordos que tienen, y por último, a la pequeña Annie, cuya boca de Cupido ya está toda embarrada de chocolate, le da un beso en la coronilla de su dorada cabeza.

En el pasillo, Lisette le ofrece abierto su abrigo.

—*A bientôt, monsieur Bigelow* —le dice, y hace una inclinación que él no nota.

Bigelow coge su paraguas y se apresura hacia la puerta principal.

DESDE LA VENTANA de su carruaje ve cómo los edificios, flotando en la neblina, pasan como fantasmas. A Bigelow le gustó en algún tiempo esta ciudad. Le complacía repetir la cita de Sainte-Beuve: *O París, c'ést chez toi qu'il est doux de vivre*: Viviendo aquí, la vida es dulce. Ahora las calles lo deprimen, y especialmente en días como éste. Viendo esos caños ennegrecidos atascados de basura, esos *pissoir* como ataúdes parados, no puede evitar que le vengan a la mente mórbidas imágenes de Robespierre y la guillotina.

En París, a esta legación le ha dado los mejores años de su carrera, cabildeando en contra de la Confederación. Cuando llegó aquel cable, la primavera pasada, diciendo que el general Robert E. Lee se había rendido por fin en Appomattox, sintió lo que Hércules debió de haber sentido después de limpiar los establos de Augías. Se fue a la cama con el peor resfriado de su vida, incapaz de hacer nada en tres días, excepto tomar traguitos de caldo aguado mientras Mrs. Bigelow le leía a Swedenborg. Sólo al tercer día se sintió como para recargarse por sí mismo en las almohadas y leer su *Poor Richard's Almanac*.[1]

Le llevó un mes recuperar su salud, y luego, en julio, un día en que las flores se marchitaban de calor y Lisette tenía que cerrar las persianas para que no entrara el sol, Enst murió.

Y luego resulta que había aún un corral atascado de suciedad en este establo: el embrollo mexicano. No puede irse a casa, tiene que empuñar otra vez la pala. Ya es noviembre. ¿Cuándo, Jesús, terminará esto?

Una intervención francesa en las Américas, se lo ha hecho ver bien claro al ministro del Exterior, no será tolerada. *¿No quedó de manifiesto cuando Washington retiró de México a su ministro, Mr. Thomas Corwin?* Los Estados Unidos nunca reconocerán un gobierno imperial en México.

—No obstante —respondió Drouyn de Lhuys—, reconocieron al Imperio de Iturbide, ¿no es así?

—Es verdad —replicó Bigelow—, pero Iturbide era mexicano, tenía el apoyo del ejército y el pueblo de México.

Drouyn de Lhuys no tenía cómo parar esa estocada, así que Bigelow continuó:

[1] Escrito por Benjamin Franklin con el seudónimo de "Poor Richard", este almanque fue un éxito de ventas a mediados del siglo XVIII. Franklin, uno de los "padres fundadores" de los Estados Unidos, fungió como primer embajador de su país en Francia. Bigelow tenía especial simpatía por este antecesor suyo en París, quien también fuera abolicionista. Fue Bigelow, precisamente, quien después se encargó de sacar a la luz la *Autobiografía* de Franklin, hoy en día un clásico.

—Encima de todo, Maximiliano permite la esclavitud. Vea usted su decreto del 5 de septiembre: los inmigrantes de la Confederación pueden tener ex esclavos a trabajos forzados en las tierras que colonicen. Y además —Bigelow alzó la voz para impedir que el ministro francés lo interrumpiera— está su Decreto Negro del 3 de octubre: la ejecución sumaria de cualquier individuo a quien se sorprenda con un arma. Tendrá usted que estar de acuerdo, señor, en que éstas son barbaridades contra la LEY DE LAS NACIONES.

—¿Por qué me lo dice? —Drouyn de Lhuys se puso a examinarse las uñas—. ¿En qué le concierne a Francia lo que el gobierno de México decreta? No más que —elevó sus ojos a lo alto como un santo envuelto en llamas— los decretos de China o de Laponia.

—*Monsieur* Drouyn de Lhuys, ¿el ejército imperial francés tiene 30 000 hombres estacionados en Laponia? ¿El ejército imperial francés ha respaldado un nuevo emperador de los lapones, digamos un hermano menor del rey de Polonia?

Drouyn de Lhuys se metió los pulgares en los bolsillos del chaleco y empezó a carcajearse.

—Uf —dijo—, usted sí que debería escribir novelas.

Al recordar esa escena, con la arrogancia del ministro francés, siente que la bilis se le sube a la garganta. Bueno —Bigelow afloja el puño en el bastón de su paraguas—, pues así están las cosas. Estados Unidos y Francia se encuentran *à contrecoeur*, a la expectativa, con las pistolas desenfundadas. Hay informes de inteligencia en el sentido de que Francia todavía tiene 30 000 hombres en México. Pero, en Estados Unidos, el mismo número de tropas continúa concentrado en el río Bravo, junto con toda su artillería, rifles, municiones, tiendas de campaña, carretas y Dios sabe cuántas mulas mascando paja.

Luego, hace dos semanas, llegaron noticias de una complicación verdaderamente peculiar. Un cable de Seward desde Washington hizo que Bigelow recibiera a Madame de Iturbide, de soltera Alice Green, de Georgetown, D.C., quien reclama que el archiduque Maximiliano, dizque emperador de México, ha secuestrado a su hijo. El caso le revolvió el estómago. El hecho tal cual es que ella firmó cediendo al niño a cambio de rango y lucro. Pero, con las instrucciones de Seward todavía temblando en su mano, Bigelow se reprendió: *No juzguéis para que no seáis juzgados.*

¡El consejo que este padre le da a sus propios hijos! Para Bigelow, ser un esnob moral es tan ofensivo como ser un esnob social. Como a su esposa, que tiene espíritu cuáquero, le gusta decir: ¡A todos hay que darles *una* oportunidad!

Ha empezado a lloviznar. Los paraguas florecen a lo largo de los Campos Elíseos. Madame de Iturbide estará en su oficina en menos de una hora. ¿Qué clase de persona vulgar será? Bigelow ya va haciendo estómago para la escena barata que le espera. Las lámparas de gas parpadean en el interior de una pastelería; en la vitrina hay un cerro de esa *bombe mexicaine* roja y verde. El año pasado era *comme ça* en las más elaboradas cenas de fiesta. Nadie lo haría comerse eso en París. Mrs. Bigelow sentenció que era una cocción atroz empapada de ron. No, no se ve bien desde que murió Ernst. Tan pronto como se resuelva esta cuestión de México, le gustaría llevarse a Mrs. Bigelow y a los niños de regreso a Nueva York, a su granja de Buttermilk Falls. En los largos días del verano podrá trabajar en sus memorias y releer a Gibbon y a De Tocqueville, esta vez en el original en francés. Los niños podrán jugar en el bosque, ir a pescar, montar sus ponies.

El hombre propone y Dios dispone. Paciencia, se recuerda Bigelow mientras baja los peldaños de su carruaje. Siente la llovizna fría en la cara antes de levantar el paraguas.

Se dice una vez más: *Paciencia*.

A LAS 11:00 HORAS, justo cuando el reloj que tiene en su librero da las campanadas, Madame de Iturbide es invitada a pasar. Para su sorpresa, está vestida con muy buen gusto: en gris paloma, con el cuello de terciopelo negro. Unos modestos aretes de perlas. Él se levanta de atrás de su escritorio y da la vuelta para ir a tomar la mano enguantada.

—Oh, estoy en deuda con usted, Mr. Bigelow —dice ella, sin aliento. *¿Le ha parecido a él detectar un asomo de acento de Virginia?*

—Tome asiento.

—¿Dónde?

Él piensa: *Vaya, está nerviosa como un conejo. ¿Qué se imaginaba? ¿Que él se la iba a sentar en la orilla del escritorio?*

—Ahí, *Madame*. Cualquiera de esas sillas.

Su fino cabello rubio y la manera en cómo se sienta, jalándose nerviosamente la punta de los dedos de los guantes, le recuerdan a una amiga de su hermana, con quien una vez fue a juntar fresas.

Pero vuelve a poner la atención en su escritorio. El papel secante, el tintero, el estuche de sus lentes: estas cosas las tiene formadas con la precisión de un cirujano que se prepara para una operación. Hace una seña:

—¿Sí?

Ella empieza atropelladamente:

—No es *de ninguna manera* lo que Maximiliano quiere que parezca, es un *Fraude*, mire usted, es…

—¿Un Fraude? —interrumpe Bigelow. Se inclina hacia atrás en su silla y hace casita con los dedos. Desde ese lado de su enorme escritorio de roble, la mira fríamente—. ¿*No* se encuentran su firma y la de su esposo en el contrato de Maximiliano?

A ella se le sube el rubor a la frente. Empieza a llorar, en silencio.

—Admito —saca un pañuelo de encaje— que me dejé deslumbrar, tal vez un poco, por los prospectos que se le abrían a mi hijo, pero yo… yo *nunca* me imaginé que separarían a una madre de su hijo ¡en la infancia! Y…

—Y —dice Bigelow— ¿la indemnización que se ha pagado a la familia Iturbide? —como un gato marrullero en espera de una ardilla, se queda muy quieto en su asiento.

—Todavía *no* se ha pagado todo. Pero lo más importante es que la mayoría de estos emolumentos y pensiones le fueron concedidos hace mucho tiempo a la familia Iturbide y los pagos estaban retrasados. Quiero decir, no fueron cumplidos por los gobiernos anteriores.

—¿Por el gobierno republicano de Benito Juárez?

—Y por otros.

—Pero, *madame*, le ruego que me explique: ¿por qué querría Maximiliano retener a su hijo, cuando usted, de una manera tan evidente, desea que se lo devuelva?

—Porque mi hijo es un Iturbide. Si mi suegro el emperador Iturbide viviera, quiero decir, si su gobierno hubiera sobrevivido, ¿ve usted? Mi hijo podría ser heredero al trono. Mi hijo es muy querido en México y probablemente lo sea aún más cuando crezca, y por eso es que Maximiliano lo considera una amenaza.

—¿Su bebé de dos años es una amenaza para Maximiliano?

—¡Sí!

Bigelow cierra los ojos, recibiendo el trancazo completo. Qué ridícula es esta forma monárquica de gobierno, piensa. Sacada de la época de los castillos con foso y los caballeros de reluciente armadura. Bah, la clase de contenido de novelas que les gusta leer a los sureños y a las mujeres. Si de verdad tuvieran una idea de lo que pasa en una corte europea… la mediocridad endogámica y la lambisconería, la esterilidad, el favoritismo, el despotismo, esa cruda corrupción que podría blanquear un Boss Tweed.[2]

—Pero —Bigelow abre los ojos—, dígame, *madame*. Exactamente, ¿por qué la familia de su esposo aceptó esta des… —iba a decir *desnaturalizada intriga*, pero carraspeó—, este arreglo?

—Mi cuñada no está en buenos términos con sus hermanos; es muy ambiciosa y la sobornaron con el título de princesa y un lugar en la corte de Maximiliano. Mis cuñados están aquí en París también, y ellos y mi esposo me apoyan *completamente*. Agustín Gerónimo, el hermano mayor de mi esposo, le escribió a Maximiliano una *enérgica* carta de protesta.

—¿Pero usted y ellos firmaron el contrato de Maximiliano?

—¡Pero no fue una decisión totalmente libre! Mire usted, ¡Maximiliano nos dio a entender que nos quitaría a nuestro hijo por la fuerza! En verano se nos hizo llegar la orden, sin ninguna explicación, de salir de México y…

—*Madame* —Bigelow pone en el escritorio las palmas de las manos. Siente que le va a dar dolor de cabeza—, lo mejor será, me parece, que redacte usted una declaración formal —toca el timbre que tiene en su escritorio. En un instante, su secretario, un joven encorvado con el aire duro de un pastor protestante de Vermont, toma asiento deslizándose en la silla que está a la derecha de Madame Iturbide.

Ella está sentada todavía en el borde de su silla, pero ahora habla con una voz tan segura y tan clara, piensa Bigelow, que parece como si tuviera la garganta cubierta de jade pulido.

—Mandé algunos de sus juguetes y una nota para la emperatriz encomendando mi hijo a su protección. Me prometieron que me darían noticias todos los días, pero aparte de un telegrama la primera noche diciendo que el niño había dormido bien, nada. ¡Ni *una* palabra! —levanta el rostro y parpadea para retener sus lágrimas—. Este verano que pasó se nos hizo entender que nos iban a quitar al niño con o *sin* nuestro consentimiento, y cuando nos hicieron la invitación para este arreglo, yo *nunca* me imaginé que mi hijo carecería del cuidado de una madre. Yo había entendido que en unos años se vendría a Europa para recibir su educación. Pero nada más firmamos el contrato, se nos informó que nuestra salida de México no debía retrasarse

---

[2] Boss Tweed (1823-1878) fue un político de Nueva York famoso por su corrupción.

¡ni siquiera *un día*! Pusimos en un montón las pertenencias que pudimos y tomamos la diligencia a Veracruz, donde teníamos que abordar un vapor, pero cuando llegamos a la ciudad de Puebla…

Bigelow espera a que ella se calme.

—Yo supe —dijo la dama en voz baja— que no podría continuar sin mi hijo. Regresé a toda prisa a la ciudad de México.

Bigelow se pone un dedo en los labios.

—¿Sola?

—Sí, porque mi esposo y sus hermanos habrían sido arrestados. Hice el viaje con mi nombre de soltera, Miss Alice Green, y en la ciudad de México le pedí asilo a mi casera, que es la viuda de Gómez Pedraza, un amigo leal a mi suegro —hace una pausa aquí, le parece a Bigelow, para que él tome nota especial del nombre.

—¿Doña Podressa?

—Exactamente. Ella me llevó en su carruaje a ver al general Bazaine. Él acababa de recibir una nota de Maximiliano, de que un contrato solemne se había firmado y él no debía hacer caso de mis quejas. Pero yo le imploré al general Bazaine, le dije, como madre afligida: "Le *suplico* que le escriba otra vez al emperador y que ponga en el sobre mi carta junto con la suya".

—¿El general Bazaine aceptó?

—Más que eso. Lamentó sinceramente que él no tuviera la autoridad para emprender una acción directa, pero dijo que él haría todo cuanto estuviera en su poder para convencer a Maximiliano de devolverme mi niño —abre de golpe su bolso—. Aquí hay una copia de la carta —desdobla la hoja de papel y la extiende a través del escritorio—. Es mi propia traducción del español.

Bigelow se engancha los lentes en las orejas y empieza a leer, aunque no sin dificultad. La letra es afilada, con tes que parecen picas, y agudas y contraídas eses. Reconoce de una vez que, ingenua como puede serlo, Madame de Iturbide no es una mujer con la que se pueda ir a la ligera.

Ciudad de México, a 27 de septiembre de 1865
Calle de Coliseo Principal No. 11

S.m. el emperador de Mexico
Señor:

Después de mi partida de México el 16 de septiembre, parecerá a v.m. extraña mi presencia en ésta, pero un dolor superior, que no

219

tiene limites, un sentimiento el mas intenso que la humanidad conoce, han conducido mis pasos en busca de un hijo que es el encanto de mi existencia.

Hay en la vida de los padres un pensamiento constante: el bien de los hijos, y yo pobre de mí, que gozaba tanto al ver a mi hijo, pensaba siempre en su provenir: su educación me ocupaba como la única misión que debía llenar en la tierra, y en uno de esos momentos en que vacilaba por la posición de mi querido Agustín, pude separarme de él, agradeciendo a v.m. la memoria de la familia Iturbide en la que distinguía muy particularmente a mi hijo.

Pero esta separacion le he llorado tanto, he sufrido tanta amargura en estos nueve dias que no tengo palabras para explicar a v.m. todo el tamaño de mis penas.

He creído que perdería el jucio sin ver a mi hijo, y mi familia toda no ha podido menos de participar en ese pensamiento, permitiéndome regresar a interponer la súplica que hago con el corazón lleno de dolor, con un corazón que necesita un pronto consuelo: esta súplica es la de ver a mi hijo y no separarme de él en su niñez.

En mis ensueños de madre nunca pensé que mi hijo fuera un día principe que pudiera aspirar a una corona. Mi delirio era educarlo como a un buen mexicano que, nutrido en buenas ideas, pudiera ser útil a su país, pero sintiéndome muy contenta de la situacion humilde en que vivía. Mi felicidad no conocía límites y ahora que v.m. honra en mi hijo una memoria nacional, ¿he de separarme de un niño que necesita toda mi solicitud?

¡Qué remordimientos, si sobrevivía a esta separación no me causaría el menor contratiempo si tuviese la existencia de mi hijo!

Este negro pensamiento me ha seguido por todas partes desde que mi hijo se separó de mi y nada tengo en mi corazon ni en mi cabeza para tranquilizarme. Cada hora que pasa crece mi dolor y si v.m. se persuade de la intensidad de mi pena y de la sinceridad de mis palabras, no es posible que prolongue algún tiempo más mis sufrimientos.

¡No ver a mi hijo! ¡Separarme de él acaso para siempre! ¡Abandonarle cuando mas necesita de mi solicitud! No hay angustia comparable a este triste pensamiento.

V.m. no puede insistir en una separación que ponga en peligro mi existencia y yo espero que, haciendo justicia a mis sentimientos, recibirá v.m. mi gratitud por su cariñoso comportamiento con mi hijo, y mandará que vuelva al lado de una madre que no debe por un solo instante abandonarlo por grande que fuera la espectativa de su porvenir.

Yo confío en que s.m. la emperatriz, que tan bondadosa se ha mostrado con mi hijo, sea hoy el apoyo de mi solicitud. El buen corazón de v.v. m.m. no puede permitir que se prolongue la profunda aflicción de ésta su servidora

Q.B.L.M.

Alice G. de Iturbide

A BIGELOW SE LE ABLANDÓ el corazón como un trozo de mantequilla al sol, sin dejarlo ver. Le pasó la carta a su secretario:

—Hágame una copia de esto también.

—Sí, señor.

Bigelow se quita los lentes, los dobla para devolverlos a su estuche y se guarda éste casi con ternura en el bolsillo de la camisa. Pesadamente se reclina hacia atrás en su silla y vuelve a hacer casita con los dedos.

—¿Y cuál, exactamente, fue la respuesta del archiduque?

—No respondió. La emperatriz envió un mensajero con mi propia carta, la que le escribí encomendando mi hijo a su cuidado, y una nota diciendo que sus majestades necesitarían algún tiempo para decidir si alguna de mis cartas ameritaba respuesta. Dos días después, un oficial de la Guardia Palatina se presentó para decirme que sus majestades deseaban hablar conmigo sobre el niño en persona, no por correspondencia. El oficial me dijo que él había visto a mi hijo y que —la barbilla le tiembla, tiene que hacer una pausa para enjugarse los ojos. Respira hondo y continúa:

—Este oficial me dijo que había visto a mi hijo y que estaba bien. ¡Me habló tan *amablemente*, parecía *tan* caballeroso! Bajé con él y ahí afuera, esperando, se hallaba un carruaje del palacio. Subí y partimos. Cuando debimos haber dado vuelta en dirección al palacio imperial, seguimos de frente. Le dije al oficial:

—Oh, ¿supongo que la corte se encuentra en el castillo de Chapultepec?

—Sí —dijo, pero no me miró, y entonces supe que se trataba de una trampa. En las afueras de la ciudad me estaba esperando un coche con otro guardia palatino y dos soldados. Su idea era llevarme a la ciudad de Puebla.

—¿Pueblo?

Ella asiente.

—Me negué a subir. ¡No iba a abandonar a mi hijo! A la orilla de la carretera me senté en una piedra. Pues me levantaron y, sin más ceremonias que si fuera yo un costal de papas, me echaron en el carruaje. Viajamos todo ese día y toda esa noche. Yo iba vestida para una audiencia con el emperador: no llevaba abrigo, sólo una mantilla para cubrirme la cabeza. No tenía ni comida ni agua para beber ni un peso para comprar nada. Se nos ordenó que tomáramos el primer vapor que saliera de Veracruz. Una escolta armada se aseguró de que lo hiciéramos.

—Por Júpiter.

El secretario sigue garabateando un momento más. Cuando levanta la vista, sus ojos detrás de los lentes se ven tan grandes como dos dólares de plata.

—Lo que espero de todo corazón —dice Madame de Iturbide— es que usted, señor, sea tan amable de recomendarle a Monsieur Drouyn de Lhuys que nos reciba, porque si logramos que Luis Napoleón entienda nuestra situación, él podría persuadir a Maximiliano…

—*Madame* —Bigelow la interrumpe (teme que tal vez demasiado bruscamente)—, lamento su desgracia. Y personalmente le aseguro que nada me gustaría más que ayudarla, pero entiéndame: los Estados Unidos no reconocen al gobierno de Maximiliano.

—Ay, señor, *por favor…* —los ojos se le llenan de lágrimas.

—Como ministro que representa al gobierno de los Estados Unidos, sería inapropriado. De cualquier manera, me gustaría hablar con su esposo y su hermano mayor.

Aquí da por concluida la entrevista. *Precaución bien pensada*, es su lema. Y por supuesto, se recuerda, hay límites en lo que uno puede hacerle entender a una mujer.

ESA NOCHE, después de acostar a los niños, Bigelow le cuenta todo a su esposa. Ella se queda viendo largos instantes hacia la chimenea que crepita. Así es ella: silenciosamente, cuidadosamente hilvana sus pensamientos. Sostiene con ambas manos su taza de té de anís. Su cara redonda, de barba partida, iluminada por el fuego, le recuerda a Bigelow una imagen flamenca de la Virgen.

Él le recuerda a ella el *San Pablo*, de Miguel Ángel.

En el fondo de su corazón, ella sabe que no es el paradigma de virtud moral que su esposo cree que es. Sin embargo, aspira a ello. Aunque lo que realmente siente, oyéndolo hablar del pequeño hijo de Madame de Iturbide, es un resabio de envidia. Su propio Ernst, su amado niño de cuatro años, se fue. Y su primer hijo también, de una espantosa caída desde lo alto de un librero, cuando todavía no tenía dos años. Algún día, al otro lado del velo, se reunirán. Pero eso no le quita nada del dolor.

Ya compuestos sus sentimientos, Mrs. Bigelow le da un trago a su té.

—Piedad —dice finalmente, dejando la taza—. Piedad es lo que siento por esos pobres padres.

Bigelow tiene la tentación de tomarla de la mano, pero no lo hace, todavía.

Meneando la cabeza, Mrs. Bigelow dice:

—Qué regalo de propaganda para Juárez.

—Sí, ¿verdad?

—*Sí* —ella levanta la mirada hacia él—, sí, pero sólo si la versión del padre concuerda con la de la madre en todos y cada uno de los detalles, creo que deberías patinar, aunque será en un hielo muy delgado, hasta los mismos límites de lo oficialmente apropiado para ayudarla.

—Te parece.

—Es nuestra compatriota.

—Sí.

—Debes hablar en privado con Drouyn de Lhuys.

—Exactamente.

—Debes apremiarlo a que la ayude.

—Lo antes posible.

La expresión de Mrs. Bigelow se ha tornado fiera.

—Es la única vía de acción cristiana.

—Por supuesto.

Una esposa sabia y compasiva, ¿acaso hay una bendición más grande? Ésta es la parte del día favorita de Bigelow, frente al crepitar suave, tranquilizante de la chimenea. Su esposa se recarga en su hombro y, lentamente, él le acaricia el pelo suelto.

—Maximiliano ha demostrado ser un cruel tirano —dice Bigelow.

—Y un completo chambón —añade Mrs. Bigelow.

—Completo.

—Sí —asiente Mrs. Bigelow, cerrando los ojos. Su cabeza se siente pesada en el hombro de él con olor a flores—, así es como lo van a manejar en los periódicos.

—Las cosas caen por su propio peso.

—Así es —dice Mrs. Bigelow tomándole la mano.

—Esa ridícula monarquía —sentencia Bigelow—, tan pronto como Luis Napoleón retire sus tropas va a caer.

—Una manzana podrida del árbol.

25 DE NOVIEMBRE DE 1865

Pas possible

En la oficina del ministro francés del Exterior, Bigelow se pregunta: ¿era demasiado, realmente demasiado esperar que pudiera conmover la conciencia de su contraparte francés? Así como se conmovió la suya, como se conmovería la de cualquier padre, la de cualquier caballero, de hecho. Bigelow había imaginado que su mensaje sería una pelotita rebotando en una serie de redes: a Drouyn de Lhuys, a Luis Napoleón, luego a Maximiliano. Y Maximiliano se sentiría mortificado. *Et voilá!* El niño reunido con su madre y su padre. Pero el rebote vino de regreso de la primera red: por parte de Drouyn de Lhuys, ni una gota de compasión.

Y, como Bigelow bien lo sabe, nada garantiza que la conversación no saldrá de estas cuatro paredes. Drouyn de Lhuys mantiene sus cartas pegadas al chaleco, lo cual es una de las razones —supone Bigelow— de que Luis Napoleón lo haya conservado tanto tiempo en su gabinete. Drouyn de Lhuys sabe demasiado. Luis Napoleón debería haberlo despedido desde hace mucho. De hecho —como Mrs. Bigelow lo señaló—, resulta muy revelador el que Luis Napoleón no se deshiciera de Drouyn de Lhuys en 1851, cuando éste lo amenazó con renunciar si el emperador se casaba con la condesa de Montijo. Poco después, Luis Napoleón tuvo una segunda oportunidad de pedirle su renuncia: en un baile aquí mismo, Madame Drouyn de Lhuys desairó a la condesa de Montijo, que aunque todavía no estaba formalmente comprometida con el emperador, asistió a la fiesta como invitada personal de su majestad. Todo el mundo sabe que la condesa de Montijo, "una españolita insignificante", como Madame Drouyn de Lhuys andaba diciendo, es hoy en día la emperatriz Eugenia, madre del Niño de Francia.

Bigelow apenas y puede soportar la decoración fru-fru de las Tullerías, aunque personalmente le ha cobrado simpatía a Luis Napoleón.

Con todo y los vicios del emperador (impetuoso, mujeriego, narci-cista), Bigelow no puede evitar que le caiga bien. Después de su dentista común, el doctor Evans, Bigelow sería el primero en admitirlo: se ha unido a la legión de americanos que han sucumbido al carisma de ese aventurero de corazón grande. Sin embargo, los años que Bigelow ha pasado en París no han cambiado de ninguna manera sus proclividades republicanas. Hijo de presbiterianos de Connecticut, Bigelow es un abolicionista estricto y un *whig* que ha luchado toda su vida por ser la clase de hombre que, como les dice a sus hijos, no se come primero su pay. Y éste será un simple pay de manzana, gracias.

En muchas ocasiones, Bigelow les ha contado a sus hijos que cuando era niño tenía la tarea de llevarse las vacas a pastar después de la ordeña, y como las bestias eran muy lentas y él era muy pequeño, aprendió así su primera lección de paciencia. Mientras las vacas se detenían a comerse alguna hierba a la orilla del camino, o simplemente se quedaban paradas, mascando su bocado, él se ponía a observar la forma de las nubes: una jirafa, un hipopótamo, la torre de un castillo. Notaba que la alfalfa estaba empezando a brotar, que los dientes de león ya habían soltado sus primeros globos de gasa, que la llama del otoño ya había besado las hojas de los robles. De la misma manera, parado ahora en la oficina de Drouyn de Lhuys, nota que en la alfombra de Aubusson, enfrente de la pata izquierda del *méridienne* dorado, hay una mancha que parece ser de café. No estaba ahí ayer.

En todas partes en esta oficina hay alguna cosa trivial que necesita reparación: una estrelladura del grosor de un cabello en el vidrio de la ventana, una astilla en la madera de la cornisa. Afuera, la fuente dispara mal el agua. Las moreras están podadas en forma dispareja, y en una de ellas parece que hay un trapo, ¿o será una hoja de papel que se quedó atorada entre las ramas?

La mente de Bigelow tiende a vagar mientras Drouyn de Lhuys vocifera, porque esta vociferación ya la ha oído antes, de hecho se la sabe casi palabra por palabra. ¿Cuántas veces se ha visto obligado a soportarla? Y, siguiendo exactamente el parlamento:

—Al parecer, ustedes creen que *todas las Américas* son de *su* propiedad, y que las instituciones y formas de gobierno deben acomodarse a *sus* filosofías y a *sus* designios. Estas enormes pretensiones…

¡Como si Francia hubiera hecho una obra de caridad al enviar un ejército a México! Bigelow ha pasado demasiados años en París. Se siente como un actor en una ópera bufa que ya se prolonga demasiado. Izquierda del escenario: el ministro norteamericano, sombrío como un sepulturero; derecha del escenario, gesticulando exuberantemente, su contraparte: una trucha enjabonada de aristócrata con caireles sobre las orejas y holanes en los puños de la camisa.

Son *bons amis*, buenos amigos, así que se presionan uno al otro enfrente de los demás. Mañana en la noche, tal como lo hizo el martes pasado, Bigelow se encontrará probablemente sentado a la izquierda de Madame Drouyn de Lhuys, quien estará lanzando destellos con sus zafiros y con un prodigioso (eso distrae tanto) escote. Por encima del *carré d'agneau aux fleurs de lavande*, podrían platicar del clima.

Bigelow, por lo menos, ha tranquilizado su conciencia mencionando (y enfatizó que esto era en un plan puramente personal) el problema de su compatriota, Madame de Iturbide. Le presentó a Drouyn de Lhuys una copia de la transcripción de su entrevista, su carta a Maximiliano debidamente traducida al francés y las notas que él tomó durante su entrevista subsecuente en el Grand-Hôtel con don Ángel y su hermano mayor, don Agustín Gerónimo. Cosechamos lo que sembramos. Esta andanada es la consecuencia.

—*Vous venez en France avec vos plaintes*, viene usted a Francia con quejas en contra de un gobierno que su país —con un suspiro de que se siente herido, Drouyn de Lhuys se pone en la frente la palma de la mano— *se niega* a reconocer. ¡Y ahora! —Drouyn de Lhuys se encoge de hombros levantando los ojos al techo, de la manera más francesa—. *Ahora* viene usted a hablarme ¡de un niño *americano*!

Cruzado de brazos, Bigelow se mece sobre sus talones.

Drouyn de Lhuys dice:

—¿Por qué no le lleva el problema al presidente Juárez, la autoridad mexicana que *ustedes* reconocen?

Bigelow se hace consciente de que está mirando esa miserable mancha de café.

—Ah —Drouyn de Lhuys hace una mueca maliciosa—, ¿será que no pueden encontrar al presidente Juárez? Tal vez haya buscado asilo en su república y tal vez ustedes se lo dieron. Pero seguro ustedes saben de su paradero mucho más de lo que yo sé.

Maximiliano declara que Juárez ha abandonado el territorio mexicano y, por lo tanto, puede considerarse a los simpatizantes de la República, si se les sorprende armados, no como enemigos combatientes sino como criminales que puedan ser fusilados.

Bigelow carraspea:

—Nuestra inteligencia indica que el presidente Juárez se encuentra en la frontera de Texas, pero sigue resueltamente dentro del territorio mexicano.

—*Ah, oui?* —Drouyn de Lhuys mueve la mandíbula como si mascara esta escogida migaja de información, separando delicadamente con la lengua la pulpa de las semillas. Tensa el cuello como si tuviera un calambre—. *Bien sûr*, nosotros no somos ni pretendemos ser el gobierno de México; le hace usted demasiado honor a Francia al tratarla como tal.

—Debo entender entonces que no recibirá usted a Madame de Iturbide.

—*Pas possible*. Imposible.

—¿Ni siquiera como un asunto de orden privado?

Drouyn de Lhuys muestra sus grandes dientes amarillos y, colocándose en la cintura una de sus manos con holanes en los puños, inclina la cabeza.

—*Au revoir, Monsieur Bigelow.*

EL PALACIO IMPERIAL de México: en la oficina de su majestad, el escritorio, un amplio espacio de caoba con cubierta de cuero, aparece bañado por una luz matutina fría y rosácea. Ahí está la hoja de balance del tesoro imperial mexicano; es decir, un manojo de papeles llenos de borrones y garabatos de lápiz. La sola vista de estas cuentas hace a Maximiliano hundir la cabeza en sus manos. Como dice la frase célebre de Bonaparte: "Se necesitan tres cosas para ganar una guerra: dinero, dinero, dinero". ¿Dónde está?

Evaporado.

Que mejor estuviera en este momento en una sala cálida, sentado en la alfombra con el primito, haciendo un castillo de cubos. ¡Ah, ser niño otra vez, sin preocupaciones! En lugar de eso, uno tiene que confrontar a este espécimen con su corbata de esas que los pequeñoburgueses usaban en la década pasada. Su cabeza —toda una maravilla para un frenólogo— recuerda un melón, y su nariz respingada es demasiado corta. Esta desproporción lo hace a uno sentir el mismo malestar que sentiría en una habitación donde los muebles...

¿Por qué es tan condenadamente difícil mantenerse enfocado? Los pensamientos le brincan a uno, se le hacen borrosos. Basta de esta monserga de los números.

—Monsieur Langlais, un diagnóstico final: ¿puede uno evitar tener que pedir otro préstamo?

—*Pas possible.*

Pas possible! ¡Estas palabras envenenadas! Uno quisiera soldar las letras como eslabones en una cadena de hierro: *p-a-s-p-o-s-s-i-b-l-e*, enrollársela en el cuello a este cuentafrijoles y estrangularlo hasta que se le salten los ojos. Cómo viene a informarle a uno, en fecha tan tardía, que, después de pagar a los accionistas de los bonos Jecker (compinches del duque de Morny) y ahora las excesivamente generosas pensiones de los Iturbide, por no mencionar el intento de Sísifo de construir un ejército imperial mexicano, no queda nada para la Lista Civil de uno. Uno ha rebanado, tasajeado, limado, molido, cortado el presupuesto, no *hasta* los huesos sino *en* los huesos. Y el general Bazaine desvía ese patético chorrito de ingreso de las aduanas y lo derrama sobre su caterva de imbéciles. Ah, con su desesperante incompetencia, su arrogancia, su exceso de brutalidad, estos franceses son como una piedra de molino amarrada al cuello. Pero uno lo toma con calma. Uno se da masaje en el puente de la nariz. Uno habla entre dientes:

—Gracias. Es todo por hoy, Monsieur Langlais.

—Su majestad —Monsieur Langlais hace un caravana. Recoge sus papeles y, del secretario, toma la copia del calendario de los débitos que deben hacerse a cuenta del tesoro imperial mexicano, en París. Éste es el quinto Merlín sin varita mágica que Luis Napoleón envía desde el otro lado del charco, todo con salarios suntuosos pagados por el tesoro mexicano. Maximiliano empieza a morderse la uña del pulgar y se la arranca. Un botón de sangre aparece.

—¡Pamplinas!—mascula Maximiliano.

—¿Perdón? —dice su secretario. Un muchacho cetrino, bien rasurado y con lentes, José Luis Blasio se sienta al lado del escritorio, con los pies cruzados.

Maximiliano se lleva un puño a la cadera y se le queda viendo a la estufa, un armatoste de hierro instalado en el rincón más alejado.

—¿Tiene usted calor?

José Luis se pone un dedo en la corbata y estira el cuello.

—Está como para asarse aquí, señor.

—¡N'ombre! Uno necesita más pieles que en Milán, en invierno.

—No sabría decirle, señor. Nunca he ido a Milán.

Maximiliano echa la cabeza hacia atrás y ríe. Pero, cuando ve que la ventana está abierta, la sonrisa se le cae.

—¿Usted abrió esa ventana?

—Eh, sí, señor.

—Sea tan amable de cerrarla.

José Luis cierra la ventana.

—Los muchachos de sangre caliente no entienden que los viejos como éste de 32 años tengamos agua helada corriendo por nuestras venas. Abra otra vez esa ventana y mande llamar al carpintero para que la clave. Bueno, ¿cuál es la siguiente lata en la valija oficial?

José Luis saca una carta.

—Una queja del alcalde de Tampico.

Maximiliano suspira y luego enciende un puro nuevo. Con el codo sobre el escritorio, apoya su oreja en la mano.

José Luis se dirige a la parte calva de la cabeza de su majestad.

—Atrocidades, eh, francesas, señor.

Maximiliano le da vuelta al puro entre sus dedos.

—¿Específicamente?

—Eh —José Luis examina más de cerca la carta—. Dice aquí que seis guerrilleros fueron fusilados, mutilados y… eh, los dejaron colgando de los pies en los árboles de la plaza.

—¿Y?

—Esto fue enfrente de… eh… dice "el café de don Rogelio algo".

Maximiliano se saca el cigarro de la boca.

—¿Algo? Qué apellido tan original.

—Es difícil leer la letra, señor.

—Entonces —Maximiliano todavía tiene su oreja en la mano. Exhala hacia el techo y observa cómo sube el humo. Cierra los ojos—, el café de don Rogelio Algo, amigo del alcalde, ¿tiene menos clientes de lo normal?

—Ése parece ser el problema, señor.

Maximiliano aplasta su puro en el cenicero. Tamborilea con los dedos. Luego, de repente, extiende su largo brazo y desliza a través del escritorio el tazón totonaca naranja ígneo:

—¿Un bombón?

EN ESTE MISMO INSTANTE, a unas cuadras de distancia, la princesa Iturbide se dirige a una cita crucial: va a ver al conde Villavaso, al número 12 de la calle del Coliseo Principal, una mansión que resulta que está frente a la ventana de la viuda de Gómez Pedraza. Durante todo el mes pasado, la búsqueda de residencia ha sido para la princesa Iturbide un ejercicio de frustración creciente. No ha visto el interior de la casa del conde Villavaso, pero, por la descripción de Mrs. Yorke, es la única casa en la ciudad de México de tamaño y estilo adecuados para ser la residencia de un príncipe heredero, que no está infestada de ratones (había otra, pero sus mejores habitaciones fueron requisadas por unos oficiales franceses que no piensan irse, y no, no les importa un comino quién pueda ser el nuevo inquilino).

La princesa Iturbide está al borde de perder la paciencia: todos los días impone alguna nueva nimiedad el maestro de ceremonias, que se ha vuelto más audaz en ausencia de la emperatriz. El sábado pasado se les impidió pasar de las rejas del castillo a cuatro de los niñitos invitados a la fiesta infantil porque —declaró ese dictador— traían los zapatos del color equivocado. Nada de café; los zapatos tenían que ser negros. *¡El color equivocado!* ¡En bebés de dos y tres años! La saca a una de quicio.

La princesa Iturbide ve a Maximiliano sólo rara vez, mientras todos los demás, incluyendo el mono de su primo en tercer grado, todos ellos se sienten invitados a ir de metiches a las habitaciones del príncipe. Algún criado se puso a pintar de morado los cubos con que juega Agustín, y esa pintura barata se desprendió y manchó la alfombra. Sin tener la cortesía de pedirle permiso a una, Frau von Kuhacsevich le está enseñando a contar ¡en alemán, en húngaro y en algún idioma balcánico! Anoche, mientras una estaba en el teatro, Tüdos se encargó de que Agustín se comiera un plato copeteado de *goulash* de ternera, y las consecuencias de eso tuvieron despierta a la niñera la mitad de la noche. Perritos, los han echado fuera, ¡y una tortuga y una ardilla albina!

¡Y los hurtos! La ropa interior desaparece de los cajones; durante la noche, media botella de su colonia de azahares se evaporó. El niño llegó a Chapultepec con su juguete favorito, una pelota azul, y alguien se la robó. ¿A qué otra conclusión podía llegar ella, después de preguntar cinco veces si alguien la había visto? No fue por pura mala fe que le echó la culpa de habérsela llevado a esa niñera a quien despidió, Olivia cómo-se-apellidaba. Una tiene que vivir con cada armario, cajón y baúl cerrado con llave.

En una palabra, la princesa Iturbide está desesperada por salir de la residencia imperial. El conde Villavaso ha decidido irse a vivir con una de sus hijas a Querétaro y, según Mrs. Yorke, como los rebeldes les quitaron su hacienda de Guerrero, están urgidos de dinero. Con el favor de Dios, ella se quedará con esta casa.

Apoyándose en el brazo del lacayo, baja al empedrado. Al otro lado de la calle, las ventanas de la viuda de Gómez Pedraza tienen las persianas cerradas. Sus puertas de cedro, decoloradas por el sol y maltratadas, no tienen nada de especial; en cambio, las del conde Villavaso están labradas con hojas de acanto y cariátides de pechos desnudos; necesitan una capa de barniz, pero lucen magníficas. El altorrelieve de piedra, con el escudo de armas del conde, bueno, eso por supuesto tendrán que quitarlo a cincel. El llamador de bronce, con forma de zarpa de león, lo han pulido bien. Ella lo levanta hasta donde llega de alto y lo deja caer con un definitivo *klak*.

Ladridos furiosos. Un perro que ha de estar como caballo se avienta contra la parte interior de la puerta. Pasos apresurados. Gruñendo, la gran puerta de madera se abre apenas lo suficiente para dejar ver el hocico babeante del mastín y, arriba, la mejilla cacariza del portero. Pepa frunce la nariz ante el olor que viene de adentro, de hígado que se está friendo en manteca.

El ojo se le queda viendo.

—*Pas possible!*

—No soy francesa. Soy la princesa Iturbide.

—No se puede pasar.

—¿Perdón? —ella piensa que tal vez no ha oído bien. Jamás la ha tratado así un portero—. Le digo que soy la princesa Iturbide.

El mastín gruñe muy feo. El portero repite, en el mismo tono grosero:

—No se puede pasar.

—¡Me están esperando! He venido hasta aquí desde el castillo de Chapultepec para ver esta casa, y con muchos inconvenientes.

Frenético, el mastín trata de aventarse, pero el portero, con una mano en la aldaba, lo tiene agarrado del collar. La puerta se cierra. La aldaba cae con un *clank*.

Petrificada, Pepa se da vuelta y casi choca con un pordiosero. Y con un indio que va cargando un palo del cual penden minúsculas piñatas de papel; éste empieza a gritar su destemplado pregón, haciendo bailar las piñatitas ante la cara de la princesa.

—A dos centavos. Una por dos centavos.

Tonta, se regaña a sí misma. ¿Por qué no trajo al guardaespaldas? Pero estos alemanes son chismosos como urracas; ella tiene más que suficiente con que estén de metiches en sus asuntos personales.

—¡Atrás! —dice, lanzándole al lacayo una mirada asesina por no haberlo dicho primero. Sosteniéndose la cadera, cojea hasta donde el lacayo, reluciente en su librea palaciega, la cara tiesa de indiferencia, la espera con la puerta del carruaje abierta. Pasan más mendigos y un trío de niños boleros. Cuando Pepa se acomoda dentro, unas caras mugrosas aparecen en la ventanilla. Uno de los niños brinca y brinca tratando de verla.

—¡Váyanse! —Pepa pega con su anillo en el vidrio.

Uno de los niños le dice al otro:

—Es la bruja.

Hay una cortina de seda plegada. Ella la cierra con un jalón feroz.

En el interminable trayecto de regreso al castillo de Chapultepec, se le ocurre a Pepa que tal vez el portero la tomara por otra persona. Es una idea que la lastima, porque ella cree ser un individuo singular. En las tiendas, por supuesto, la reconocen de inmediato y la atienden con elaborada cortesía. Las más finas personas han estado coleccionando su *carte de visite*. La esposa del embajador británico la tiene pegada en su álbum, después de la del duque de Morny (el medio hermano de Luis Napoleón) y justo al lado de una de los príncipes Murat.

Pero luego, un instante después, se le ocurre otra explicación: que algo horrible acaba de suceder en esa casa. ¿Un robo, un asesinato? Como está la situación, una se aleja menos de una legua de Chapultepec y ya corre el riesgo de encontrarse con terroristas y sus simpatizantes. Desde que la emperatriz se fue a Yucatán, las cosas han ido de mal en peor. Como Madame Almonte dice: "Maximiliano necesita quitarse el guante de terciopelo de su puño de hierro". ¡Por Dios, que haría bien en hacerlo!

Nada qué hacer. Nada por hacer. Grano por grano, la arena del reloj se ha ido deteniendo en un atasco espectacular.

En una silla plegadiza a las puertas de las habitaciones del príncipe, los codos en las rodillas y el mentón descansando en sus manos, Weissenbrunner, el guardaespaldas, descansa.

El príncipe Agustín está tomando su siesta.

Hace una hora —parece un año—, la princesa Iturbide volvió de la ciudad con una cara que le habría hecho encoger los testículos a un elefante. Había ido a ver una casa que se le ha metido en la cabeza comprar. Pero no hay ninguna casa, hasta donde él ha oído, que no tenga varios oficiales acuartelados en las mejores habitaciones. No entiende por qué quiere ella irse del castillo de Chapultepec. De noche, Weissenbrunner no caminaría en ninguna parte de la ciudad de México a menos que estuviera ahogado de borracho o tuviera verdadera necesidad y, en este caso, iría por en medio de la calle y armado con pistola, sable y nudillos de bronce.

Frau Furchterregend, Madame Formidable: ése es el apodo que le han puesto los alemanes a la princesa Iturbide. En la residencia, todos le dicen así a sus espaldas. Antes, con sólo tronar los dedos, Weissenbrunner le habría encontrado 10 apodos a una vieja canija y pagada de sí misma como ésa. Pero aquí, con el delgado aire de montaña de la ciudad de México, o tal vez sea por toda la mariguana que ha estado fumando, siente la cabeza como si le hubiera caído aserrín dentro. Y pegamento. Al pequeño Iturbide, Weissenbrunner lo llama nada más por su nombre: *¡Agustín! ¡Agustín, aléjate del caballo!* Tere, la niñera, es una tentación para los ojos, pero tiene una cabecita de coliflor. Deja que Agustín vaya caminando justo detrás de las patas de los caballos. Estaban afuera de los establos en el parque. *Das Pferd!*, "¡El caballo!", gritó Weissenbrunner, incapaz de pensar la palabra en español, pero Tere se quedó helada. Él se levantó corriendo de la banca, agarró al mocoso del cuello de la chaqueta y se lo subió a los hombros. Agustín empezó a gritar. ¡Cristo! Un cuerno de toro en su oído.

Pues sí, ésta es la jodida gran aventura del nuevo mundo: el teniente Horst Weissenbrunner convertido en un condenado niñero.

Weissenbrunner podría tener un uniforme llamativo y un espléndido bigote, pero este trabajo de guardaespaldas lo hace sentir que ha caído más bajo que una boñiga de vaca aplastada. Mirando al príncipe —qué niño tan bonito— se pone a pensar en su propia, miserable existencia. Podría ser padre a estas alturas. ¿Por qué no se ha casado? Ha convertido su vida en un almuerzo de perros, empezando con el vicio del juego. ¡Estúpidas apuestas que hizo cuando estaba borracho! Conducta inapropiada para un *caballero*: así lo puso en su archivo su oficial superior. Por eso tuvo que embarcarse con los voluntarios. Por el archiduque Max. ¡Bravo! ¡Viva Max! Y toda esa carretada de tonterías de mexicanos agitando banderas.

Austria está a punto de agarrarse a cornadas contra Prusia, ¿y dónde anda el teniente Horst Weissenbrunner, del décimo regimiento de ulanos? Ni siquiera está ya en el décimo regimiento de ulanos porque perdió en el juego su caballo, cuatro pares de botas, su reloj y el anillo con su sello y después de eso se emborrachó y dijo algo idiota, ya no recuerda qué, pero una linda muchacha francesa, tal vez la única linda muchacha francesa en todo el jodido país, le dio una cachetada y enfrente de su superior, que se echó a reír, a reír con ganas, agarrándose la panza de la risa.

—Weissenbrunner, ¡qué bestia eres!

—¿Quién es la bestia? —Weissenbrunner le echó una mirada feroz.

El oficial, ya atarantado por la cerveza, dijo:

—Si yo soy la bestia, Weissenbrunner, tú eres el pito de la bestia.

Y así, Weissenbrunner, todavía más atarantado de cerveza y aún algo más de mariguana, vaya, apenas capaz de tenerse en pie, lo retó a duelo. En Austria esto habría ameritado que se lo llevaran esposado a corte marcial, pero esto es México, donde en el viento de la necesidad, ¡sí!, los guajolotes vuelan. ¡Y las avestruces también! ¡Puta! Tómate un poco de ese mezcal oaxaqueño y vas a ver que los muebles se van volando por la ventana. Así, él fue degradado y enviado a la residencia imperial en el castillo de Chapultepec. Se pasó montando guardia todo ese verano de mierda, tan lluvioso.

Y vaya que llovió. Como una vaca meándose en una roca plana.

Irse de voluntario a México lo habría hecho lucir más inteligente si hubiera visto algo de verdeadera acción. Daría su brazo derecho por ser uno de los ulanos de Fünfkirchen que andaban peinando las sierras: ¡emboscadas, batallas a pistola, combate cuerpo a cuerpo! Si hubiera seguido con su regimiento, ya habría entrado en combate en Tetela de Oro, en Zantla y en Ahuacatlán. El combate es la oportunidad dorada para distinguirse, para redimirse. La batalla es una especie de alquimia: en un parpadeo convierte un montón de mierda en una montaña de oro; es decir, un pecho cubierto de medallas. Claro que en lugar de eso podría tocarte que una bayoneta te atravesara las tripas.

Pero eso no sería probable en el caso de Weissenbrunner. Si bien su cabeza es un caos, su cuerpo tiene una mente propia, y sus reacciones, cuando está sobrio, tienen la rapidez del relámpago.

Carga un revólver calibre 0.36 de seis tiros, con cilindro de siete pulgadas. Se lo entregaron el mes pasado, cuando reportó estar trabajando en el interior de la residencia imperial. Fuera de las prácticas de tiro al blanco, lo ha disparado en dos ocasiones, ninguna estando en servicio. Le dio a un ganso. *Bak*, cayó del cielo al lago de Texcoco, salpicó agua y se hundió. La segunda vez fue detrás de los establos en el parque. Le dio a una ardilla que iba saltando en lo alto de una barda. *Bak*, volaron los pelos. El resto del animal desapareció al otro lado de la barda.

En Austria cargaba una 0.44 de seis tiros, con cilindro de ocho pulgadas. La usó muchísimo en Italia, en el año '59. Ya no recuerda la mayor parte de la batalla de Solferino, excepto que, cuando se le acabaron las balas, recogió un rifle y, cuando éste también se quedó sin balas, se puso a aplastar cabezas con la culata. Y luego —no está seguro de cuándo fue esto— se encontró corriendo, tropezando entre el humo que todavía se levantaba, sobre cuerpos, piernas, pedazos de carne... había charcos de sangre en las rocas. Los cuervos volaban en círculos, y seguía el *boom-boom* de la artillería. Todo era un caos en el que nada se veía con claridad, excepto una sola cosa, y ésta permanece en su mente, clara como una fotografía: sobre un madero de una cerca, parada ahí como una criatura, estaba una mano cortada. Esa imagen arde en su memoria, ay, como 2779 veces al día, y en sus sueños. *Esa mano*. Su propia mano de grandes nudillos... verla ahí, descansando sobre su muslo... la desliza adentro de su chaqueta, por el frente. Su manera de hacer que su memoria se detenga, hasta que queda vacía, es tararear: *Ein, zwei, drei und der Hündschen...*

Carajo, no, no va a reportar lo que ocurrió esta mañana en la laguna de los patos.

Frau Furchterregend había ido a la ciudad, así que sólo estaban ahí los tres: Weissenbrunner, Tere y el príncipe. Dejaron el carruaje. Se fueron caminando por el sendero hacia la laguna. Weissenbrunner se sentía mal. Tenía calambres en los intestinos. Tal vez había comido pescado echado a perder. Tere puso su canasta de tortillas sobre un tocón. Despedazó una, y Agustín empezó a aventar los pedazos. Cada vez que los patos se acercaban demasiado, Tere arrojaba la tortilla más lejos, así que los patos se iban nadando tras ésta, y Agustín levantaba el puño y pataleaba. Entonces Tere le daba al mocoso otro pedazo, él lo dejaba caer cerca de sus pies, y los patos nadaban de regreso. Atrás de ellos quedaban las ondas que hacían en el agua, lanzando destellos. Así siguieron: los patos nadaban para allá, los patos nadaban para acá. De vez en cuando, algún macho se erguía agitando las alas, como advirtiendo: *No, cabrones, la tortilla me pertenece A Mí, ¡A Mí! ¡A Mí!* Los machos empezaban a picotearse unos a otros y a sal-

236

picar, mientras los otros se congregaban cerca de la orilla opuesta o iban a pararse en una roca, a alisarse las plumas.

Una vez, cuando tenía como seis años de edad, en Olmütz, su tío le enseñó un caleidoscopio. Horst se lo puso en el ojo mientras su tío le daba vueltas de modo que los vidrios de colores se hicieron diamantes, formas de cristal de hielo, flores, escarlata, púrpura, deslumbrante azul. Era como si los vitrales de una catedral hubieran cobrado vida y mágicamente adquirieran una forma y luego otra. Y Weissenbrunner estaba pensando en cómo se le parecía esto, de cierta manera: los diseños que los patos formaban y volvían a formar en el agua, verdes como el vidrio, hojas y listones de espuma flotando en la superficie. A través del vacilante y quebradizo reflejo de los ahuehuetes y casi llegando a la arenosa orilla, cerca de donde ellos estaban parados, se veían unas rocas en el fondo, cubiertas de musgo y de hierbas acuáticas meciéndose suavemente. Y una india chiquita tapada con un rebozo, su cara como una pasa. Los ojos de esa mujer se dispararon hacia algo detrás de él. Weissenbrunner se dio vuelta. La hoja de un cuchillo desgarró una de las solapas de su chaqueta. Weissenbrunner sujetó la muñeca y, antes de que pudiera ver el rostro, con la otra mano le dio un puñetazo y otro y otro. Lo pateó en las costillas, pateó lejos el cuchillo, luego tumbó al hombre de cara al suelo y le puso la rodilla en la espina dorsal, lo agarró del cabello y le estrelló la cara contra la tierra.

—*Schwein!* —Weissenbrunner le gritó en el oído.

Le azotó la cara otra vez y luego lo levantó de los cabellos. ¿Qué estaba tratando de hacer este pendejo? Pero Weissenbrunner no podía pensar en algo qué decir, ni siquiera en alemán, mucho menos en español. Su corazón iba a las carreras, pero sentía la cabeza como llena de lodo. Le dio un puñetazo en la boca.

El mexicano gruñó y luego alzó la cabeza y escupió un coágulo. Dentro de éste iba un diente de oro.

Weissenbrunner quitó la rodilla de la espalda del mexicano.

—Levántate —ordenó. Se hizo hacia atrás y sacó la pistola.

Cojeando, el mexicano se incorporó. Tenía la cara hecha pulpa. Los poros de la nariz le temblaban. Respiraba trabajosamente. Vestía la levita de un caballero, pero tenía el cuello raído y las mangas le quedaban demasiado largas; las llevaba enrolladas. Sus botas se veían tiesas y estropeadas, con la punta torcida hacia arriba, y la caña le llegaba hasta las rodillas de tan chaparro que estaba. Weissenbrunner le llevaba dos cabezas completas de estatura; de espaldas era casi el doble de ancho. Le sobrevino un sentimiento que reconoció: una calma peculiar, mortal. Era lo que sentía cuando tenía que matar un animal. Era lo que sentía cuando había estado en el hermoso calor de la batalla.

—Levanta las manos —dijo.

Las manos del mexicano se elevaron, temblando, pero no muy alto; las puntas de los dedos casi le tocaban los lóbulos de las orejas.

Weissenbrunner amartilló:

—Más alto.

Al hombre le escurría sangre de la nariz. Le caía en la camisa. Algunas gotas, de un rojo brillante, iban a dar a la arena.

Apuntándole con la pistola, Weissenbrunner revisó a la izquierda, revisó a la derecha. Con la conmoción, los patos se habían dispersado hacia el otro lado de la laguna. Y Tere estaba sentada en el tocón con Agustín en su regazo. Trataba de bajarle los brazos y de envolverlo en su rebozo, pero él estaba gritando: "¡Lupe!": algún balbuceo de bebé.

Weissenbrunner se quedó ahí parado con el dedo en el gatillo. ¿Qué se suponía que debía hacer? No podía pensar. ¿Meterle una bala entre los ojos al desgraciado? No frente al bebé.

No le habían dado esposas.

Alguna vez tuvo un silbato de plata, pero ¿dónde estaba? Empezó a palparse los bolsillos… *Ach, ja*, lo había perdido también en la baraja.

¿Disparar al aire? Podrían venir a ayudarle, pero con esta idiota policía mexicana del parque, era más probable que se desatara una balacera.

Una cosa la tenía bien clara: proteger al príncipe. Se lo había dicho a sí mismo un ciento de veces: *Echa a perder eso y ya te jodiste*.

Podía sentir cómo le escurría el sudor por los lados de la nariz y entre los omóplatos. Y otra vez sentía calambres en los intestinos. De pronto necesitaba… ¡Cristo en su trono del Cielo! No iba a poder aguantarse hasta que regresara a la residencia. Tenía ganas de matar, pero ahora no había nada que deseara más en el mundo que correr hacia los arbustos y bajarse los pantalones.

Dijo, controlándose firmemente:

—Te vuelvo a ver por aquí y te mato —y bajó la pistola.

Temblando, el mexicano se inclinó hacia adelante para escupir otro coágulo.

—¡Lárgate! —dijo Weissenbrunner, señalando con la pistola hacia el sendero que se perdía en lo profundo del parque—. ¡Fuera de aquí!

El mexicano todavía tenía las manos en alto. Se le quedó viendo aterrado a Weissenbrunner.

—¡Lárgate!

—Me va a disparar por la espalda.

—Si no te vas —dijo Weissenbrunner—, ¡te voy a disparar en la cara!

El mexicano echó a correr por el sendero, agitando los brazos como si nadara, y Weissenbrunner corrió en la dirección opuesta, chocando contra los arbustos.

Ya después, cuando regresó a la laguna, Weissenbrunner vio que habían regado arena fresca sobre la sangre. El diente de oro que había caído ahí había desaparecido. Tere y Agustín estaban alimentando a los patos otra vez, como si nada hubiera pasado. Weissenbrunner se les acercó por detrás. Vagamente comprendió que esta niñerita tenía su carrera en las manos. Por esta elefantina cagada no lo iban a poner a montar guardia; ahora sí sería corte marcial. Bajo su capa de niñera, Tere llevaba el pelo peinado en trenzas enroscadas. Sus cabellos se veían casi azules de tan negros que eran. En muchas ocasiones, Weissenbrunner había querido comentarle eso.

—Uhm —empezó, y luego aguantó la respiración.

No estaba seguro de cómo decir lo que en primer lugar no estaba seguro de decir. Además se iba a oír muy idiota diciendo en un momento como éste: *"Me gusta tu pelo. Se ve casi azul"*.

Tere le aventó un pedazo de tortilla a una parvada de pájaros. Según Frau von Kuhacsevich, era prima del asistente del chef de pastelería. ¡Cristo! Seguro conocía a todo el mundo en la cocina, a todos los mexicanos. Y Tüdos, esa urraca, le contaba cosas a Frau von Kuhacsevich y ella se las contaba a todo el mundo.

Sin quitar la vista de la laguna, Tere habló como lo hacía siempre que se dirigía a él: con una voz tímida, como si hablara para alguien más.

—No le voy a decir a nadie.

¿Qué se suponía que él respondiera a eso? A través de la camisa, sentía el sol cálido en su espalda. La brisa soplaba sobre los ahuehuetes y erizaba el agua, borrando sus reflejos. Se dijo a sí mismo, en su mente: *Eres un estúpido, un pendejo*.

Tere se agachó para darle a Agustín otro pedazo de tortilla.

—No te la comas, mi cielo. Es para los pájaros.

Weissenbrunner se buscó un cigarrillo y se lo puso entre los labios. Y entonces Tere vino hacia él y audazmente puso la mano en la cigarrera.

Weissenbrunner dijo:

—No sabía que usted fumara. Tome con confianza. Pero le advierto que dan patada —se refería a la mariguana que había mezclado con el tabaco.

Ella no quitó la mano de la cigarrera. (*La mano*. La mano. Trató de alejarla de su memoria. *Ein, zwei...*)

—¿Qué? —Weissenbrunner abrió más los ojos—. ¿Quiere uno? ¡Tómelo!

Ella jaló la cigarrera.

—Ey —dijo Weissenbrunner, sin soltársela. Era de plata. Tenía grabado el monograma de su padre. Era una de las últimas cosas que no había perdido en la baraja. Ella se aferró al objeto con tal ferocidad que lo sorprendió, y cedió. Tere se guardó la cigarrera en un bolsillo que tenía bien escondido entre los pliegues de su falda.

Weissenbrunner se quitó el sombrero. Se pasó la mano por el pelo. Entre dientes, dijo:

—Eh, fff.

Todavía descansando afuera de las habitaciones del príncipe, Weissenbrunner puede decir por el ángulo del sol que llega a encharcarse junto a sus botas que han matado otros 10 minutos. Bosteza y cambia de posición en su silla plegable. Si hubiera dado su brazo derecho por estar con los ulanos de Fünfkirchen, daría el izquierdo por un cigarrillo.

¡Un maldito cigarrillo!

Saca la pistola de su funda. La pone sobre sus piernas. Tamborilea con los dedos en el cilindro. Como por voluntad propia, su dedo toma posición en el gatillo. Deja que la pistola se columpie, la hace girar. Luego... siempre se aparece en su mente, salida de la nada: *la mano. La mano, esa jodida mano* en la puta cerca. *Ein zwei, drei...*

¿Qué tal si mejor se vuela los sesos?

El extremo del cilindro: lo aprieta contra su sien. Puede sentir en la piel de su dedo el anillo de acero del gatillo. Amartilla con el pulgar. Un jalón. Un leve jalón lo haría. ¿Ahora?

No. Ahora no. Todavía no.

Se pone la pistola en las rodillas, justo a tiempo para tocarse la visera de su gorra. *Grüss Gott!*

Frau von Kuhacsevich responde:

—Buenas tardes —y pasa de largo, tintineando sus llaves.

En su estela, Frau Furchterregend abre de golpe la puerta de las habitaciones del príncipe.

—¡Weissenbrunner!

Él ya está en posición de atención.

—Su alteza —devuelve la pistola a su funda.

—Vamos a ir a una fiesta infantil en la calle de San Francisco.

—Sí, señora.

Weissenbrunner echa a andar detrás de ella y del príncipe, que trae cara de mal humor en su almidonada túnica de encaje blanco, y de Tere, quien se ha rociado con agua de azahar para disfrazar el olor de lo que ha estado fumando. Tiene los ojos rojos.

Marchan despacio por el corredor, porque Frau Furchterregend tiene la molestia de la cadera. De cualquier manera, Agustín cae en el resbaloso mármol y empieza a llorar. Alza los bracitos hacia Weissenbrunner. Weissenbrunner quisiera levantarlo y llevárselo cargando, pero no puede hacer eso en frente de Frau Furchterregend.

Despacio, des-pa-ci-o... tener que moverse con esa lentitud de mierda. Y detrás de un niño de dos años que va berreando. Weissenbrunner se siente seguro de que cualquier día, en cualquier momento, la cabeza le va a explotar.

La viuda de Gómez Pedraza, en casa

La Sociedad —"ese periódico", como a doña Juliana le gusta decir—
tiene apenas algo más que anuncios de gangas demasiado caras y
una dosis de fantasía azucarada. De cualquier manera, sus cataratas le hacen la lectura casi imposible, y así, como no tiene energías
para salir, el martes, su día de recibir, es su "día de noticias". Aunque la idea de las noticias la hace sentir colibríes en el estómago. La
seguridad pública parece ir de complicada a catastrófica. Cualquier
vecino podría ser asesinado. La gente ya no confía en los franceses. La
semana pasada, Madame Bazaine, su sobrina, le advirtió: "No espe-
res vernos aquí a esta hora el año próximo. Eso es todo lo que puedo
decirte y por favor no lo repitas".

Más aún, aparte de los agravios menores de época de guerra, que
a doña Juliana no le parecen tan menores, ya van tres veces que Chole
quema algo desde el último martes. Esta mañana fue una horneada de
galletas de dátil y nuez (¡y las nueces y las frutas secas están cuatro
veces más caras que el año pasado en esta temporada!). El humo ya lo
sacaron de la cocina, pero no así la pestilencia, y van a tener que pasar
horas luego de que la última de las visitas se haya ido para que puedan
cerrarse las ventanas de la sala.

Vestida de negro, perfumada y con su maciento rostro empol-
vado y rubor en las mejillas, doña Juliana entra a la sala silenciosamente, con sus pantuflas de terciopelo. Las sillas, la poltrona y los
dos sofás se encuentran dispuestos en círculo. Ella acomoda un cojín,
endereza un antimacasar. Luego inspecciona la mesa lateral, ya dispuesta con tazas y salseras y, exhibiéndose orgulloso sobre una base
de porcelana, protegido con una campana de vidrio, su famoso pastel de chocolate con piñones. Luego se relaja en el sillón que está junto
a la ventana, la ventana del vidrio estrellado que ella no ha cambiado
por no gastar un peso. El marco necesita una mano de pintura. Y el

mozo se ha ido de conscripto en el ejército, supone (Pablito simplemente desapareció un día, en esta primavera que pasó). Así es que Chole tiene que raspar la suciedad de pájaros. Ya se le ha recordado dos veces y todavía no lo hace.

Doña Juliana trae a su memoria una frase de don Manuel: *Al bien buscarlo, al mal esperarlo*.

En este sillón fue donde, hace 14 años, don Manuel dejó su último aliento. En el abrazo de su hueco acojinado y tapizado en cuero rojo, la viuda solía pasar sus días bordando mantos para la imagen de la Virgen del templo de la Profesa, pero desde que cumplió 70 años la vista se le acabó en ese trabajo tan fino. El Todopoderoso, en su infinita sabiduría, le ha quitado este gozo a su sierva, como le ha quitado muchas otras cosas, y seres tan queridos. Se recarga en el brazo del sillón, su mantilla rozándole el codo, y se asoma a la calle: un cañón de sombras. Puede que la vista se le haya vuelto borrosa, pero se da cuenta de que no han barrido. "¿No compran chícharos?", una mujer pasa allá abajo con una canasta; su alegre pregón se desvanece. Hay menos vendedores ambulantes que antes. El de la manteca no ha venido en una semana. Enfrente, sobre el portón para las carrozas de la casa del conde Villavaso, el moño negro se ve chueco y un pedazo del listón arrastra en las baldosas.

Espera ver el carruaje de su sobrina; siempre dispersa el tráfico y, ya estacionado, atrae una muchedumbre. Ya han pasado unos buenos seis meses desde la boda, pero doña Juliana todavía no se acostumbra a oír que llaman Madame Bazaine a Pepita. Pepita anda con tres guardaespaldas por lo menos, a veces hasta cuatro; a doña Juliana eso le parecía ostentoso hasta que Pepita le explicó que el general insistía en ello. Y el general, como bien lo sabe doña Juliana, no es un hombre ostentoso.

Tsk, doña Juliana chasquea la lengua: allá, pasando de prisa, va Lupe. Otra vez. Doña Juliana reconocería en cualquier lugar a su ex galopina: el andar de pichón, las trenzas blancas y delgadas brincando en su pequeña y encorvada espalda. Algo malo anda haciendo. Pero, ¿qué? (¿dónde puede estar comiendo?). Esa pequeña ingrata era la cruz que Chole tenía que cargar. Pobre vieja esta Chole; es difícil de creer, pero salió aún más frágil que su patrona.

En esto se ha convertido la alguna vez grandiosa casa de los Gómez Pedraza: en la fría cueva de una viuda y su cocinera artrítica, malhumorada y cada vez más olvidadiza. En estos casi tres meses desde que Ángel y Alicia se marcharon, si doña Juliana ha logrado mantener vacante el tercer piso de su casa, ha sido apenas gracias a los recursos de su cuenta en un banco de Nueva Orleans, que rápidamente se van agotando, y a la intervención de su sobrina. En la ciudad de México, todos los demás —Mrs. Yorke, incluso Conchita Aguayo, una de las damas de palacio de la emperatriz— han tenido que rentarle a algún oficial. Puede que algunos sean caballeros —Mrs. Yorke dice que los suyos lo son—, pero doña Juliana ya se imagina la clase de visitas que han de recibir: sus mujeres, y luego que se ponen a tomar y jugar baraja, usan un vocabulario con el que ella ni siquiera podría trapear el piso. *Tsk*, doña Juliana chasquea otra vez la lengua. En los años que lleva de vida, ha visto más soldados de los que podría contar: realistas españoles, independentistas, liberales, por el imperio, por la república, legiones de yanquis con sus cornetas... Bueno, el martes pasado, una de sus visitas de más edad, luego de pasarse un poquito de tequilas declaró que ya no le importa un comino qué uniforme lleve un soldado, sea éste azul o verde o gris, un soldado hace la guerra. ¿Y qué es la guerra? Pues es hacer viudas y huérfanos.

El trabajo del diablo: eso es lo que Lupe ha de estar haciendo. La semana pasada, desde esta misma ventana, doña Juliana la espió en dos ocasiones corriendo atrás de un rufián que llevaba una levita tan larga para su tamaño que los faldones le iban arrastrando por el suelo. Llevaba el sombrero calado. Bien abajo en la frente. Estaba escondiendo la cara. De inmediato, doña Juliana le tocó la campana a Chole.

—¿Ha venido Lupe por aquí?

Chole balbuceó algo al piso.

—Que no te dé pena decir la verdad. ¿Vino Lupe a esta puerta?

Más balbuceos.

No por nada doña Juliana había llevado una casa todos estos años. Los sirvientes, lo sabía perfectamente, trataban de protegerlo a uno de cualquier cosa que según ellos pudiera disgustarlo. Para mejor sopesar las cosas, doña Juliana se puso su impertinente.

—*Tsk*. Dímelo de una vez.

—Vino a la puerta, sí.

—¿Cuándo vino a la puerta?

—Ayer.

—¿Ayer a qué horas?

—Antes que trajeran el carbón.

—¿Qué quería?

—Vi que era ella por el postigo. No le abrí.

—¿No hablaste con ella?

—No, señora.

—¿Ni una palabra?

—Una. Le dije: "¡Vete!"

Doña Juliana se inclinó para acercarse más y, a través del lente, entrecerró su ojo.

—¿Me lo juras?

—Se lo juro por Cristo nuestro señor.

—¿Y por todos los santos?

—Así sea —Chole se persignó.

El impertinente volvió al bolsillo de doña Juliana.

—Muy bien. Eso es todo lo que quería oír.

Uno tenía que clavarlo con martillo en los sirvientes: en los nuevos, en los viejos, en los de más confianza: que nunca, pero nunca debían abrirle la puerta a nadie que no fuera de la familia del patrón o de sus amigos reconocidos como tales. Uno no podía repetir la advertencia lo suficiente: abrir la puerta de manera irresponsable —¡aunque fuera una sola vez!— podía ser una invitación a la violencia y al asesinato. Ésa era la desgraciada situación de este país en todos los años que doña Juliana llevaba de vida, y se estaba poniendo peor.

Por ningún motivo una ex galopina va a entrar en esta casa. Y menos Lupe, ese conejo tonto. Cómo se le infló la cabeza como un *soufflé* cuando Pepa de Iturbide tuvo la absurda idea de convertirla en la nana del nieto del Libertador. "¿Qué sabes de bebés?", le preguntó Pepa a ese mosquito. "Todo lo que Dios quiere que sepa", respondió Lupe, una respuesta que describía sobre qué pasto se hallaba parado el Goliat de la verdad, pero dejaba fuera al Goliat, y esto era que Lupe no sabía nada de nada. Podía pelar y cortar y, si se le presionaba, desplumar pájaros (era demasiado coyona para torcerle el pescuezo a una gallina; Chole siempre tuvo que hacer ese trabajo).

De todos los sirvientes que hubo en todos los años que llevaba esta casa, Lupe fue por mucho la más insolente, intrigante y lengua de víbora. Y las cosas que desaparecieron en esos años: un dedal de plata, un arete de perla, una de las mancuernillas de don Manuel, que él juró que había dejado en un platito encima de su buró… un puro o dos… un calcetín… una cuchara… cosas pequeñas que uno podría haber dejado mal puestas, pero el caso es que aquello ocurría con demasiada frecuencia. Chole se quejó de que Lupe le robó sus jabones. Fue nada más por caridad y por temor de Dios que doña Juliana le dio trabajo a esa huérfana en la cocina y la tuvo ahí todos esos años. ¿Cuántos fueron? ¿Más de 50 años? Doña Juliana le advirtió a Alicia cuando mandó a Lupe a cocinarle: "Estará bien, pero manténgala en la cocina". Y luego, cuando los Iturbide se fueron, una vez más doña Juliana le ofreció un techo a Lupe. ¿Y cómo le respondió ésa? Huyendo, tal como aquel mozo probablemente lo hizo, quién sabe con quién.

—*Shuh* —espanta a los pichones del alféizar.

Sentarse junto a una ventana abierta en diciembre es una invitación al catarro: así regaña a doña Juliana su doctor, el de ahora. Los otros tres que tuvo antes ya fallecieron. A ella le gusta decir que la razón por la que les ha sobrevivido es que no deja cruzar por sus labios ni un grano de tabaco. Su lujo es respirar aire fresco, lo más fresco posible. De hecho, solía llevarse a la azotea su costura y una sombrilla para no quemarse de sol. Desde ahí podía ver lo que le parecía el mundo entero: los volcanes en la distancia y, más cerca, las torres de la catedral enjuagadas por el sol. Uno tenía que darse la vuelta por el área de la servidumbre para verlo: al oeste, pasando unos campos, se levantaba la roca coronada por el castillo de Chapultepec. Con la luz del crepúsculo, la fachada adquiría un maravilloso color de rosa ónix que le traía a uno a la mente una caja de turrón español. Antes de que llegara Maximiliano, albergaba al Colegio Militar. Si llegaba a darse que el viento soplara en dirección suya, doña Juliana podía oír el *tat-tat* de los tambores.

Desde su sillón vuelve a mirar hacia la calle. Una hoja de *La Sociedad* va volando sobre el empedrado como un pájaro que tuviera un ala rota. Es la primera vez en años que tarda tanto en llegar su primer visitante. Cuando vivía don Manuel, había martes en que recibía hasta 200 personas: condesas, esposas de banqueros, de embajadores, de miembros del gabinete y de generales. Esta sala se llenaba con el barullo de 20, 30, 40 de las damas más importantes del país. Tan seguro como que la luna atrae las mareas, teniendo poder e influencia, se dejan venir oleadas de cazadores de chismes, gente con buenos deseos o buscando favores… nunca puedes tenerlos contentos a todos, y aunque trates, aunque ellos te den una cara de sol, sólo Dios sabe qué rayos y centellas te avientan por la espalda. Como don Manuel observaba a menudo, cuando no tienes un puesto es cuando te das cuenta de quiénes son tus verdaderos amigos. Por supuesto, el año pasado, cuando el general Bazaine empezó a cortejar a Pepita, y ella, doña Juliana, tenía que estar de chaperón, así nada más de repente sus martes se volvieron más ocupados. Madame Almonte se apareció, eso fue lo primero… pero lo más de esperar. Doña Juliana le advirtió a su sobrina: fíjate bien cómo tratas a la gente, porque cuando te ven como alguien que tiene poder, es muy fácil ofender. Más fácil de lo que te imaginas. Mi querida sobrina, un día, todos se van a ir. Y todos nosotros, reinas o limosneros, tendremos que responderle a san Pedro a las puertas del más allá.

Doña Juliana se levanta y se dirige a su clavecín. Vacilantes al principio, luego rápidamente, sus dedos todavía ágiles danzan de aquí para allá por las escalas. Sus hombros se mecen mientras ella se deja perder en el *minuet*. Y así no ve ni oye cuando el coche de la primera visita se sube al cordón. El lacayo, de librea completa, se baja de un brinco y abre la puerta. Y ahí viene la última persona de este mundo a quien doña Juliana espera ver hoy: Pepa, es decir, la princesa Iturbide.

EN CUANTO A LA PRINCESA Iturbide, esta mañana de diciembre podría ser brillante como el principio del mundo, pero se encuentra dolorosamente perturbada por una nube negra de preocupaciones, resentimientos, desilusiones, y una furia como para apretar los puños. No ha dormido bien, y desde el momento en que se levantó de la cama, esta mañana, su mente ha estado dando vueltas. ¡Si el padre Fischer estuviera aquí! Y ni la emperatriz ni la mitad del gabinete regresan todavía de su mugrosa expedición a Yucatán. Las ausencias de Maximiliano son para confundir a cualquiera. No se aparece en el teatro, no monta a caballo, no sale en su carruaje. Desperdicia mañanas enteras ¡aprendiendo la lengua náhuatl! Se va por ahí días enteros a cualquier pulgoso pueblo de indios y, con su botánico personal, anda saltando por el campo con una red para mariposas. Y luego, quejándose del frío de Chapultepec, le ha dado por irse a dormir al centro de la ciudad, al palacio imperial; ahí, según Frau von Kuhacsevich, tiene una estufa encendida todo el tiempo como si estuviera en el nevado Hofburg. En el castillo de Chapultepec, la princesa Iturbide y su pequeño ahijado bien podrían estar abandonados en una isla de salvajes. Los von Kuhacsevich han perdido el control del personal, al grado de que, después de la cena, mientras los criados mexicanos recogen platos y charolas para lavarlos, un austriaco tiene que recoger cada pieza de cuchillería: tenedor para ostiones, tenedor para ensalada, cuchara sopera, etcétera. Coloca toda la plata en una servilleta que ha extendido en el piso, en un rincón, y luego la envuelve y se la lleva a lavar él mismo. ¡A la vista de todos! A ese grado ha llegado el hurto. A ver cuándo tienen que encadenar al piso las urnas de malaquita.

El único espacio soleado de su vida está en que ha recuperado el control sobre sus horarios y los del príncipe Agustín. Cuando la emperatriz estaba en la residencia, las mañanas se iban en interminables visitas a orfanatos, hospitales, escuelas para indigentes, y luego venían las tertulias, cenas de Estado, bailes. A Pepa no le quedaban más que las moronas del día. No obstante, durante el mes pasado ha tenido sus mañanas libres para salir a buscar residencia y, así, para ir de compras y a hacer visitas. Está muy solicitada. Pero si de una manera tan natural han comenzado a tratarla como si fuera una escultura invaluable y frágil, de ningún modo se ha olvidado de sus amigos. Esta mañana la dedica a visitar a la viuda de uno de los hombres que con más lealtad apoyaron a su padre. Sí, doña Juliana, viuda de don Manuel Gómez Pedraza, tía de Madame Bazaine y resulta que ex casera de Angelo y Alicia.

Ay, fue doña Juliana quien en su propio carruaje llevó a Alicia a ver al general Bazaine, o más bien a intrigar con él. Pero desde el momento en que Pepa oyó eso (de Frau von Kuhacsevich, quien se lo sacó al cochero de Maximiliano), llegó a la conclusión de que doña Juliana, a quien la histeria de la americanita ha de haber tomado desprevenida, ha de haber pensado simplemente en acudir a su única parienta con influencias: esa tan improbable Madame Bazaine, su sobrina Pepita. A eso le llaman una relación diciembre-mayo, pero con ese asaltacunas más bien fue diciembre-enero.

Pero, ¿por qué, por amor de Dios, Alicia no contactó primero a su propia cuñada? ¡Ésa era una persona con influencias, si se trataba de hallar una! ¿Por qué Alicia no pensó en eso?

Verse sujeta a las preguntas consternadas de sus majestades fue la más grotesca humillación. Durante estos meses se le ha vuelto cada vez más claro a Pepa que la herida que ese escándalo le hizo a su reputación en la corte es tal vez irreparable. Pero, ¿era para sorprenderse? Desde el principio no aprobó a Alicia. Miss Green estaba ciertamente "verde". Sólo mal se podía esperar a que se adaptara a México una señorita de Washington con la cabeza llena de aire. Y era demasiado joven para Angelo: ¡la mitad de su edad! Lo han de haber embrujado. Pepa le contó a su mamá (y ella misma medio lo creía) que la cocinera de Rosedale, Aunt Sally, una negra del tamaño de una casa, seguramente le había echado un afrodisiaco en la sopa. Cierto que en los pasados dos años su estimación por Alicia había crecido, marginalmente, pero, como su irresponsable conducta lo había demostrado recientemente, las primeras impresiones no se equivocan. Lo único que la princesa Iturbide siente es que doña Juliana se haya sentido apenada. Con esta vieja amiga de la familia, tan dulce, amable, devota, la princesa Iturbide no tiene ninguna intención de mencionar el episodio, no más que si, digamos, a alguien se le saliera un pedo. La sola presencia de una alteza en el día de visitas de doña Juliana conllevaría el mensaje de que la anfitriona goza otra vez del favor de la corte. Sí, haciendo esta visita ella desciende del nivel que le es propio. Pero la información es dinero: un peso de ésta puede cambiarse por una moneda más grande de Madame Almonte, Frau von Kuhacsevich, el conde del Valle, Tüdos, ¿quién sabe?

Respirando con dificultad, Chole la conduce escaleras arriba. La escalera apesta a piloncillo quemado. Los escalones de piedra están desgastados y maltratados. La princesa Iturbide se sostiene del barandal de modo que no le lastime la cadera. Dirige su oído bueno al zumbido tintineante del clavecín. La sala apesta no sólo a piloncillo quemado, sino, como siempre, a moho y a cuero viejo, sin importar que hayan dejado la ventana completamente abierta. Bajo el retrato de don Manuel, extendido en un polvoso retazo de terciopelo, se halla un nacimiento que da tristeza verlo: todo revuelto, con el techo de paja del pesebre ya chueco y algunos de los ángeles sin alas o sin brazos. Sobre el sofá sigue la misma pintura carcomida que ha de estar ahí colgada desde el siglo pasado: Nuestra Señora de Guadalupe; hincados ante ella, unos oficiales de la Iglesia en túnicas escarlata con encajes y el virrey con un abrigo azul, un azul ya decolorado que choca definitivamente con la tapicería.

Tocando el broche de diamantes que lleva en la garganta, doña Juliana se levanta de su asiento.

Viene a abrazar a Pepa. Le acaricia la mejilla tal como lo hacía cuando Pepa era una niña pequeña.

—¡Qué gusto verte, querida! ¿Dónde has andado? Yo pensé...

—Y tú —la princesa Iturbide se hace para atrás, irritada ante la ignorancia de su anfitriona respecto al protocolo. ¿No fue la comidilla de todo México cómo Madame Almonte se puso en ridículo recibiendo a Carlota en Veracruz con un abrazo?

—¡Ah! —doña Juliana dice tristemente mientras su mano desaparece entre los pliegues de su chal—. ¿No trajiste a Agustinito?

Pepa no contesta. Se arrellana en el sillón de don Manuel, que protesta por su peso con un crujido que suena a peligro. Doña Juliana tiene la extraña sensación de estar tratando con un fantasma. Después del fiasco con Alicia, doña Juliana asumió que ya la habían cortado. Pepa parece haber cambiado. ¿Será la manera como se conduce? Ha subido de peso. Tuvo que cambiarse al meñique su anillo de perla negra. Y qué sombrero tan exótico: parece una hogaza de costra café. *Chapeaux*, le dicen los franceses. Doña Juliana preferiría salir de su casa con una cacerola en la cabeza.

A la princesa Iturbide le parece que su anfitriona hace juego con los muebles viejos: al igual que ellos, espera, con pasividad y piadosa estolidez, la indignidad de un deterioro mayor. Polvo que se pega absolutamente a todo.

Doña Juliana repite:

—¿No trajiste a Agustinito?

—¿Perdón? —dice Pepa, orientando hacia allá su oído bueno.

—Agustinito. ¿Cómo está?

—En el parque.

Doña Juliana da una palmada.

—¡Espléndido día para estar en el parque! Aunque un poco frío para mis viejos huesos. Y dime —se inclina acercándose más al oído bueno de Pepa—, ¿cómo está el chiquito?

—Engordando. Más chapeado que nunca.

Pepa se ve inusualmente distraída. Doña Juliana no está segura de qué más podría preguntar sobre ese pequeño a quien ha extrañado como si fuera su propio nieto. Ay, y con dolor en el corazón. Todas las mañanas se inclinaba sobre su cuna para hacerle cosquillas en el mentón o apretarle una de sus regordetas piernas. *¿Quién es este pollito? ¿Es Agustín chiquitín?*

Los Gómez Pedraza siempre han estado cerca de los Iturbide. La amistad de su esposo con el Libertador y, en años recientes, su propia amistad con los hijos, han sido fuente de orgullo. Se sintió devastada cuando Ángel y Alicia se fueron. Y herida, aunque no sorprendida, cuando, una vez que se integró a la corte, en septiembre, Pepa no le envió ninguna invitación y dejó de venir a su casa. ¿Princesa? ¿Su alteza? ¿Cómo debía llamarla doña Juliana? "Pepita": así es como le decía antes, igual que a su sobrina. Ah, pero eso fue hace 50 años.

En lo que respecta al bebé, tal como don Manuel solía decir: *No estés como un perro entre dos tacos*. En otras palabras, si no quieres terminar hambriento, escoge de una vez. Don Manuel escogió a Iturbide y, aunque eso casi le cuesta la vida, le había hecho al emperador un juramento sagrado. Pero había otro refrán que don Manuel solía repetir y, en estas peculiares circunstancias, le pareció a doña Juliana el más sabio: *Si no puedes hacer nada, no digas nada*. De cualquier manera, su corazón está con Alicia, que ha sufrido tanto con esta pena: el dolor de madre. ¿Qué puede saber de eso una solterona como Pepa?

Esto fue lo que pasó en aquella medianoche de septiembre, tan horrenda y atascada de lluvia. Doña Juliana oyó un tañido tan violento que al principio no reconoció su propia campana. ¿Quién jalaría así de su cuerda? Chole corrió a ver por el postigo: una mujer con capucha, chorreando agua… ¡Alicia! Tenía un aspecto salvaje: despeinada, la cara manchada de lágrimas. Chole le sirvió una taza de té de tila para calmarla. Alicia se lo derramó en el vestido. ¿Dónde estaban su esposo, sus cuñados? Esperando cerca de la ciudad de Puebla. No tenía sentido, y de pronto todo lo tenía.

—Si no puedo ver a mi hijo —Alicia dejó escapar un sonido que pudo habre venido de una fiera salvaje.

Doña Juliana la abrazó.

—Yo sé, yo sé —y sí sabía: doña Juliana había perdido a su único hijo en un malparto—. No estás sola —dijo, acariciándole a Alicia el pelo mojado—. Recuerda que nuestra madre María también perdió a su hijo, Jesús.

Doña Juliana no se cuestionó qué debía hacer: ayudar, como fuera. Alicia se pasó el resto de la noche dando vueltas. Doña Juliana podía oír cómo crujía la duela. Y sus sollozos ahogados. Después del desayuno, que Alicia no tocó, doña Juliana se la llevó de inmediato a ver a su sobrina, Madame Bazaine. Viniendo del general, sería un tiro directo al oído de Maximiliano; qué necesidad había de pasar por 27 niveles de achichincles. Como viuda de un hombre que fuera miembro del gabinete y presidente por un tiempo, doña Juliana no era ajena a estas estrategias de puerta trasera. Y habiendo estado de chaperón de su sobrina durante el reciente cortejo, a pesar de sus prejuicios (sobre todo que estaba muy viejo y era francés), doña Juliana había llegado a estimar al general Bazaine como hombre de honor, de buen juicio y buen corazón.

La reacción de Pepita al oír la historia de Alicia fue taparse la boca. Con una seriedad que no se habría esperado de sus 17 años, tomó entre las suyas las manos de Alicia y dijo:

—Mi querida amiga, voy a hacer todo lo que esté en mi poder para ayudarte.

Sin tardanza hicieron pasar a Alicia a la oficina del general. Doña Juliana y su sobrina se quedaron esperando en la antesala, sentadas en dos de las sillas de respaldo recto que se hallaban alineadas contra un muro decorado con un arreglo erizado de sables y mosquetes y picas. Había un olor rancio de ceniceros y de una escupidera. Doña Juliana se levantó de su asiento y, con cierto esfuerzo, logró abrir la ventana. Acababa de sentarse otra vez cuando el *aide-de-camp*, el capitán Blanchot, salió de la oficina del general y, vacilante, volvió a cerrar la puerta detrás de él.

—*Bonjour* —lo saludaron las dos señoras.

Pero el capitán Blanchot, a quien habían visto en innumerables cenas y bailes y, recientemente, en su propia boda con una de las señoritas Yorke, no las reconoció. Se frotó con los dedos la parte de atrás del cuello de su uniforme y luego, como si acabara de decidir algo, se dio un manazo en el muslo y salió al jardín.

Doña Juliana dijo en voz baja:

—El general sólo está tratando de protegerlo.

Pepita respondió:

—Cómo *odio* a Maximiliano.

Doña Juliana le dio unas palmaditas a su sobrina en la mano.

—Cuanto menos digas, menos tendrás que componer. Recuerda quién eres, mi hija. Tu esposo se encuentra en una posición delicada —y sacó su rosario y se puso a repasar las cuentas durante 20 minutos que se le hicieron como 20 horas.

Más tarde, Alicia le contaría que, tan pronto como hizo salir de la oficina a su *aide-de-camp*, el general le informó que justo acababa de recibir un mensaje de Palacio: Maximiliano estaba enterado de que ella se hallaba en la ciudad de México. Y, puesto que ella había firmado el contrato por su propia voluntad, Bazaine no debía tomar en cuenta su solicitud. Ella se disolvió en lágrimas. El general, tan caballeroso, le ofreció asiento y, con sus propias manos, fue a servirle un vaso de agua y se lo llevó. La historia brotó de ella. Y lágrimas. Y ella no recordaría todo realmente, pero, cuando terminó, se encontró con que el general la estaba mirando desde el otro lado del escritorio con una expresión de profunda tristeza. Alicia le entregó la carta que le había escrito a Maximiliano. Él se puso sus lentes para leerla. Él la dejó extendida sobre el escritorio y colocó encima sus manazas de oso. Su español, aunque tenía un extraño acento, era impecable:

—¿Y qué su señoría desearía que yo hiciese?

—Envíe mi carta a Maximiliano.

—Considérelo hecho.

Los dos días siguientes estuvieron alimentados por la más tierna esperanza… esperanza que se cifraba, sobre todo, en fervientes oraciones a nuestra señora, a Jesús y a san Judas Tadeo, el santo patrón de los casos desesperados. Día y noche, doña Juliana mantenía encendidas sus veladoras sobre el altar de su sala. Luego, a la segunda mañana, un guardia palatino apareció ante la puerta. Dijo que sus majestades deseaban hablar con doña Alicia sobre el futuro de su hijo. El oficial era uno de esos austriacos impecablemente amables, pero tenía un frío de muerte en sus ojos azules. Doña Juliana se sintió incómoda. El coche en el que el oficial había venido se estacionó exactamente enfrente, bloqueando la puerta. Era del tamaño de los carruajes que usan los comerciantes de vinos, y tenía las cortinas cerradas. En su brillante costado negro, grabado en oro, se hallaba el arañesco monograma MIM, del latín *Maximiliano Imperator de Mexico*.

—Por favor —dijo el oficial, y con un gesto le hizo entender a Alicia que debía subir.

—No, no —dijo doña Juliana—. Mejor te presto mi carruaje —y le apretó el codo a Alicia, como una seña. Después, recordando lo que pasó, doña Juliana comprendería que no habría podido evitar el arresto de Alicia. Maximiliano ya debía de haber dado la orden. No importaba en qué coche se subiera Alicia. Pero en ese momento, doña Juliana no lo sabía. Esperó toda la mañana a que Alicia regresara, y luego la esperó toda la tarde.

Ya anocheciendo, el padre Fischer vino a la casa. Para esa hora, doña Juliana se sentía ya tan mal con la preocupación que apenas y podía respirar. El padre Fischer le explicó que, efectivamente, la princesa doña Alicia había sido detenida, pero no, no pasó nada grave, no la habían echado a un calabozo (el padre se rió) ni nada por el estilo. Pues ¿por quién demontre tomaba doña Juliana a Maximiliano? Alicia se reuniría con su esposo y sus cuñados en la ciudad de Puebla, continuarían a Veracruz, tomarían el primer vapor que saliera y se irían a vivir a París, generosamente aprovisionados.

—¡Ay, pero la pobre madre tiene el corazón partido! —doña Juliana suspiró en su pañuelo.

Bueno, repuso el padre Fischer, seguro habrá sido muy doloroso, pero hay asuntos que tienen un interés más elevado para la nación. Ésta era una época en la que mucha gente estaba haciendo grandes sacrificios y, como bien sabía doña Juliana, sus altezas don Ángel, don Agustín Gerónimo, don Agustín Cosme, doña Pepa y, de hecho, doña Alicia misma, habían firmado un contrato muy (el padre meneó la cabeza), pero muy solemne.

Como viera que doña Juliana no podía parar de temblar, el padre Fischer se sentó con ella y juntos se pusieron a rezar el Padre Nuestro. La sotana le olía a col y el aliento a cerveza, pero su voz, tan serena, la tranquilizó. Luego, con tres armoniosos movimientos de su mano, su confesor la bendijo. Doña Juliana no debía mortificarse, le explicó; esto era lo que Dios quería.

En esto, doña Juliana y Pepa están totalmente de acuerdo: va a ser un día de gala cuando el padre Fischer regrese de Roma. Va a reconciliar a su santidad con Maximiliano, de eso ninguna de las dos tiene la menor duda, pues el padre Fischer es un hombre de la más firme integridad, la más aguda percepción y un encanto que haría al diablo entregarle sus cuernos. Doña Juliana le escribió al padre Fischer, aunque todavía no recibe respuesta.

—¿Y tú?

Pepa se hace bocina en la oreja.

—¿Perdón?

—¿Has recibido alguna carta del padre Fischer?

—Ah, cartas. Me pareció que dijiste... estoy segura de que no han dicho nada los periódicos, pero la semana pasada los renegados asaltaron dos veces la diligencia del correo.

Parece que Pepa no entendió bien la pregunta, pero doña Juliana sigue este nuevo pie.

—¿Dos veces, dijiste?

—Mis fuentes están en la guardia palatina. Rompieron las bolsas del correo y aventaron el contenido en un cerro... a la vista del fuerte de Río Frío.

—¡Descarados que son!

—Completamente —Pepa toma con el tenedor un buen pedazo de pastel.

—¿Entonces no has tenido noticias del padre Fischer?

—¿De quién?

—Del padre Fischer.

—Todavía no.

—Primero Dios, pronto.

—Primero Dios —Pepa cierra los ojos. Acepta una taza de ca de olla—. ¿Madame Bazaine está bien?

—Muy bien —pero doña Juliana no tiene ganas de dar detalles sobre su sobrina. Cualquier cosa que diga de Madame Bazaine será repetida como con una bocina de cuerno de toro—. Te tengo una noticia terrible. Mi vecino, el conde Villavaso, aquí cruzando la calle, ha de haber sido asesinado.

La princesa Iturbide se queda con la boca abierta.

—¿Asesinado, dices?

Doña Juliana se explica:

—La cocinera del conde le contó a Chole que en la noche se metió un ladrón a la cocina. Aparentemente, el conde oyó ruidos, agarró su mosquete y, al bajar corriendo las escaleras, se resbaló y se partió la cabeza. Pudo ser eso o que alguien le haya dado un ladrillazo.

—¿Un qué?

—Ladrillazo.

—¿Qué?

—Ladrillazo. Alguien pudo haberle dado un ladrillazo.

—Ah.

—La cocinera lo encontró tirado al pie de la escalera.

—¡Dios le dé la salvación!

—Lo único que se llevaron fue una bolsa de nixtamal.

—Eso es lo que vale la vida de un hombre en estos días.

Le parece a doña Juliana que su visita le está echando a su nacimiento una mirada feroz.

—¿Cuál es el problema?

—¿Su hijo estará de acuerdo en venderla?

Doña Juliana parpadea.

—¿El hijo de quién?

—El del conde Villavaso. Tengo la intención de comprar esa casa.

—¡Querida, no puedes vivir donde algo tan maligno ha sucedido!

—¿Y adónde más voy a ir? A menos que viva en una de esas casas que se han convertido en cuarteles de oficiales, o que me espere una eternidad a que reparen alguna otra. Porque aparte de la del conde Villavaso, no encuentras una casa habitable de aquí a Timbuktú.

—Querida mía —doña Juliana se inclina para darle a Pepa una palmada en la mano—, me darías la felicidad de mi vida si te vinieras al piso superior de mi casa.

—Si eso fuera posible… —¿el príncipe heredero en habitaciones rentadas? *Une idée affreuse.* Pero Pepa es una discípula de la discreción cuando se trata de no herir los sentimientos de otras personas—. Tengo unos ahorritos que quiero invertir. Propiedades: ésa es la cosa.

Ante la mención del dinero, doña Juliana se siente súbitamente indigesta. Se lleva la mano a las costillas, pero le cuesta trabajo poner buena cara. Le ofrece a Pepa el platito de galletas de dátil y nuez.

—¿Otra?

—No podría.

Doña Juliana levanta la cafetera.

—¿Más…? —el reloj de la chimenea la interrumpe con 10 *tings*. O, más bien, como el viejo mecanismo empieza a fallar, *ting, bong, b-B--b-bong, brrrr-ong, bing, ting.*

Pepa se levanta, ayudándose con los brazos del sillón.

—El príncipe Agustín ya habrá regresado del parque —no hace ningún movimiento, pero se deja abrazar.

—¿Vas a traer a Agustinito la próxima vez? —pero a doña Juliana le sale la voz tan vacilante que Pepa no la oye.

De salida, al pasar junto a la última mesita, la princesa Iturbide se topa con la *carte de visite* de su ahijado. Toma el portarretratos de plata y se le queda viendo al pequeño como si fuera la primera vez que lo ve; sus ojos se endulzan como lo harían los de una madre. El príncipe Agustín está parado con una de sus regordetas manos sobre el asiento de una silla; trae unos zapatos de esos que el maestro de ceremonias ha criticado tanto y una túnica con orillas de encaje. Ese sombrerito con aspecto de casco que no quiso ponerse se halla sobre la silla. Tiene los labios entreabiertos y una expresión al mismo tiempo inocente y franca. La princesa Iturbide ha regalado como dos docenas de estas *cartes de visite*. Se pregunta: ¿quién le dio la suya a doña Juliana? ¿O ella la compró? ¿Y en qué tienda?

Acercándose por detrás y con su impertinente en el ojo, doña Juliana dice:

—La inteligencia. Luego luego se le ve.

—Ah, sí, así es —asiente la princesa Iturbide.

—Me recuerda tanto a su… —doña Juliana iba a decir "madre", pero se da cuenta y en lugar de eso dice— abuelo.

—De verdad —la princesa Iturbide vuelve a poner el retrato en la mesa, sobre el apolillado mantel de altar, junto a otros pequeños retratos: polvorientos daguerrotipos de las sobrinas y sobrinos de doña Juliana, la foto de bodas del general y Madame Bazaine, miniaturas al óleo, ya cubiertas de polvo, de hermanas fallecidas hace mucho tiempo, de don Manuel… y en medio de una colección de polvosos cortapabilos, esa atroz imagen de marfil de la Virgen. Sus ojos —juzga Pepa— se ven como apachurrados y los dedos parecen de mono. La mamá de Pepa había heredado una colección de figuras de marfil, incluyendo una exquisita Virgen de Loreto, una santa Rosalía y un san Francisco de Asís que tenía en la mano un gorrión con las alas abiertas: una maravilla oriental. Cuando vivían en México, mamá los guardaba en su tocador y se le partió el corazón de tener que abandonarlos. Comparados con aquellos marfiles, esto es lastimoso. Si fuera hija de doña Juliana —piensa la princesa Iturbide— ya le habría aconsejado quitarlo. ¡O por lo menos limpiar la cosa! Una buena receta es disolver alumbre de roca en agua blanda, luego se hierve en esto el marfil un cuarto de hora por lo menos. Se puede usar un cepillo de dientes también. Ya que esté limpio, hay que envolverlo en un trapo húmedo para que no se cuartee. Pero, como mamá solía decir: *El consejo no es bien recibido donde no es pedido*. Uno debe tener paciencia con las personas mayores, se recuerda Pepa a sí misma. Hacia allá, por la gracia de Dios, voy y hacia allá iré. Tiene un dorado aunque vago vislumbre de lo que se imagina será su futuro: se ve en un suntuoso salón recibiendo a su ahijado, un joven bellamente educado que pronto será, si no es que ya lo es, emperador de México: Agustín III, un hombre con temor de Dios y visión para su pueblo.

Doña Juliana toma las manos de Pepa entre las suyas.

—¿Lo traes el martes que entra?

—Si Dios quiere —la princesa Iturbide quita las manos.

En el espejo del pasillo se ajusta su *chapeau* y lo sujeta a su pelo cada vez más delgado. Doña Juliana se muere por preguntar si ha habido alguna noticia de Ángel y Alicia: ¿Llegaron con bien a París? ¿Alicia vio a su mamá en Washington? La pobrecita, ¿está más tranquila? Y Ángel, ¿lo han curado de la gota los doctores de París? Agustín Gerónimo, el mayor, estaba tosiendo tan violentamente la última vez que lo vio. ¿Está…? Pero doña Juliana no se atreve. Puede oír en un susurro la voz de don Manuel diciendo, como muchas veces dijo en aquellos días cuando don Agustín era su emperador y él caminaba a su lado por los pasillos del poder: *Que la discreción sea la estrella que te guíe*.

La princesa Iturbide recoge su bolso y se lo cuelga en el cinturón.

—No tienes que acompañarme a la puerta.

Doña Juliana no puede aguantarse: tras un momento de vacilación, le insiste a Pepa:

—La semana que entra, si vienes, ¿traes a Agustinito?

Pero demasiado tarde. A medio camino escaleras abajo, saludando a Mrs. Yorke y a sus hijas, que vienen subiendo, la princesa Iturbide no la oye.

El libro del mar

En el Grand-Hôtel de París, Angelo duerme hasta media mañana, soñando: el rey ha muerto. El rugido sale de la multitud. *¿Quién entonces?* Levanta la palma de su mano y el mar se abre. Camina —un Moisés— sobre la arena, el fondo sembrado de rocas. A ambos lados del camino se yerguen muros de agua. Son cristalinos; puede ver los peces que nadan. Sigue andando, devorando distancias planetarias. Es tan sencillo abrir un sendero a través del mar. ¿Por qué —se pregunta— no había entendido esto?

Pero hay otro sueño que le viene más a menudo, cada noche de hecho y otra vez esta mañana cuando se hallaba a punto de despertar; en éste, se ve conducido a punta de sable a la orilla de un precipicio. Despierta con el corazón corriendo y la piel fría. Una vez, la semana pasada, despertó aventando las mantas, gritando "¡Pepa!", y despertó a Alicia.

Alicia reclama que Pepa le puso una trampa. *Pudo haber convencido a Maximiliano de devolver al bebé. Pepa siempre estaba alardeando de que Maximiliano la escuchaba. Maximiliano tiene buen corazón, ¿no dicen todos eso? Así que si no devuelve al bebé será porque Pepa...*

Sus acusaciones son puñales en el corazón de Ángel. La causa de su infortunio está en las cargas que la familia Iturbide lleva consigo. Él nunca debió permitirle, tan ingenua y testaruda que es, tomar esa decisión, ya no digamos influir en ella. Rechinando los dientes, lo reconoce así.

Desde el principio él se resistió. Unos honores tan costosos... Debió —¡Dios, y pudo haberlo hecho!— mantenerse firme. En la larga travesía hacia Europa, su mente dio vueltas y vueltas hasta que un día cayó por el agujero de una verdad cuya comprensión lo horrorizó: en verano, la primera vez que Maximiliano ordenó que la familia saliera del país, pudieron haberse dirigido al general Almonte. Él era el salvavidas, ¡y lo tenían frente a sus narices! Almonte, cuando era embajador en Washington, fue el huésped de honor en su boda, en la sala frontal de Rosedale. Como uno de los principales estrategas detrás de la delegación que le ofreció el trono a Maximiliano, el general había fungido como regente durante la ocupación francesa, y ahora, si bien Maximiliano lo había hecho a un lado, su esposa era la principal dama de honor de la emperatriz. Pero el bastardo del padre Morelos tenía oscuras lealtades. ¿Tal vez, todavía, a Santa Anna? De ninguna manera del mismo rango social que los Iturbide, no era éste un individuo a quien uno quisiera deberle favores.

La cabeza de la familia Iturbide, sin embargo, no es Angelo. Pero Agustín Gerónimo primero se pondría en deuda con un negrito que con el general Almonte.

¡Dios mío —piensa Angelo ahora—, si pudieran hacer a un lado sus escrúpulos! Cualquier cosa: aceptar un puesto menor en alguna legación europea, incluso sudamericana; cualquier cosa, Jesús, sería mejor que vivir de esta manera.

Todos los días, Angelo escucha a su esposa quejarse, hasta donde puede soportarlo, que no es mucho. Tiene que salirse. Se pasa horas matando el tiempo con el periódico en algún café, deambula en las librerías, en las galerías llena de ecos del Louvre, donde mira sin ver los mismos cuadros una y otra vez. ¿Qué podría decir que Alicia fuera capaz de escuchar? Ella tiene razón en decir que Pepa fue excesivamente persuasiva, pero no es tan simple. Maximiliano no es ningún títere de Pepa. Ni del padre Fischer. Si algún titiritero hay, ése es Luis Napoleón. La ironía es que Maximiliano los mandó exiliados a las puertas de Luis Napoleón.

Paciencia, Mr. Bigelow les aconsejó cuando vino a visitarlos al Grand-Hôtel. Les informó que había hablado de su problema con el ministro francés del Exterior, solicitándole que, como un asunto puramente privado, recibiera a los Iturbide. La respuesta de Drouyn de Lhuys se había quedado resonando: *"Pas possible"*.

Han pasado ya más de dos semanas y ni una palabra.

Se habían aferrado tanto a la esperanza de que Drouyn de Lhuys los recibiera y que, luego de escuchar su conmovedora historia, hablara con el emperador, quien entonces conminaría a Maximiliano a devolver el bebé. Ay, que fuera como mamá solía decir: *Flan frío, caliente el cuchillo.*

Angelo no habría albergado ninguna esperanza, pero en octubre, cuando estaban en Washington, el secretario de Estado lo recibió en su casa: un raro honor, puesto que Seward estaba todavía recuperándose de una cuchillada que le dieron en la garganta la noche del asesinato del presidente Lincoln. Angelo lo conocía desde principios de los cincuenta, cuando Seward era senador por Nueva York y él era secretario y, como el nuevo embajador no había llegado, se hallaba a la cabeza de la legación mexicana (una vez, conversando, Mr. Seward le dijo que, después de la Constitución de los Estados Unidos, el plan de Iguala de su padre era el documento político más importante del nuevo mundo. Seward estaba presumiendo; sin embargo, acostumbrado a tanto desprecio casual con que se hablaba de México, Angelo no pudo evitar sentirse halagado). Al final de esta reunión, Mr. Seward y él ya eran más que conocidos. Como decía otro de los refranes de mamá: *El enemigo de mi enemigo es mi amigo.* Para entrar en él era un juego peligroso, pero Maximiliano no les había dejado más remedio. Con la carta de Mr. Seward en la mano, los Iturbide corrieron a París.

Y después de todas estas semanas de sentirse colgados de ganchos, al oír a Mr. Bigelow aconsejando paciencia, Alicia enterró la cara en las manos. Angelo tuvo ganas de resoplar de desesperación. Pero en lugar de eso, dijo en voz baja:

—Le estamos muy agradecidos, señor.

—Eh —dijo Agustín Gerónimo—, pacien… uh.

Algo había de irrespetuoso en la expresión de su hermano, pero resultó que estaba sufriendo de un acceso en una muela. Les tenía tanto terror a los dentistas que se había estado aguantando en silencio, jurando que no tenía hambre o que estaba tratando de dejar la pipa. Ahora ya no tiene manera de disimularlo: todo el lado izquierdo de la cara se le ve hinchado y enrojecido. Tiene el cuello muy sensible. Esta mañana ha tomado tal cantidad de láudano para el dolor, que Angelo tiene que ayudarle a ponerse la ropa. Ya vestido, Agustín Gerónimo se tambalea hasta el sillón, de ahí va a apoyarse en el respaldo del *bergère*, luego se sostiene en la perilla de la puerta, se cae… todo un drama, y eso antes de que el mesero llegue con la charola de desayuno, que llena la habitación con el perfume de la menta y el hinojo y el alcohol. Siempre el alcohol. Y ahora el hermano menor, Agustín Cosme, ha usado el dinero de su primer pago para comprarse una taberna en Montparnasse…

—¿Qué es esto? ¿Absenta con tu huevo? —Angelo suaviza el comentario con una risita.

Desde su sillón, donde está sentado con una manta sobre las piernas, Agustín Gerónimo responde:

—Pue ómete eh huevvv.

—Ya comí. Hace una hora.

Una tos sibilante.

—Voy por el doctor Evans.

—¡Dios! No.

—Hermano, no deberías seguir así sin echarte nada al estómago. De verdad creo que un dentista…

—¿'Tás sordo? —Agustín Gerónimo le dirige una mirada velada, amarilla—. Dame ese vaso.

Tieso, Angelo obedece.

—Cuchara —ordena Agustín Gerónimo.

Usando las tenacitas para el azúcar, Angelo coloca un terrón en la cuchara ranurada de absenta. Se lo da a su hermano, que lo recibe con la mano temblando.

—Te lo sirvo —Angelo vierte el agua sobre el terrón de azúcar. A medida que ésta cae por las ranuras, la absenta cambia de color, pasando de esmeralda a un verde parduzco y lechoso.

Temblando, Agustín Gerónimo se lleva la copa al lado derecho de sus labios. Hace unos gestos horribles. Angelo, mientras tanto, se pone su abrigo de casimir (antes de cruzar el canal de la Mancha fueron a comprarse ropa a Hill Brothers Tailors, en Bond Street). Levanta su chistera de pelo de castor, pero, en lugar de ponérsela, se queda sosteniéndola del ala.

—¿Hermano? —Angelo tamborilea ligeramente en la chistera—. Déjame ir por el doctor Evans.

—¡Chinga'a madre!

Empiezan a discutir, y Alicia, todavía en bata, sale de la recámara:

—¿Qué pasa?

Ya con la puerta del pasillo abierta, Angelo dice:

—*Adieu*.

—Mi amor, ¿adónde vas?

Al fondo del pasillo se oyen voces y golpes de equipaje que se mueven. En estos días, Angelo está tan distraído. Alicia trae una bata que él no le había visto antes: seda de color perla con dibujos de… ¿qué son ésos?, ¿pavorreales? Es de un gusto cuestionable, le parece a él. Sus pantuflas turquesa con moños anaranjados, igualmente nuevas, se le hacen ridículas.

—A la calle —dice Angelo, poniéndose los guantes con forro interior de piel.

Agustín Gerónimo levanta su terrible cabeza del sillón:

—¡Te prohíbo que traigas a ese matasanos!

Angelo azota la puerta.

ANGELO SE VA CAMINANDO por la Avenue de l'Opéra; el sobrio edificio gris de luna del Grand-Hôtel desaparece detrás de la muchedumbre. No tiene ningún plan, sólo calmar su mente. No va a ver a ningún sacamuelas. En todos estos 49 años, Angelo nunca ha desobedecido a su hermano. Así los educaron: en la obediencia a su padre y, luego de que éste fue asesinado, a Agustín Gerónimo. Angelo se porta brusco con su esposa sólo porque no sabe de qué otra manera puede portarse un esposo. La felicidad de Alicia es su sol y su luna y todas las estrellas. Ella, que era tan vibrante, tan burbujeante, ahora tiene la expresión permanente de alguien que hubiera recibido una bofetada. Se suelta a llorar en cualquier café, en el elevador hidráulico del hotel, y el otro día cuando resultó que pasaban frente a una juguetería. Lo provocó la vista de un niño pequeño que iba saliendo de la mano de su madre; en la otra mano traía un caballo de juguete y lo soltó. Alicia lo levantó de la banqueta y corrió a dárselo.

—*Mercy bo-coop* —dijo la mujer, con acento norteamericano (ahora que la guerra había terminado, los americanos llegaban a carretadas). Desde abajo de una melena de rizos color paja, el niño miró a Alicia y dijo en inglés:

—¡Me llamo Michael!

—Qué bonito nombre —la voz se le atoró a Alicia en la garganta.

Y luego lo que ocurrió la semana pasada, cuando venían saliendo del Louvre y el carruaje del príncipe imperial pasaba velozmente. Ahora cualquier cosa, todo, la hace llorar.

Angelo ha llegado a pensar que su esposa pudiera haber quedado permanentemente desquiciada. Esto le provoca impaciencia, rabia incluso, pero en otras ocasiones un dolor que le dobla las rodillas. Estaba tan orgulloso de ella. No era ninguna ñoña. Si mamá viviera, estaba seguro, habría dejado de juzgarla. En México, Alicia aprendió muy rápido el español. Él le daba libros, y ella los leía todos y hacía preguntas sobre las palabras. De inmediato empezó a ponerse mantilla y a comer tortillas, frijoles, pico de gallo. Tomaba tequila en una copa escarchada y con un chorrito de limón, y no vacilaba para probar chiles jalapeños, chiles de árbol, poblanos, huevo con machaca, tamales de todos sabores. En cuanto a las corridas de toros, su Alicia no era una de esas anglosajonas que sienten que se van a desmayar: pedía el mejor asiento de la plaza y se ponía a gritar "¡Ole!" con todos los demás. Pero ahora parece que eso hubiera sido hace una era y Alicia una mujer diferente. Confundido, Angelo no sabe si tratarla como a una niña malcriada o como a una diosa vengativa.

Mucho más fácil sería que Alicia estuviera herida en el cuerpo. Un hueso roto, podría entablillarlo; una cortada, le aplicaría algun cauterizante. Pero, ¿qué se hace con el corazón roto de una madre? Él no tiene idea de qué decir, y una palabra errada, no importa qué tan buenas intenciones tenga, se vuelve ácido.

Si Drouyn de Lhuys no quiere darles una entrevista, así sea. La pregunta es cómo va a reaccionar Maximiliano cuando sepa que fueron a ver a Mr. Bigelow. Maximiliano tiene sus espías, y no hay duda de que Luis Napoleón y Francisco José le prestan los suyos. La Geheimpolizei, policía secreta de Viena, tiene la red de inteligencia más grande del continente. Muy posiblemente, le parece a Angelo, para cuando los Iturbide llegaron aquí a París, Maximiliano ya estaba enterado de su reunión con Mr. Seward en Washington, puesto que no había nadie en la estación para recibirlos. Al día siguiente, José Hidalgo, el embajador mexicano, acompañó a Angelo y a sus hermanos al banco, pero con frialdad; si no hubiera sido porque estaba ansioso de noticias, pensó Angelo, habría enviado mejor un lacayo.

En el *foyer* del banco, una vez que se hizo el trámite de firmar las cuentas y recibir los fondos, Hidalgo empezó a presionar a Angelo: ¿Cuál era su impresión? ¿Cuándo cruzarían el río Bravo las tropas estadounidenses? O, ¿le parecía a Angelo que, ahora que Lincoln ya no estaba, Estados Unidos reconocería al Imperio mexicano?

La respuesta a la primera pregunta habría sido *no*: enviar tropas a la frontera era un mero alarde; y a la segunda, *nunca*, o, por lo menos no mientras Seward fuera secretario de Estado. Pero Angelo, incómodo ante esta afrenta a la dignidad de su hermano —el embajador debía haberse dirigido a la cabeza de la familia—, sólo dijo:

—Todos quisieran adivinarlo.

Hidalgo quería entender, ¿qué era eso que llamaban "la Doctrina Monroe"?

Angelo le dio una explicación cortante.

—Pero, ¿qué es un "monroe"? —preguntó Hidalgo.

Agustín Gerónimo resopló de risa. Trató de disimularlo con una tos, pero demasiado tarde. Angelo sintió que el estómago se le hundía.

Por un momento pensó que el embajador estaba bromeando. Hijo de españoles, con su cara regordeta y su pálida piel aún más pálida por la barba negra, el embajador tenía el aspecto de un jesuita: hablaba completamente en serio.

Angelo respondió:

—James Monroe fue presidente de los Estados Unidos de 1817 a 1825.

—Ah —Hidalgo apretó los labios.

Habían hecho sentir incómodo al embajador. Eso fue muy estúpido. Hidalgo era un amigo personal de Eugenia. Ahora, esa vía de ayuda había quedado cerrada incluso antes de considerarla. Hidalgo se despidió de Angelo y de sus hermanos en la calle, afuera del banco, sin haber preguntado por su familia u ofrecido alguna clase de servicio.

A la mañana siguiente, Alicia fue a entrevistarse con Mr. Bigelow (para sí mismo, como ciudadano mexicano, que lo vieran entrando a la legación norteamericana era impensable. Era un riesgo, pero acompañó a su esposa hasta el café que se hallaba enfrente, sobre el bulevar). La entrevista salió bien y, a la tarde siguiente, Mr. Bigelow fue a verlos al Grand-Hôtel. Mr. Bigelow terminó declarando que, con toda franqueza, no esperaba que el gobierno del archiduque sobreviviera el año.

Agustín Gerónimo sonrió sardónicamente. Estaban ya a finales de noviembre.

—¿Usté cree que Maximiliano abdicará antes de finales del mes que entra?

—Sería lo más conveniente para el archiduque —respondió Bigelow.

A Angelo le parecía gracioso oír que se refirieran a Maximiliano como el "archiduque". Cierto, cuando llegaron a París les sorprendió darse cuenta de cuán impopular era la expedición mexicana, cómo se veía en los *graffiti* de las calles y en los rabiosos discursos de las cámaras legislativas (*Sangre francesa derramada por un príncipe extranjero*, y así por el estilo). Sin embargo, Angelo seguía teniendo la convicción de que, a pesar de los retos y siendo la única alternativa realista a la anarquía, Maximiliano iba a reinar en México durante años. Por seguir la conversación, Angelo aventuró una pregunta poco comprometedora:

—Pero, ¿el tratado de Miramar no compromete a Luis Napoleón a seguir en México?

—Por supuesto —Bigelow tomó su paraguas—, mientras le resulte conveniente.

Así que —pensó Angelo— ¿Estados Unidos se lo va a hacer "inconveniente"? Es una amenaza débil. Ahora, llegando al final de la Avenue de l'Opéra, ya a la vista de los portales del Palais Royale, Angelo puede reírse abiertamente. De hecho lo hace, y su risa sobresalta a una mujer que lleva una canasta en la cabeza y da un paso largo para alejarse, haciendo un reguero de castañas. Angelo no la ve, no ve a nadie entre la muchedumbre: el vendedor de chocolate con su barril terciado al hombro por medio de una correa, los carruajes estacionados en el cordón con los caballos resoplando. El cielo es un dosel de fieltro que se va cerrando. Pasa rápido por la esquina de la Rue de Richelieu, donde está tocando el pandero una gitana cubierta con una zalea de borrego.

¿Destino manifiesto? Angelo levanta los ojos al cielo. Los yanquis tienen exceso de confianza en sí mismos por naturaleza. Se entrometen sin tener ninguna noción de cómo navegar la primera vuelta del laberinto de la política mexicana. Por un lado, está la madre Iglesia (¿Qué saben de eso los protestantes?); por otro, está el cuerpo de oficiales del ejército imperial mexicano (unos son ultramontanistas rígidos; otros, siempre mercuriales, ya sea a favor o en contra de Santa Anna). Luego están los caciques con sus peones y sus esbirros. Luego los conservadores hacendados. Y esos yucatecos que quieren independizarse… y Santa Anna, ese viejo león sin una pata pero con nueve vidas (por lo menos le quedan una o dos), ha de andar acechando por ahí, ¿en Santo Tomás?, ¿en Nueva Orleans?, ¿en Nueva York?

En cuanto a Francia, es demasiado para Angelo tragarse la idea de que Mr. Bigelow, un tal abogado de Nueva York, amigo como puede serlo de Luis Napoleón, pudiera persuadir a éste de manchar el prestigio francés.

¿Maximiliano de Habsburgo abdicará? En cuanto Bigelow estaba ya en el pasillo y la puerta cerrada, Agustín Gerónimo comentó:

—Je, éste se está chupando el dedo.

Agustín Cosme habló por fin:

—Pero en la taberna la gente dice eso.

—¿Qué? —preguntó Angelo.

Agustín Cosme respondió:

—Que Luis Napoleón se va a largar de México y va a dejar que Maximiliano se joda solo.

Agustín Gerónimo dijo la última palabra:

—Es más fácil que Luis Napoleón se pare en su palco de la ópera, se dé la vuelta y enseñe las nalgas.

CON LA CABEZA AGACHADA y las solapas del abrigo levantadas, Angelo va cruzando el Pont Neuf. El cielo ha oscurecido el Sena hasta hacerlo parecer de plomo. Dejando una doble estela, un remolcador desaparece bajo sus pies. Angelo tiene la nariz fría, a pesar de que va sudando en el abrigo de casimir. Se desenrolla la bufanda y la hace bola en su bolsillo. Cruza hacia la Île de la Cité. A su izquierda, las sombrías torres de la Conciergerie se ciernen sobre el agua. En estas dos semanas ha cruzado ese puente tantas veces que ya no mira los edificios ni se pone a reflexionar sobre su significado. No oye el tañido de las campanas de Notre Dame ni ve los copos de nieve —una, dos, tres plumas como pelusas— que empiezan a flotar hacia la tierra.

Piensa: lo que es más, el suegro de Maximiliano no le permitirá a Luis Napoleón retroceder ni un centímetro. Según los periódicos de ayer, Leopoldo sigue gravemente enfermo. Pero ya antes había estado mal y se recuperó. ¿Qué hombre de más de 25 años no se ha enfermado? El otro día, en una tabaquería, Angelo vio, entre *cartes de visite* de cantantes de ópera, unas del príncipe imperial con sus dos *spaniels*, y de la reina Victoria, la más reciente de Leopoldo: un Saxe-Coburg con la constitución de un toro.

Todo se reduce a esto: si no pueden llegar a Luis Napoleón, el bebé crecerá convirtiéndose en un niñito que ama a Maximiliano. La idea le repugna a Angelo. Se cubre la boca con su guante.

La multitud, un río de lana de olor agrio, se empuja y se agita a su alrededor.

PUEDE QUE ANGELO tenga un estómago delicado, pero no es ningún coyón. Tenía apenas dos años más de los que tiene ahora su hijo cuando ya gritaba de emoción viendo cómo los gallos se desgarraban uno a otro con sus navajas. Sus guardaespaldas lo llevaban a las corridas de toros. Cuando el matador clavaba el estoque en el corazón y la bestia caía de rodillas frente a él, la sangre manando de su hocico, hacia la arena, Ángel aventaba a lo alto su sombrero, gritando con su voz aguda de niño, junto con el populacho: "¡Olé!" Tenía seis años cuando, desde un balcón, vieron cómo un guardia recibía un tiro en el pecho. Fue algo tan curioso cómo el soldado giraba y, al igual que una marioneta, se sentaba sobre una de sus piernas. Luego se cayó y su chacó se fue rodando por la calle. Mientras yacía ahí retorciéndose, la sangre floreció como una rosa sobre su pecho. Ángel quería ver, pero uno de los guardaespaldas lo cargó y se lo llevó pataleando adentro.

Su libro favorito era el que su padre le había regalado: *Los conquistadores del mar*, de X. Salvatierra. Cada una de sus páginas goteaba sangre. Los bajeles bajaron sus cañones. El enemigo se arrojó en enjambre sobre las cubiertas: los sables desgarraban, ¡los mosquetes hacían fuego! En las selvas de la isla, hombres con plumas disparaban flechas empapadas en veneno de sapo; los sobrevivientes los masacraban con morteros y balas. Pero, más que los salvajes, más que la sed desesperada, más que el hambre, "más feroz que las bestias salvajes que devoraban sus entrañas", su enemigo mortal era Sir Rupert, cuya ignominia final consistía en saquear la capilla de la misión y, usando su collar de dientes de perro, quitarle las perlas al manto de la Virgen. Al final le amarran sus armas a la espalda. Con una pistola encañonándolo en los riñones, Sir Rupert camina por la tabla. Muchas veces, Ángel parpadeó mórbidamente fascinado al leer las minúsculas letras:

Bajo las maltrechas puntas de sus botas, en el gélido océano, los tiburones, con las navajas de obsidiana de sus aletas, nadaban en círculos, hambrientos. Su cita con el destino había llegado, pero, sabedlo, Sir Rupert no se acobardó.

Su padre les había leído el principio de *Los conquistadores del mar* a su familia y a los sirvientes cuando, después de su abdicación, se embarcaron hacia Livorno. Bajo cubierta, columpiándose en los ganchos, las lámparas arrojaban una luz nauseabunda. El barco crujía y gruñía. Los niños estaban sentados alrededor de su padre, arrobados. Pero mamá protestó: esa novela era demasiado violenta. Agustín Gerónimo se reía cuando no debía, y sus hermanas, especialmente la mayor, Sabina, lloraban cuando los hombres perdidos en la selva, después de comerse sus mulas, tenían que matar al perro. ¡O volverse caníbales!

—Esperen —dijo papá—. Mañana leemos ese capítulo.

Para Ángel todo eso era maravilloso y, después, siempre, siempre que leía el libro, escuchaba en su mente la voz de su padre, plena como el whisky, contándole la historia a él y sólo a él.

Que su padre fuera asesinado a su regreso a México era una cosa de la que nadie hablaba; todo lo que mamá decía, a propósito de esto o de aquello, era "antes de que Dios se lo llevara". Como el héroe del libro, el capitán Calderón, les decía a sus hombres:

Un guerrero se vuelve hacia la muerte como los girasoles hacia el sol.

No llevaban mucho viviendo en Georgetown cuando, después de Navidad, la vecina que vivía en la casa de al lado, en N Street, empezó a acabarse. La piel se le volvió ceniza a Miss Fitzgerald, y los ojos se le pusieron amarillos. Era ya primavera y el aire olía a lavanda y a tierra húmeda cuando Ángel vio cómo bajaban el ataúd a su tumba, cerca de Dumbarton Oaks. Esos sonidos... paladas de tierra golpeando contra la tapa del ataúd... el llanto de las mujeres... el trino de los pájaros... esta... muerte... lo dejaba atontado. Sabía de niños que morían de viruela o de fiebre, pero ¿que el cuerpo de un adulto pudiera volverse contra sí mismo? Y que él, que tenía casi nueve años de edad, no hubiera comprendido esto... ¿cómo —se preguntaba a sí mismo una y otra vez— había podido ser tan estúpido? Esa noche se acabó tres velas releyendo *Los conquistadores del mar*. Llevó la cuenta de las muertes con su lápiz. 113 hombres murieron por distintas causas: balas de cañón, machetes, un hacha, flechas, una boa constrictor, cobras de dos cabezas, un pitón, una víbora de barranca, un tigre, un cigarro de Manila envenenado, Foo Chong Ta (el tipo de tortura por agua más atroz) y una categoría que él etiquetó: "Objetos que caen & misc." Ninguno fallece de algo tan aburrido como un tumor. Bueno, suspiró cuando el amanecer empezó a colarse por entre las delgadas cortinas, él no tenía el destino de su padre. Como Angelo (ya había añadido la "o" para que no lo molestaran), su vida de colegial en Estados Unidos tenía cierta blandura... pero también un toque de estilo, si él sabía dárselo.

A través de los años devoró *The Last of the Mohicans*, *Ivanhoe*, todas las obras de Dumas, Dickens y Edgar Allan Poe (a quien vio una vez saliendo de una peluquería de la Pennsylvania Avenue, con su capa puesta al revés). Pero su libro del mar era el que Angelo leía una y otra vez, hasta que la encuadernación empezó a verse maltratada; la cabritilla turquesa, alguna vez brillante, adquirió un matiz oscuro. Había algo mágico en ese pequeño tomo, impreso hacía tanto tiempo en la ciudad de México. En la historia de Calderón, capitán del galeón más magnífico que jamás hubiera surcado los siete mares, podía perderse en cualquier página en que lo abriera; todos sus miedos y preocupaciones desaparecían como el vaho en un espejo. Sólo de tener este libro en sus manos, tranquilizaba su mente. Era la conexión con su padre. Era el triunfo, siempre, sobre los peligros, sobre el mal, y más: Angelo también sabía lo que era estar parado en una cubierta a la intemperie, con los pies bien abiertos para mantener el equilibrio y sentir la brisa salina del mar. Conocía el alba marina: un sol tan gigantesco que no había dónde esconderse de él; y la luna, más brillante que cualquiera que pudiera verse desde tierra. Encontrarse a mar abierto es como estar en el interior del cielo. Él conocía las miserias del mar, la náusea que martillaba, los últimos, desesperados días de tener que beber agua salitrosa del fondo del barril y roer moronas de galletas de marino con gusanos. Ahora, con los barcos de vapor, cruzar el océano ya no es tan duro como antes. Pero siempre está ahí la titánica ira del océano, su belleza, la revelación que le sobreviene a uno, especialmente a la puesta de sol: qué deslumbrante *hubris* ha sido navegar hacia el corazón del mar.

Sí, lo impresionó que Maximiliano fuera el comandante de la flota. Ya lo había olvidado. *¿Cómo pudo haber olvidado eso?*

—No puedo entender por qué se involucraron ustedes en semejante plan —eso es lo que Mrs. Green dijo sobre el contrato con Maximiliano. Y, después de decir lo que tenía que decir, como era su estilo, no dijo nada más. El mes anterior, cuando pasaron por Washington de camino a París, él y Alicia se quedaron en su granja, en Rosedale, en las lomas arriba de Georgetown y justo al sur de Fort Reno. Mrs. Green había logrado salvar sus huertas, mientras que otros de la región habían tenido que hacerlos leña para los soldados. Toda la colina hacia el oeste, que en años anteriores se incendiaba con los colores del otoño, se veía desnuda. En el distrito de Columbia, los esclavos habían recibido su libertad al inicio de la guerra, cosa que Mrs. Green aceptó sin protestar. Ella había dicho muchas veces que la emancipación era inevitable. Pero ahora, ¿con qué se suponía que iba a pagarles a los negros? Un acre de calabazas se estaban pudriendo en la tierra.

Como siempre que estaba en Rosedale, Angelo usaba ropa interior larga, hablaba tan poco como era posible y evitaba los espárragos en vinagre.

—¿Crema de nabo? —Alicia le pasó el despostillado plato y la cuchara de madera. Mrs. Green tenía porcelana de Wedgwood y plata buena, pero ciertamente no la iba a sacar para este yerno.

—Gracias —murmuró Angelo, agradecido de que Alicia le indicara qué verdura era ésa. Mrs. Green era muy pichicata con las velas: con esa escasa luz, toda la comida tenía el mismo inapetecible tono gris.

Sus hermanos no habían sido invitados a Rosedale. Se quedaron en el hotel Willard, donde acumularon cuentas impresionantes por concepto de ostiones y cenas de bistec con champán.

EL AROMA AMARGO del café que se está tostando trae a Angelo de regreso a la realidad. Va llegando al Rive Gauche, en St-Germain-des-Prés. Los copos de nieve caen con mayor densidad, dejando húmedo su abrigo de casimir y pegajosas de lodo las suelas de sus zapatos. En la ciudad de México, este día, las calles han de ser un río de peregrinos. Los indios andarán doblados bajo su carga de petates enrollados y ollas de barro, algunos llevando en el pecho la imagen de la Virgen, y muchos recorriendo de rodillas buena parte del camino. Mañana es el día de Nuestra Señora de Guadalupe, y la noche va a estar crepitando de cohetes. Lo que daría él por comerse un mango, una chirimoya, por tener enfrente un jarro humeante de champurrado... cambiaría todas estas grasientas *omelettes* y estos pedazos de pan tostado embarrados de *foie gras*, este aguado *coq au vin* por el olor —¡nada más el perfume!— de las tortillas calentándose en un comal. O por escuchar, dulce caricia, el tañido de un arpa mexicana.

Se compra un paraguas, uno fino, de seda, con el puño de ébano. Luego toma la Rue Dauphin y se interna por una calle torcida llena de tiendas pequeñas, anticuarios y librerías.

Siempre ha tenido debilidad por las librerías. Pero ni en Washington ni en Filadelfia ni en Nueva York ni en Londres ni en la ciudad de México se topó jamás en sus correrías con otra copia de *Los conquistadores del mar*, ni con ninguna otra obra de X. Salvatierra. No, todos los libreros le decían que ni siquiera habían oído hablar de X. Salvatierra.

Antes de salir de la ciudad de México, echó toda su biblioteca en baúles, como se pudo. El único volumen que se trajo consigo fue el de X. Salvatierra. Lo tiene envuelto en un pijama de franela en el fondo de su baúl de viaje, junto con su medalla de la Orden de Guadalupe y un retrato en miniatura de sus padres. Hace años, en Washington, un diplomático británico le habló de Hafiz, cuya poesía usan los persas como un oráculo. Con frecuencia, cuando está solo, Angelo se pone este librito azul en las piernas y luego, con los ojos cerrados, deja que las páginas se vayan abriendo. Ayer puse el dedo en un pasaje:

Sir Rupert dijo:

—El coco es la fruta más útil del mundo. Si no se le ha sacado el agua resulta un poderoso proyectil.

—¡Voy a hacer una catapulta! —gritó el carpintero.

—¡Eso! —exclamó Sir Rupert, alzando en alto su gordo y verde trofeo. Su chusma vitoreó y aplaudió. Uno se puso a golpear su taza con el cilindro de su mosquete; otro, un viejo compinche que tenía la piel quemada y un solo brazo, se puso a chocar su garfio contra su curva espada de marinero. Tal era su felicidad, pues aunque hubieran naufragado con el botín de estos cocos, creían, podrían salvarse de ser totalmente aniquilados por el capitán Calderón. Mas de repente se escuchó un movimiento de hojas en uno de los árboles y

¡TUK!

Al más pequeño de los muchachos de cabina le partió el cráneo un coco que se desprendió de la palmera. El chico, con el Jesús en la boca, cayó sobre su propia sombra. Sus sesos se derramaron en la ardiente arena.

—¡Basta! —gritó Sabina, metiéndose los dedos en los oídos.
Indignada, Pepa dijo:
—Papá, por favor, léenos algo bonito.
Los muchachos gruñeron.
—Bueno —dijo su padre cerrando el libro, aunque puso el pulgar en la página donde se había quedado—, la mejor parte de la historia apenas viene.
Esto era después del capítulo del canibalismo y del Foo Chong Ta.
—¡Síguele! ¡Sigue leyendo! —lo apuró Ángel.
—¡No! —gritaron las niñas.
—¡Sí! —dijeron los muchachos.
Trastabillando, porque el barco se mecía pesadamente, Ángel se levantó de su lugar en el piso y fue con su padre y lo jaló de la manga.
—Por favor, papá. Por favor, la parte que sigue.
Su padre, habiendo recibido una mirada imperiosa de mamá, guardó el libro otra vez en el baúl.
—En otra ocasión, hijo.

Pero ya no hubo otra ocasión. En Livorno, su padre se puso a trabajar, empezó a viajar y, después de dejar encargados a Angelo y a los niños grandes en una escuela de Inglaterra, volvió a México. Fue más tarde, después de lo de Inglaterra y ya estando con los hermanos sulpicianos en Baltimore (lo cual no lo hizo sentir que estuviera más cerca de su madre en Georgetown), cuando Ángel, el niño que se había convertido en Angelo, leyó el resto de *Los conquistadores del mar*, susurrando las palabras en español, incandescente música, sólo para sí.

PARÍS ES SU PURGATORIO: ciudad de persianas cerradas bajo techos de mansarda, con parches de sucio cielo invernal cosidos con cuervos. En el callejón, un *chiffonier* hurga entre la basura con su gancho.

La librería inglesa: por segunda vez en esta semana, Angelo empuja la puerta haciendo sonar la campana, un armatoste hindú hecho de bronce. Desde el mostrador, una gata anaranjada se baja de un salto y viene a tallarse en su pierna. Sólo entonces, Mr. Silvius Mackintosh levanta las narices del periódico: *Le Moniteur*.

—Ah, príncipe Iturbide. Ya llegó el de Dickens.

—*Our Mutual Friend?*

—Ése. Se lo recomiendo.

—Mi esposa no lo ha... —por el charco que ha hecho en el piso, Angelo comprende que debió haberse limpiado las botas. Regresa al tapete de la entrada.

Mr. Mackintosh dice:

—Cuando la princesa me lo pidió el otro día, todavía no lo teníamos.

Angelo cuelga su sombrero y su abrigo en el perchero que se halla junto a la puerta. Se aplana los cabellos con la mano.

—Ella está leyendo *Bleak House*.

—¿Ah, sí?

—Dice que es deprimente.

—Bueno, la medicina podría ser *Our Mutual Friend*.

Angelo recorre con el dedo los lomos de algunas obras de Shakespeare: *Macbeth, Hamlet, As You Like It*...

—No me cuente el final —dice sin volverse—, pero, ¿es como para levantarse el ánimo?

—Puh —el escocés desinfla las mejillas—. Es Dickens.

—Correcto.

Mr. Mackintosh regresa a su periódico: otra vez un rumor de pasar de hojas. Es una buena señal cuando un cliente no sólo se quita el abrigo y el sombrero, sino que él mismo se sube a la escalera. La semana pasada, cuando llegó éste, Mr. Mackintosh lo tomó por americano, hasta que el príncipe le dio su nombre para que le enviaran un paquete al Grand-Hôtel. Ya la mayoría de los anglófonos residentes en esta ciudad han oído que el príncipe Iturbide y su esposa americana están aquí para procurar que les devuelvan a su hijo, secuestrado por Maximiliano de Habsburgo, el llamado emperador de los aztecas. Algunas personas, como él y Mrs. Mackintosh, son de la opinión que la reina Victoria debería intervenir y poner en vergüenza a esos primos suyos alemanes, a ver si demuestran una poca de decencia. Quitarle un hijo a sus padres... ¿adónde va a llegar este mundo? Otros dicen que los Iturbide no son gente de bien. ¡El hijo menor del emperador se ha vuelto propietario de una taberna! Pero piedras y casas de vidrio, ¿eh? ¿Qué va a pasar? Nadie dice tener una bola de cristal, excepto Mrs. Bigelow, al parecer. Después del servicio religioso del domingo pasado, junto a la mesa del café, Mrs. Bigelow le contó a Mrs. Mackintosh que, sin duda, antes del Año Nuevo el "archiduque" estará tomando el barco de regreso a Europa.

La nota de primera plana de los diarios de hoy dice que el rey Leopoldo de los belgas, padre de la emperatriz de México, ha muerto. A Mr. Mackintosh le da curiosidad qué podrá decir de eso el príncipe Iturbide. Pero no se atreve a cometer una indiscreción.

—¿Encuentra todo? —pregunta. Pero el príncipe Iturbide, hasta arriba de la escalera, está embebido en lo que parece ser... ¿no es el *Roman Empire*, de Gibbon? ¿No sería espléndido vender esa colección de tres volúmenes, y al precio completo? Maullando, la gata viene a echarse en el periódico.

—Ginger malcriada —la regaña Mr. Mackintosh, empujándola para que se quite.

22 DE ENERO DE 1866

Flores y peces y pájaros y mariposas

—Les digo: Maximiliano es el pastor que está llevando a México al mundo moderno —eso le dice a su familia José Luis Blasio, el secretario de su majestad, y eso se dice a sí mismo. Y no es ninguna bagatela cuando su majestad tiene que lidiar no sólo con nuestro atraso y nuestra ingratitud sino también con esa espina en su costado: el general Bazaine. Según el rumor, malaconsejado por la familia de su esposa mexicana, Bazaine trama hacer a un lado a Maximiliano; su objetivo es que Luis Napoleón convierta a México en un protectorado francés, con él a la cabeza. No es que José Luis le dé un peso de crédito a eso. Pero le parece una trastada, la última de muchas, el que Bazaine haya dado queja de que Maximiliano se llevó su corte a Cuernavaca en lugar de "atender sus asuntos en la capital".

Sí, están aquí en la Casa Borda, entre jardines y fuentes, árboles frutales, palmeras, loros de todos tamaños y colores... lejísimos de la ciudad de México. Pero, ¿no se va Luis Napoleón a Plombières y a Biarritz? La reina Victoria, que tiene una sangre más severa, se va hasta Balmoral, en las Highlands de Escocia. Dom Pedro II del Brasil se retira a su villa de Petrópolis. Y el difunto padre de la emperatriz, Leopoldo, ¿no se ausentaba de Bruselas para irse a refugiar en el Château Royal, en Laeken? Es natural que, en invierno, su majestad quiera celebrar cortes en un clima más saludable. Pero incluso aquí, donde hace la siesta en hamaca, toma limonada en un coco y se viste con un traje de lino de color crudo, con el cuello de la camisa abierto, Maximiliano nunca para. Su trabajo es como un ancho y tumultuoso río que José Luis espera no vaya a desbordarse. El año pasado, José Luis empezó a aceptar la irreductible necesidad de trabajar jornadas largas (de hecho, su vista, que nunca fue muy buena, se ha debilitado de tanto leer en la poca luz de la madrugada). Maximiliano se levanta a las cuatro, su *valet* lo atiende y, aunque a veces se tarda en el desayuno, máximo a las seis está en "el puente", como él dice; o sea, su escritorio.

O como aquí, en la Casa Borda, una mesa plegable en la terraza. La valija oficial de su majestad es pesada, cada vez más pesada...

José Luis la lleva cargando por el prado húmedo. Se oye el trino de los pájaros. El cielo tiene un color frutal.

No hace mucho tiempo, José Luis se imaginaba que un emperador simplemente... bueno, se sentaba en su trono con la mano tranquilamente extendida para recibir besos. Un emperador, suponía, se ponía todos los días una capa suntuosa y llevaba un cetro y un orbe incrustado de diamantes. La suya era una vida de adoración y de gloria. ¡Ja!

Las patas de la mesa plegable crujen.

—Ahora sí está pesada.

—Sí, señor —José Luis levanta la tapa.

—¿Un bombón? —José Luis mete la mano en el tazón totonaca. Hasta que empezó a trabajar para Maximiliano, José Luis nunca se hubiera imaginado un caballero haciendo uso de una cosa así. La primera vez que vio este tazón de barro —el naranja de fuego que hería la vista, el azotador negro de la circunferencia— justo al lado del tintero imperial y lleno de bombones finos, se quedó perplejo. ¿Por qué, cuando su majestad podría tener la porcelana más fina, la plata más exquisitamente labrada, quería esta olla de bárbaros? Al lado de Maximiliano, José Luis aprende todos los días a mirar con ojos nuevos. El tazón totonaca, por ejemplo, es una antigüedad admirablemente proporcionada; su exquisito color, como Maximiliano lo dice, "es fiero como la pulpa de una naranja de sangre siciliana". No es que José Luis haya visto una fruta tan escabrosa (aunque está seguro de que ha de saber delicioso). Tiene la esperanza de que un día pueda ver Sicilia y también Nápoles y Roma y París... Europa. No en un libro ilustrado sino con sus propios ojos. Ése es el sueño de su vida.

José Luis está a punto de darle una mordida al bombón cuando Maximiliano dice:

—Querrás sopearlo en tu café —y truena los dedos. El lacayo da un paso al frente y les sirve. La taza, porcelana de Sèvres, tiene el borde de oro y el monograma MIM, del latín *Maximiliano Imperator de Mexico*. Con su guante blanco como la nieve, el lacayo aprieta la argentina palanca de la tapa de la cafetera. Es el último café que queda ahí; sale el chorro grueso y granuloso.

José Luis toma el telegrama de encima de la pila:

—Éste acaba de llegar, señor...

Maximiliano lo interrumpe, alzando un dedo:

—¿Cómo se llama ese pájaro?

José Luis retiene el aliento. Por encima del ruido cotidiano se escucha un agudo *hiyee, hiyee*.

—Eh, no sabría decirle, señor.

Una cortina de aburrimiento cae sobre el rostro de Maximiliano. O más bien —le parece a José Luis— de desilusión. Para ser mexicano, José Luis tiene una hermosa caligrafía, un latín más que pasable (y algo de griego también), pero nunca le enseñaron ni una bendita cosa de botánica. Con un suspiro interior recuerda, otra vez: *Los mexicanos estamos tan atrasados.*

—Tal vez —dice Maximiliano, entrelazando sus manos (uno de sus nudillos truena)—, ¿serás de más utilidad con la valija oficial?

¡HIYEE, HIYEE!, el pájaro de pecho amarillo sin nombre viene a pararse en la rama más alta de la jacaranda del patio contiguo, que resulta estar exacto frente a la puerta de la recámara de la princesa Iturbide.

¡Hiyeeeeeeeeeeeeeeeeeee!

¡Justo cuando estaba a punto de volverse a dormir! Pepa se cubre con la almohada su oído bueno. Pero el trino del pájaro es demasiado agudo como para silenciarlo.

¡Hiyeeeeeeeeeeeeeeeeeee!

Esto (Pepa rechina los dientes) después de que ha estado despierta desde las cuatro de la mañana: una hora a la que podrán estar acostumbrados Maximiliano y algunos marineros curtidos, pero que para ella, como lo sería para cualquier persona con una pizca de sentido común, resulta una perversidad. ¡Es un milagro del cielo que ella se haya dormido siquiera tantito! Tan horrorizada está por el capricho de Maximiliano de traerse la corte a esta ranchería: a dos días de viaje por la sierra, moliéndose los huesos para arriba y para abajo. Dios bendito, ¡éstos no son tiempos para abandonar la capital y andar por ahí divirtiéndose con redes para mariposas y frascos de gusanos! Matamoros está sitiado. Todo el estado de Guerrero, desde Acapulco hasta Iguala, se encuentra en poder de la guerrilla. Y a Pepa le contó Frau von Kuhacsevich, que lo oyó del teniente Weissenbrunner, que mientras la emperatriz se hallaba en Yucatán, a Maximiliano se le antojó ir a Acapulco, pero el general Bazaine lo impidió porque habría sido imposible garantizarle seguridad a su persona. ¡Así están las cosas!

Ah, pero en la ciudad de México, Maximiliano se sentía acalambrado: "un ostión en una cubeta de hielo", dijo. Durante estos dos meses, en las pocas ocasiones en que la casualidad hizo que Pepa coincidiera con Maximiliano, él se puso a hablar de las cartas de la emperatriz desde Yucatán, con orgullo pero también —Pepa lo reconoció de inmediato— con un tinte de envidia. Si Maximiliano no pudo hacer su expedición a Yucatán, ¡por Dios, tenía que ir a algún lugar tropical! Y no iba a dejar que su consorte lo opacara. Oh, no. Una simple visita a Cuernavaca no habría bastado; él tenía que servirse la enchilada completa con la cuchara grande: una residencia imperial con diseño del paisaje, fuentes y un estanque de ornato lleno de peces exóticos y mobiliario y chácharas a montones, *comme ça* y *de rigueur*. ¿A quién se imaginó que iba a impresionar con su capricho? Y la pobre de Carlota, tan exhausta después de lo de Yucatán… ¡Y como si los von Kuhacsevich no estuvieran ya viéndoselas negras en sus intentos por administrar la residencia imperial de la ciudad de México! ¡Y como si el ejército imperial mexicano pudiera ofrecer a sus oficiales algo parecido a un medio de vida! ¡O mantener sus almacenes provistos de pólvora! Esto es un desperdicio monumental de tiempo, de esfuerzo, de dinero y, para acabarla, la Casa Borda está hirviendo de cucarachas, escarabajos, forfículas y palomillas… ¡un paraíso para el profesor Bilimek!

Más aún, trasplantarse a sí misma y al príncipe Agustín a Cuernavaca no podía haber sido en un momento menos conveniente. Ella acababa de tomar posesión de su nueva casa, y esto ya era en sí un pequeño desastre. La semana anterior a Navidad, el hijo de ese infortunado conde Villavaso finalmente puso la casa otra vez en venta. Se disculpó por ofrecerla a un precio semejante, pero los precios habían subido, en general, y como su familia estaba por regresar a España, él no podía aceptar ni un peso menos. Pepa, para entonces una veterana de tres exasperantes meses de búsqueda, aceptó pagar todo el precio y rápidamente, antes de que fuera a ocupar la casa uno u otro ejército desesperado por acomodar a sus oficiales. Pero luego, un día después de que el banco hiciera la transferencia de fondos, llegó una carta a Chapultepec diciendo que le habían robado a doña Juliana de Gómez Pedraza; se llevaron la plata, todos sus marfiles, joyas, ropa, la mitad de la despensa, y mataron a Chole, su vieja cocinera. Doña Juliana estaba resuelta a irse de la ciudad. Querétaro: ése era el plan, y le ofreció a Pepa su casa, una residencia mucho mejor que la del conde, y a un precio que era —Pepa apretó los puños y casi se suelta a llorar— la mitad de lo que acababa de pagar.

Y están colocando el nuevo tapiz de las paredes y ella no está ahí para supervisarlo, ni para recibir las lámparas de gas parisienses de Emporio de Luz, ni el par de centros de mesa de plata Christofle, ni el piano Steinway… sólo Dios sabe a dónde irán a aventar esas cosas los mudanceros, a pesar de que una dejó en el piso una marca de cal. Uno no puede confiar en los criados para que supervisen, y ciertamente tampoco en las camareras que le prestó Frau von Kuhacsevich (aunque fue muy amable de su parte). Podía haberle encargado ese trabajo al teniente Weissenbrunner, con todo y que es un pato raro… pero las órdenes de Weissenbrunner eran acompañarlos a Cuernavaca. No, dijo el jefe de la guardia palatina, esto no puede ser contraordenado excepto por la "máxima autoridad" —en otras palabras, Maximiliano— y, como bien claro lo dejó ver el tono del oficial austriaco, si Pepa osaba intentar esa vía, iba a costarle.

Pepa ya había llegado a su límite cuando llegó aquí, a esta casa de campo hirviente de bichos, para encontrarse con que a ella y al príncipe Agustín ¡les habían asignado habitaciones que daban a la calle! Frau von Kuhacsevich levantó las manos; estaba apenada, terriblemente apenada, pero no podía hacer cosa alguna porque las habitaciones las había asignado su majestad. Una se veía obligada a soportar el concierto de carretas que iban sonando por el empedrado, indios borrachos, perros que ladraban, todo esto en añadidura a los grillos y ranas y gatos en celo que maullaban largo y escupían y rasguñaban en los techos… y luego —sería como a las tres de la mañana— una recua completa de burros, ¡burros suficientes para superar en número a los sitiadores de Troya! Y el arriero aventándoles piedras (¡una de éstas fue a dar en la pared justo donde estaba su cama!) y pasó muy cerca de su ventana, tan despacio como quiso, gritando a todo lo que dan sus pulmones:

—¡Brrro! ¡Brrro!

¡HiyEEEEEE!

¿Qué más da, entonces, un pájaro con un chillido que hace que se le cuaje a una la sangre? Pepa avienta la almohada a los pies de su cama. "¡Ojalá que Maximiliano lo mate y lo diseque para el museo del profesor Bilimek!"

Y ESTO ES EXACTAMENTE lo que está pensando Mathilde Doblinger, la camarista de la emperatriz. Ya lo ha visto antes: una cosa negra como una bruja, no más grande que un petirrojo, con la cola como cortada. Abrió su pico en un grito que podría ponerte los pelos de punta. Por el sonido, la criatura debe de haber volado al otro lado del jardín, donde se encuentran las habitaciones de los Iturbide, gracias a Dios.

Jala con fuerza las cintas del corsé de Carlota.

Carlota dice, enfadada:

—Apriétalo más.

—Pero, Madame, ¡no va a poder respirar! —instantáneamente, Mathilde baja la vista: eso fue una falta de respeto. Con un jalón tan suave como puede, aprieta la cinta. Carlota insiste en usar el corset tan apretado que le deja marcas en las costillas. Ha estado mordiendo el encaje de sus pañuelos. Y no ha dejado ese horrible hábito de pellizcarse la parte interior de los brazos.

El rey Leopoldo está con Dios desde principios de diciembre, pero la cruel noticia no llegó a su hija sino hasta hace 16 días: el 6 de enero, la fiesta de la Epifanía. La aplastó. De por sí ya estaba delicada, pues venía regresando de Yucatán, donde la hicieron comer unas cosas como fermentadas y tuvo que soportar un calor inhumano. La trajeron como esclava en visitas a escuelas, orfanatos, fábricas de mecate, audiencias, cenas, bailes, todos los días, desde la mañana hasta la noche. Y luego, ya sola en su cuarto, a la luz mortecina de una vela o de una lámpara, si es que se les ocurría proporcionarle una, Carlota se ponía a escribir cartas e informes, páginas y páginas. Y al día siguiente tenía que pasar por lo mismo, y al siguiente también, en una despiadada rueda de molino. Y la llevaron a lo más profundo de la selva —Dios del Cielo, ¡esas lagartijas eran del tamaño de un gato!— y tuvo que marchar hasta la punta de una pirámide, con un calor que habría hecho desmayarse a un soldado de combate. En Yucatán, la muerte se acercó lo bastante, si no para llevársela, al menos para darle un jalón en la manga. Dos de los criados, uno austriaco y el otro mexicano, murieron de fiebre amarilla. Cuando llegó a la ciudad de México, Carlota tenía ojeras, una capa de polvo en el pelo, polvo detrás de las orejas, polvo incluso entre las líneas de sus manos. Qué desconsideración la de Maximiliano, que así se la trajo arrastrando a Cuernavaca.

Sólo quería regresarla a su lugar, eso es lo que dice Frau von Kuhacsevich: Maximiliano le dijo a Carlota que no debía sentirse tan satisfecha de su viaje a Yucatán, porque en el resto de México el general Bazaine no estaba cumpliendo con su misión: sus hombres eran o perezosos o estúpidamente crueles; por eso la guerrilla ha estado ganando terreno. Ese viejo rabo verde… *ach*, un montón de cosas sobre Bazaine han llegado hasta los oídos de Mathilde. Por ejemplo, que en secreto es socio de una tienda de la ciudad de México donde venden encaje, listones, botones, sedas, medias y esas cosas, todo importado de Francia. ¿Y Bazaine paga impuestos? Para qué, si puede fletar su mercancía en cajas que digan ARMES ET MUNITIONS. En cuanto a los yanquis, esos buitres, cinco días después de Año Nuevo, una pandilla de negros borrachos cruzó el río Bravo, saqueó el puerto de Bagdad, violó a las mujeres, asesinó a la guarnición y Bazaine no hizo nada. ¡Nada! ¡Se quedó sentado en su gordo culo!

A Frau von Kuhacsevich se le ha escapado que sospecha que todos estarán de regreso en Trieste para finales del año, tal vez antes. Sería una buena noticia para Mathilde, excepto que —lo sabe— tener que regresar después de todo lo que ha pasado sacaría de quicio a Carlota. Frau von Kuhacsevich no fue la única que, cuando estaban en Trieste, oyó a Carlota decir: "Preferiría morir a pasar el resto de mis días sin hacer otra cosa que quedarme mirando al mar". Trieste es un pueblo tan provinciano, azotado por el viento. Cuando la marea está baja, el aire en el castillo de Miramar huele a pescado. A Mathilde tampoco le gustaba especialmente.

Ahora, viendo a Carlota que ha quedado huérfana y en esta situación de desamparo, a Mathilde le dan ganas de llorar. Pero enfrente de su ama debe ser fuerte. Le reza a la Virgen María: *Madre, concédele a Carlota la gracia de tu fortaleza*.

Mathilde coloca la crinolina en el suelo, aplanada. Carlota da un paso al interior del círculo. Mathilde la alza y la ajusta en su cintura. Luego el vestido: *crêpe de chine* negro con orlas de satín negro festonado y paneles de muaré con ribetes negros. Cuando recibieron la noticia de la muerte de su padre, Maximiliano y Carlota corrieron de regreso a la ciudad de México, donde la corte guardó el luto más estricto. En el palacio imperial, entre montañas de flores, Maximiliano recibió las condolencias de sus ministros, del cuerpo diplomático, de los voluntarios austriacos y belgas y de Bazaine y sus compinches. Carlota no quería hablar con nadie. Mathilde le traía comida, pero ella apenas y la tocaba. Quería que las persianas estuvieran cerradas. Tenía encendida una vela parpadeante ante la imagen de Nuestra Señora de Guadalupe, y se hincaba —no en su reclinatorio sino en el suelo desnudo, y bien derecha— con la mirada fija en aquel rostro moreno, extraño. Afuera, las calles agostadas por el sol lucían vestidas de negro. Pero después de la misa que se celebró en la catedral, ya no hubo descanso para la hija de Leopoldo. Inmediatamente, siguiendo su capricho, Maximiliano le ordenó empacar y levantarse de nuevo a cruzar las montañas, hacia Cuernavaca, esta vez con toda la corte, incluyendo la "princesa" Iturbide y ese mocoso chillón.

En la tarde, cuando Carlota sale a la terraza, ¿qué es lo que ve? A Maximiliano en su traje blanco tirándole una pelota al hijo de otra mujer, también vestido de blanco. Carlota se va por otro lado y se encuentra al profesor Bilimek agachado, con una de sus blancas rodillas en la tierra, enseñándole a ese niño un bicho que acaba de levantar del suelo. Así es: el maestro de ceremonias ha decretado que, aquí en Cuernavaca, todo el mundo, excepto la emperatriz, tiene que vestirse de blanco. La tierra todavía está fresca en la tumba de su padre, ¡y su esposo y su corte se exhiben de blanco!

Y Maximiliano y el "príncipe" Agustín se han encariñado tanto el uno con el otro. "Primito", lo llama Maximiliano. Para revolverle a uno el estómago. La princesa Iturbide, que parece elefante con su ropa blanca, ocupa lugar en todas las cenas, en todos los tés. Se ha pescado tantito alemán, y en las noches, después de la cena, se junta con los von Kuhacsevich para jugar partidas de *whist* y palitos chinos.

Si Maximiliano abdica, ¿Carlota va a tener que estar de anfitriona de esta gente también en Trieste? ¿O la idea es dejar a la princesa Iturbide en México como regente? Pero en el momento en que Mathilde empieza a pensar en estas cosas, se siente como si anduviera chocando y tropezándose en el interior de un armario oscuro lleno de objetos peligrosos.

Mathilde abrocha por la espalda el vestido de Carlota, y luego —Carlota levanta los brazos— le coloca alrededor de la cintura una cinta de seda negra. Con sus hábiles dedos le hace el moño.

Ahora el peinado. La peinadora lo ha hecho tan mal que hay que volver a hacerlo. Dice Frau von Kuhacsevich que esperar encontrar una buena peinadora aquí es como pensar que va uno a pescar un delfín en una pileta de tortugas. Ya que le quita los pasadores a Carlota, Mathilde empieza a cepillar hacia abajo y a todo lo largo el cabello castaño oscuro. A través del espejo, los ojos de la emperatriz siguen los movimientos del cepillo. Mathilde sabe que la peinadora de la emperatriz Sissi guarda un pedazo de cinta adhesiva en el bolsillo de su delantal; la usa para recoger en secreto los cabellos del cepillo, cuando éste ya tiene muchos. Sissi le dice: "Déjame ver el pelo que se me cae", y la peinadora le enseña el cepillo limpio. Así nadie más puede tocar los cabellos de Sissi. Ése es el salario de la vanidad, que atrae, como palomillas a una llama, a traidores y aduladores. Maximiliano también es vanidoso. Lo es en cientos de cosas, pero especialmente con su barba; Grill, su *valet*, tiene que cuidársela con menjurjes como si fueran las trenzas de una mujer. Maximiliano no puede pasar frente a un espejo sin volver y mirarse.

—¡Auch! —dice Carlota.

Mathilde desenreda el nudo que se le ha hecho. Luego la peina con unos pasadores muy pequeños que se va quitando de los labios uno por uno. Los lados del peinado, donde ha dejado el cabello suelto sobre las orejas, los rellena con lana de borrego teñida del mismo color. Ahora (le pasa a Carlota el abanico de sándalo para que se proteja la cara) le da una rociada de laca para mantener el pelo en su lugar. El toque final es una guirnalda de rosetas de seda negra. Mathilde fija ésta en el peinado con otro montón de pequeños pasadores. Ya que ha terminado, le da a Carlota el espejo de plata. De esta manera, moviendo ligeramente la cabeza, la emperatriz revisa cómo quedó de atrás.

La luz ha desaparecido de sus ojos. *Frau* von Kuhacsevich dice que Carlota es arrogante y no tiene sentimientos, pero Mathilde la comprende: más bien tiene demasiados sentimientos. Es un alma valerosa que sufre. Si no fuera por el foso insalvable que las separa en términos de rango, Mathilde abrazaría a su ama, la besaría, le diría: "No estás sola. Ten fe en Nuestra Señora. Ten fe en la misericordia de Dios".

En una charola forrada de terciopelo azul oscuro, Mathilde presenta los zarcillos: perlas negras. Luego toma una cajita donde hay un escarabajo vivo. El insecto se halla encadenado a un alfiler y tiene una joya incrustada en el lomo. Un recuerdo de Yucatán: se usa como prendedor. A Mathilde le desagrada tener que tocar esa cosa: se mueve.

La sombrilla de seda negra orlada de plumas de avestruz igualmente negras.

—¿Qué? —Carlota parece confundida.

—Su sombrilla, madame.

—No voy a ir al jardín —Carlota cierra los ojos y se toca las cejas con las puntas de sus dedos. En el hombro de su blusa, el escarabajo enjoyado camina hasta donde da su cadena.

—Tengo un… —la voz de Carlota tiembla— *espantoso dolor de cabeza*.

—¿Le traigo un té de tila?

Apenas un susurro:

—No.

—¿Un paño frío?

Carlota no dice nada más. Se marcha, dejando a Mathilde haciendo su más profunda inclinación. Los pasos de la emperatriz se apagan en la larga terraza. La habitación se siente caliente de pronto. Los muebles se han vuelto demasiado grandes; el espejo, grasiento. Una libélula pasa volando y se va por la puerta.

Mathilde se queda desprendiendo los cabellos que se quedaron adheridos al cepillo de plata; luego recoge unos cuantos más de los mosaicos del piso. Es su obligación tener limpios los cepillos. Es una obligación que ella se ha impuesto a sí misma asegurarse de que ni un cabello se pierda. Hay brujas en este país.

¡Hiyee! En el jardín, Frau von Kuhacsevich baja con cuidado los escalones de piedra que van de la terraza al estanque ornamental y de repente se agacha. *¡Hiyee!* El pájaro de pecho amarillo vuela bajo y viene a pararse en el borde de una lancha que flota entre un hacinamiento de lirios. Luego, con otro ensordecedor grito, el ave se dispara a lo alto y desaparece tras el muro.

—*Grüss Gott!* —la saluda el teniente Weissenbrunner, tocándose la visera de su gorra.

Frau von Kuhacsevich devuelve el saludo, fríamente. Ha oído lo que se cuenta por abajo del agua —de Tüdos, de hecho—: que Weissenbrunner ha solicitado ser transferido. ¿Por qué no le dijo nada? Le molestó que no le hubiera dicho, le molestó mucho. Bueno, no es que sea muy platicador, este toro. Es de Olmütz: eso sería suficiente para que no le cayera bien.

—¡Hola! —dice Agustín. Su niñera, Tere, lo trae en brazos. Lo cargó para que él pudiera cortar unos limones de la rama más baja. Trae puesta una túnica de algodón blanco y sandalias, y tiene las piernas bronceadas.

—¡Hola! —Frau von Kuhacsevich responde amablemente. Le da un apretón a la regordeta rodilla—. Vas a darles un banquete a las hormigas y a los escarabajos.

Él se ríe, y otro limón va a dar al suelo.

Frau von Kuhacsevich se porta fría a propósito con la niñera porque sospecha que algún enredo se traen ella y Weissenbrunner. Tüdos, el chef, la puso en alerta. Frau von Kuhacsevich todavía no los sorprende en nada que valga la pena reportar, pero ha visto las cálidas miraditas que se echan uno al otro. Así que pregunta glacialmente:

—¿Dónde está la princesa?

—En sus habitaciones, madame.

Frau von Kuhacsevich le dispara a Weissenbrunner una mirada que dice (bueno, ella espera que diga): "No creas que no les tengo puesto el ojo".

Frau von Kuhacsevich ha empezado a albergar un sentimiento protector hacia la princesa y hacia este amor de niñito. La sorprendió su propia actitud, tan amigable, porque al principio la princesa era muy demandante: se portaba de verdad como una trepadora. Pero, con el tiempo, Frau von Kuhacsevich descubrió que la princesa no sólo tenía una etiqueta escrupulosa, sino que además era muy interesante platicar con ella. Ambas hablaban francés y, entre los intentos de español e inglés de Frau von Kuhacsevich y los admirables esfuerzos de la princesa por mejorar su alemán, lograron entenderse. El padre Fischer fue el primer tema de conversación que las hizo cobrarse afecto. Ambas tenían una confianza de roca en que, si alguien podía reconciliar a su santidad con su majestad, era el padre Fischer. Maximiliano había hecho muy bien en escogerlo para esa misión en Roma, y, ¡ay!, si estuviera aquí, ¡qué sabios consejos podría dar en estos tiempos tan difíciles!

A diferencia de su esposo, la princesa Iturbide estaba muy dispuesta a escucharla, fascinada, de hecho, con cualquier cosa que a Frau von Kuhacsevich se le ocurriera decir. Quién favorecía a quién y cómo trabajaban juntos cuando estaban en Viena o en Trieste, y cómo era llevar la casa de los virreyes en Milán (donde tenían unos negros vestidos de seda para servir el *gelato*) y por qué Maximiliano comía siempre esos mismos bombones y por qué Schertzenlechner, ese buey de canciller, se había ido de México hecho una furia. Se había peleado con Monsieur Eloin, quien demostró, con documentos, que Schertzenlechner —¡era verdad!— había seguido cobrando su sueldo como *valet* del Hofburg. "El Gran Mugido", era como los alemanes llamaban a Schertzenlechner a su espalda, y a la princesa Iturbide se le hacía el apodo más divertido. "¡Muy atinado, muy atinado!", decía dando su aprobación.

Y la princesa misma era una fuente de información. Tenía innumerables amistades entre la sociedad mexicana y frecuentemente salía a visitarlas. Esta gente se codeaba con la mejor clase de colonos americanos (la mayoría exiliados de la derrotada Confederación) y, como habían tenido que alojar oficiales en sus casas, sus pequeñas *soirées* incluían a menudo hombres de alto rango, algunos muy cercanos al general Bazaine. ¡Había que tener orejas grandes para lo que decían!

—¿Y cómo era su padre? —le preguntó Frau von Kuhacsevich a la princesa Iturbide.

—Alto, muy alto. Y pelirrojo.

—¿De verdad?

—Completamente pelirrojo.

—¿Como un escocés?

—Así.

—Qué maravilla. ¿Y cree usted que el príncipe Agustín vaya a salir pelirrojo también?

—No creo.

—¿Se va a quedar rubio?

—De bebé. Pero luego crecen, ya sabe usted…

Nada complacía tanto a la princesa Iturbide como hablar de su ahijadito. El príncipe Agustín era tan brillante, tan guapo, listo como un pingo (uno tenía que cuidar, dijo severamente la princesa Iturbide, que por su propio bien no fuera a hacerse demasiado listo). Todavía no cumplía los tres años y ya estaba demostrando claramente que tenía talento para los idiomas. Podía contar hasta 20 en español y hasta 10 en alemán, francés, húngaro y náhuatl.

De la princesa Iturbide había mucho que aprender sobre México; por ejemplo, que el palacio del emperador Iturbide no era el palacio imperial de hoy en día, sino el otro, más compacto y elegante que ahora era el hotel Itubide, adonde llegaban y de donde salían las diligencias.

Y la princesa tenía muchos secretos útiles sobre cocina mexicana, excelentes para pasárselos a Tüdos. El huitlacoche, por ejemplo, se le hacía asqueroso a Frau von Kuhacsevich, al igual que los gusanos de maguey asados, la pasta de mosquito, los tacos de escamoles y todas esas cosas.

—No, no —la princesa le explicó—. No debe usted ver el huitlacoche como una micosis del maíz, sino como una especie de champiñón.

—¡Un champiñón!

—Es una trufa.

—¡Sí! —Frau von Kuhacsevich aplaudió—. Recuerdo cuando íbamos a buscar hongos al bosque, en otoño. ¡Ay, qué alegría! Usted sabe, una vez cerca de Innsbruck... —y la princesa se ponía a escuchar todas y cada una de sus reminiscencias felices de Bad Ischl y los hongos que había allá—: el *Herrenpilze*, grande y de sabor fuerte, que también se podía encontrar en los bosques de Viena y era el favorito de Maximiliano, y sí, esos hongos les gustaban a todos los archiduques, *sautéed* en mantequilla y luego remojados al fuego en brandy y crema. A Francisco José le gustaba sólo el caldo, y Sissi, era un escándalo la manera en que se los comía: vaporizados, sin mantequilla.

—¿Sin mantequilla?

—Nada.

Ambas eran mujeres de cierta edad, ambas angustiadas por la ruina de su figura.

—No puedo resistir cuando hay pan en la mesa.

—A mí me pasa con el chocolate, cualquier cosa que tenga chocolate. Me pierdo.

—Entiendo perfectamente.

En su cumpleaños, la princesa Iturbide le envió a Frau von Kuhacsevich un ramo de violetas en un florero de plata con su monograma. En el cumpleaños de la princesa, después de pensarlo cuidadosamente, Frau von Kuhacsevich decidió darle a su nueva amiga el rosario que le bendijo su santidad cuando fue a Roma con el cortejo imperial, de camino a México.

—¡Bendecido por su santidad! —la princesa respiró hondo y puso un expresión grave. Abrazó a Frau von Kuhacsevich y la besó en ambas mejillas. Luego se apretó el rosario contra el corazón.

—Amiga mía —dijo—, esto lo voy a atesorar el resto de mi vida.

En Navidad, Frau von Kuhacsevich recibió, en un exquisito portarretratos de plata y hueso pulido, una *carte de visite* del príncipe Agustín. Orgullosa, lo colocó en la repisa de su oficina, bajo la acuarela de las orquídeas del profesor Bilimek y al lado de su canasta de recibos.

MEDIODÍA. Haciendo su ronda, Frau von Kuhacsevich se pasea con afectada elegancia por la terraza, afuera de las habitaciones de la emperatriz, mientras el péndulo de su llavero se mece sobre su falda. Saluda al jardinero que está podando el seto. Hace un rodeo para no estorbarle a la criada, que está tallando los mosaicos y levanta la vista para saludar a su ama.

—Buenos días, señora Kujas —(nadie puede pronunciar bien su apellido).

La lavandera pasa con una cesta de sábanas dobladas.

Frau von Kuhacsevich lo piensa un instante y luego se da vuelta y pregunta:

—¿Ya puso usted sábanas limpias en la habitación del embajador austriaco?

—Sí, señora Kujas —una sonrisa chimuela.

—¿Y toallas limpias para el aguamanil?

—Ahorita.

¡Y a ésa la importaron desde la ciudad de México! Es una tarea para un Hércules llevar una residencia imperial en los trópicos. No hay sirvientes para contratar en este pueblo, a menos que uno quiera ésos cuyos pies no han conocido zapatos y cuyas manos no sabrían qué hacer con un tenedor (y cuyos conceptos de limpieza mejor no imaginárselos).

En los escalones del siguiente patio, Frau von Kuhacsevich tiene que descansar para abanicarse. Cuernavaca no es el baño turco de tierra caliente, sino más aún, como Maximiliano lo dijo, el de un mayo italiano. Agradable para los hombres y tal vez para el príncipe Agustín, pero una tortura para quienes tienen que empaquetarse en corsés y crinolinas. Ah, pobre Carlota que ha perdido a su padre, pero, Jesús bendito, ¿qué habría hecho Frau von Kuhacsevich si se hubiera visto obligada a vestir de luto? Sólo de pensarlo se siente débil. Teme que la cara se le haya puesto roja como un betabel. Siente la espalda pegajosa y, bajo su bonete, puede sentir cómo le suda la cabeza. Quitárselo está fuera de consideración; las raíces se le notan ya casi dos centímetros: con todo este ir de aquí para allá, no ha habido ni tantito tiempo para retocar el color.

Un mayo italiano: en este tenor, para el almuerzo, Tüdos ha preparado un *amuse-gueule* de aceitunas, albahaca y requesón, un queso demasiado fuerte para pasar por mozzarella, pero sabroso. Aparte de café, ha hecho una olla grande de *canarino*, que no es más que cáscaras de limón amarillo remojadas como té. Bueno, aquí hay que hacerlo con limones verdes. Ni modo, como dicen los mexicanos.

Frau von Kuhacsevich atraviesa el patio, pasando sobre el reguero de flores que se han desprendido de los árboles, en dirección a la terraza donde tendrá lugar el almuerzo. En el césped, bajo la sombra moteada de un ficus brobdingnense, los músicos de la orquesta están colocando atriles y sillas plegables. Dos veces ha tenido que pedirle al director,

Sawerthal, que mueva las sillas. Maximiliano quiere que la música se oiga con claridad, pero que no ahogue la conversación en la mesa.

Esta mañana temprano, en su oficina, ella estuvo revisando la asignación de asientos junto con el maestro de ceremonias. Él se molestó con su interferencia, pero el problema era —Frau von Kuhacsevich tamborileó con su lápiz en la lista— que no debían sentar a la princesa Iturbide a la derecha de su excelencia don Fernando Ramírez.

Sotto voce:

—¿Hay algo que yo deba saber? —el maestro de ceremonias estaba prácticamente relamiéndose los bigotes por un chisme jugoso.

Frau von Kuhacsevich lo ignoró: no iba a traicionar a su amiga explicando que, del lado izquierdo, la princesa es algo dura de oído.

—Mejor así —Frau von Kuhacsevich da un golpecito con el lápiz, dejando un punto en el papel—. Pongamos a la princesa Iturbide a la *izquierda* del embajador austriaco.

El maestro de ceremonias frunció los labios y exhaló con fuerza por la nariz. Estaban tan intensamente concentrados que parecían un par de generales ante su maqueta.

—Bien —dijo él, finalmente—, si es necesario cambiarla de lugar, lo más fácil sería pasarla adonde está la esposa del americano. Aquí, mire, sentamos a la princesa junto a Monsieur Langlais.

Frau von Kuhacsevich paró el labio inferior y, poniéndose un dedo al lado de la barbilla, se puso a considerar todas las implicaciones de esa idea (Monsieur Langlais, el mago de las finanzas... el hombre del momento... Según su esposo, todavía podría hacer milagros... pero su conversación le parece tediosa a Maximiliano... plebeya...). Sus ojos recorrieron la lista. El embajador belga aquí, la esposa del general Uraga allá y luego el ministro del Exterior, don Fernando Ramírez y el general Almonte (ese sapo; pero habla inglés), el marqués de la Rivera (trilingüe, pero un esnob insoportable)... esto requería el más alto grado de *Fingerspitzengefühl*...

A juzgar por su silencio, se había salido con la suya.

—Muy bien —dijo el maestro de ceremonias—, voy a dejar a la princesa Iturbide a la izquierda del embajador austriaco. Pero no puedo dejar al botánico donde está.

—¿El profesor Bilimek? Oh, póngalo junto a esa dama de honor.

—¿La señorita Varela? —el maestro de ceremonias alzó las cejas.

—Hmm.

—Él no habla español y ella no habla alemán.

—Que hablen en francés.

—El francés de ella es muy malo.

—¿Por qué preocuparse? —*Frau* von Kuhacsevich levantó las dos manos—. El profesor Bilimek de cualquier manera nunca dice nada.

AHORA, en la terraza, con la cacofonía de la orquesta que está afinando, el maullido de los violines, los arrebatos ascendentes de las flautas, Frau von Kuhacsevich inspecciona la mesa para asegurarse de que cada lugar tenga su tarjeta con el nombre de acuerdo al esquema; cada uno su menú y su salero con una cuchara de nácar en miniatura; cada uno su juego de tenedores, cucharas y cuchillos, su fila de copas para agua y vino (un Chablis para empezar, luego un rosado, luego un tinto, luego un vino dulce y, finalmente, una copa aflautada para el champán rosado), la servilleta doblada en forma de cisne, con un bollo adentro (eso faltaba en el lugar de Madame Almonte; gracias a Dios revisó). Usando su dedo medio, Frau von Kuhacsevich mide la distancia precisa de cada plato al borde de la mesa, y de cada copa de agua a cada plato. Junto a la copa del general Uraga hay una abeja muerta. Ella arranca una hoja de la buganvilia más cercana y con eso la recoge.

En Milán y en Trieste podía delegar esta tarea de inspeccionar la mesa, pero no en México. Definitivamente no en México. Ella tiene que cargar con todas las responsabilidades y a veces se siente enterrada bajo una avalancha. ¡No ha tenido un momento para sentarse desde el desayuno! Y después del almuerzo, mientras todo el mundo se iba a disfrutar una siesta, ella, así se le hubieran hinchado los pies, todavía tenía un largo día de trabajo por delante. Ahora mismo, nada le gustaría más que irse a su cuarto, cerrar las ventanas y deshacerse de la ropa.

Después de encargarse de la servilleta extra para el lugar de Madame Almonte y de revisar que la lavandera dejara toallas limpias en la habitación del embajador austriaco, Frau von Kuhacsevich se permite un descanso. Va al jardín a buscar a la princesa, a quien encuentra en la terraza del fondo, sentada muy solitaria en un equipal. Frente a ella, en el prado, el pequeño está jugando con su niñera. Al acercarse Frau von Kuhacsevich, una lagartija se escurre de atrás de una palmera en maceta y desaparece en la esquina.

—¡Su alteza! —saluda a su amiga.

La princesa responde con una sonrisa radiante y, con un ademán de su abanico, señala la silla que está al lado de la suya.

—¿Percibe usted el olor de esos azahares? Justo estaba pensando en Goethe: *Kennst du das Land, wo die Zitronen blühn?*

—Tan bello —dice Frau von Kuhacsevich, descansando en un taburete sus hinchados pies—. Espero no le moleste.

—*Pardonnez-moi?* —la princesa Iturbide dirige hacia ella su oído bueno.

—Espero no le moleste que suba mis pies.

—De ninguna manera —murmura la princesa y continúa abanicándose.

Desde medio prado, el guardaespaldas lanza la pelota roja del príncipe. Ésta asciende por el aire en un arco lento, fácil. Tere, en una pirueta que le vuela la falda, salta para atraparla. El príncipe se va gateando atrás de ella, alejándose hacia los escalones de piedra que bajan al estanque artificial. Desde la orilla de esos escalones, Tere le avienta la pelota a Weissenbrunner. Y la deliciosa escena se repite.

—Se la están pasando muy bien los jóvenes —dice Frau von Kuhacsevich.

La princesa medio se levanta de su silla y grita:

—¡Déjale la pelota!

Volviéndose a Frau von Kuhacsevich, dice, en voz más baja:

—No sé de esta niñera.

—Sí, bueno —Frau von Kuhacsevich carraspea—. Por cierto, ¿no tiene usted hambre? Todavía tenemos una hora antes del almuerzo.

—Me estoy muriendo de inanición, ya que usted lo menciona.

Un lacayo trae un jarra de agua de limón y una charola de rebanadas de jícama con chile en polvo y sal. Las dos mujeres se abanican y, refrescándose, se ponen a charlar tan felices como los canarios en su jaula con forma de mezquita.

Cerca de ellas, la pelota roja del príncipe Agustín aterriza en el pasto. Él quiere que Weissenbrunner la aviente otra vez, pero Tere le dice, dando palmadas:

—Hora de almorzar.

El príncipe sacude los rizos.

—¡No! —le da una patada a la pelota, que rueda más allá de la bota de Weissenbrunner, *bup*, y rueda y rueda… por la bajada del prado hacia los ladrillos… hacia los escalones de piedra que van al estanque.

Tere lo llama:

—¡Agustín!

Pero él se va gateando atrás de su pelota. Tere se recoge la falda y echa a correr detrás de él mientras él sigue, ahora más rápido, hacia los escalones, y Weissenbrunner corre detrás de los dos haciendo sonar su sable y su pistola. Los tres están risa y risa cuando —la princesa Iturbide lanza un grito desde su equipal— el príncipe Agustín se cae escalones abajo.

PERO LOS ESCALONES son bajitos y son sólo unos cuantos. El príncipe Agustín ni siquiera se raspa una rodilla. Sólo se golpea el brazo y pierde el aliento. Tere se precipita hacia él y lo cubre de besos. Weissenbrunner le da unas palmadas en su convulsa espalda. Con el alboroto, la guacamaya empieza a gritar desde su jaula.

—¡Ay, qué susto! —dice Tere, abrazando fuerte a Agustín. Pero al ver la cara de su guardaespaldas alterada por el miedo, el niño se suelta a llorar y con eso pone en estado de pánico no sólo a la guacamaya sino también a la princesa Iturbide y a Frau von Kuhacsevich. La emperatriz viene a ver qué pasa, seguida por la señorita Varela, Madame Almonte y cuatro camareras. La princesa Iturbide se encima tanto en su ahijado que el niño apenas puede recuperar el aliento. Don Fernando Ramírez y el embajador austriaco, que de casualidad estaban paseando por el estanque en ese momento, observan con una expresión de enorme tristeza. Maximiliano, su secretario, su botanista y su doctor vienen a toda prisa.

Estrujando los hombros de Agustín, la princesa Iturbide exclama:

—¿Está roto?

Suavemente, mientras el niño solloza, el doctor Semeleder le toma el brazo.

La emperatriz, con una tensión que le hace ver los ojos vidriosos, pregunta:

—¿Necesitará que lo entablillen?

El doctor Semeleder le flexiona el brazo otra vez y luego se lo extiende. Agustín ha parado de llorar. Por primera vez, el niño se da cuenta de que es objeto de intensa atención. En algún momento de todo ese alboroto lo han subido a la mesa, donde hasta hace un instante estaba la charola con rebanadas de jícama. Con los ojos bien abiertos observa a todos los que lo miran. Parece estar tratando de decidir si se pondrá a llorar otra vez. Maximiliano le da un apretón en la rodilla.

—¡Primito! Estás perfectamente bien.

Agustín se ríe.

—¡Ha ha! —dice Maximiliano, haciendo que Agustín se ría más. Frau von Kuhacsevich se pone a aplaudir de alegría y los demás se unen a ella; se oye a todo lo largo y ancho de la terraza: un sonido como de lluvia que pega en una ventana. Desde su jaula, la guacamaya suelta otro grito ensordecedor.

—Qué —dice Maximilano, volviéndose hacia la multitud—, ¿tendrá que hacer una caravana?

Una ola de risas gentiles le responde.

Entonces Maximiliano se sube a Agustín a los hombros y empieza a trotar a largas zancadas a través del prado, en dirección a su oficina. José Luis y el profesor Bilimek, que traen sus propias redes para mariposas más las de Maximiliano, lo siguen, uno detrás del otro.

En la terraza, la multitud se dispersa: la emperatriz a su *boudoir*, la princesa al suyo, las damas de compañía brazo con brazo a los jardines. Con un voluptuoso suspiro, Frau von Kuhacsevich va a la cocina a inspeccionar las cosas de último momento. Y Tere y Weissenbrunner… bueno… mejor corramos un velo sobre ese par.

—¡Agárrate bien! —le dice Maximiliano a Agustín—. ¡No, de mi cuello no! —vuelan por la parte más verde del prado, Maximiliano corriendo en zigzag por entre los aros de croquet y luego pasando la orquesta; las redes de mariposas tremolan detrás del profesor Bilimek, blancas y abombadas. Una parvada de golondrinas echa a volar en lo alto; un cuervo grazna desde lo alto de una jacaranda. Y, tan pronto como el último de este pequeño desfile, José Luis, deja atrás al último cornetista —un húsar sin una pierna vestido con una decolorada chaqueta de capitán—, sobre el pasto salpicado de sombra, bajo el ficus, la batuta de Sawerthal conduce a la orquesta hacia *Wiener Kinder*.

MAXIMILIANO SIENTE una afinidad especial con los niños. No es tanto que quiera tener uno propio, sino que se identifica con su belleza sin mácula, con su inocencia y, sobre todo, con su capacidad natural para perderse en el gozo de un momento. ¿Será realmente una capacidad natural?, se pregunta. En un adulto, ciertamente, puede ser un talento que se cultiva, como el de los artistas, sí, como debe serlo el de todos aquellos que, por profesión o inclinación, invocan a las musas.

Cuando tenía él 12 años, hubo un momento distinto en un día gris de invierno, en el Hofburg, en que levantó la vista de su tarea escolar, los interminables jeroglíficos de trigonometría, y sorprendió su reflejo en el vidrio de una ventana. Eran las cuatro de la tarde y afuera ya estaba casi oscuro. Se sintió horrorizado: qué viejo se veía. ¡La vida escapaba de él! En un susurro que ni su hermano mayor, Francisco José, ni Charlie, pudieron oír, juró solemnemente: jamás olvidaré quién soy verdaderamente.

Los adultos, le parecía a Max, eran como mariposas pero volteadas: también habían sido bellos y libres, pero plegaron sus alas, se metieron en un capullo y dejaron que sus miembros se disolvieran hasta que se convirtieron en gusanitos duros, rígidos. El tutor de uno, por ejemplo, le recordaba un nematodo.

Tener que lidiar con números… lo "práctico" en todas sus filisteas expresiones, aburre enormemente a Maximiliano. Él necesita la vista del cielo, de las montañas, del agua que corre rápido chispeando de sol; necesita —como un hombre normal necesita comer— explorar el mundo, ver, tocar sus sibilinos tesoros: los colibríes, el pecho rojo sangre de una guacamaya, las patas peludas y ligeras como plumas de una tarántula. Dios en todas sus manifestaciones: hongos, líquenes, todas las creaturas. De niño, Maximiliano disfrutaba su zoológico: una marmota, un tucán, un lemur. El lemur escapó y ya afuera, en las altas horas de la noche, murió de frío. Un lacayo abrió la puerta en la mañana y ahí estaba: cubierto de nieve y tieso como cartón.

"Odio el invierno", declaró Maximiliano. Francisco José, Charlie y los hermanos pequeños, bien envueltos en lana y pieles, podían ir a patinar en el hielo o a construir fuertes para jugar guerritas de bolas de nieve. Maximiliano prefería quedarse adentro con sus mascotas, sus libros y las estufas ardiendo. Lo único que le gustaba del invierno (porque era la manera más elegante de enseñarle la lengua), era ir al Bergl Zimmer y cerrar la puerta trás de sí. Sus paredes y puertas se hallaban pintados con murales y *trompes l'oeil* de las flores y fauna más lujuriantes: sandías, papayas, cocoteros, hibiscos, cacatúas. ¿Dónde era esa selva? ¿En Ceilán, en Java, en Yucatán? La nieve podía estar cayendo al otro lado de las ventanas del Hofburg, pero este tesoro del Bergl Zimmer, pintado en el año de 1760 para su tatarabuela la emperatriz María Teresa, nunca dejaba de transportarlo a un éxtasis de encantamiento.

Su madre aconsejaba a los hijos, muchas veces:

—Decídanse a ser felices. Entonces lo serán.

Aquí, en este momento en Cuernavaca, uno es feliz: el perfume del aire, los colores que vienen de la paleta del cielo, pájaros, árboles cargados de flores, vides y naranjas, la música de la orquesta y la de las fuentes, este sol que calienta los huesos…

—¡Hurra! Profesor Bilimek, ¿qué tiene que enseñarnos? —Maximiliano pone a Agustín en el pasto. Han llegado a la terraza que está afuera de su oficina. El profesor usa una barba blanca, bien recortada, que hace que la cara se le vea más redonda y chapeada de como es en realidad. Sus ojos se ven pequeños y acuosos detrás de los lentes con arillos de metal. Se quita el sombrero de paja, se seca el sudor de la calva y luego, de uno de los muchos abultados bolsillos de su bata, saca un pequeño frasco.

—*Etwas wunderbar*. Algo maravilloso —dice, y cambiando al francés, explica:

—*Un petit bête du Bon Dieu*: una de las pequeñas criaturas del buen Dios —dice, poniéndolo en las manos de Agustín.

Siendo un monje capuchino, el profesor Bilimek es profundamente tímido con los adultos, especialmente si se trata de hablar en español; por eso es que habla en francés con cualquiera que no entienda el alemán. Hace años acompañó a Maximiliano a Brasil y logró pasarse toda la expedición con apenas una palabra en portugués.

El frasco es la jaula de una catarina. Agustín observa cómo ésta se trepa por las paredes de vidrio. Luego pone el frasco en los ladrillos.

A su lado, bajo la sombra de una higuera que han hecho crecer pegada al muro, Maximiliano extiende la mano atrás de la *aphalandra* para tocar una hoja con forma de oreja de elefante. Le dice a su secretario:

—*Monstera*. Su nombre en latín es *colocasia esculenta*. En Brasil, sin embargo, la hoja es distintivamente más grande y más reniforme. Los nativos las usan como sombrillas.

—¡Extraordinario! —José Luis se inclina para verla mejor: es la misma planta que su madre tiene en una maceta en el patio del lavadero, en su casa de la ciudad de México.

—Pero son inútiles en los chubascos tropicales.

—¡Dios mío, sí! Ya me imagino.

Bajando más la hoja, Maximiliano la arranca de su tallo.

—¿Primito?

Agustín se acerca y Maximiliano se inclina hacia él.

—Para ti. Una sombrilla apenas para tu tamaño.

Agustín se ríe, pero como no está seguro de qué hacer con esa gran hoja, la deja caer encima del frasco de la catarina. Echa a correr al prado, hacia la sombra del ficus; pasa el mango y llega a la parte más soleada. Aquí dobla las rodillas, levanta el trasero y planta la cabeza en el pasto. Después de una pausa en esta incómoda posición, se da la vuelta.

—¡Bravo! —dice el profesor Bilimek.

Agustín da otra maroma.

—¡Bravo! ¿Cuántas puedes dar?

Agustín enseña tres dedos.

—*Drei?* ¿Tres?

—*Drei!*

—*Encore un fois!* ¡Otra vez! —dice el profesor Bilimek.

Desde la terraza, Maximiliano observa al pequeño con los brazos cruzados y una expresión de envidia. Ser adulto es vivir en una especie de cárcel. Ser un soberano es vivir en esa misma cárcel, pero con grilletes de hierro y con la llave aventada por los barrotes. Había envidiado tanto a su hermano mayor, que poseía un trono, y tenía tanta rabia de que abusaran de él haciéndolo firmar el Pacto de Familia… pero sus sentimientos hacia su hermano empiezan a suavizarse un poco. En este trabajo ha envejecido muy rápido. De hecho (se pone la mano sobre el cabello, cada vez más escaso) pronto va a quedarse tan calvo como el profesor Bilimek. En un año o dos va a tener la cabeza como una bola de billar; no, peor: como un huevo pinto. Y con tanto café y tabaco, los dientes se le han puesto amarillos. No es ningún Romeo. Aunque la barba se le ve muy bien. Se la ha dejado crecer como una especie de compensación. Orgulloso, se la acaricia.

—¡Primito, ven!

Cuando Agustín corre hacia él, Maximiliano lo toma de la mano y despide a los otros.

ABANDONAR EL SOL para irse a meter a la oficina, aunque sea con su "primito", es regresar de golpe a una pesadilla estando despierto. Maximiliano le ha concedido al embajador austriaco una entrevista para antes del almuerzo; tendrá que poner en juego su no muy segura habilidad para maniobrar entre Escila y Caribdis; es decir, entre impresionar a Viena con su buen gobierno de México y abrir las vías para su posible regreso a Austria, de lo cual depende la renegociación del Pacto de Familia.

El káiser fue quien actuó de mala fe, cree Maximiliano. Pero ahora, cuando han pasado casi dos años desde que fue forzado a poner su firma en ese maldito pedazo de papel, se da cuenta de que la copa más amarga fue la que él bebió por su propio albedrío, creyéndola un jarabe dulce, mientras se hallaba a bordo de la *Novara*. Esto es, fue un error grave, posiblemente fatal, haber enviado esa carta de protesta. ¡Y de manera tan pública! Puede que Francisco José albergue algún afecto por su hermano menor, o por lo menos, por amor a su madre, finja que lo siente. Pero, como káiser, escucha primero a los hombres que lo rodean, y esos cabezas de coco ya consideraban a Maximiliano casi un traidor por haberse atrevido a criticar las bárbaras medidas de Viena en contra de los disidentes, y luego por haber entrado en tratos con Luis Napoleón. Protestar contra el Pacto de Familia de esa manera —fue Carlota quien insistió en enviar el telegrama a todas las cortes de Europa, y ese idiota de Schertzenlechner y Monsieur Eloin y… ay, fue como provocar a las fieras con un atizador al rojo vivo. Debió haber esperado. Debió haber llevado el juego con más sutileza, usar canales traseros, dejar que guardaran las apariencias aquellos que lo necesitaban. Ahora, con el Pacto de Familia vigente, si Maximiliano regresa a Europa, sus pensiones, su posición, la posibilidad de escoger dónde vivir, adónde viajar, en suma su futuro entero, se encontrará a merced de ellos. Igual podría ser una tortuga sin su caparazón.

Uno nunca debió haberle hecho caso a Carlota. Uno nunca debió dejarla, una mujer tan joven, ejercer tal influencia. ¡Carlota siempre está metiéndose! Se metió en sus asuntos con la Iglesia. No sería justo echarle la culpa de la ruptura con el papa, pero tal vez su excesiva franqueza con el emisario papal… no sirvió (bueno, el padre Fischer sigue en Roma y todavía no logra desatar ese nudo gordiano).

Con su habitual rigidez, Carlota se toma todo de una manera mortalmente seria. Padece unas jaquecas que la dejan paralizada. La ha afectado tanto la muerte de su padre… por eso es que hay que evitarle disgustos. Uno le ha dado un panorama general de las cosas, pero los detalles mejor no los mencionó (por ejemplo, que los Iturbide, esos ingratos, han ido a promover una intriga con el ministro norteamericano en París). Uno no puede discutir con Carlota la posibilidad de la abdicación. Si ésta tiene lugar —pero puede ser que no—, ¡será por culpa de Bazaine! Por dejar que la guerrilla le pase encima. Los ejércitos se están desangrando: cada día hay más desertores. ¡Y Bazaine lo admite! Más dinero, dice el general Almonte: más, más… mientras los franceses siguen robando las aduanas.

Monsieur Langlais podrá ser un mago con los números, pero un simple hombre no puede hacer que se multipliquen panes y pescados.

Impunitatis cupido… magnis semper conatibus adversa… el deseo de escapar… ese enemigo de todas las grandes empresas, como dijo Tácito.

Pero uno está cansado hasta los huesos. ¡Ah, ser niño otra vez! ¡Correr libre por el mundo! Uno podría retirarse, este mismo verano, al Adriático, visitar la isla de Lacroma… podría hacer experimentos de aeronáutica… releer a Goethe y a Séneca… escribir sus memorias…

Pero, ¿permitiría el káiser siquiera eso? Desde Viena, Charlie informa que la popularidad de uno sigue muy fuerte, especialmente entre los húngaros. Así que el Hofburg podría considerar como una amenaza la sola presencia de uno dentro de los confines del Imperio. Monsieur Eloin está de acuerdo. Tal vez la estrategia superior sería establecerse primero, por uno o tal vez tres años, en un país neutral. Pero, ¿cuál?

Con un puro humeando entre sus labios, Maximiliano se pone a hojear su atlas, un prodigioso volumen encuadernado en cabritilla azul marino, con los cantos dorados: las islas Sandwich… Tahití… se ensaliva un dedo, y otra hoja pasa rumorosamente… la bahía de Botany, en Australia…

¿Rajastán? ¿Una expedición de digamos un año montando elefantes y cazando tigres?

Pero las felices fantasías de uno se ven interrumpidas. El secretario hace pasar al embajador austriaco.

Su excelencia es más alto que Maximiliano con casi nueve centímetros. Vestido con pantalón blanco de lino, camisa blanca y unas botas incongruentemente negras, el conde Guido von Thun tiene patillas en forma de cuchillas, cejas oscuras y bajas y la mirada concentrada de una cigüeña a punto de pescar un pez. Luego de responder al saludo de Maximiliano, inclinándose ligeramente, el conde von Thun prueba su español, con el pesado acento que tiene, con el príncipe, quien se halla sentado en la alfombra colocando sus cubos.

—Mucho gusto en conocerle.

—Hola —dice el niño, pero sin levantar la vista.

Su túnica, el conde von Thun no puede evitar observarlo, se encuentra cubierta de manchas de pasto. Y tiene un moretón horrible en el brazo izquierdo, justo arriba del codo.

—Qué notable torre estás construyendo con tus cubos.

Agustín la derriba de una patada con su sandalia.

—¿Era un castillo?

Agustín corre hacia Maximiliano y se agarra de su pierna.

El conde von Thun persiste:

—¿Cuántos años tiene usted?

Tímidamente, Agustín enseña cuatro dedos.

Dándole un jaloncito en el cabello, Maximiliano dice:

—¡Pequeño mentiroso! Yo sé cuántos años tienes.

El conde von Thun había asumido que el niño tenía por lo menos cuatro. Mordiéndose el labio, Agustín muestra dos dedos.

—Eso es correcto, primito —dice Maximiliano—. Pero ya tienes casi tres, ¿no es así?

Agustín asiente.

—Y ya sabes cuándo es tu cumpleaños, ¿no?

Agustín menea la cabeza:

—No.

—Yo sé que sí sabes —dice Maximiliano—. ¡Ho!

Agustín se ha arrastrado debajo del escritorio. Maximiliano se agacha, apoyándose ambas manos en los muslos.

—¿Qué estás haciendo ahí abajo?

Alzando las cejas, el embajador se frota la barbilla y luego se rasca detrás de la oreja. *¿De qué se trata esto?* Hay alguna razón por la cual, para su beneficio —es decir el de Viena—, Maximiliano hace tanta alharaca con este niño. Pero, ¿cuál es? ¿Se supone que él ve a este llamado "príncipe" —eso está de verdad forzado— como su heredero? ¿La idea es que uno corra a enviarle un cable al conde Rechberg: *Convenza al káiser de mandar acá a uno de sus sobrinos para que la Casa de Habsburgo no pierda esta oportunidad dorada?* Viene una guerra contra Prusia, tal vez para mayo. El káiser necesita a México tanto como uno necesita un hoyo en la cabeza. Austria no puede darse el lujo de enemistarse con Estados Unidos (el embajador austriaco en Washington ya tiene órdenes de mantener estricta neutralidad en relación con México). Permitir que unos cuantos miles de voluntarios se embarcaran fue una concesión hecha por pura lealtad familiar, para darle a Maximiliano *algo*.

Y los voluntarios austriacos podrían haber logrado *algo*, si Bazaine no los hubiera mantenido dispersos, enviándolos a operaciones triviales y al mismo tiempo absurdamente peligrosas. El primo del conde von Thun, el general von Thun, es el oficial comandante de los voluntarios austriacos. La última vez que hablaron de Bazaine, él casi se ahoga de la rabia.

En cualquier circunstancia, al paso con que México está cayendo en la bancarrota y la anarquía, Maximiliano tendrá que abdicar. La pregunta es, ¿cuándo lo hará?

¿Y este niñito? Fue espectacularmente estúpido por parte de Maximiliano mandar arrestar y deportar a su madre. De acuerdo con los informes policiales, ella ya le llevó su caso al ministro norteamericano en París. ¡Típico de Maximiliano! Se hace el magnánimo con sus enemigos y, cuando ellos van tras él, entierra la cabeza. Enfrentado a tomar decisiones desagradables, opta por atrasarlas. El juego más inerte. Así es como se metió en todo ese embrollo con el Pacto de Familia. Maximiliano se pasó de ingenuo al reclamar que lo sorprendieron; el conde Rechburg había presentado los términos muy claramente y con anticipación. *Geltungsbedürfnis*: la necesidad de alardear. Ésa ha sido siempre la pieza débil en la armadura de Maximiliano.

El conde von Thun no alberga ningún sentimiento de caridad por las bizantinas tonterías de Maximiliano. Nunca lo ha tenido. Saca su pañuelo y se limpia la frente. Vestirse todo de blanco no es defensa suficiente contra el calor.

Lo ofende el que los oficiales más capaces estén muriendo. Nunca va a olvidar el dolor que sintió: el capitán Karl Kurtzrock y 60 ulanos masacrados en Ahuacatlán. Los voluntarios austriacos, en su mayor parte, recorren la sierra combatiendo contra estos simios, y contra secuestradores y asaltantes de diligencias con nombres como Loco de López, Hongos, y el Tuerto. Los austriacos deberían servir al káiser, no a esta quimera de *l'empire du Mexique* que soñaron en las Tullerías. Y, para empezar, fue un escándalo que un archiduque austriaco condescendiera a aceptar un trono de un Bonaparte.

Lo que es más, este puesto no ha sido ningún logro en la carrera del conde von Thun. Siendo uno de los diplomáticos austriacos tenidos en más alta estima, lo asignaron a México no porque México importe, sino porque su soberano resulta ser el hermano del káiser. El conde von Thun preferiría las tormentas de nieve de Moscú a esta despreciable farsa. Hay que ver esta oficina: la tapicería, los cuadros, la credenza elaboradamente labrada… y según informes de inteligencia, ¡Maximiliano mantiene una correspondencia regular con sus decoradores de Trieste! Parece que está menos interesado en gobernar que en amueblar su juguete italiano. La última carta interceptada contenía una orden para que pusieran ¡mil ruiseñores en el aviario abierto detrás del *parterre* que da a la bahía de Grignano!

Con el rabillo del ojo, el conde von Thun dirige una mirada al atlas abierto en... ¿Rajastán?

—¿Un dulce de cacahuate? —dice Maximiliano, levantando de la orilla de su escritorio un tazón de barro anaranjado con negro. Una olla como una calabaza.

—¿Un qué, señor?

—*Ca-ca-hua-te*, eso es "maní", en el idioma de nuestros aztecas —Maximiliano agita su puro sobre las hileras perfectamente ordenadas de dulces del tamaño de un doblón envueltos en papel.

—Éstos vienen de la mejor dulcería de la ciudad de México, *Süßwarengeschäft*, como decimos. El Paraíso Terrestre en la calle de San Francisco.

—No la conozco.

—Qué vergüenza. Debe usted ir.

—Quiero un cacahuate —dice Agustín desde abajo del escritorio.

Maximiliano le responde en español:

—Te voy a dar uno, primito, pero hasta que te salgas de ahí abajo.

—¡No!

—Pues entonces, primito, no hay cacahuates.

Jalándole el pantalón, dice Agustín:

—Mi rinoceronte quiere uno.

—¡Tu rinoceronte! ¿De qué color está hoy tu rinoceronte?

—Siete.

—No, eso es un número. ¿De qué color es tu rinoceronte? ¿Es azul?

—Martes.

—¡Tu rinoceronte es martes! —con una risa leve, Maximiliano se vuelve hacia el embajador. En alemán, le dice:

—Su turno.

—¿Señor?

—Pregúntele por su rinoceronte.

Ruidosamente, el embajador se aclara la garganta. Se agacha, con un codo en la rodilla, y se asoma debajo del escritorio. En su torpe español, pregunta:

—¿Dónde está el rinoceronte?

—¡En tu cabeza!

El conde von Thun se toca la cabeza.

—No lo siento.

—¡Te muerde!

Habiendo llegado hasta donde su dignidad lo permite, el conde von Thun se endereza. Todavía tiene en la mano el dulce de cacahuate.

En alemán, Maximiliano le dice:

—Pruébelo. Es un mazapán de cacahuate.

El conde von Thun le da una mordida al dulce y por poco se ahoga. De verdad es una de las cosas más detestables que recuerda haber probado en su vida. Seco como cal, se pega en los dientes.

—Mmm —dice, haciendo un esfuerzo por tragárselo.

Mientras tanto, el cachorro se ha arrastrado hasta el librero y empieza a sacar los libros.

Maximiliano dice, de repente:

—He estado pensando en la India —levanta la barbilla y, en dirección a la puerta abierta, exhala una columna de humo.

—¿Ah? —los libros van cayendo con un golpe en el piso. Y hay otro ruido. Justo afuera de la puerta, el guardaespaldas del emperador ha empezado a roncar.

—Como le estaba diciendo el otro día a su contraparte británico, los mexicanos tenemos mucho que aprender del ejemplo que han puesto en la India.

—Hmm —el conde von Thun quisiera tener un vaso de agua y disimuladamente, cubriéndose con el pañuelo, trata de limpiarse los dientes con la lengua.

—Como los hindúes lo han demostrado, los elefantes son el mejor medio para transportar troncos en terreno montañoso.

—Hmm.

—Poseemos extensos bosques maderables en toda nuestra costa del Golfo y en Yucatán y Chiapas (otro golpe de libro), así como en el norte, hasta Chihuahua. Caoba, roble, nogal… realmente, lo que tenemos es una cornucopia de maderas.

—¿Importaría usted elefantes de carga para transportarla?

—Precisamente.

—¿De la India?

—De Nueva York. Nuestro cónsul allá ha estado en negociaciones con un circo.

El conde von Thun necesita hacer acopio de todo su nervio diplomático para mantener la cara seria.

—Sin embargo —continúa Maximiliano—, ya nos estamos beneficiando de varias innovaciones extraordinarias. Estoy seguro de que ha oído usted hablar de nuestra producción de henequén en nuestras riquísimas haciendas de Yucatán. Ahora, en Baja California, nuestra península noroccidental, con ayuda de modernos aparatos de buceo estaremos expandiendo la explotación de nuestros lechos de perlas en todo el Mar de Cortés.

—Ah.

—Cerca de las islas de La Paz, en Baja California, uno de nuestros buzos yaquis sacó una perla negra del tamaño de un limón.

—¿Hmm?

—Pero con la forma de una pera.

—Hmm.

—Con un peso de 357 gramos.

—Ah.

—Salió un artículo sobre esto en *Le Moniteur*.

—Hmm.

Maximiliano continúa en este tenor. El conde von Thun, mientras tanto, calibra cuidadosamente sus reacciones —o más bien ruidos— para que caigan dentro de un rango que vaya lejos del desdén, por un lado, y evite un falso entusiasmo, por el otro. Para ponerlo de una manera poco diplomática, Maximiliano tiene la cabeza llena de frijoles. Están parados en el centro de la habitación. A espaldas de Maximiliano, entre dos cuadros que representan el Popocatépetl y el Iztaccíhuatl, respectivamente, una cucaracha tamaño campeón trepa por la pared. En el piso de mosaico, tan cerca que el conde von Thun sólo tendría que mover su bota para aplastarlas, una fila de hormigas marcha hacia la puerta. El aire vibra. Los ojos de Maximiliano se fijan de pronto en algo que se halla afuera. El conde von Thun voltea.

—Se lo perdió —dice Maximiliano.

—¿Qué?

—Un colibrí. Hay un nido bajo el tejado. El otro día encontré al jardinero trepado en una escalera. Quería quitarlo, pero se lo prohibí —Maximiliano va hacia su escritorio y regresa con un plato de hojalata cubierto con un pañuelo—. Levántelo.

En el plato se encuentra un montón de plumas del tamaño de un pulgar: un colibrí.

—El tesoro del profesor Bilimek de esta mañana. Un gato lo atrapó.

—Un gato ágil.

Maximiliano entrecierra los ojos tras el humo de su puro.

—Levántelo.

—¿Otra exquisitez azteca?

Maximiliano se ríe.

El conde von Thun pone el cadáver en la palma de su mano. Por primera vez está genuinamente sorprendido.

—No pesa nada.

—Nuestros aztecas llaman a la pluma del colibrí *huitzilihuitl*, o "espíritu puro". Es aliento y sol.

El conde von Thun lo hace rodar de una de sus palmas a la otra. Las plumas están negras, y sin embargo brillan con todos los colores del arcoiris.

Maximiliano dice:

—Es la única ave capaz de volar hacia atrás.

El conde von Thun devuelve el cadáver al plato. Si ya terminaron con las lindezas, es hora de que Maximiliano empiece a hablar de negocios.

En lugar de eso, Maximiliano expulsa el puro de su boca. Mira alrededor y luego, de pronto, dice en inglés:

—*Hello?* —asoma la cabeza debajo del escritorio—. ¿Primito? —se endereza. Pregunta en alemán:

—¿Dónde está?

El conde von Thun menea la cabeza. Sigue a Maximiliano afuera.

—¡Señor! —el guardaespaldas del emperador se pone súbitamente en posición de atención. Cuadra sus talones.

Maximiliano pregunta:

—¿Dónde está el príncipe?

—¡Señor! ¡No lo he visto, señor!

Maximiliano bosteza. Le dice al conde von Thun:

—No puede haber ido lejos —tira algo de ceniza en el pasto—. ¿Vamos?

La música flota sobre el prado. Por la vereda que corre junto a la fuente, bajo la mancha de frescura de una palmera plateada de sol, una criada pasa apurada con una canasta de toallas en la cabeza. Maximiliano y el embajador continúan por la terraza en dirección al almuerzo (el olor del pescado horneado se hace más fuerte) y, justo cuando se acercan a la montaña de flores de la mesa, escuchan, esta vez desde el otro lado de los setos, desde los escalones que van a dar a los establos, los gritos del niño.

14 DE FEBRERO DE 1866

Chez Iturbide

En el mismo instante en que se le zafó el brazo al niño, al otro lado del mundo, en su asiento en la *Opéra* de París, su madre empezó a abanicarse desesperadamente. Sus labios se entreabrieron, como si de pronto estuviera contemplando no lo que ocurría en el escenario giratorio, sino, flotando en medio del aire, la escabrosa visión.

Todas las células de su cuerpo sabían que su niño se había herido; le estaba llorando. Inundada con una angustia impotente, Alicia empezó a sollozar. Angelo, exasperado, le dijo al oído:

—Contrólate.

—¡Algo le ha pasado al bebé!

—Mi cielo, por favor —Angelo puso su mano sobre la de ella, menos para consolarla que para callarla. Había tenido tantas esperanzas de que la distracción de esta noche en la ópera calmara sus nervios… y estos palcos fueron caros: primera fila, con una vista clara, a través del foso de la orquesta, del palco imperial. Detrás de la bandera tricolor, Luis Napoleón estaba sentado observando la escena con atención. Eugenia lucía majestuosa como una Diana de mármol, supremamente consciente de los ojos que la miraban. En su garganta (mucho se comentó antes de que el telón se levantara) destellaba un rubí del tamaño de una nuez y, sobre su cabello, un *aigrette* de plumas negras y diamantes. El ministro del Exterior, Drouyn de Lhuys, y su esposa se hallaban sentados a la izquierda de la pareja imperial. Madame con un escote abismal y un collar de zafiros. Incluso en la penumbra, cada vez que volvía la cabeza: chispas azules. Angelo se puso a pensar: esta proximidad muda al objeto de sus esfuerzos resultaba tan cruelmente tentadora, vaya, él habría podido aventar su guante y éste habría ido a dar al regazo del emperador. ¿Era eso lo que había puesto así a Alicia? Pero, como él siempre se había dicho a sí mismo: es un misterio de Dios qué fantasías flotan en la cabeza de una mujer.

Un choque de címbalos. En escena, la multitud de campesinos en trajes coloridos se dispersó y, a la tensa y aguda *f* de un violoncello solitario, Adelina Patti se deslizó hacia las luces cenitales, levantó uno de sus luminosos brazos enguantado hasta el codo, abrió los dedos y expandió su caja torácica en una gloriosa aria… arruinada por Alicia. Medio teatro, al parecer, incluida Eugenia, se volvió en esa dirección. La severa matrona que se hallaba en el palco de al lado le lanzó a Alicia una mirada feroz.

—¡Shsh! —alguien atrás de ellos siseó.

Angelo hizo su silla hacia atrás y tomó del brazo a su esposa.

Afuera, Alicia no podía parar de llorar. Bajo los arcos del portal donde se pararon, en ese frío nocturno que calaba hasta los huesos, Angelo le recordó que Drouyn de Lhuys no era su única línea de comunicación con el emperador. Ahí estaba el doctor Evans, que resultó ser el conducto extraoficial y directo de Bigelow hacia los salones más recónditos de las Tullerías (una semana de antes de Navidad, el doctor Evans le había sacado la muela a Agustín Gerónimo). Y, como Alicia bien sabía, un amigo de un amigo de Agustín Gerónimo había aceptado escribirle a Maximiliano. Podía pasar un mes antes de que Maximiliano leyera la carta, pero, dijo Angelo, ésta ya iba en camino. Y Bigelow le había enviado un cable a su contraparte en Viena; se podía contar con él para que llevara el asunto al Hofburg y eso seguro que apenaría a Maximiliano.

—¡Bigelow envió un cable a Viena! ¿Por qué no me dijiste?

La cara con que Alicia dijo eso le rompió el corazón a Angelo.

—Porque, mi amor, acabo de enterarme y veníamos corriendo para llegar a tiempo a la ópera —la tomó por la cintura—. Ya ves: las cosas se están moviendo. Pero debemos tener paciencia.

Alicia volvió el rostro hacia otro lado. La voz se le había vuelto quebradiza:

—Algo le ha pasado al bebé. Lo sé.

—Tienes que dejar de darle rienda suelta a tu imaginación —le dio su pañuelo. Ella se limpió la nariz. Ya que terminó, Angelo le puso una mano en la espalda, conminándola.

—¿Nos vamos? —él quería decir de regreso al hotel.

Pero Alicia se quedó parada ahí donde estaba. Echó una mirada alrededor y oteó el aire. Alicia se ajustó su capa de piel de zorro.

—¿Sabes qué?

Ella torció la boca.

—Me choca esta ciudad.

Angelo cerró los ojos. El verano anterior, cuando estaban negociando con la emperatriz, Alicia declaró repetidamente que vivir en París sería *le rêve de ma vie, la grande vie, le douceur de vivre*… se puso a presumir su francés de colegiala en cada oportunidad que tenía. Ella volvió a darle la cara, su cara manchada de lágrimas. Bajo el alumbrado de gas se veía gris y demacrada. Él no quería mirarla. Vio su reloj. Se preguntó, muy irritado, qué podía hacer con el resto de esta noche desperdiciada.

Alicia dijo:

—¿No odias París tú también?

Él se miró los zapatos.

—¿No? —insistió ella.

—En cierta forma.

—Es *de trop*. ¡Gigantescamente sobrestimado!

—Sí —dijo él, sólo porque no quería estar ahí parado en el aire de la noche.

—Adelina Patti es una mediocridad de soprano. *De mal en pis*.

Él había decidido aplacarla.

—Sí —dijo, aunque estaba en absoluto desacuerdo.

—Deberíamos pedir que nos devolvieran las entradas.

—Sí, mi amor. Mañana.

Alicia se volvió a mirarlo fieramente, con su pequeño bolso de abalorios colgándole de la muñeca.

—La ópera *no* devuelve entradas.

—Sí.

Ella azotó el pie en el suelo.

—*¡Sí!* ¿Eso es todo lo que sabes decir: "sí"? Eres… —pero vio entonces la expresión que él tenía en los ojos. Ambos sabían lo que había estado a punto de decir. Ya se le había escapado el otro día, y él le respondió con una frialdad que nunca antes le había mostrado: "Si en tan poco tienes a tu esposo, te sugiero consideres regresar a vivir con tu madre".

Alicia gritó:

—¡Oh, oh! —y se cubrió los ojos. Perdió pie, pero él la sostuvo para que no cayera, enderezándola por la espalda como si fuera una muñeca de trapo.

Angelo había perdido la paciencia. Le dijo, sujetándola por el brazo, pero esta vez sin hacer concesiones:

—Vamos. Puedes llorar a mares en el hotel.

LO CURIOSO FUE que, en el momento en que su esposo dijo eso, las lágrimas de Alicia se secaron y no ha derramado ni una en las dos semanas transcurridas. Es 14 de febrero y resulta que Miércoles de Ceniza, primer día de Cuaresma. Ella está muy enfadada porque, socialmente, el invierno ha sido una completa *folie*. Después de que no los recibieron en la corte, ¿a qué entonces espera Madame de Iturbide que la inviten? Ni todo el *savoir faire* del mundo le ganaría una entrada por esas elegantes puertas que se levantan tras los altos muros del Faubourg.

Cuaresma: se supone que uno debe renunciar a algo en penitencia, pero, ¿por qué ha de hacerlo ella, cuando ha sacrificado su corazón entero? ¡O más bien, se lo han arrancado! ¿Qué clase de Dios puede ser tan cruel como para permitir que ella sufra así? ¿Será que todo es un Fraude? ¿Siquiera existe Él? Esta pregunta es un pecado, piensa. ¿Debería confesar su decadencia espiritual? Intentó hacerlo, en diciembre, pero el sacerdote que hablaba inglés no estaba ahí. ¿Confesarse en francés? Qué lata.

Aunque tal vez el problema sea que le ha estado rezando al santo equivocado. San Judas Tadeo, santo patrono de las causas imposibles. ¿En qué estaba pensando doña Juliana cuando se lo sugirió? Habría sido mejor empezar con el Santo Niño de Atocha, protector de los niños y los presos. Pero ése a nadie le importa aquí en Francia.

El fin de semana pasado, su sobrino Salvador pudo salir de la escuela: Sainte Barbe des Champs.

—¿Podemos montar a caballo en el Bois? —preguntó Salvador—. Quiero un caballo. Me haría tan feliz tener un caballo.

—Puede que encuentres uno en el menú —bromeó Agustín Gerónimo. Pero ni siquiera Agustín Cosme se rió.

Salvador, con sus ojos de pez ángel y su pelo rebelde, ha crecido otros tres centímetros; ya está casi tan alto como Angelo, aunque tan flaco que un viento fuerte se lo lleva. Para ver si así le ponían algo de carne en los huesos, lo llevaron a la Maison Dorée. Se encontraba lleno de yanquis: nuevos ricos. La pareja de la mesa de junto estaba nada más parando la oreja sin ninguna vergüenza. Tímidamente, mientras el mesero repartía los menús, Salvador preguntó si había habido alguna noticia del bebé.

—No de Pepa directamente —dijo Angelo. Habían oído de su pariente de Toluca, José Malo, y también, como información de segunda mano, de Sabina, la hermana de Angelo que estaba de monja en Filadelfia, que el bebé se hallaba sano.

Alicia, con los ojos secos, dijo:

—Tu tía Pepa se lo ha robado, ya ves.

A Alicia le ha dado por soltar estas verdades, que se estrellan como copas. En el silencio que sigue, un silencio como el de una granja bajo una nevada, ella no llora.

—Hermana —Agustín Gerónimo la reprendió suavemente—. Perdonemos a Pepa. Es Maximiliano quien decidirá las cosas.

Alicia mantiene la mano cerrada sobre su otra muñeca. Pero a veces, no puede evitarlo, se retuerce el cabello. Se le ha hecho una parte calva que tiene que cubrirse con un rizo. Se muerde las uñas. Fragmentos de canciones, pequeñas tonadas, abren un túnel en su cerebro: *Da de da de boom-bah...* han rentado un piano. Después de oír tocar a Salvador, ella sigue oyendo durante varios días, una y otra vez, las primeras tres estrofas de *Hail Columbia*. Hace dos días despertó con estas palabras resonándole en la cabeza: *the stone was shattered by the silence* (la piedra estalló con el silencio). Afuera siempre está gris. Si el sentimiento que la envuelve tuviera un color, éste sería un rojo pulsante, oscuro. Siempre tiene frío, pero su ira —¡la furia de Hécuba!— es un sol que ha resecado el mar hasta convertirlo en una vasta planicie de roca. Y su ira sigue ardiendo, sigue y sigue, feroz, obscena. No hay sombra, no hay contraste. Sólo la comezón en la parte trasera de su cabeza. Una perrilla. Un dolor de garganta en la primera semana de diciembre y fiebre en Navidad. Dolores de cabeza martillantes y este interminable dolor de lija: el vacío en su pecho.

Los cables, las cartas salen a un mundo tan inmenso que parece ir más allá de la lógica que el mismo sol y la misma luna que brillan sobre la ciudad de México brillen sobre París. Una noche despertó y por alguna razón se sintió atraída a la ventana. Abrió la cortina y ahí, en equilibrio como una pelota sobre los techos de mansarda al otro lado de la calle, estaba la luna. Su sueño, aunque ya se desvanecía, aún brillaba en su mente: estaba en su cama de Rosedale, en la habitación que compartía con sus hermanas y, por alguna razón, se levantaba a la ventana. Miraba hacia afuera y ahí, alta sobre el Potomac, colgaba la luna. Veía los huertos, los campos, las casas y los edificios de Georgetown; todo, hasta las bodegas y la fábrica de pegamento y los muelles, se hallaba cubierto por un manto de nieve. Bajo la ventana, los setos de la calle eran almohadas resplandecientes. Una cierva cruzó saltando la calle.

Entonces, leve como era, el sueño se desvaneció.

En la ventana, Alicia le susurró a la luna de París:

—Llévale mi amor a mi niño.

¡Su niño! Pensando en él, se puso la mano en las costillas.

L es de luna, que canta sobre la espuma.

La luna: un gran queso amarillo. Su bebé se sentaba en su regazo mientras miraban el libro.

N es de nuez, que rueda hacia los pies. O es de oso, que come miel el muy goloso.

Y la luna de París, pálida y marmoleada, parecía brindar su risueña benevolencia. Su claridad helaba las tejas de aquel techo, el pliegue exterior de las cortinas y la manga izquierda de Alicia.

Sí, cuando el reloj diera vuelta estaría brillando sobre México.

Calentando el vidrio con las yemas de sus dedos, siguió contemplando esta extraña perla, el ojo del cielo. Después de un rato ascendió y se encogió a la mitad de su tamaño. Una bufanda de nubes cruzó por enfrente.

HACE TRES SEMANAS, Luis Napoleón anunció al cuerpo legislativo que va a retirar sus tropas de México por etapas, empezando en octubre. Todo París lo sigue comentando: ¿se trata de una admisión de derrota o una señal de éxito? Luis Napoleón declara que el gobierno imperial de México es lo bastante fuerte para seguir adelante sin ayuda. Mr. Bigelow, sin embargo, dice que el gobierno del "archiduque" va a caer. Es muy pronto para que cualquiera en París pueda hacer algo más que adivinar la reacción de Maximiliano; bien podría suceder que las noticias sobre la decisión de Luis Napoleón todavía no hayan llegado ni siquiera a Veracruz.

¿Qué significaba esto en lo tocante a la devolución del bebé?

—Probablemente na'a —dijo Agustín Gerónimo.

—Alguna cosa —contradijo Angelo.

Alicia:

—¿Si Maximiliano abdica…?

Angelo:

—Supongo que se llevará su corte a Trieste.

Las manos de Alicia volaron a sus mejillas.

—¡Trieste! Vamos a tener que ir *allá*…

—Mi amor —la interrumpió Angelo—, no perdamos la calma.

Agustín Gerónimo, sin sacarse la pipa de entre los dientes, dijo:

—N'ombre. Maximiliano no... —pero el resto de lo que iba a decir se ahogó en su tos.

Sí, EL TIEMPO se ha venido arrastrando en ensangrentadas rodillas hasta el Miércoles de Ceniza. En misa de mediodía, en La Madeleine, fila de enfrente, al centro, en una de las sillas con asientos de junco, Alicia está sentada, los brazos cruzados, con una expresión fruncida. Detrás del altar, una María Magdalena de piedra asciende al cielo en los brazos de una pareja de ángeles. La primera vez que Alicia puso los ojos en estas esculturas, hace casi dos meses, se inclinó y le susurró a Angelo:

—¿No son hermosas?

Washington no tenía nada de este calibre (la Holy Trinity de Georgetown era tan espartana que el padre solía bromear con que podría pasar por iglesia presbiteriana). Pero ahora, a mediados de febrero, en los días más amargos de su vida, Alicia decide que la cara de esa santa esculpida y las imaginarias criaturas aladas están simplemente *dégagées: blasées* como tres modelos de artista, que es exactamente lo que son: ¡pirujas francesas!

In gloria Dei Patris Amen... el sacerdote, de espaldas a la congregación, continúa zumbando. Ella está contenta de no tener que mirarlo: parece un barbero demente. Los monaguillos columpian sus incensarios, desprendiendo bocanadas de humo. La campanilla suena. Como no se ha confesado, Alicia no se forma en la fila para la comunión.

El año pasado, el Miércoles de Ceniza, todos ellos fueron a misa en el templo de la Profesa. El martes, la calle de San Francisco había estado llena de bullicio y barullo de bandas, y unos indios descalzos se andaban tropezando, embrutecidos de pulque. Para el miércoles, sin embargo, el equipo de zuavos había dejado esa calle limpia como un doblón. Al dar vuelta a la esquina, Alicia y su cuñada pasaron frente al último africano, que, con su fez y sus pantalones rojos, estaba rastrillando el desagüe.

—Comienzo a tener esperanzas —dijo Pepa, apretando su crinolina de modo que se levantara un poco, no tanto para mostrar el tobillo, pero sí lo suficiente para permitirle subir el alto quicio.

—Yo también —dijo Alicia.

En la penumbra del vestíbulo, Pepa le puso de repente una mano en el brazo a Alicia.

—Renunciemos a *todos* los dulces, por la Cuaresma.

—¡Ay, Moisés!—Alicia se rió—. ¿*Todos* los dulces? Yo no podría soportar *eso*.

—Tonterías. Lo vamos a hacer juntas.

Esa tarde, sin embargo, después de que se privó no sólo del pay sino también de sus acostumbrados dos terrones de azúcar en el café, Alicia vino a sorprender a Pepa en la alacena, ¡con los dedos en una caja de bombones! Recordar eso ahora la llena de una rabia silenciosa. Resopla por la nariz.

Domine Deus, Agnus Dei, Filius Patris... —entona el sacerdote.

Angelo vuelve a hundirse en su asiento. Se arrodilla y descansa la frente en sus manos entrelazadas. Ella quisiera darle un golpe en la espalda. *¿No te das cuenta? Nadie te está escuchando. ¿Cómo puedes decir que yo soy la de la imaginación desbordada? ¡Si esa "hostia" que tienes en la lengua es una migaja de harina! ¡Ve a que te revise los nervios el doctor!* Con la espalda torcida hacia atrás de tan tiesa que está en su asiento, Alicia se ha quedado quieta como la efigie de una moneda. De pronto, de la nada, le viene a la mente algo tan chistoso que no puede evitar carcajearse: se acuerda de cómo su hermano Oseola, cuando salía de nadar en el estanque, se ponía la mano acopada en su axila y cerraba el brazo para hacer ruidos de pedo.

Angelo levanta la cabeza. Esta vez no la calla, sólo le toca la muñeca.

Salen de La Madeleine al día sin sombras, duramente opaco. Afuera hay una multitud de pordioseros, veteranos sin piernas, y pichones. Angelo se alza las solapas del abrigo. Alicia se abrocha su capa de piel de zorro. Ni su bonete acojinado y forrado de piel de foca ni sus manoplas son suficientes para que deje de temblar. Angelo, contrayéndose mientras cojea, ha caído víctima de la gota. Otra vez.

EL MIÉRCOLES DE CENIZA, como todos los demás días, avanza con pies de plomo; detrás de cada instante, el remordimiento y la ira se arrastran como la criatura de Frankenstein. Tantos días inútiles de estar cosiendo, leyendo novelas, periódicos, revistas, aprendiendo a tocar la mandolina (pero luego se rompió una de las cuerdas), jugando *whist* y palitos chinos, paseando, cantando, escribiendo cartas, recorriendo las galerías llenas de ecos del Louvre, comprando montones de cosas: un pisapapeles con forma de chimpancé, papelería con su monograma, ciruelas cristalizadas de Boissier...

El elevador hidráulico del Grand-Hôtel: qué encantado estaba Salvador la primera vez que lo tomó para arriba y para abajo. Tan ruidoso, tan encerrado. A ella la hacía sentirse como un chícharo en jalea.

De regreso en su habitación, se cambia de ropa por tercera vez. Luego sale a buscar unos guantes que combinen con el vestido con chalina y capucha que le están haciendo en Worth.

—*Bonjour, Madame de Iturbide* —el empleado saca charolas de mercancía, una y luego otra y otra, y Alicia quisiera poder no preguntarle: "¿Tendrá éste en un tono más oscuro?"; sino: "¿No puede usted ver el hacha que tengo clavada en el pecho? ¿Dónde está la misericordia de Dios, que nadie la toma por el mango y me la saca?"

Hasta en las más sencillas de sus diligencias, Alicia debe enfrentar niños en cada bulevar: envueltos en sus carriolas, de la mano de la niñera, en los hombros del padre, pasando junto a ella, pequeñas caras sonrosadas, en cualquier *fiacre*. Sigue caminando calle arriba, a todo lo largo de los Campos Elíseos, deteniéndose aquí y allá para mirar brazaletes de ámbar, pinturas de Tahití, alfombras turcas, chinerías, pero no importa dónde se encuentre o qué esté haciendo, una y otra vez vuelve a su mente la imagen, brillante como la vida, de Pepa en el carruaje, apretando al bebé.

Alicia recuerda el último beso que imprimió en la mejilla de su niño; lo recuerda tan vívidamente que podría cerrar los ojos y extender la mano y otra vez estaría acariciando esa piel cálida y aduraznada. Lo que más recuerda son los rizos de su bebé: cómo se los enrollaba en los dedos, y su suave aroma de talco con un toque de pasas y rosas… el olor de su bebé. Lo reconocería con los ojos cerrados.

Durante cinco meses que le han vuelto el alma inerte, Alicia se ha preguntado: *¿Cómo pudo Pepa, que decía amarla, hacerle esto?* Llenarle la cabeza de sueños de princesa y mentiras, mentiras arteras, ¡ahora tan obvias como un olor de orines de gato! Alicia odia a Maximiliano y a Carlota, pero la que le hace subir la bilis a la garganta es Pepa.

Pepa prometió:

—Te voy a escribir todos los días.

Pero en Veracruz no hubo nada, en La Habana no hubo nada, nada en Nueva York, nada en Washington, ni en Londres, ni en Saint Nazaire, ni ahora en París… en París, desde finales de noviembre, ni una bendita palabra.

Todo lo que Alicia tiene de su bebé es un rizo de sus cabellos y su fotografía, que le tomaron el día de su bautizo. En aquel entonces era un hombrecito calvo, apenas capaz de sentarse. Con todo y que ella ha atesorado esta fotografía y ha llorado con ella cientos de veces, esto ya no es él. El 2 de abril, un día después del Domingo de Pascua, va a ser su tercer cumpleaños. ¿Cómo se verá ahora? En vano, ella ha recorrido las tiendas de París en busca de su *carte de visite*. Encontró una del príncipe heredero Rodolfo, del príncipe de Gales, del príncipe Chulalongkorn de Siam, del general Bazaine, de John Wilkes Booth, de cada actricilla tonta y cantante de ópera y entrenador de perros caniches.

Ay, ¿qué le habrán hecho a sus rizos? ¿Qué palabras, qué canciones ha aprendido a cantar? ¿Todavía tiene su conejito, sus cubos, su pelota azul? Ella se pone a temblar de pensar en su seguridad. Al Niño de Francia le dio sarampión. Para acallar los rumores de que estaba agonizando, lo mandaron de paseo antes de que estuviera bien recuperado y recayó… y por poco se moría, según dijeron los periódicos más sensacionalistas. ¿Y ese delfín de ocho años de edad cuyos padres fueron decapitados en la plaza de la Revolución? Agustín Gerónimo dijo: "No te preocupes, hermana, el delfín escapó". De las muchas historias que circulaban, la que a él le parecía más probable era la de que el delfín estaba viviendo de incógnito en un suburbio de Londres. Si todavía vive, ha de ser un anciano como de 80 años de edad. Pero en su guía de París había leído que no, los cuentos de hadas no eran verdad: quienes decían eso mentían, todos. La verdad era que, después de que a su madre, María Antonieta, la llevaron a la guillotina, el pequeño príncipe no fue encerrado sino emparedado en un calabozo sin ventanas en la Torre del Templo. Solo en las tinieblas, entre su propia suciedad, poco a poco murió de hambre. Como recuerdo, alguien tomó un cuchillo y le sacó el corazón. El doctor Evans les ha contado que, en julio pasado, el hijo de Mr. Bigelow, de cuatro años de edad, falleció de una fiebre cerebral. Willie Lincoln murió en la Casa Blanca. El cielo está lleno de almas de niños. *Polvo sois y al polvo volveréis*. Antes de darse cuenta de lo que hace, en la esquina de la calle de Faubourg Saint Honoré, Alicia se mete bajo el brazo su paraguas cerrado y se persigna y besa el nudillo del pulgar.

MÁS TARDE, después de comprar cinco adornos para el pelo, tres medidas de listón de satín en magenta, malva y violeta, y más medias de seda de las que tres mujeres juntas podrían usar en un año, se encuentra sentada, sola, disfrutando un helado de pistache en el comedor del Grand-Hôtel (un salón tan desproporcionado —los anuncios afirman que caben 800 personas— que siempre, así haya 200 clientes, se siente vacío), Alicia recuerda que todavía no decide a qué va a renunciar por la Cuaresma. No es necesario decir que la carne queda fuera del menú. Angelo va a ofrecer su copa de Madeira de todas las noches. Agustín Gerónimo había pensado al principio quitarse la pipa, pero luego decidió que mejor sacrificaría la mantequilla en sus bollos.

—¿Y los *croissants*? —le preguntó Angelo.

—¿Ésos qué?

—Hermano, tienen un montón de mantequilla.

Agustín Gerónimo empezó a toser:

—No puedo verla, no cuenta.

Se ponen a discutir por las cosas más simples. Con lo de su gota, Angelo tiene que darse baños de pies con sal, amonio y alcanfor.

—Ese alcanfor no es suficiente —le dijo Agustín Gerónimo.

—Ya le eché bastante.

—Tienes que poder olerlo desde lejos.

—Huele hasta el pasillo.

—Bueno, *tú* puedes olerlo allá.

—Así es, yo sí puedo.

Anoche se la pasaron en la taberna de Agustín Cosme. Ambos tenían dolor de cabeza esta mañana. Angelo tiene ese libro de cuando era niño, un libro de cuentos de marineros que veces saca; es un tomito encuadernado en piel, viejo y oloroso, que su padre le dio. Se está cayendo en pedazos. Cada cierto tiempo, Agustín Gerónimo lo deja que lo lea en voz alta, pero eso generalmente termina mal porque, en el peor momento posible, Agustín Gerónimo se pitorrea.

Alicia raspa con la cuchara el fondo de la copita y recuerda: solía darle a su bebé probadas de nieve de frutas. La de limón era su favorita. El hielo lo bajaban en carreta desde el Iztaccíhuatl. Ella se sentaba al piano, con el niño en el regazo, y lo dejaba pegarle a las teclas. Cantaban la canción del abecedario y *"Mary Had a Little Lamb"*. Cuando salían de paseo, en el cálido interior de su carruaje, ella se cubría y lo cubría a él con su chal y chocaban las narices y canturreaban: *"We're snug as two bugs in a rug"*.

Cuando Angelo llegaba a casa, a mediodía, cargaba al bebé y lo aventaba en el aire, diciéndole en inglés:

—*Hi baby, high to the sky!*

—*High!* —decía Agustín.

—¿Quieres volar alto otra vez?

—No —sacudía sus rizos.

—¿Quieres que papá te baje?

—¡No!

—Bueno, mi hombrecito, ¡voy a tener que darte vueltas en el Gran Reloj! —el zapato del bebé se atoró en el florero, que se rompió regando el agua en la alfombra.

—Cómo lo consientes —dijo Alicia, y Angelo se rió con ella.

Él dijo:

—¿Quién habla?

Atín, como se llamaba él a sí mismo, empezó pronto a aprender a caminar. Madre e hijo tenían un juego: él se metía bajo su crinolina y se agarraba de una de sus piernas mientras ella caminaba.

—¿Dónde está mi Agustinito? —jugaba con ellos Lupe, buscando por aquí y por allá, tocando en puertas y alacenas, gritando con su vocecita trémula—: Agustín, chiquitín. ¿Está escondido aquí? ¡Dios me ampare! ¿Dónde andará mi corazón?

Ahí estaba Lupe, trayéndoselo a Alicia después de bañarlo, con el cabello revuelto por la toalla, la piel satinada de talco… le echaba al cuello sus pequeños brazos, que pesaban como el aliento de un ángel… en su habitación de bebé había una mesa en forma de tambor y, sobre el diminuto colchón de plumas de su cuna, una colcha de colores que le había hecho su abuela. La manera en que la luz del sol entraba en tiras a través de las persianas, llenando el techo con una claridad amelonada. Los pisos de duela de pino. Sobre aquella mesa de tambor había una sonaja de plata, regalo de doña Juliana, y una taza de plata de tamaño apenas suficiente para contener un huevo de codorniz, que les habían dado el general y Madame Almonte.

Es menos peligroso pensar en helados. Este helado de pistache está delicioso. Alicia se lame la cuchara.

Como penitencia podría dejar el helado, piensa. Pero no lo hará. Hace una seña para llamar al mesero, el guapo, con su mandil recién salido de la lavandería y bien atado alrededor de las caderas. Cargando una charola de *beignets aux pommes*, pasa junto a ella sin hacerle caso. ¡Qué provocación! A ella le resultan provocadoras varias cosas, entre ellas que ha estado cenando aquí casi todos los días durante más de dos meses, y el personal todavía tiene que dirigirse a ella por su título. Llama a otro mesero:

—*Garçon!* —y cuando ve que no sirve de nada (el mesero se sigue de largo hacia el mostrador del fondo, donde empieza a llenar un salero), intenta todavía con otro agitando la mano en alto como si —así le parece a la matrona de la mesa de junto— estuviera llamando a su compadre en una feria de pueblo.

—*Diese Amerikaner!* ¡Esos americanos! —le murmura la matrona a su esposo, quien continúa comiéndose su *soupe à l'oignon.* Después de dos cucharadas más de ese caldo salado (marcadamente inferior a la *Zwiebelsuppe* que disfrutó en casa la semana pasada), el conde prusiano se toca ligeramente el bigote. Con el aplomo del ciervo más magnífico del bosque, levanta su cabeza cana. Su mirada maligna recorre el casi vacío comedor hasta que reposa en la extraordinaria pero melancólica criatura de la mesa de junto. Ya la recuerda. La vio anoche, cenando con quien seguramente era su esposo. Estaban hablando en inglés, pero a él no le pareció que fueran ingleses. De hecho, se preguntó si estos dos no serían los adoradores del becerro de oro de quienes había hablado su conocido, el doctor Evans, en la cena de la embajada prusiana. Al parecer, esta pareja —el príncipe, un mexicano; la princesa, una americana de elevada cuna (si tal cosa fuera concebible)— le entregó su hijo a Maximiliano de Habsburgo a cambio de pensiones y honores. La madre se arrepintió en seguida; su objetivo al venir a París era asegurar que les devolvieran al niño. El doctor Evans, como goza de la confianza de Luis Napoleón, se vio involucrado en esta intriga por el ministro americano. Siendo prusiano, este conde tiene en baja estima a Maximiliano de Habsburgo. Por principio, tiene en baja estima todo lo que es austriaco. A sus ojos de berlinés, Viena es el epítome de la lasitud, la inmoralidad y la decadencia. También tiene en baja estima todo lo que se relacione con lo primitivo. México, en una palabra, es primitivo. No tiene ningún interés en nada de México. Lo que es más, tiene en baja estima al doctor Evans, un hombre de origen oscuro, elevado a cierta distinción por su amistad con un personaje muy arriba de su posición, quien, en consecuencia, tiene una idea empalagosa de su propia importancia. ¡Un sacamuelas en la corte de Francia! El doctor Evans es un mensajero en el mejor de los casos, un chismoso útil, y más le valdría a uno alejarse de semejante compañía a la brevedad posible. El conde ha venido a París para que su esposa deje de molestarlo. Ella insiste en visitar los sitios de interés ahora, en esta ridícula temporada, porque la situación entre Francia y Prusia es un polvorín en espera de una chispa. No es Berlín la que va a arder.

—*Garçon!* —Madame de Iturbide ha abanderillado a su hombre. Petulantemente, empuja su copita vacía a la esquina del mantel—. Quiero otro.

—*Oui, madam.*

Ella frunce los labios y le echa al mesero unos ojos de pistola.

—Dígale al chef que no me mande una porción de muñeca.

—¿Con o sin crema batida?

Alicia responde con una voz que contiene el apocalipsis:

—*Con.*

Una canasta de cangrejos

Un líder debe ver las cosas no como le gustaría que fueran sino como son. El general François-Achille Bazaine, comandante supremo de las fuerzas imperiales francesas en México, no es un lector de novelas. Recuerda que una vez, hace años, le contaron de una novela que estaba de moda entre los intelectuales y otra gente estúpidamente pretenciosa; describía, a través de cientos de páginas, la caída de una puta desde una de las torres de Notre Dame. Cómo los pasadores del pelo se le desprendían uno por uno, el vestido se le hacía de esta y de esa otra manera, y así seguía, con los detalles más retorcidos y microscópicos. Le permitió a su primera esposa, Marie, que le leyera unas cuantas páginas del primer capítulo. Habría cambiado esos 10 minutos por una hora de tortura. "¡Basta!", dijo, y se levantó, le quitó el libro de las manos a su esposa y lo echó al fuego. "Te vas a trastornar con esta mierda." Ella le dio una bofetada. Él era joven en ese entonces, y arrogante. Si hubiera sabido más, muchas cosas habrían podido ser diferentes con Marie. Tal vez todavía estaría viva. Él está vivo gracias a ella, ésa es la ironía. Durante estos 15 años en las arenas de Argelia, en Francia, en los campos de batalla de Solferino, de Crimea, al otro lado del océano, en México y a través de todo ese largo y solitario año que duró el sitio de Puebla, su amor fue su talismán. Y luego, cuando quiso traérsela, se enteró de que había muerto en París en los brazos de su amante, ¡un actor! El golpe que significó eso, una bayoneta en el plexo solar.

Bazaine sobrevivió a eso, pero con una nueva conciencia de cómo, cuando uno entrega el corazón, puede ser dolorosamente herido. Y cuán más vulnerable es uno cuando tiene un hijo. Su esposa mexicana, Pepita, está esperando su primer bebé. El amor que siente por su pequeña familia asusta al general como nada lo había asustado antes. No porque Pepita pudiera amar a otro; él tiene bastante y muy enconado valor para esa clase de miedo. Es esto: debe proteger a su familia. Pero el Imperio mexicano es esa puta que va cayendo. Por las extravagancias de cuento de hadas de Maximiliano el experimento ha fracasado. Si Maximiliano vacila mucho más antes de abdicar, sólo un milagro podrá impedir que esto termine de la única manera posible: en un montón de sangre.

La máxima del ejército: no reforzar nunca el fracaso.

El último contingente de tropas francesas está programado para evacuar Veracruz en sólo un año y seis meses, en octubre de 1867, y posiblemente —de acuerdo con la visión de Bazaine sería lo más recomendable— la retirada se acelere. Ya que los franceses se hayan ido, habrá represalias. Podrían confiscar las propiedades de la familia de Pepita, y su tía doña Juliana… Dios sabe. Hasta entonces será una espera demoledora, descorazonadora. Como comandante supremo, Bazaine —es una cuestión de honor— será el último hombre en salir, el último soldado francés que levante su bota de suelo mexicano.

¿La familia de Pepita habría permitido este matrimonio de saber que las cosas iban a acabar así? Una pregunta que a Bazaine le parece tan inútil como bajar una cubeta a un pozo seco.

Sí, a algunos les pareció ridículo que estuviera cortejando a una niña de 16 años. En Argelia hubo quienes lo consideraron ridículo por cortejar a Marie —en ese entonces la señorita María Soledad Tormo— que apenas había salido de la infancia y era la artista de flamenco más seductora de la colonia. Con una rosa en la oreja echaba la cabeza hacia atrás para exhalar anillos de humo, una serie: *ha, ha, ha*. Cuando no estaba bailando con sus castañuelas, sus hermosos brazos tintineaban de pulseras; cuando se deslizaba afuera de una habitación, su perfume de azahares —preparado por las brujas del zoco— se quedaba ahí, intoxicante. El oficial comandante le advirtió: "Si te casas con una mujer así, vas a echar tu futuro por la borda". Pero Bazaine tenía entonces treinta y tantos años. Su padre había abandonado a su madre. Contaba con pocas relaciones sociales y no tenía ni el refinamiento ni —así lo veía él— el carácter de lameculos necesario para asegurar aquéllas que podían darle algún resultado.

Allá en Argelia occidental, ¿quién más iba a aceptar a este legionario marcado por las batallas? Le importaba un bledo lo que cualquier emperifollado pudiera decir sobre sus decisiones personales. Bazaine confiaba en sus corazonadas, en este asunto de amor lo mismo que en el campo de batalla. Y había que ver a las esposas de sus oficiales hermanos: gordas, mojigatas de cara agria y chismosas. Naturalmente tenían envidia de la joven y vivaz señorita Tormo; naturalmente los hombres estaban celosos. Una y otra vez Bazaine había demostrado quién era, pero ellos, como venían de una escuela de élite, se sentían superiores. Como solía decirle a su Marie: *Saben cómo usar un tenedor para ostiones, así que creen que eso les da el derecho de usarlo para clavárnoslo por la espalda.*

Pepita podría ser gemela de Marie: el hoyuelo en su barbilla, los gráciles brazos; sobre todo, su personalidad libre de temor, de frente en alto. Fue en un baile en la ciudad de México donde la vio por primera vez, dando vueltas frente a sus ojos abrazada con algún teniente mexicano, y durante un instante que le estrujó las vísceras, ahí, en la orilla del parquet donde estaba, con una copa de champán calentándose en su mano, pensó que su Marie había vuelto a la vida. Debía tener a esta mujer. ¡No le importaba quién fuera! Pero resultó que —¿no era un hijo de puta con suerte?— Pepita era una de De la Peña, no la más rica, pero sí una de las más prominentes y respetadas familias de México. El general y Madame Almonte entraron en éxtasis con la idea de unirlos. *Camarón que se duerme, se lo lleva la corriente*, era el lema personal de Madame Almonte (le caía bien por eso). No habían pasado ni dos días cuando ya había hecho su ronda de visitas, y *voilà!* La tía de Pepita, viuda de un presidente, había sido comisionada para estar de chaperón. Maximiliano y Carlota lo animaron mucho. Luis Napoleón y Eugenia lo aprobaron entusiasmados. Y Pepita se había enamorado, de verdad se había enamorado de él. Bazaine podía haber conquistado México, pero conquistar el corazón de esta señorita era la victoria que más lo enorgullecía.

Ayer por la tarde, se acercó por detrás a su pequeña esposa y se puso a darle masaje en los hombros. La voz se le había hecho ronca después de años de ladrar órdenes, pero a Pepita le hablaba con suavidad.

—¿Qué estás leyendo, hmm? ¿Un librito?

—Poesía —dijo ella.

—A ver —él le quitó el libro de las manos. Con el pulgar, como si se tratara de un mazo de baraja, se puso a hojearlo. Latín del lado izquierdo, español en la página opuesta. Reconoció algunos nombres: Virgilio, Ovidio, Dante. En la primera hoja había algo escrito en español.

A Madame Bazaine,
querida tocaya.
Su amiga que la quiere,
Pepa.

El español de Bazaine era fluido, pero no era su lengua nativa.

—¿Qué es "tocaya"?

—Tenemos el mismo nombre.

—¿Quién es Pepa?

—La princesa Iturbide.

Él alzó una de sus espesas cejas.

—No te imagino de amiga de la princesa Iturbide.

Pepita se dio vuelta en su silla hasta donde pudo, por el embarazo. Apoyó su linda barbilla en el dorso de su mano.

—¿Por qué no?

Él no dio la respuesta que le había venido inmediatamente a la cabeza: que, para empezar, había un mar de diferencia en sus edades (de hecho, la princesa Iturbide tenía la misma edad que él). Una lambiscona pretenciosa y una intrigante pagada de sí misma: ésa era la opinión que él tenía de esa vieja. Pero nada de eso dijo.

—Tenía la impresión de que estabas de parte de doña Alicia en la disputa familiar por el niño.

—Lo estaba. Y lo sigo estando, pero México es un...

—Pañuelo.

—*Mon amour* —dijo Pepita, riendo y juntando las yemas del pulgar y el índice de su mano—. Te digo: es un pañuelitito —hábilmente, recuperó su libro de manos de él—. ¿Te leo algo?

—Nada le gustaría más a este viejo. Pero aquí no hay luz suficiente para tus delicados ojos.

Pepita abrió la boca para refutarlo, porque sus ojos no tenían nada de delicado, pero, mirando alrededor, se dio cuenta de que el crepúsculo había sobrevenido de manera completamente repentina. Tomó a su esposo de la mano y se lo llevó a la sala. El uso de este palacio, uno de los más bellos en todo México, les había sido concedido por Maximiliano en su boda, en junio pasado. Aunque entraban a su sala por una u otra razón casi todos los días, durante estos últimos nueve meses no había dejado de maravillarlos: sus dimensiones de caverna, la cantidad de flores, montones de fruta, mobiliario como para recibir a 200 personas, adornos de oro y pantallas y dos lustrosos pianos, cuadros de paisajes con rebaños de ovejas, y todo eso multiplicado en los espejos de marcos dorados. Afuera de la ventana que daba al oeste, la uña del sol había ya casi desaparecido detrás de las montañas. Los candelabros esparcían diamantes de luz irisada sobre las paredes bañadas de rosa. En los espacios que se abrían entre las muchas alfombras, los pisos de parquet brillaban cual lingotes de oro. Como dos niños, se sentaron en su sofá, aunque no tan cerca como para que, si un sirviente atinara a pasar por ahí, Madame Bazaine no tuviera ningún motivo para sentirse apenada. Pero la rodilla del general tocaba su falda, y él alcanzaba a percibir la dulzura de su aliento.

—No soy buena en latín —dijo ella, abriendo el libro.

Él le dio una palmada en el vientre.

—Español —ordenó.

Pepita leyó unos cuantos poemas, aunque no bien; tropezaba en las palabras largas. Pero, ¿qué le importaba esto a un esposo devoto? Adormecido por la ministración de su propio ángel, el cansado guerrero dejó caer la barbilla sobre su pecho. Apretó la mano de Pepita y cerró los ojos.

Desde que se casó, el general Bazaine se ha vuelto obtuso: de eso se quejan, con aflicción y preocupación, los jóvenes oficiales que trabajan más cerca de él. La situación se deteriora día con día. Uno le dice al otro, y el otro al que sigue: *La única cosa organizada en este país parece ser el robo.* Con su pasmosa incompetencia, esos voluntarios austriacos dejaron escapar al general Porfirio Díaz. Ahora los insurgentes se hallan a punto de reinar libremente; bombardean, matan, secuestran, aterrorizan ciudadanos inocentes. Y los yanquis, todavía estacionados en el río Bravo, han estado inflando a los juaristas con más dinero, más armas. Maximiliano, allá en su Petit Trianon de Cuernavaca, tiene la temeridad de culpar a Francia por las consecuencias de sus propias tarugadas. Francia está intentando salirse de todo este embrollo, pero con el honor hecho jirones. ¿No ve el general Bazaine cómo ha bajado la moral?

El capitán Charles Blanchot, su *aide-de-camp*, se encuentra tan consternado que, con frecuencia, con un hondo suspiro, se detiene a mitad de una frase y se oprime la frente con los dedos.

Veinte años más joven que el general, el capitán Blanchot tiene una nariz imperativa, mal disimulada por el impecablemente delineado rectángulo de su bigote, y una boca pequeña que ha fijado en una expresión permanente reconocida por los mexicanos como de desprecio. Con sus botones de latón pulidos hasta el relumbre, el ambicioso y agudo capitán Blanchot se siente orgulloso de servir al comandante supremo, esta leyenda de la legión extranjera francesa, el modesto sargento que demostró tanto valor bajo fuego, tanto *coup d'oeil*, que ascendió por la escala de rangos como un cohete. Pero el capitán Blanchot se siente orgulloso, para empezar, orgulloso por encima de todo, de haber nacido francés, lo cual significa, *bien sûr*, ser superior al mundo entero.

La esposa del capitán Blanchot, una americana de Louisiana, aunque todavía se encuentra en la flor de su juventud, es unos años mayor que Madame Bazaine, así que está más alerta a los azares del momento presente. Fue ella quien llamó la atención de su esposo sobre los rumores que andan circulando, rumores muy peligrosos puesto que los repite nada menos que la princesa Iturbide, a quien su suegra, Mrs. Yorke, vino a encontrar sentada junto a ella en casa de la viuda de Gómez Pedraza.

Las paredes oyen.

Siempre, desde los días en que dirigía el Bureau Arabe, el general Bazaine ha tenido la costumbre de invitar en las mañanas a su *aide* a un paseo a caballo (los guardaespaldas tienen órdenes de mantener una distancia de no más de 50 y no menos de 30 metros; esto es, lo suficiente para que no alcancen a oír). Cosa que habla bien de él, el general ha cultivado el hábito de escuchar; mantiene su puro apretado entre los dientes. Esta mañana, cuando llegaron al primer campo, el capitán Blanchot emparejó su montura con la de él y le dijo a quemarropa:

—Señor, ha habido un serio ataque a su dignidad personal. Dicen que está usted importando productos de mercería franceses por medio de las líneas de abastecimiento.

Bazaine se sacó el puro de la boca.

—¿Qué?

—Productos de mercería. Dicen que usted los está vendiendo aquí por medio de una modista.

El capitán Blanchot no pudo discernir la reacción del general; la visera del kepí hacía sombra en el cetrino perfil. Bazaine cambió un poco de posición en su silla y aminoró el paso, pero sólo para evitar un bache. Más allá del castillo de Chapultepec, las nevadas cumbres gemelas del Popocatépetl y el Iztaccíhuatl flotaban en la neblinosa distancia. La neblina provenía de los fuegos que ardían con un olor dulce en el sur; la temporada de quemar caña había empezado. Sin embargo, el cielo en el cenit era una bóveda del más profundo azul.

Con la sangre fría que lo ha hecho famoso, el general se volvió a poner el puro en la boca.

—¿Cómo se llama?

—Mademoiselle Louise.

—Sabe quién será.

—Todos los oficiales la conocen.

Bazaine se rió con ganas.

—Una de ésas, ¿eh?

—Señor, todo el mundo lo repite.

—¡Uf! Ridículo.

Blanchot hervía de indignación.

—Infame, señor.

Siguieron adelante, haciéndose a un lado para dejar que pasara una carreta tirada por un burro.

El general tenía muchos asuntos en su mente esta mañana, entre éstos la situación militar en Tlaxcala y el financiamiento de los sueldos de las tropas, que se ha convertido en un acto de trapecista sin red. De acuerdo con el tratado de Miramar, los costos de la ocupación serían sufragados por el tesoro mexicano; sin embargo, ese tesoro se ha desangrado hasta secarse con el pago de intereses a la Casa de Jecker, la deuda con los ingleses y el desmedido despilfarro de Maximiliano. Las minas de plata no han estado produciendo nada que se acerque a los ingresos que se esperaban, y ahora que ciudades y puertos han caído en manos de los insurgentes y no falta la corrupción, los recibos de las aduanas se han desplomado. El mes pasado, mientras Maximiliano disfrutaba la fauna y la flora de Cuernavaca, Monsieur Langlais apareció muerto en su cama después de estar revisando los legajos en preparación de un presupuesto largamente vencido. ¿Un ataque al corazón? ¿O lo envenenaron a propósito? Bazaine sospecha lo segundo porque cuando —tratando de actuar con presteza— mandó al capitán Blanchot a recuperar los papeles de Langlais para que no fueran a caer en manos extrañas, un *aide* del embajador francés le impidió la entrada. ¡Tan rápido habían pasado todos esos papeles a la custodia del embajador Dano!

Dano y sus secuaces: muy bien podrían haber sido ellos la fuente de esta nueva calumnia en su contra, ¡un ardid para distraer la atención de las corruptelas de ellos! Vaya si esto es una canasta de cangrejos, pensó Bazaine, y ya iba a cambiar de tema cuando, notando la expresión atribulada de su *aide*, lo pensó mejor.

—¿Hay algo más que quieras decirme?

—Señor, usted siempre me ha dicho que me sienta libre para hablarle de cualquier cosa.

—Así es.

—La princesa Iturbide anda repitiendo esta calumnia.

—*Ah, ça* —Bazaine agachó la cabeza para esquivar una rama baja. Luego, enderezándose, lanzó un escupitajo sobre unos nopales.

—Señor, la princesa asegura que la información viene directo de la dama de guardarropa de la emperatriz.

—Bueno, pues —el general se rió otra vez— no voy a estar preocupando mi vieja cabeza llena de canas con los chismes de una criada de guardarropa.

—Pero, señor, si la princesa Iturbide lo está repitiendo, yo creo que viene de los niveles más altos.

Bazaine se espantó unas moscas.

—Bah.

—Ese Maquiavelo austriaco, él es capaz…

—¿Ya te sabes la nueva? —lo interrumpió Bazaine—. Apuesto a que ya te lo contó tu esposa. En Cuernavaca, Maximiliano se ha agarrado de amante a la hija del indio jardinero.

—Ah, eso.

—¿Lo crees?

—La mayoría lo cree.

—Yo más bien creería que se agarró al jardinero —se rió Bazaine.

—Pero, señor…

Bazaine lo interrumpió:

—Cuando las cosas se ponen difíciles, los rumores florecen. Eso es inevitable.

—Pero, señor, dicen que usted ha tomado un millón de dólares.

Una corriente de electricidad pasó de uno al otro. Habían llegado al pie de una empinada cuesta alfombrada de rocas volcánicas filosas y negras como el tizne. Ahí, con el sol dándole de lleno en la cara, el general Bazaine se detuvo.

La brisa soplaba turbando el pelaje del cuello de los caballos. El del capitán Blanchot empezó a orinar sonoramente.

—Andan diciendo, señor, que usted recibió un millón de dólares a cambio de que el Imperio mexicano se rinda con la menor resistencia posible.

—Hijo, te juro, y lo juro ante mi creador, que no tengo a mi nombre nada más que mi salario.

—Sí, pero…

—Y tú sabes que mi casa y todo lo que hay en ella, los muebles, los cuadros, todo le pertenece al gobierno.

—Sí, ¡pero usted podría defenderse! Podría abrir los libros, juntas las pruebas, demostrar…

Bazaine levantó la mano. Meneó la cabeza, *no, no.*

—Hijo, hiciste bien en decirme todo esto. Siempre debes sentirte libre para hablar conmigo. Pero entiéndeme: es imposible demostrar que no es cierto lo que no es cierto.

La boca del capitán se había empequeñecido al extremo.

—Pero, señor…

—*Alors* —gruñó el general—. Un gallo no juega juegos de gallinas.

Hace un año, Bazaine le dijo a Almonte:

—Los árabes tienen un dicho: "Él duerme, pero sus pies están hornéandose al sol".

—Algo así le he dicho a Maximiliano.

Pero, ¿dónde, realmente, está la lealtad de Almonte? ¿Cuánto tiempo se va a tardar en saltar de un caballo a otro? En enero, el secretario de Estado norteamericano se entrevistó con Santa Anna en la isla de Santo Tomás. Seward en un crucero de placer, ¡bah! Almonte debe de haberse enterado de la reunión, o tal vez no, pero ya está enterado.

¿Un imperio mexicano? ¡Bueno, eso es juntar unas cuantas plumas y decir que es un pato! Tanto dinero, tantas oportunidades desperdiciadas. Qué diferentes habrían podido ser las cosas.

—Me parte el corazón —dijo doña Juliana de Gómez Pedraza. La otra mañana vino temprano a visitar a su sobrina. Bazaine, todavía en *babouches*, encontró a las dos mujeres tejiendo. Le ordenó al mozo que trajera el té como a él le gustaba: con un puñado de menta y mucha azúcar (un mozo mexicano: otra cosa por la que refunfuñaban sus hombres). Ya le había dicho a Pepita que podía traer a cualquiera de su familia, o a todos si quería, cuando evacuaran. Él podía protegerlos, podía sacarlos. Le extendió otra vez la invitación a la viuda de Gómez Pedraza. Doña Juliana le dio las gracias encarecidamente, pero ya estaba muy vieja, dijo. En Francia, ¿qué iba a hacer?

Tendría que mejorar su francés, aunque no había mucho qué mejorar. Se dio un golpecillo en la sien:

—Tengo la cabeza atiborrada de recuerdos.

—Bah —dijo Bazaine, aunque la verdad es que doña Juliana ya estaba vieja. Sus ojos húmedos, abolsados, le recordaban a él los de su madre.

—Además —dijo—, no me van a dejar llevarme mi clavecín.

—Puede usted tocar el acordeón, ¿por qué no?

Ella se rió con él.

Las bromas que el general le hacía a doña Juliana estaban llenas de afecto; había llegado a conocerla muy bien cuando cortejaba a su sobrina. En cierta forma, también a ella tenía que hacerle la corte. Veía por su seguridad lo mejor que podía. En diciembre pasado, después de aquel vesánico robo en el que asesinaron a la cocinera, asignó un par de zuavos para que cuidaran su casa. Ella insistió en que iba a salirse de la ciudad de México y se iría a Querétaro, donde tenía unos parientes, pero cuando trató de vender su casa no encontró nadie que se la comprara y descartó la idea.

—Ay, doña Juliana, ¿usted cree que en París no va a tener su chocolate caliente?

—Chocolate bueno, no.

El general inclinó la cabeza a la manera en que lo haría un mesero: *Un chocolat chaud, Madame?*

Doña Juliana chasqueó la lengua. Dijo en español:

—¡Imposible!

—*Madame. À coeur vaillant, rien d'impossible.*

Pero ella no lo entendió. Pepita, mientras tanto, seguía tejiendo. Las agujas tintineaban suavemente sobre su vientre. La bola de estambre temblaba a sus pies. Doña Juliana volvió a su labor: un suéter para el bebé de Pepita. Ya nada más le faltaba uno de los puños. Ya lo hubiera terminado desde la semana pasada, dijo, si la artritis no la hubiera estado molestando. A causa de sus cataratas a veces se le iba un punto y luego tenía que destejer todo y empezar otra vez. No obstante, el baúl de cedro estaba ya casi repleto de suéteres, cobijitas, baberos, zapatitos, un ropón de bautizo y un gorro, cada cosa envuelta en muselina.

Con su impertinente en el ojo, dijo doña Juliana:

—Ahora dígame, general, con toda confianza... ¿qué va a ser de Agustinito?

Bazaine frunció los labios y resopló por encima de su taza de té. Todos sabían que el pequeño se había roto un brazo. La corte había pasado mucho tiempo en Cuernavaca y, cuando regresaron a la ciudad de México, la princesa Iturbide se encargó de mantener secuestrado a su sobrino. El médico personal de Maximiliano, el doctor Semeleder, lo estaba atendiendo. El brazo le iba a quedar "como nuevo", según le aseguró a la princesa. Con todo, la princesa le dijo confidencialmente a Mrs. Yorke que no tenía intención de desmoralizar a los mexicanos dejando que vieran a su heredero presunto con un brazo enyesado.

Sin embargo, había otras razones por las que el niño se había vuelto un asunto engorroso para Maximiliano. El mes pasado, un *New York Times* con fecha del 9 de enero llegó en el vapor. *La Sociedad* no lo había reportado, por supuesto, pero, en cuestión de días, todo el que era alguien en la ciudad de México se enteró de que, en la Cámara de Representantes de Estados Unidos, un congresista de Kentucky había solicitado una investigación presidencial sobre el "secuestro de un niño americano" por parte del "así llamado" emperador de México.

Doña Juliana dijo:

—Usted parece pensar que o nos vamos todos con usted o nos van a matar los juaristas. Bueno, ¿qué va a pasar con este inocente?

Bazaine levantó las manos palmas arriba.

—A menos que Maximiliano decida…

Doña Juliana lo interrumpió:

—Me figuro que Carlota tendrá alguna influencia.

—¿Charlotte? —por mera costumbre, el general usaba el nombre francés de la emperatriz. Se rascó atrás del cuello. Sus sentimientos hacia la emperatriz, a quien él y sus hombres reverenciaban originalmente como su compatriota, se habían vuelto menos que respetuosos. Muchas cosas habían acabado con la estimación que le tenía a Carlota; de hecho, el golpe final había sido su negativa, en septiembre pasado, a recibir a doña Alicia de Iturbide. Carlota podía ser muy joven, pero su juventud no era excusa para que se negara de una manera tan desalmada y cobarde a enfrentar las consecuencias. Bazaine había ido al palacio a verla personalmente y le había suplicado que reconsiderara. Pero la emperatriz de México, con sus aretes de diamantes, simplemente se le quedó viendo con los ojos de un objeto inanimado.

Esta semana, una delegación de parte de su hermano, el rey de los belgas, se encuentra de visita en México. Y según informes de la policía secreta, ¡las cosas que Carlota les ha contado a esos belgas son tan fantásticas! Parece que estuviera perdiendo el sentido de la realidad.

Finalmente, Bazaine habló:

—¿No le ha preguntado usted a la princesa Iturbide qué piensa hacer?

—Me dijo que no tiene ninguna intención de irse.

—¿Qué dice de Maximiliano? ¿Cree que él abdique?

—Dice que Maximiliano es un hombre con el más alto sentido del honor, un miembro de la Casa de Habsburgo. Antes que abdicar volvería a Europa en su ataúd.

Bazaine se acarició la quijada.

Doña Juliana seguía sosteniendo el impertinente frente a su ojo.

—Pepa dice que el Imperio mexicano va a durar mil años.

¿Mil años? Bazaine se reclinó hacia atrás y levantó la vista al techo. De ahí pendía un elaborado candelabro de oro y cristal. No pudo evitar preguntarse cuánto habría costado. En Acapulco, la guarnición ya tenía muy poco parque. En Veracruz, la provisión de galletas se había echado a perder con el moho.

La voz de doña Juliana subió media octava:

—Un niño debe estar con sus padres.

Pepita le lanzó una mirada a su esposo, quien otra vez se quedó callado como la esfinge. A ella le había contado los detalles de su entrevista, en septiembre, con doña Alicia de Iturbide. También le contó, y ella jamás iba a repetirlo, que sus agentes de la policía secreta inspeccionaron la correspondencia de Maximiliano y, en relación con este asunto del niño, habían descubierto cosas muy extrañas. En fecha reciente, el embajador de Maximiliano ante la reina Victoria había sido interrogado extensamente por el secretario del Exterior, Lord Clarendon, en relación con la familia Iturbide. El informe del embajador a Maximiliano apestaba a vergüenza. "Dios mío", Bazaine le dijo a su esposa. "Su propio embajador no entiende un carajo."

Doña Juliana dijo:

—Tengo los libros de don Ángel en cajas en la planta alta de mi casa. No sé qué hacer con ellos —empezó a masajearse los nudillos y demás articulaciones de sus dedos—. No sé —dijo de repente—. No sé… —se soltó a llorar.

—Tía —Pepita se pasó a su lado y la abrazó.

—Perdónenme —sollozó doña Juliana—, perdónenme —ella sabía que había incomodado al general.

—No hay nada qué perdonar —dijo Pepita—. Pero, tía, te vamos a extrañar mucho. Y yo me voy a gastar el alma preocupándome por ti. Ay, ¿no cambiarás de opinión?

En la oficina, después de comer, horas más tarde de lo que era su costumbre antes de casarse, el general Bazaine se sienta a que le boleen las botas. El muchacho las frota con un trapo, produciendo un suave rechinido.

La puerta está entreabierta. Los papeles que se encuentran sobre el enorme escritorio de ébano tiemblan con la brisa. Al otro lado del escritorio, el capitán Blanchot dice, a propósito de las airadas protestas de sus oficiales en Chihuahua:

—Está usted atrapado entre el yunque mexicano y el martillo francés.

—Uf —Bazaine hace un gesto de indigestión. Se pone el puño en la boca y eructa (le prometió a Pepita que no lo haría, pero es que se comió una segunda porción de enchiladas de res). Es algo que no va con su carácter, pero su mente está distraída mientras su *aide* termina de contarle la última estupidez respecto a la visita de esos belgas (otro informe policial sobre la fiesta de té de Carlota y su visita al museo de antigüedades). Luego, los informes de campo del día. Amargamente, Bazaine piensa en que, si le hubieran dado los hombres y el material necesarios para hacer el trabajo, habría logrado que este Imperio mexicano se mantuviera en pie, sí, como decía la princesa Iturbide, hasta mil años. ¿Acaso no había tomado Oaxaca?

Oaxaca: ya nadie se acordaba de los meses de trabajo demoledor, los caminos que se labraron a través de las montañas y luego el sitio de la ciudad, cubetadas de sangre sacrificada. Cubetadas de sangre francesa, espléndidos oficiales, buenos hombres, muchachos todavía verdes con una vida por delante: sus cuerpos amontonados como cargas de madera y luego arrojados a una zanja. Matamoros, Monterrey, Saltillo, Chihuahua, Zacatecas, Tampico, Guadalajara... a todos se los llevó la tiznada.

Es su firma la que llevan las cartas dirigidas a las madres y a los padres en Lyons, Marsella, Limoges, en pueblos pequeños, granjas pequeñas... "Por la gloria de Francia" sus muchachos han sido balaceados, apuñalados, quemados vivos y castrados, destripados. Por la

331

gloria de nada mueren de tifoidea, cólera, gangrena, sífilis, meningitis, fiebre amarilla. Y cosas tan estúpidas… se disparan entre ellos por accidente; uno perdió una pelea a cuchillo contra un cabo austriaco; a otro le volaron la rodilla en un duelo y, luego de una semana en el hospital, vino a rematarlo la fiebre. A otro, perdido de borracho, le pasó encima un vagón de basura. Muchas veces ha visitado Bazaine los hospitales militares. Los olores, los lastimosos gritos han empezado a invadir sus sueños. Los mexicanos, también, se han visto sujetos a un sufrimiento indecible. Bazaine no acostumbraba detenerse a reflexionar en esos asuntos. Su mente era una compuerta de acero. "A un soldado no le corresponde juzgar", solía decir. "Mis órdenes son matar al enemigo. Ya que estén muertos, Jesucristo los juzgará."

Para dirigir uno debe aprender primero a seguir. Para seguir, uno debe aprender a no juzgar. Debe, como un caballo con anteojeras, tirar hacia adelante. Uno no puede ver todo lo que ve el dirigente: informes de inteligencia de Londres y Washington, Moscú y Berlín; la miríada de consideraciones políticas y financieras que deben sopesarse una contra otra, calibrándolas cuidadosamente; los despachos decodificados de la policía secreta. Uno se sienta al escritorio del comandante supremo aquí en México, no en el trono de las Tullerías.

Luis Napoleón ha decidido retirarse de México, y las órdenes de Bazaine son hacer las preparaciones necesarias: echar abajo todo el maldito edificio. Hace apenas dos semanas, la carta de Luis Napoleón le llegó a Maximiliano en Cuernavaca. Tan sólo unos días después, Bazaine se vio en la muy poco agradable situación de tener que ir al palacio imperial de la ciudad de México. Ante las noticias de la inminente retirada, Maximiliano regresó de Cuernavaca hecho una furia; a Carlota casi tuvieron que darle a oler sales. Después de meses de antagonismo con esos dos, Bazaine se sintió tan apenado, tan terriblemente apenado, que, aunque ellos le levantaron la voz, aunque muchas veces él se hubiera enfadado por su ineptitud y su ingratitud, esta vez por poco se pone a llorar. Todos estaban juntos en este barco, este barco a punto de ser hundido. No protestó cuando Maximiliano dijo:

—Esto es una violación del tratado de Miramar.

—Carlota intervino:

—¡La más *burda* violación! —apretó y aflojó los puños; en sus ojos, grandes de una manera que no era natural, se veía casi sólo lo blanco—. ¡Un tratado *no* es un trapo para trapear el piso! —exclamó—. ¡Es un *solemne contrato*!

Estas palabras ignoraban lo obvio: que ninguno de ellos había respetado ese tratado. Era tan claro como el sol que el tesoro mexicano tenía que financiar los costos de la ocupación. Pero el dinero no había sido suficiente, y el crédito se agotó. Los cálculos financieros, que ahora eran como contarle los pelos a la cola de un mosquito, en cualquier caso estaban enteramente sujetos a la opaca supervisión del embajador Dano.

—*Madame* —dijo Bazaine en un tono tan ecuánime como le fue posible—, yo no hago tratados.

Después de que Carlota se marchó airada de la habitación, Bazaine le dijo a Maximiliano:

—Sin más interés que el de garantizar la seguridad de la persona de su majestad y de sus allegados, respetuosamente le solicito me mantenga al tanto de los trámites para la abdicación —el austriaco respingó la nariz y le lanzó una mirada llena de odio.

—¿Abdicar? —Maximiliano casi escupe la palabra—. No vamos a hacer semejante cosa.

Pero Bazaine sabía perfectamente bien que, desde el otoño pasado, el emperador había estado en contacto con sus decoradores de Trieste. Se hallaban trabajando en el castillo de Miramar, agregando muebles, plantando setos, pintando… ¿para qué otro propósito si no para recibirlo a él y a su séquito? Lo que es más, Maximiliano había mandado al conde Bombelles a Viena con instrucciones de renegociar su Pacto de Familia. Una vez que Viena le concediera algo aceptable para su dignidad, o que su dignidad se encogiera al tamaño de la oferta, Maximiliano pegaría el brinco de este trono de nopales. Entonces, ¿por qué, mientras eso sucedía, tenía que ofuscarse así el pendejo?

Como decían los árabes: *"El agua de un espejismo no es agua que puedas beber"*. En sus peores momentos, Bazaine quisiera poder agarrar a Maximiliano del cuello y gritarle en la cara: *"¡Enfrenta los hechos! ¡Enfrenta los malditos hechos!"*

Todos los hombres, todo el dinero, todas las energías deben canalizarse hacia el inminente conflicto con Prusia. El futuro de Francia, el futuro del trono de Luis Napoleón, dependen de eso. No hay gloria al final de este camino llamado México. No hay desfile de victoria para sus veteranos. La única esperanza de Bazaine es recibir la gratitud de su soberano por su inquebrantable lealtad y su deber bien cumplido. Su deber ahora, ingrato como un año a dieta de galletas de marino, se resume en una colosal misión logística: hacer llegar a los muchachos a casa, los caballos, la artillería… ver qué se hace con las municiones, las mulas, las carretas; calcular las provisiones, la comida, el agua, ropa, carbón, forraje. Estar de cuentachiles y, mientras tanto, mantener calmados los ánimos, evitar que se caiga la moral y evitar cualquier inútil derramamiento de sangre; sobre todo, evitar hostilidades con las tropas norteamericanas en la frontera. El Imperio mexicano puede ser un castillo de naipes, pero en tanto las fuerzas imperiales francesas no hayan evacuado, ese castillo debe mantenerse en pie.

El panorama sería diferente si Maximiliano hubiera aprovechado el año pasado para construir su propio ejército, si hubiera puesto en orden su tesoro, establecido su política claramente y la hubiera ejecutado con firmeza. Pero Maximiliano parece pensar que el sol sale de su culo. Ahí está su majestad el magnánimo, concediendo amnistía a los guerrilleros y complaciendo a quienes los apoyan, dando bailes costosos, otorgando pensiones, encargando sus *viennoiseries*, jardines, estatuas, bulevares enteros y, cuando le daba la gana, ahí se iba de pata de perro por pueblos de indios, ruinas aztecas, coleccionando mariposas… ¡estableciendo una residencia imperial en Cuernavaca! Podía jugar al déspota también, como lo demostró con esa idiotez del Decreto Negro del 3 de octubre: ejecución sumaria de todo aquel a quien se sorprendiera con un arma. No hay un solo oficial francés en México que no haya hecho una bilis con la pueril estupidez de las decisiones de este austriaco. Por ejemplo, secuestrar a doña Alicia de Iturbide. Eso dio una malísima impresión. Cuando el general le contó a Pepita lo que Maximiliano había dicho de ellos, se puso roja de coraje. "¡Puras mentiras!", exclamó. Bazaine le preguntó de eso también a su tía, a doña Juliana. Ella le respondió con una dignidad muy seria que tal vez Agustín Gerónimo era un poco excéntrico, pero Angelo era un diplomático altamente respetado. Todos los Iturbide eran grandes patriotas. Y no, doña Juliana se lo juró, los hijos del Libertador no tenían más ambición que vivir en paz. Cuando regresó a la ciudad de México, en septiembre, doña Alicia —Dios la ayudara— no era más que una madre con el corazón desecho.

Arrestarla fue una crueldad completamente torpe. Pero en esto, también, Maximiliano fue incongruente. Sorpresa: su majestad el misericordioso permitió que los Iturbide salieran de México sin ser molestados. ¿Y adónde fueron? ¡A Washington, a entrevistarse con Seward! Y ahora están instalados en París, donde tienen todas las oportunidades para intrigar con el ministro norteamericano ahí, que, instigado por Seward, está presionando a Luis Napoleón para que se salga de México. ¡Y Maximiliano, iluso soñador, cree que va a lograr que esa república reconozca su imperio! No le ayudó en nada tener de ministro del Exterior a ese tarado de Ramírez. Bueno, ésa es otra rata que está por abandonar el barco antes de que acabe de hundirse.

Veloz como una bala, un pájaro de color verde entra a la habitación.

—Blanchot —interrumpe el general.

Su asistente baja el informe que estaba leyendo.

Extendiéndole tranquilamente su otra bota al bolero, el general dirige la mirada más allá del hombro izquierdo de su *aide*. El capitán Blanchot se vuelve. Un loro aletea en el techo. De pronto se lanza a través de la habitación, cruza la puerta de la sala de mapas y va a dar a una hilera de mosquetes con las bayonetas caladas.

Blanchot respira hondo.

—Jesús.

—No se va a parar ahí —como en respuesta, el ave sobrevuela sus cabezas y se dirige hacia atrás del general, adonde se encuentran las banderas: pendones de seda de la caballería, la Legión Extranjera, la marina, los *Tirailleurs algériens*, los zuavos, la infantería... no se decide a posarse en ninguna de las astas, ni en el marco del retrato de Luis Napoleón. Ahí va el loro, volando hacia el otro muro: una panoplia de suelo a techo de sables y dagas árabes. Se detiene en un puño con borla, se aliña las plumas y deja escapar un chillido como para taladrar los oídos.

El bolero levanta la cabeza. Con su trapo todavía en la otra mano, se persigna. Luego se pone a silbar: "Titis, titis", dice. Meneando la cabeza, el loro le contesta el silbido.

—¿De quién es? —pregunta Bazaine en español.

—Del boticario.

—¿El que está al fondo de la calle?

—Sí, señor.

Bazaine le dice a Blanchot que cierre la ventana.

—Ve por una canasta —le ordena al bolero. Pero se lo dice en francés, y el muchacho se le queda viendo con la frente arrugada. Bazaine suspira: se le había olvidado cambiar al español.

—Una canasta, hijo.

—Sí, señor —el muchacho sale corriendo.

UNA VEZ QUE CERRÓ la ventana, el capitán Blanchot sintió que algo cambiaba sutilmente, no tanto el aire en la oficina del general, sino la trama misma del tiempo; sintió que estaba observando los acontecimientos no conforme ocurrían, sino como si ya los hubiera visto en un sueño: el general que perseguía al loro con su propia chaqueta, el secretario que se trepaba al escritorio del general en calcetines y luego, escoba en mano, trastabillaba intentando espantar al loro de la cornisa; el ave acorralada por fin entre el librero y una palma en maceta; el bolero que se le venía encima con el cesto de basura, que al pobre pájaro que no paraba de gritar le ha de haber parecido un hocico gigante.

El capitán Blanchot inspeccionó rápidamente la alfombra (detesta los loros: apestan y cagan como coladeras). La alfombra, en el lado que da al oriente, detrás de la maceta de la palma, está decolorada; le recuerda esas manchas que se hacen en los vendajes de un miembro amputado. Como le da mucha importancia a la decoración, Blanchot hizo hace seis meses una requisición para una alfombra nueva. Cuando, para su disgusto (¿es que no hay respeto por la cadena de mando?), el inventario del último cargamento de Francia no incluyó la alfombra, ninguna alfombra de ninguna clase, le encargó a su esposa que viera la que quería vender la viuda de Gómez Pedraza. Era un hilacho de cosa vieja, le dijo ella, y tenía un olor como de que hubiera absorbido una cubetada de agua de trapear. La alfombra que doña Concha Aguayo ofrecía en venta no estaba mejor.

El sol se había desplazado; la oficina quedó en penumbra.

—¿Enciendo la lámpara, señor?

El general se puso sus lentes, que le hacían ver los ojos todavía más pequeños.

—Hay que ahorrar queroseno, hijo.

El capitán Blanchot se sentó enfrente del escritorio. Tomó el informe que había estado leyendo. Pero el general se quitó los lentes, los dobló y los colocó sobre el papel secante. Le ofreció un puro a Blanchot. La cigarrera, uno de innumerables regalos, era más bien un cofre; estaba labrada con un intrincado diseño rectangular de hueso pulido, concha de tortuga y botones de plata. Los puros, también, eran un regalo, y el cenicero de ónix. En la mesa que se hallaba junto a la puerta había una canasta de naranjas y otra de dátiles, procedentes del jefe de aduanas en Veracruz. El servicio de café de plata, de don Eusebio. Las tenazas para el azúcar, también de plata, del dueño de algunos establos que el ejército rentaba en Tlalpan. Blanchot recordó que en la boda del general en el palacio imperial, en junio, al pasar por el corredor, alcanzó a vislumbrar los regalos: una rutilante montaña. Bazaine no buscó estas cosas, pero llegaron a él. Y no paraban de llegar. ¿De verdad hacía sólo tres años que el cuartel general era una tienda de campaña salpicada de lodo? ¿Que ellos tenían que trabajar en un destartalado escritorio de campaña, sentados en sillas plegables, con los truenos y retumbos de la artillería a su alrededor?

El general encendió su puro. Extendió un brazo sobre el respaldo de su sillón. Una cuerda de humo ascendió como trenzándose hacia el techo.

—Mi primera esposa tenía un perico. No uno de estos loros ruidosos. Uno gris africano.

Tieso en su silla, con el informe de campo en las piernas, el capitán Blanchot le dio una fumada a su cigarro. Sabía que la primera Madame Bazaine no se había suicidado, como proclamaban quienes se hacían los graciosos y no obstante, caray, el resto de los chismes que se contaban sobre ella se basaban en hechos.

Bazaine dijo:

—¿Alguna vez has visto un perico gris africano?

—Sí, señor. Hermosa ave, señor.

El general volvió la vista hacia la ventana.

—El de ella podía imitar la voz humana. Era como su hijo. Iba con ella a todas partes —extendió la pierna izquierda. Torció el tobillo para revisar cómo le habían dejado la bota. Un asomo de sonrisa vino a sus labios. Dijo, mirando otra vez hacia la ventana—: Podía ulular como una mujer bereber.

—¿Ulu…?

—¿Nunca has oído eso?

—No, señor.

La mirada del general se había ido lejos.

—No has vivido, hijo. No has vivido.

Le pareció al capitán Blanchot que el general iba a decir algo más, pero él se frotó la cara con la mano y luego se metió más el cigarro entre los dientes.

—Prosigue —dijo.

4 DE MARZO DE 1866

Río Frío

Los belgas habían disfrutado enormemente su visita a la ciudad de México. Aunque no dejaran de olvidar que Maximiliano, durante la mayor parte de la visita, se quedara en Cuernavaca, y que ciertos importantes oficiales franceses no asistieran a todos los eventos, juzgaron, en resumen, que su misión había sido un éxito. Estaban orgullosos de Carlota —su propia princesa—, "un cisne de nuestro viejo mundo obsequiado al nuevo", como declaró uno de ellos al brindar por la emperatriz, después de beberse unas cuantas (demasiadas) copas de champán (y de hacer algunos sosos comentarios sobre "nuestros protegidos color gengibre"). Habían visto una tierra exótica; habían vivido una aventura de verdad, y sus baúles y maletas de viajes iban repletos de *souvenirs* para poder probarlo. De los miembros de la delegación, ninguno iba más satisfecho, más inspirado, más… bueno, irradiando su alegría de vivir con todo esto, que el barón Frédéric Victor d'Huart.

Íntimo amigo y *officier d'ordonnance* del hermano de Carlota, Felipe, duque de Flandes, el barón d'Huart podría haberse descrito como apuesto, de no ser por lo barrigón y la barba partida que tenía. Desde que salió de Ostend, a finales de enero, había sido incapaz de mantener su disciplina de esgrima y caza. Y el cruce del océano le había resultado brutal. Durante días, helados vientos azotaron el barco como si hubiera sido un barrilito en una bañera; hubo quienes temieron que naufragaría cerca de las Azores. A diferencia de los otros, confinados en sus cabinas, con náusea, el barón d'Huart bromeaba con frecuencia con que debía tener sangre vikinga y continuaba comiendo y bebiendo sin parar.

Para cuando atracaron en Veracruz, ya había consumido una cantidad prodigiosa de *foie gras*, bombones y champán. Y en México, bueno, ¿había algo más delicioso que un humilde taco de frijoles con esta maravillosa hierba llamada "epazote"? Además él se consentía con los dulces: dulces de cacahuate, camotes en forma de cigarros, cáscaras de limón rellenas de manteca con azúcar, y esos "botones" de pasta de almendra remojados en miel… cada día le dejaban una canasta llena de dulces en sus habitaciones. En la cena de despedida en el castillo de Chapultepec, debajo de la faja, tuvo que desabrocharse el pantalón.

La ronda de bailes y cenas había sido intensa. Todos los belgas, y especialmente el barón d'Huart, respiraron con alivio cuando finalmente pudieron deshacerse de su indumentaria cortesana: las levitas erizadas de charreteras y condecoraciones, las tintineantes espadas, los sombreros con plumas. Esta mañana, para la primera parte del camino a casa, el barón se puso sus pantalones más caseros y su chaqueta de piel de venado favorita.

Va en el pescante, con el conductor, que lleva un sombrero del tamaño de una rueda de carreta. El barón d'Huart ya había empezado también a usar sombrero —uno de tejido no muy estrecho, no tan grande como el del cochero, aunque sí el más grande que pudieron encontrar en el laberinto de un mercado azteca— pero, una vez que el carruaje subió a mayor altitud y el aire se volvió frío, se lo cambió por la gorra rojo amapola que se ponía cuando iba a cazar urogallos en el otoño.

Es tarde, y el carruaje apenas acaba de salir de la posada de Río Frío. El sol ha caído detrás de los árboles, y el camino luce bañado en la sombra azul del breve, desconcertantemente breve crepúsculo mexicano. El barón d'Huart echa los hombros hacia atrás y se llena los pulmones de ese aire que huele a pino.

—¡Qué fresco! —dice, ansioso de practicar su español con su compañero. El conductor lanza el látigo y no contesta. Si hubiera sido belga, el barón d'Huart se habría enfurecido ante tal insolencia y habría hecho que lo corrieran. Pero el cochero es mexicano: para el barón d'Huart, una criatura que forma parte de un mosaico en su totalidad pintoresco. El barón d'Huart simplemente se encoge de hombros. Piensa para sí mismo: estos mexicanos son *vraiment* una raza inescrutable. Pero México mismo —vaya, Carlota tiene toda la razón en estar orgullosa— es un mundo más rico de lo que él había imaginado. Difícilmente una tierra de cactos resecos. Tanta riqueza que hay en las haciendas —desde la carretera se ve que hay muchas y además le han enseñado fotografías—: vastas plantaciones de agave, maíz, caña de azúcar, café, algodón, sisal. ¡Y qué paisajes, que lo dejan a uno con la boca abierta! ¿Por qué diablos es él el único con sentido común para disfrutarlo? Él no podría soportar ir apretujado en el interior del carruaje, con todo el mundo fumando, roncando, sudando, cuando aquí arriba se puede disfrutar un panorama constantemente cambiante: ya los peñascos de un edén alpino, ya chispeantes arroyuelos, ya este bosque para los caballeros del Grial. En la franja de azul de Memling que se ve arriba, se eleva un águila.

No le viene a la mente la palabra para "águila" en español. Señala al cielo:

—Pájaro grande.

Otra vez, el cochero no contesta.

Otra vez, el barón d'Huart se encoge de hombros, aunque esta vez con un pequeño y triste suspiro. Le da un jalón a su gorra y vuelve a sus reflexiones.

La ciudad de México —descontando a los mexicanos—, bueno, es una maravilla. Al lado de su cavernosa catedral, la de Saints Michel et Gudule, en Bruselas, es una capillita. Aunque el palacio imperial de México de ninguna manera podría compararse con los esplendores góticos de la Maison du Roi, no es nada de lo que Carlota tuviera que avergonzarse. En cuanto al castillo de Chapultepec, con todo y que hay demasiado viento en las terrazas, ofrece unas vistas muy superiores a las del Château Royale de Laeken. En todo caso, se parece más al de Sorrento. Uno tiene que estar de acuerdo con la princesa Iturbide: los atardeceres en el valle de Anáhuac son incomparables. *Mais oui*, y todavía más con una orquesta tocando música de Chopin.

Sí, les enseñaron esta tierra de Canaán del nuevo mundo: sus océanos bullentes de perlas, vetas todavía no explotadas de oro, plata, cobre, cal; tierra fértiles para el cultivo de tabaco, caña de azúcar, café, sisal, algodón, y —todo lo que uno necesita es un buen látigo— un ejército de nativos para trabajarlas. Los mexicanos son un pueblo indolente por naturaleza: no se puede esperar que progresen por sí mismos. Los ingenieros en minas vienen de Bélgica, Alemania, Italia y Francia; en el telégrafo y en el ferrocarril trabajan principalmente ingleses, yanquis y americanos de la Confederación. El comodoro Maury, que es el oceanógrafo más grande del mundo, le ha ofrecido sus servicios al Imperio mexicano. Sí, qué fortuna más grande es que la Confederación haya caído, porque muchos de sus mejores hombres se vinieron a México. El barón d'Huart estuvo conversando agradablemente con un doctor Gwin y un coronel Talcott y un juez Perkins.

Había generales confederados a montones: Shelby, Harris y otro que tenía un nombre graciosísimo, Slaughter,[1] que ha puesto un aserradero en Orizaba.

Orizaba: en el camino tierra adentro desde la costa, cuando el grupo de belgas se detuvo ahí, el general Slaughter les obsequió naranjas. ¡Naranjas! Después de esas sólidas semanas en el mar, después del calor y la pestilencia de Veracruz, ese puerto infestado de buitres donde uno apenas y se atreve a llevarse algo a los labios, llegar a Orizaba, esa Orizaba perfumada de jardines de bugambilias y gardenias, de naranjas partidas, naranjas exprimidas sobre tazas de hielo raspado del volcán, del Pico de Orizaba… fue un regalo del mismísimo Olimpo.

Phagomen kai piomen, aurion gar thanoumeta. No pudo resistir citar a Epicuro.

Luego se tomó un vaso entero de jugo de naranja, sin despegárselo de los labios.

De Río Frío son otros dos días de viaje hasta Orizaba (al parecer, uno debería estar agradecido de que es temporada sin lluvia). De Orizaba a Veracruz, se puede esperar otro largo día, y de Veracruz a Ostend, por mar, tres semanas agotadoras. Luego, Bruselas a finales de marzo: los árboles desnudos, los campos llenos de lodo.

El barón d'Huart considera otro intento de conversación con el cochero, pero "¡Ya!", muge el hombre, azotando sus caballos con violencia renovada.

Cuál es la prisa, por amor de Cristo.

El muy terco no quiso seguir de Río Frío sin escolta. Esta mañana, desde la ciudad de México, los fue escoltando una gavilla de zuavos, palurdos bronceados y cubiertos de tatuajes. Se suponía que iba a haber una escolta de relevo esperándolos en Río Frío. ¿Dónde estaba? La respuesta fue el coro universal de este país: Quién sabe.

Siguiendo sus órdenes, aquellos zuavos dieron vuelta y se marcharon.

Una escolta. Ah, el cochero tenía que tener su escolta.

El fuerte de Río Frío estaba sin guarnición. Por qué, nadie podía decirlo. Claramente, no era necesario. Entonces, ¿para qué la escolta?

Es la costumbre, dijo el cochero. Insistió en que esperaran en Río Frío hasta que apareciera la escolta. Había una posada que debió de haber visto mejores días cuando era de una pareja de Bordeaux; en

---

[1] Como sustantivo, *slaughter* significa "matanza" en inglés. [N. del t.]

todo caso, dicha pareja de Bordeaux tampoco aparecía por ninguna parte. Los escalones del porche se estaban cayendo; como única decoración, clavados en la pared de afuera para que se curtieran, estaban unos cueros de aspecto quebradizo, uno de un ocelote y el otro de un lobo. Era el tipo de porche en donde podría haber una hilera de mecedoras, pero no había ni sillas. Adentro, el grupo se sentó en bancas. La comida olía a manteca rancia, y los cubiertos, que les aventaron sin mayor ceremonia en medio de la mesa, se veía que los habían enjuagado, pero no lavado. La pasita de anciana que les sirvió dijo que había (curiosamente usó la palabra en inglés) *apple pie*, pero después de tan execrable comida, nadie, ni siquiera el aventurero barón d'Huart, tuvo estómago para probar el postre.

Salieron. Arrinconada en un ruinoso muro de piedra, una perra en los puros huesos amamantaba dos cachorros. Más allá había unas mazorcas ya casi sin granos, cubiertas de polvo. Moscas por todas partes.

No aparecía la escolta. El cochero propuso pasar la noche en este agujero. El oficial del ejército imperial mexicano que los acompañaba también consideró esto recomendable. El general Foury, jefe de la delegación belga, se negó. Dijo que no tocaría un colchón en esta posada ni con la punta de un palo. Pernoctar en un lugar semejante era una receta segura para contraer enfermedades y diarrea.

Una docena de zuavos, ¿para qué? México tenía aún zonas aisladas con restos de bandas de apaches, yaquis y salvajes así, que todavía no probaban los frutos de la civilización, pero se hallaban muy lejos, en el norte. Carlota le aseguró al general Foury que, exceptuando las muy pocas áreas (casi todas cerca de la frontera de Texas) donde los insurgentes habían estado activos recientemente, el país había sido pacificado. El general Foury y los otros habían oído de asaltos en los alrededores de Río Frío. Le preguntó francamente a Carlota:

—¿Cómo está la seguridad entre la ciudad de México y Veracruz?

Carlota sonrió ante la pregunta:

—Usted lo habrá visto por sí mismo: grandes convoyes van y vienen todos los días.

Eso era cierto. En el camino de Veracruz habían visto innumerables diligencias, vagones de tropas, carruajes de mercancía, arreos de ganado.

—Pero, ¿qué hay de los bandidos? —el general Foury insistió—. ¿Ya los eliminaron?

—Los periódicos viven del sensacionalismo.

—Cierto, su alteza. ¡Cierto! —el general Foury se rió amablemente.

—Puedo asegurarle —dijo Carlota— que está usted perfectamente a salvo.

Después de eso, en una cena, el barón van der Smissen, comandante de los voluntarios belgas, le confió que las tropas francesas en México tenían una disciplina tan pobre y habían cometido tantas atrocidades que verdaderamente ya los odiaban. Hay menos preocupación aquí de lo que presumen en Europa acerca de la inminente evacuación francesa. De hecho, será bueno ver a los franceses irse. En esa cena se encontraba un general mexicano, un gnomo llamado Almonte. No estuvo en desacuerdo cuando el coronel Talcott dijo, irritado, que las tropas francesas estaban mamando del tesoro mexicano más de lo que valían. Los mexicanos, dijo Talcott, pueden sostenerse solos. El ejército imperial mexicano estaba recibiendo entrenamiento y equipo; muchos oficiales belgas y austriacos, confederados también, muchos expertos en toda clase de cuestiones desde artillería hasta caballería y logística estaban colaborando en la empresa. Y, a propósito, un contingente de varios miles de voluntarios austriacos estaba programado para llegar a México ahora en mayo.

—¡Viva Maximiliano! ¡Viva Carlota! —las copas chocaban por todas partes.

En Río Frío, a las 17:00 horas, el general Foury decidió que ya habían esperado demasiado esta fantasmagórica escolta de zuavos franceses. *Allons donc!* Seguirían el viaje de noche hasta la ciudad de Puebla, donde podrían encontrar con seguridad un hospedaje higiénico y buena comida. El barón d'Huart no fue el único en apoyarlo de corazón, y además ya se le había agotado la paciencia con tanta fiesta que habían hecho por ellos en las últimas dos semanas. Como eran la delegación del nuevo rey de los belgas, el protocolo dictaba ciertas cosas, pero tantas formalidades resultaban abrumadoras. Desde el momento en que desembarcaron en Veracruz habían llevado escolta absolutamente a todas partes, y sus actividades estaban programadas minuto a minuto desde la mañana hasta la noche. Al principio, uno devoraba el paisaje pasivamente, como lo habría hecho de ir recargado en los cojines de una góndola veneciana. Pero pronto empezó uno a sentirse como una valija que van acarreando de un lado a otro, o más bien como niño de escuela, porque en todo momento, al parecer, había un profesor dando clase. La catedral: y en esta capilla, la historia de Nuestra Señora de Guadalupe, y en esa otra, la historia de Nuestra Señora de Loreto, y en la de más allá, la de san Felipe de Jesús, martirizado en Nagasaki, y los restos del emperador Iturbide, ay, la historia de cada uno de los benditos de cada una de las capillas. La basílica de Guadalupe. El castillo de Chapultepec y el parque de Chapultepec y el zoológico de Chapultepec. Los baños de Moctezuma. La pirámide del Sol y la pirámide de la Luna. El museo de Historia Natural. El museo de Antigüedades y una vista del calendario azteca. Un paseo en trajinera por las chinampas de Xochimilco. Una corrida de toros, un fandango, una conferencia sobre el significado de este baile y el significado de ese otro. En el mercado los iba rodeando una falange de escoltas y los llevaron, primero, a los sombreros; luego a las máscaras de moros y cristianos, después a qué cosa no y a ver la joyería, explicándoles todo acerca de las tribus que hacían esas cosas, su idioma, sus costumbres. ¡Carajo! ¿San Ángel, Coyoacán, los lechos de lava infestados de serpientes del Pedregal? No, allá no vamos, no está en el programa, no, eso no sería de interés para usted, no, créame, no hay nada que ver en esa calle, no, señor, lo siento mucho, señor, no hay tiempo para una excursión al Popocatépetl... ¡cuando una excursión al Popocatépetl era lo que más quería el barón d'Huart! Nunca se le ha olvidado cuando, de niño, leyó en la *Historia verdadera de la conquista de la Nueva España*, de Bernal Díaz, cómo Hernán Cortés, requiriendo azufre para sus cañones, mandó dos hombres a que bajaran con cuerdas al humeante cráter.

Y cazar esa rara especie de antílope que se encuentra sólo en las faldas del Pico de Orizaba: ésa era su otra ambición. Deseaba tener un trofeo en el salón principal de su *chateau*.

Carlota le explicó:

—Nuestros indios llaman al Pico de Orizaba "Citlaltépetl", que significa "Montaña de la Estrella".

La señorita Sabelotodo, la llamaban sus hermanos. La última vez que el barón d'Huart la vio, antes de venir, fue hace tres años en Bruselas, cuando ella se comportaba con su frialdad acostumbrada. Pero ahora, incluso guardando luto por su padre, era tan amigable, infinitamente solícita.

—Tienes que regresar, y cuando vengas, yo voy a arreglar personalmente que un guía experto te lleve hasta la cumbre.

¿Podía haber un soberano más real? Los belgas estaban todos de acuerdo. México estaba de acuerdo con ella como con ninguna otra cosa.

¿No extrañaba el viejo mundo?

—Jamás —dijo Carlota—. Soy *completamente* feliz aquí.

LA CARRETERA estaba más pareja en este tramo; el carruaje tomó velocidad. Los pensamientos del barón d'Huart vagan otra vez hacia una de las cenas, cuando resultó quedar sentado junto a la princesa Iturbide. Esta augusta dama recibió su título en virtud de ser la hija del Libertador de México, el emperador Iturbide. Su francés no era tan bueno como ella parecía creer. Casi con cada cosa decía: *"Perdonnez-moi?"* Después del primer platillo, el barón se volvió hacia la dama que tenía del otro lado, Madame Almonte, esposa de ese general que parecía gnomo. Olía abrumadoramente a *attar* de rosas; de verdad, olía lo suficiente como para quitarle a uno completamente el apetito. Su francés era una construcción demasiado accidentada como para poder sostener una charla; afortunadamente, pudieron conversar en inglés.

—¿Qué le parece México?

Madame Almonte empezó con esta pregunta tan trillada, pero sólo como una introducción para poder presionarlo sobre otras cuestiones. Parecía tener la idea de que él, el *officier d'ordonannce* del duque de Flandes, estaba destinado a ser el oráculo de Europa en lo que se refería a México. Tenía el peculiar y bastante desagradable hábito de apretarle a uno el brazo para darle énfasis a lo que decía.

Si sería esto mala suerte, estar atrapado entre dos viejas, mientras exactamente al otro lado de la mesa, medio oculta tras los montones de flores y velas, apenas un susurro demasiado lejos como para poder intercambiar con ella una palabra, se hallaba una criatura digna del pincel de Botticelli. ¡Una diosa del amor de Fragonard! ¿Cómo se llamaba? La manera en que llevó la cucharada de sorbete a sus risueños labios: una imagen que, una vez que apareció en la mente del barón, lo hizo sentir que su cerebro —una sonora resquebrajadura— había explotado.

El sonido reverberó a través de los árboles.

El barón d'Huart, con el fantasma de una sonrisa todavía en su cara, cayó hacia atrás. Las mulas repararon, el carruaje se sacudió violentamente, y en un momento —en medio de una lluvia de balas— su cuerpo rebotó sobre el camino.

Uno sigue la derrota

Hace años, en la Latomia de Siracusa, le enseñaron a Maximiliano la tumba de un cadete americano que había muerto en un duelo a pistola. Siracusa: su paisaje desnudo, su bahía azolvada; el pueblo —radiante faro del antiguo mundo— sucio, destartalado. El sol siciliano era siempre ardiente, pero esto no impedía que los habitantes se vistieran de negro de pies a cabeza, sus rostros agostados, sombríos, duros. La Latomia se encontraba a poca distancia caminando, más allá de un polvoriento olivar y un arroyo donde las mujeres golpeaban con piedras la ropa sucia. En la distancia se oían cencerros de cabras. En esta cantera donde, de acuerdo con Tucídides, miles de marinos atenienses fueron aprisionados después de su derrota en 412 a.C., la muralla de roca, incendiada por el sol, hendía el cielo como una cimitarra. La tumba del cadete no era más que un estrecho espacio en el muro. Morir y ser sepultado en un sitio tan extraño, tan lejos de la patria de uno (Maximiliano se imaginaba el hogar del muchacho: una casa de madera en la salina costa de Connecticut), era algo tan triste, tan indescriptiblemente triste. Nunca lo había olvidado.

En marzo, ante la noticia de que el barón d'Huart había sido asesinado, Maximiliano y el doctor Semeleder abandonaron Cuernavaca y se fueron a caballo inmediatamente, viajando toda la noche, hasta Río Frío. Ahí, mientras Semeleder atendía a los heridos, le mostraron el cadáver a Maximiliano y le dieron los detalles de lo ocurrido. La escolta militar francesa que debía acompañarlos desde Río Frío nunca apareció. Los belgas, emisarios oficiales del hermano de la emperatriz, el rey Leopoldo II, se quedaron sin protección. Maximiliano meneaba la cabeza de dolor, de rabia: era increíble.

¿Qué iban a decir ahora de su gobierno en las cortes de Europa? Todo era culpa de Bazaine: esta absurda, inexcusable negligencia.

Un ataúd adecuado para trasladar el cuerpo de regreso a la ciudad de México no llegó hasta la tarde. Lo cargaron en la parte de atrás de una carreta. Y, después de rociarlo con una cantidad generosa de bórax, clavaron la tapa.

Golpe tras golpe. Devastador. Desde ese día, Maximiliano no puede imaginarse nada peor, pero vienen otro y otro, derribándolo, precipitándolo por esta infernal escalera de humillación. Marzo, abril, mayo, junio y ahora julio: lo peor, este nudo en la garganta: su ángel, su emperatriz —la emperatriz de México— se había marchado a París.

DURANTE UN TIEMPO, Maximiliano había estado coqueteando con la idea de la abdicación; a decir verdad, aunque no le había dicho nada a nadie hasta esta semana, empezó a hacerlo desde el verano pasado, cuando la situación militar comenzó a deteriorarse. Durante los últimos meses, sus pensamientos se habían estado volviendo con más y más frecuencia hacia su castillo frente al mar, en Trieste: el diseño del paisaje, la decoración del salón del trono, del aviario... ¿tal vez un acuario? Estos proyectos y su botánica habían sido su escape, su distracción, y bueno, todo eso era necesario puesto que, como se decía a sí mismo cada vez que veía los crecientes gastos de la construcción, Miramar era la cara de México en Europa. ¿Qué impresión daría en Viena si Miramar se quedara sin terminar, el parque abandonado? No es necesario decir que para un soberano es de capital importancia mantener escrupulosamente su prestigio.

Sin embargo, no tuvo corazón para confesarle a Carlota que anhelaba retornar a la vida privada, o por lo menos a una posición con preocupaciones menores, más manejables. En su mente podía verse sentado ante su escritorio allá, la bahía de Grignano en la ventana, a su espalda, y frente a él su biblioteca con bustos de mármol de Homero, Shakespeare, Dante, Goethe, resplandecientes a la luz de ese mar.

Extrañaba a su madre, también.

Pero le daba tanto horror pensar en su vida después... despojado de este trono, ¿quién sería? Charlie, a quien despachara a Viena para renegociar el Pacto de Familia, en esencia se había arrojado contra un muro de ladrillo. La traición más amarga, sin embargo, no era el Pacto de Familia, sino la orden del káiser —¡la orden de su propio hermano!— de retener en el muelle de Trieste el contingente de voluntarios austriacos que tan desesperadamente necesitaba. Esa traición, que lo humilló ante el ejército, ante los franceses, ante su propia corte, tuvo lugar hacía tres meses. Los americanos había amenazado a Francisco José con que, si esos voluntarios salían para México, el ministro de Estados Unidos en Viena demandaría su pasaporte. ¿La excusa de Francisco José para capitular? Que necesitaba los hombres para el conflicto con Prusia. ¡Bah!

Si Maximiliano abdicara, esos americanos se inflarían, y él, simple gusano, tendría que arrodillarse ante Francisco José y su camarilla. ¿Qué insultante miseria de pensiones le regatearía Viena a un hermano menor incómodo? No siendo ya el archiduque de la Casa de Habsburgo, Maximiliano sería un ex emperador de recuerdo, un espejismo. ¿Bajo qué protocolo lo tratarían? ¿Podría siquiera mostrar su persona en el Hofburg? ¿Cuál sería su estatus en París, en Bruselas, en Lisboa, en Londres? ¿En el Vaticano? Unas caricaturas de los periódicos franceses lo ridiculizaban como un don Quijote espoleando un burro mexicano. ¡Cuánto peor sería si no tenía ni siquiera molinos de viento que arremeter! Los lords chambelanes, los maestros de ceremonias, él ya sabía cómo funcionaban, cómo buscarían las maneras más mezquinas de humillarlo.

Bonaparte en Santa Helena. Luis Felipe acabándose en Claremont. Dom Pedro, de Portugal. El tío Fernando I, un simplón a quien no respetaba nadie. Murat. Iturbide. Ninguno de éstos tenía una historia bonita.

Pero el Imperio mexicano tiene ya pies, torso y hombros hundidos en el pantano. Chihuahua está definitivamente perdida, lo mismo que Matamoros, Mazatlán, Tampico… todos los ingresos provenientes de esas aduanas o cercenados o capturados por el enemigo, y el estado de Guerrero, entero, en un caos de bandidaje. Los insurgentes están ganando terreno constantemente desde el norte, desde el oeste, desde el sur. Las tropas de Estados Unidos continúan en la frontera, Seward intriga con Santa Anna y, mientras tanto, ¡se ofrece una cena de Estado en la Casa Blanca en honor de la señora de Juárez!

Y ahora, un ultimátum que llegó a la ciudad de México el 28 de junio. Luis Napoleón no sólo retira sus tropas; en respuesta a la protesta y contrapropuesta de Maximiliano, ¡le echa toda la culpa a México! No más tropas, no más dinero, y si los soldados franceses han de quedarse en el país por el tiempo que sea, Francia debe tener el control completo de las aduanas y la mitad de todos los ingresos del gobierno. En caso de no aceptarse estas condiciones, todas las tropas francesas serán inmediatamente embarcadas, el tratado de Miramar anulado y vacío.

Semejantes términos no son sólo un insulto; son imposibles. Un cuarto de todas las ganancias va a dar ya a la deuda con los ingleses. Y sin las tropas francesas para contenerlos, ¿cuánto tiempo va a pasar para que los yanquis vengan a izar sus "barras y estrellas" en el palacio imperial? En cuanto al Pacto de Familia, bueno, Maximiliano no pierde la esperanza de que algo pueda arreglarse *ex post facto*. Cuando el barco empieza a incendiarse, uno salta al mar. ¿O qué?

Dos de los hombres de Bazaine le ayudaron a redactar una proclama de abdicación. Pero en cuanto Maximiliano se sentó ante su escritorio para firmarla, el alma se le partió en dos. Abdicación: la libertad que su alma había anhelado y, en el mismo paquete, el monstruoso, amargo fracaso. Con el estómago en el corazón y el corazón en la garganta, había tomado, vacilante, la pluma. Estaba a punto de meterla en el tintero cuando pensó: ¡No! No, sería correcto hacer esto sin Carlota como su testigo. Y él la necesitaba ahora, más de lo que había necesitado jamás a nadie.

Convocada, Carlota ni siquiera leyó el documento. Le quitó la pluma de la mano.

—¡La abdicación se justifica sólo en los viejos y en los idiotas!

¿No había dicho su padre que qué lamentable error fue la abdicación de su abuelo Luis Felipe? Representó la ruina de su honor, la ruina de su dinastía y una tragedia no sólo para Francia ¡sino para toda Europa! Si su *cher* papá estuviera vivo, ¿qué diría de esto? Murió de otra cosa, pero, si no hubiera sido así, ¡esto de verdad lo habría matado! ¿Qué diría de esto su hermano Leopoldo? ¿Y Francisco José y la reina Victoria? "La soberanía es la más preciosa de todas las posesiones. ¡Los emperadores *no* se rinden! Mientras hay emperador hay imperio, aunque no tenga más que dos metros de terreno, porque el imperio no es *nada* sin el emperador."

—Pero ya no haya nada que yo pueda hacer.

Carlota se le quedó viendo con tal ferocidad que él temió fuera a levantarle la voz, pero, en lugar de eso, con una voz llena de amor, ella le dijo:

—Pero hay algo que yo puedo hacer.

Emprendió su misión con el apasionado celo de Juana de Arco: Luis Napoleón era víctima de una conspiración masiva. Confrontado con los hechos reales que ella misma, en persona, le presentaría, Luis

Napoleón llamaría a Bazaine, mantendría sus tropas en México, enviaría más dinero… en suma, renovaría, con vigor, su devoción a la justa y vital causa.

Pasmado, Maximiliano no dijo nada.

Carlota agitó un dedo:

—¡El honor de Luis Napoleón y los intereses de Francia lo demandarán!

Ante el imperioso viento de la voluntad de su esposa, Maximiliano sintió que algo dentro de él soltaba las amarras y empezaba a flotar…

—P-p-pero —tartamudeó— es en extremo peligroso viajar en esta época del año —había fiebre amarilla, y Campeche y Tabasco se hallaban sitiados por el cólera.

Carlota respondió, grande: *"¿Acaso no lo había representado en Yucatán?"*

Maximiliano se retorció las manos. Nervioso, se puso a darle vuelta a sus anillos. El tazón totonaca con los bombones, la puerta, el tintero, el reloj, las cortinas… su mirada no encontraba dónde descansar. De pronto le hacía falta el padre Fischer, porque sus sentimientos habían caído en un caos. El honor: ¡sí! Sin embargo no estaba seguro: ¿debía confiar en sí mismo para tomar la decisión? ¿Debía permitirle a su esposa emprender una misión tan desesperada? ¿Era valor o demencia tratar de navegar con el viento en contra, sin mástil, sin timón, aventurarse en el Atlántico sin carbón? El padre Fischer, sin embargo, todavía no regresaba de Roma. Ramírez, su ministro del Exterior, le habría ofrecido una opinión cuidadosamente sopesada, honesta, pero por insistencia de Bazaine lo había corrido. Ahí estaba también el asesor belga pero, cualquiera fuese la circunstancia, Monsieur Eloin tomaba el parecer de Carlota como su estrella guía. ¿Quién más?

Con un vuelco en el estómago, Maximiliano comprendió que ninguno de los miembros de su gabinete, nadie de los altos rangos del clero ni ciertamente la princesa Iturbide aprobaría que siquiera considerara la posibilidad de abdicar. Si firmaba esta proclama de abdicación, un documento pergeñado en la oficina del general Bazaine, el respeto que le tenían se transmutaría instantáneamente en desprecio.

Las palabras con que Carlota se despidió todavía repiqueteaban en sus oídos:

—¡Fé, Max! ¡Sosténte firme en tu fe en la voluntad de Dios!

El séquito de la emperatriz incluía a Charlie Bombelles, Castillo, el ministro del Exterior, el general Uraga, el joven doctor Bohuslavek, el chambelán don Felipe del Barrio y su esposa, Herr y Frau von Kuhacsevich y un ejército de sirvientas y lacayos. Han pasado poco más de 24 horas desde su partida, a la medianoche, de la ciudad de México. Maximiliano acompañó a Carlota más de 30 kilómetros, hasta el pueblo de Ajotla. Allí, a la orilla de la carretera todavía oscura, sobre la inerte sombra de un maguey, el aire hendido por el graznido de los gallos, la besó en las manos. La besó en el cabello. Por primera vez en mucho tiempo la estrechó en sus brazos. Podía sentir cómo el pecho de su esposa subía y bajaba con su respiración. Ella apoyó la mejilla en su hombro. Maximiliano la amaba, realmente la amaba. Sus brazos se quedaron vacíos, colgando yertos a los lados de su cuerpo; empezó a sollozar como un niño. No tuvo valor para mirar: tan sólo escuchó el sonido de los zapatos de ella sobre la grava y luego subiendo los peldaños del carruaje. Cómo la puerta se cerraba con un click. El doctor Semeleder y Grill, su *valet*, tuvieron que sostenerlo; se lo llevaron casi en brazos de regreso a su carruaje.

De regreso al castillo de Chapultepec, sus sentimientos se entumecieron; la ausencia de Carlota se sintió, primero, como el aplazamiento de una sentencia. Ahora se siente como lo que es: una amputación.

Tiene un terrible presentimiento de que nunca volverá a ver a Carlota. Ni a Charlie, su compañero de la niñez. Ni a los von Kuhacsevich. A ninguno de ellos. Habrán zarpado hacia el fin del mundo.

—Buenos días, su majestad —Grill corre las cortinas.

Maximiliano apenas y puede forzarse a abrir los ojos. Hasta el aire de aquí tiene sanguijuelas. Todo es tan feo. Las manchas de humedad en la pared detrás del crucifijo. La suciedad de los vidrios de la ventana. Las plantas lodosas, demasiado empapadas, que se amontonan en la terraza. Nada de volcanes de nevadas cumbres, nada de luminosos paisajes: el alba sobre el valle de Anáhuac es como una manta para caballos. Uno está harto de esto, harto de todo, harto de estar harto. Calambres, sudoración, temblores, las más terribles pesadillas… uno despierta fatigado hasta los huesos.

—Su bata, señor.

Uno mete un brazo. Uno mete el otro brazo.

Tal vez uno debió haber firmado la proclama. No, Carlota tenía razón. Como dijo Tácito: *"Para aquel que ha de tener un imperio no hay punto medio: es o las alturas o el precipicio"*. Así que no fue un error enviarla a París. ¡Fue un golpe de genio!

Sin embargo, ¿qué tal si...?

El general Almonte es ahora el embajador de uno en Francia. ¿Qué clase de tratos fáusticos ha hecho? De camino a París, en mayo, Almonte se detuvo en la isla de Santo Tomás. Uno le dio instrucciones a Carlota de que lo primero que hiciera llegando a París, después de asegurar un préstamo de emergencia, fuera preguntarle directamente a Almonte: ¿se había reunido con el general Santa Anna?

Oh, a qué laberinto la ha enviado uno.

El *valet* ajusta el cinturón de la bata y se lo amarra a uno en la cintura.

Carlota no puede haber llegado mucho más allá de la ciudad de Puebla. Otro chambelán, el conde del Valle, será enviado a toda prisa detrás de ella esta mañana, con las últimas cartas: lo primero que uno va a hacer es escribirle con las palabras que más puedan animarla.

¿O debería uno adelantársele y enviar un cable a Orizaba? ¡Alto! Podrían irse a casa juntos. Deberían. El Imperio mexicano, roído desde la médula, no puede sostenerse. Se ha derramado sangre por él, una tragedia, ¿por qué agravarla? ¡Uno no debe derramar más sangre!

¿Irse o no irse? ¿Abdicar o no abdicar? Y estas dos preguntas no son la misma, porque uno podría irse, como emperador, dejando en su lugar una regencia...

La ligereza de serafín de la libertad: que uno pudiera volar a su propio Miramar, pasarse los últimos, largos días de agosto, días de higos y miel, cruzando el Adriático... recuperando su salud en la isla de Lacroma... regodeándose en el perfume de las rosas... arrullado por la mandolina de Carlota y el rumor de las olas.

Bazaine, pérfido chacal, te presiona para abdicar de modo que él, sirviéndose con la cuchara grande, pueda apoderarse de todo. ¿De verdad crees que Luis Napoleón renunciaría a México? Bazaine y su esposa y la familia de ella están detrás de todo esto; quieren convertir a México en un protectorado francés, otra Argelia. Te han acorralado hasta donde parece que no tienes más opción que abdicar... el que no tiene más opción es Luis Napoleón. Al aceptar este trono le hicimos un servicio sin paralelo. Tiene una enorme deuda con nosotros. Se lo voy a exponer llanamente, la verdadera situación. ¡Ten fe!

Uno es el emperador. Y un emperador, capitán de su país, no abandona el barco. A través de la tormenta —sacudiéndose, subiendo y bajando, azotado por el agua— uno se agarra al mástil. Uno sigue su derrota.

Uno… se derrumba en la silla.

La barba. Después de estarse revolviendo en la cama durante la noche, es un enredijo. Grill se la peina. Luego le peina el bigote. Grill le da vuelta a la botella de loción de Zweigschein, se frota las manos vigorosamente y le unta la loción en la barba. Las tijeras para emparejarla: un poquito aquí, otro poco allá. Una vez que ha terminado, Grill se lleva el pesado espejo atrás de la silla de uno. Con el espejo de mano, uno inspecciona la parte de atrás de su cabeza. Le disgusta a uno ese rizo en la nuca, pero no se siente con ánimo para protestar. Se fueron los días en que uno tenía fuerzas para atacar la valija oficial antes del desayuno. Ya ni siquiera tiene uno estómago para desayunar.

Grill trae el chaleco, la camisa y los pantalones, todo doblado sobre su brazo.

Ah, el llamado de las sirenas para dormir… uno está cansado, cansado como el último mamut que se tambaleaba por la tundra siberiana. Pero si Carlota es lo bastante guerrera como para emprender ese infernal viaje, por Dios, uno puede acarrear su propio costal de huesos hasta la oficina y escribirle una carta. Grill le hace el nudo a la corbata sobre el cuello de uno.

Uno se para, sacando el pecho, ante el espejo. La levita.

¿La botonadura?

Grill se la abrocha.

Uno luce en su papel.

En la oficina del palacio imperial: contrariando las órdenes del doctor Semeleder, un bombón le ha caído a uno bastante bien. Por la ventana abierta entra el barullo de gritos y silbidos de la Plaza Mayor: vendedores de mangos, de pulque, empleados bancarios, limosneros… los súbditos de uno. ¿Cuántas semanas han transcurrido y uno no ha pensado en ello? En que el palacio de uno se levanta sobre las ruinas del de Moctezuma. Moctezuma, cuyo escudo cubierto de plumas adorna la oficina. Moctezuma, que recibió a Hernán Cortés como Quetzalcóatl, el dios serpiente emplumada que había vuelto, como decían las profecías, por el este. Quetzalcóatl: portador de la civilización, del tiempo y de la observación de las estrellas. Llegó con animales mágicos: caballos; llegó con armas mágicas: mosquetes y cañones. El escudo de Moctezuma fue un regalo de Cortés para su césar, Carlos I, rey de Aragón, Castilla, Nápoles y Sicilia, soberano de los territorios de Borgoña, y emperador del Sacro Imperio Romano Germánico... de quien uno es descendiente directo.

Charlie, al regresar de su misión en Viena, trajo de regreso el escudo de Moctezuma. Nada más por eso uno casi podría perdonar a Francisco José. ¿Pero por qué no devolvió también el penacho de piedras preciosas y plumas de quetzal? Desde el principio uno le había pedido específicamente el penacho, junto con el escudo. Para Francisco José habría representado una mínima concesión. De la montaña de tesoros que tiene en Viena, nada echaría de menos eso y un *pfennig*. ¿No era obvio? En México habría significado mucho traer de regreso la "corona" y el escudo de Moctezuma: el simbolismo de esto habría sido poderoso desde el principio. Pero no, su alteza máxima no quiso entregarlos. Todo para él. Nada para uno. Siempre es así.

La valija oficial. La interminable carga de trabajo de burro.

—No ahora.

—Lo siento, lo siento, señor... —Blasio se retira, caminando para atrás.

Blasio, ese estúpido muchacho. Cómo imploró que lo dejaran ir con la emperatriz a Europa. Como si fueran unas vacaciones. ¡A andar de *flaneur* por los bulevares de París! ¡Su oportunidad de visitar el Louvre! Ya lo enviarán.

Uno aprieta los puños. Sacudiéndose, subiendo y bajando azotado por el agua. Se agarra al timón. Se agarra. *One takes it coolly.* Uno toma la pluma. Uno se sienta otra vez. Uno se seca la frente. Se seca las lágrimas.

Ángel bienamado:

No puedo expresar con palabras, mi ángel y mi estrella, lo que he sentido en estos días, lo que mi herido corazón sufre. Toda la alegría de vivir ha muerto en mí; sólo el deber me mantiene en pie. Y sin embargo, es bueno el sacrificio que hacemos: todo el mundo lo ve ahora y me demuestran el doble de amor y de lealtad. Todos los amigos verdaderos se han apresurado a ponerse de mi parte con un gran corazón. Dado que ahora ya no sólo cumplo con los deberes de padre de la nación, sino también de madre, ayer asistí al paseo vespertino. Nunca me habían saludado tan cordialmente ni con tal amabilidad. En toda la ciudad es lo mismo. La gente hace señas con las manos desde los carruajes y los balcones. Estoy hondamente conmovido. Con todo tacto comprenden el inmenso sacrificio que he hecho. Ayer estuvo conmigo el excelente general Mejía. Lo siento más determinado, leal y sabio que nunca. Jamás ha perdido su valor; al contrario, está lleno de fuerza.

Mi única distracción es ahora el trabajo. Ayer reinicié el congreso sobre el código legal. El segundo volumen saldrá el 16 de septiembre. Ayer recibimos la famosa proclama de Santa Anna, tan tonta y divertida que ordené la publicaran hoy en el *Diario*, completa y sin ningún comentario. Ya recibirás algunos ejemplares.

Del Valle puede darte muchos más detalles. Lo vi ayer y le expresé lo mucho que cuento con él para cuidar de ti, vida mía. Por amor de Dios no comas fruta, no te pasees de un lado a otro en el sol y no bajes a tierra ni en La Habana ni en Santo Tomás. ¡Me muero de angustia cuando te enfermas! Te estrecho a mi corazón herido y sufriente.

Tu siempre fiel Max.

Saluda cordialmente a tu comitiva de mi parte.

Uno manda por la caja de despachos. Lo primero, una bofetada, es una carta de Ángel de Iturbide. Blasio comienza a leer.

Una vez más apelo a sus venerables y nobles sentimientos, puesto que tanto mi esposa como yo hemos sufrido horriblemente desde el momento en que ya no pudimos ver a nuestro infortunado niño. Estamos…

—No. Sólo lo esencial.

—Es lo mismo de la carta anterior.

Esos Iturbide: lloriqueando por todo. A nadie se le ha pagado en París desde finales de febrero. Y la guardia palatina, incluyendo a Charlie, y los voluntarios austriacos y belgas: nadie de ellos ha recibido su sueldo desde mayo. ¡Éstos son hombres que darían su vida! ¿Y este ingrato espera recibir un trato especial? Después de que se fue rastreramente a Washington, se arregló para entrevistarse con Seward, y en París se puso a intrigar con el ministro de Estados Unidos, él y sus hermanos deberían ser fusilados por traidores. "Infortunado niño"… ¡Ja! Increíble.

355

Uno agita la mano.

—Al archivo con las otras —uno se toca las costillas, oprimiendo: una lanza de agonía.

ANTES DEL ALMUERZO, uno se reúne con la princesa Iturbide. De acuerdo con el protocolo, la princesa, una persona de segundo rango, ha estado esperando al soberano en el salón del trono desde 30 minutos antes de la hora señalada. Pero ella está alerta como un centinela.

—Su majestad —apoyando una mano en su cadera, la princesa se inclina en su más profunda caravana hasta ahora.

Uno le extiende la mano para que la bese.

Uno está enterado de que ella arregló, pagando los gastos de su propia bolsa, que se dijeran misas para que la emperatriz tenga un viaje seguro y exitoso. Es una lección que uno aprendió, dolorosamente, en los últimos días de su gobierno en Lombardía-Venecia: cuando las cosas comienzan a agitarse, el grano se separa de la paja; los amigos verdaderos, que son pocos, y las veletas, que son una legión, se delatan por sus propias acciones. La prima, como llama uno a la princesa Iturbide, es una amiga verdadera. El padre Fischer hablaba de ella con una estima de la altura de los Alpes: eso le ganó la entrada. Después de la muerte del padre de Carlota y luego, en marzo, de la de su *Grand-maman*, el compañerismo de la prima fue de gran consuelo para la emperatriz. Mientras uno estaba en Cuernavaca o visitando las provincias, la prima y Carlota pasaron muchas tardes juntas, *tête-à-tête*. Uno no lo creería si no lo hubiera visto con sus propios ojos azules: cuando se despidió, violando todo protocolo, Carlota arrojó los brazos al cuello de la prima. Exclamó: *"Si pudiera salvar esta pobre e infortunada nación, sentiría que he realizado una gran obra"*. La prima le respondió: *"Ya lo ha hecho y lo está haciendo, Dios la bendiga"*. Le agrada a uno ver a la prima y al primito de regreso en sus apartamentos. Ay, la razón de que regresaran —que no hay guardias suficientes— fue muy triste.

—Puede usted levantarse.

Proceden a la Galería de las Pinturas, donde, aquí y allá, se han colocado cubetas debajo de las goteras. La temporada de lluvias empezó en mayo; llueve a cántaros todas las tardes a las cuatro y cuando quiera que le da la gana al Creador.

—Aunque no tan fuerte como el año pasado.

—Lo que molesta es este aire.

—Un miasma.

—Se siente más frío que ayer.

—Si no hubiera tanta humedad.

Como han quitado las alfombras para limpiarlas y repararlas, se oye el eco de los pasos. Una luz pálida que viene del patio interior salpica el piso de mosaicos. Caminan hacia la sombra de un enorme candelabro veneciano, pasan frente al retrato del Libertador (ese Marte sin edad, el *Doppelgänger* de Murat: una mano en el puño de la espada, la otra señalando para siempre su plan de Iguala) y luego, con la prima apenas detrás de uno, llegan al salón Iturbide, donde los aguarda una multitud de invitados de tercero, cuarto y aún menores rangos, ya divididos por el maestro de ceremonias: los caballeros a lo largo de las ventanas; las damas en la pared opuesta. No hay más que dos damas: la esposa de un banquero y su hija, una criatura salida de un cuento de hadas y con pecas en la nariz. El arzobispo. Los embajadores Campbell-Scarlett y von Thun. Ah, el barón Stefan Herzfeld.

—Mi buen hombre.

—Su majestad.

Herzfeld, uno de los mejores hombres de la marina austriaca, fue hace mucho tiempo *aide-de-camp* de uno. Como cónsul general del Imperio mexicano en Viena, Herzfeld ha logrado poco, pero es que con Francisco José sería más fácil sacarle sangre a un nabo. Valiente, leal, apuesto Herzfeld. A diferencia de muchos otros —Gallotti, el cónsul en Roma y, de hecho, tantos mexicanos expatriados que consideraban el Imperio una buena idea mientras no tuvieran que poner un pie en él—, Herzfeld no tuvo miedo de venir.

El maestro de ceremonias anuncia que la mesa está lista: uno hace su entrada en el comedor y la orquesta empieza a tocar el himno nacional (les falta un violinista, observa uno).

El lacayo que le acomoda a uno la silla está vestido de terciopelo verde. ¿Es éste un almuerzo de tercera clase? No, uno especificó segunda clase, en cuyo caso los criados deben estar de negro, con medias negras. En el centro de la mesa, la orilla de un pétalo de una orquídea *Phalaenopsis* se ha marchitado. Y las copas para agua: algunas parecen estar hasta 10 centímetros más cerca de los saleros de un lugar al que sigue. Bueno, Frau von Kuhacsevich se ha ido a Europa con la emperatriz: es natural que las cosas fallen.

Uno se vuelve hacia la prima.

—¿Y cómo está el primito?

—En el jardín.

Uno se aclara la garganta. Repite, más fuerte:

—¿*Cómo* está?

—El doctor Semeleder dice que como nuevo.

—¿Ningún catarro?

—Oh, no.

—Me lo llevo mañana a Cuernavaca.

—¿Voy yo también?

—No.

Uno se vuelve hacia la esposa del banquero, que no es precisamente el durazno más fresco del árbol. El menú: consomé con huevos de codorniz, huachinango en salsa de ajo con mantequilla, pato *à la Périgaux*, ensalada con nueces y hongos, y la *pièce de résistence* de Tüdos, fruta del lago de Texcoco, *cuisses de grenouille…* uno no tiene apetito. A uno le sirve un plato de arroz sin mantequilla y pollo hervido. La zalea del doctor Semeleder para el paladar. Uno pica la carne con el tenedor. Un pedazo de cartón sería más apetecible (¿presionó uno al doctor Semeleder sobre que si podría tomar un poco de salsa? *Verboten!*). Van a ser las tres de la tarde: el comedor, a pesar de las lámparas, se ha convertido en un mar de sombra. Se oye un trueno arriba. Uno deja que el lacayo le retire el plato. La comida, gracias a Dios, ha terminado, y en un tiempo récord.

PERO PARA el cansado no hay siesta. Uno regresa a la oficina, donde Herzfeld, experto navegante, se encarga de trazar una derrota a través de las finanzas. Uno deja a Herzfeld con sus lápices y sus ábacos y escapa hacia la ventana. Bajo un cielo encapotado, la Plaza Mayor, vacía de gente, luce bañada por la lluvia. El lodo burbujea por los agujeros de la última de las cuatro nuevas fuentes. Ojalá, como dicen aquí, el diseño del paisaje se completara para antes de finales del mes. Éste fue uno de los últimos proyectos para los que hubo presupuesto. Lo alegra a uno ver que sigue adelante. Cuando uno llegó por primera vez, esta plaza, el corazón de la nación, era un jirón del Sahara sin ninguna sombra; y este dizque palacio, un casco fétido (la planta baja había sido usada como prisión, y algunas de las paredes estaban todavía cubiertas de *graffiti*). El general Almonte no habría podido mover el cielo y la tierra en un día, pero, carajo, ¿qué tan difícil podía ser arreglar una habitación con dos camastros, sábanas limpias y jofainas? El emperador de México debió pasar su primera noche en este palacio ¡recostado en una mesa de billar! Su emperatriz tuvo que dormirse vestida en una silla. Como le comentó uno a Carlota, hay una especie de desvergüenza en la pobreza. Y la pobreza no es un problema sólo material, también es un problema estético.

Así como el agua hace florecer un desierto, así sucedió con la sensibilidad teutónica aplicada a México.

Ha sido en extremo gratificante enseñarle a Herzfeld la multitud de obras de mejoramiento, todas ellas fruto de menos de dos años y medio: esta Plaza Mayor, este palacio (cada una de sus habitaciones lujosamente amueblada), el museo de Historia Natural y el museo Nacional y el teatro Nacional, el paseo de la Emperatriz, el zoológico remodelado, la decoración y la arquitectura del paisaje del castillo de Chapultepec… de verdad, uno ha transformado México en una capital de clase mundial.

Los ojos de Carlota tenían un fulgor poderoso. *Echar a la basura tu magnífica obra sería el más impío de los pecados. ¡Vienen días de gloria! ¡Gran gloria! Manténte firme, Max. ¡Ten fe!*

CERCA DEL CREPÚSCULO, el cielo empieza a aclararse y con él la melancolía de Maximiliano. Sintiéndose años más joven, invita a Herzfeld a la azotea, que se extiende a todo lo largo del palacio. El aire, estremecido todavía por una brisa húmeda, tiene un olor metálico. Tras las torres de la catedral, el cielo lavado por la lluvia es un *parfait* de mango y grosella; hacia el norte, unos jirones de neblina se mueven velozmente.

—Bienvenido a bordo —dice Maximiliano.

Herzfeld se cuadra:

—Gracias, señor!

Hacia el suroeste, en la cobriza distancia, una parvada de aves acuáticas pende del cielo como una serpiente. Hacia el este se van oscureciendo las siluetas del Popocatépetl y el Iztaccíhuatl. Mientras caminan, Maximiliano señala las cúpulas más prominentes: el palacio Arzobispal, el colegio de San Ildefonso, el convento de Santa Inés, el hospital de Jesús, donde "¿Sabía usted? Los huesos de Cortés están molidos en el muro lateral detrás del altar".

Abajo, en la Plaza Mayor, el barullo de la orquesta de Sawerthal, que se prepara para el concierto vespertino: cornos y flautas atrapan la luz. La calle que divide la plaza del atrio de la catedral luce parchada de brillantes charcos, uno de ellos tan grande que refleja la fachada teñida de una luz color nieve de papaya: una imagen que —cuando la cruza una tameme cargando a un caballero en la espalda— se quiebra y luego se disipa.

Herzfeld ha aprendido desde hace mucho a sincronizar su paso con el de Maximiliano (a bordo del barco, el ejercicio del archiduque, hiciera el tiempo que hiciera, era dar 12 vueltas de proa a popa). Parecería, a veces, que Maximiliano va rápido, pero su paso, de hecho, es lánguido. Lo que le gana terreno es lo largo de sus piernas. Sin embargo, como se distrae fácilmente, en ocasiones va más despacio, se detiene y, las más de las veces, pierde la cuenta de las vueltas.

Unos pichones levantan el vuelo y cruzan la Plaza Mayor como una larga bufanda que fuera desenvolviéndose.

—Allá —Maximiliano señala con su puro hacia el oeste— está el palacio de Buenavista, una joya de la arquitectura neoclásica, diseñado por Manuel Tolsá. Mira bien: se alcanza a ver uno de sus remates.

Herzfeld enfoca su catalejo.

—Afirmativo.

—Para darte una idea de las cosas, donde estamos parados ahora se encontraba el palacio de Moctezuma, el centro de la ciudad insular de Tenochtitlán. Y allá, donde se ve ese edificio, estaba la orilla de la isla; por ahí pasaba una de las calzadas que cruzaban el lago.

—La Venecia india.

—El Egipto de las Américas —los colores del cielo habían profundizado hacia los rojos más feroces: sangre de toro y granada—. Sabes, Herzfeld, a veces pienso que los españoles cometieron un error drenando el lago.

—Debe de haber sido tan bello: el agua reflejando el cielo.

—Tú me entiendes perfectamente.

Al acercarse los dos hombres, unos gorriones se disparan hacia el cielo. De pronto, Maximiliano se detiene. Se pone un puño en la cadera.

—¿Te acuerdas de Nápoles? ¿El atardecer desde el Capodimonte? Hasta que vi estos atardeceres mexicanos habría dicho que aquél era el más arrobador sobre la tierra.

—Sí, este…

—O —Maximiliano lo interrumpe— el atardecer desde la Kasbah de Argel, ¿crees?

—¿Si creo, señor?

—Sí, tú qué crees, Herzfeld: después de estos atardeceres mexicanos, ¿cuál es el más sublime sobre la tierra: el del Capodimonte o el que se ve desde la Kasbah de Argel?

—Tendría que decir que ninguno. Para mí, el de Funchal.

Maximiliano se le queda viendo a Herzfeld completamente incrédulo.

—¿Funchal?

—Funchal, señor.

—¡Ja! —Maximiliano sacude la cabeza, riendo—. Como tú quieras.

Abajo, la polca había empezado. Aligeraron el paso. ¿Qué pensaba Herzfeld: lograrían tender ese cable trasatlántico? ¿Cómo iban las cosas en Hungría? ¿Y en Serbia? ¿La situación en Lombardía? ¿Qué opinión tenía Herzfeld del llamado "cañón de aguja" de los prusianos?

Austria está en guerra contra Prusia. Pero Austria tiene a Francia como aliada. Será un conflicto menor, resuelto para finales del verano y ciertamente para antes de las cosechas, ¿no le parecía a Herzfeld?

No, de hecho, Herzfeld temía que se extendiera la conflagración. Austria iba a necesitarlo.

—¿No considerarías no recomendable que yo abdicara?

—Afirmativo.

—Bueno, Herzfeld —trató de hacer un pequeño chiste—, también crees que mi tazón totonaca está decorado con un…

—Cienpiés.

—Azotador, Herzfeld. Eso es un *azotador*.

El concierto concluye con una marcha de Donizetti: un Niágara de violines. En medio de una lluvia de aplausos, Maximiliano y Herzfeld han llegado de regreso a la escalera. La cavidad exuda un olor a moho. El aire se ha vuelto más frío. En la brisa, Maximiliano sostiene el ala de su sombrero.

—¿Fueron 12?

—Nueve vueltas, señor.

Maximiliano tira su puro y lo aplasta con el tacón de la bota.

—He decidido tomar unas vacaciones en Cuernavaca. Anclaremos allá: un viaje de sólo un par de días. Es el pueblo más encantador, te vas a enamorar de él. No está ni tan bajo como tierra caliente, ni tan alto como este altiplano; se encuentra asentado, por lo tanto, en un tazón de eterna primavera. Mis jardines están llenos de rosales en flor. Lo que es más, ésta es la semana, la única semana en todo el año, en que es más numerosa la *diethria anna*, una mariposa de la familia *nymphalidae*. Negro y carmesí, y en la parte inferior de las alas anteriores se encuentran las marcas más distintivas: dos ochenta y ochos.

—Extraordinario.

—El profesor Bilimek prefiere llamar esas marcas "las infinidades gemelas". Tú sabes, Herzfeld, cuando ves una cosa como ésa, tienes la certidumbre de que hay un Dios.

—De verdad que lo hay, señor.

Maximiliano da un paso para empezar a bajar, y Herzfeld avanza siguiéndolo, pero de pronto Maximiliano cambia de parecer. Regresa a la azotea y, con un hondo suspiro, girando a su alrededor, contempla todo el cielo. Luego le da un codazo a Herzfeld.

—¿*Funchal?*

—Funchal.

—¡Mi *buen* hombre!

20 DE AGOSTO DE 1866

En el Grand-Hôtel

Le recuerda Washington a Alicia: el aire estancado y denso del *Salon des Dames*, este rincón aislado del *lobby* del Grand-Hôtel, donde, gracias a las ventanas que permiten ver sólo de adentro hacia afuera, las damas pueden, en completa privacidad, observar los ires y venires: la clase de cosas que vuelve loca de emoción a la gente aldeana. La insistencia de Madame Almonte en reunirse en este sitio es de por sí peculiar.

Ponte a pulir un penique hasta que relumbre como el sol: sigue siendo un penique. Este dicho de Mrs. Green le viene a la mente a su hija, de una manera nada amable, mientras, todavía carcajeándose, Madame Almonte se limpia una lágrima de la mejilla.

Madame Almonte puede ser la esposa de un embajador, la primera dama de palacio de una emperatriz, pero —reflexiona Alicia— tiene el roce social de una maestra de escuela de Kentucky. Contándole de todo el caos de la llegada de la emperatriz, Madame Almonte tiene que poner a un lado su copa de naranjada; y sin embargo, una vez más, se hace para atrás en su silla en un ataque de risa. Alicia, abanicándose por el calor, sonríe apenas, con los labios apretados. Ya ha oído hablar de la humillante serie de equivocaciones, ¿no lo ha oído todo París? El telegrama que anunciaba el arribo de la emperatriz llegó a la legación mexicana apenas antes de que el barco atracara en Saint Nazaire. Las relaciones entre Maximiliano y el general Bazaine se han deteriorado tanto que a Bazaine ni siquiera se le informó de la partida de la emperatriz: lo leyó en *La Sociedad*. Desde San Luis Potosí, donde estaba realizando una visita de inspección, Bazaine le envió inmediatamente un telegrama a Luis Napoleón, pero, como *Le Moniteur* dijo que todo era una broma, no vino nadie de París, excepto los Almonte, para recibir a su majestad en el muelle. El alcalde de Saint Nazaire no encontró nada parecido a una bandera tricolor mexicana, así que —Almonte le aseguró que eso era mejor que una bandera francesa—

¡izó en el asta una peruana! El ministro francés del Exterior, advertido del horrendo espectáculo, se puso lívido; Carlota, apopléjica. La risa de Madame Almonte no era de mala fe, no: Alicia reconoció en ella un sentido del humor quintaesencialmente mexicano: contra la cruda humillación, la risa es la única armadura que uno posee.

Alicia, sin embargo, no es mexicana. Su sentido del humor es atemperado. Tal vez esto, después de todo, fuera lo que sacrificó por la Cuaresma. Y la Cuaresma, que para todo el mundo quedó atrás hace meses, para ella sólo se prolonga, arrastrándose. Estrechar a su niño en los brazos: el anhelo dentro de ella es un lamento suspendido… y un retumbo de preocupaciones. ¡Todo se está volviendo ceniza! Ay, Moisés, ¿no va a cerrar el pico esta vieja?

La risa de bruja sube de volumen: luego, después de adelantarse corriendo a París para prepararse, Madame y el general Almonte fueron a recibir a Carlota a la estación del tren de Montparnasse. Drouyn de Lhuys, toda la comitiva, muy apuestos en sus uniformes, los ramos de flores, el tapete rojo, los carruajes de la corte esperando a la emperatriz para trasladarla a las Tullerías… todo eso fue (la señora extiende la manos), por razones que sólo ellos saben, ¡a la Gare d'Orléans! Madame Almonte aplaude y sacude la cabeza a los lados: torrentes de risa. ¡Y esto en el *lobby*, silencioso como una iglesia, del hotel más elegante de París! El empleado del mostrador donde se reservan los boletos para el teatro se ha inclinado para dirigirles una mirada de nariz larga.

Alicia toma de su naranjada con el popote y luego abre su abanico. Si ella fuera ese empleado, o simplemente un turista que acertara a pasar por aquí, tomaría a Madame Almonte por una turca lunática. ¿Por qué necesitaba esa mujer hacer tal escándalo? ¿Y usar esos zapatos tan horrorosos? Pareciera que lo único que le importa es la comodidad de sus juanetes. Y esa mantilla, en París, qué *mauvais goût*. Pero bueno, es agosto; el solo hecho de estar aquí es mortificante en extremo cuando *tout le monde* se ha marchado a Biarritz, o a cazar en Escocia o a Suecia. Mr. Bigelow y su familia, como tienen gustos más burgueses, se fueron de excursión a los Alpes. Alicia no está satisfecha con nada, pero por lo menos se siente contenta, agradecida, ahora que lo piensa, de poder refugiarse detrás de estas ventanas reflejantes y esta falange de palmeras.

Del otro lado del vidrio, el portero le abre paso a otro grupo. Alicia lo saludó por su nombre, pero él no la reconoció. ¿Ha cambiado tanto desde que dejó de residir aquí? No le tiene ningún afecto a este lugar: es demasiado grande, demasiado impersonal y, lo que es más, el escenario de algunos de los días más tristes de su vida. A finales de febrero, cuando descubrieron que les habían congelado las pensiones, los Iturbide se mudaron, para economizar, a un *arrondissement* tan anodino que ella no quiere ni pronunciar el nombre. La casa de huéspedes (porque eso es propiamente) tiene las paredes del color de un escupitajo de tabaco, y la casera se ve como la clase de persona que haría sesiones espiritistas. Alicia ha estado padeciendo unas migrañas que le parten la cabeza; y Angelo, la gota. La tos de Agustín Gerónimo retruena a través de esas paredes tan delgadas que parecieran de papel. En cuanto a Agustín Cosme, daría la impresión de que se hubiera soldado las mangas de la camisa al zinc de la barra de su taberna. Angelo, rompiendo el protocolo, ha comenzado a escribirle directamente a Maximiliano, que parece inmune a la vergüenza. El "archiduque" no tiene ni una pizca de compasión. ¿Por qué había de tenerla ella? Un día, en una tienda de curiosidades de la Rue des Ecoles, encontró una muñeca de vudú. Le ha estado clavando alfileres de cabeza grande.

No fue sino hasta finales de la primavera, cuando el general y Madame Almonte llegaron de México, que los Iturbide comprendieron toda la gravedad de su situación. A Angelo, Almonte le habló llanamente. El experimento había terminado. Él lo supo en febrero, con la noticia de que Luis Napoleón había dado a conocer el calendario para el retiro de sus tropas. Pero, ¿qué hay del ejército imperial mexicano?, preguntó Angelo. Almonte puso una cara que se habría dicho estaba hablando de la muerte de su propio hijo. Ah, ha habido dinero para decoradores y para joyas, para bailes y teatros, pero no para sueldos de oficiales. Nada de rifles, cobijas, ollas, botas. El ejército imperial mexicano estaba en bancarrota. Lo poco que quedaba de él iba a dispersarse —tronó los dedos— así.

Almonte levantó un puño.

—El ejército de la República Mexicana, aquí —levantó el otro puño y luego abrió la mano, moviendo los dedos—. Los caciques aquí —luego entrelazó las manos—. Así es como va a estar.

Despachado a Francia como embajador, Almonte se había sacado la lotería puesto que no iba a estar en México al final, cuando los juaristas reclamaran la satisfacción de fusilarlo. Por supuesto, Maximiliano quería al general fuera del país porque lo consideraba un rival.

Ése había sido el gran error de Maximiliano, le dijo Almonte a Angelo: haberlo mantenido a distancia, dándole honores pero no poder, invitándolo a cenas, a bailes, a cada brillante recepción, pero prestándole más oídos a la orquesta que a sus consejos. Maximiliano debió haber confiado en Almonte (aquí el general se señaló a sí mismo en el pecho con el pulgar). ¿Por qué, por qué puso a extranjeros como ese belga Monsieur Eloin, el padre Fischer y los franceses en primer lugar? ¡Esto era México! Los extranjeros podrían estar mejor educados, podrían tener maneras muy elegantes, pero, ¿entendían a México? Ni siquiera Bazaine, astuto como un zorro en lo que se refería a la guerrilla, entendía a México. No en las vísceras.

Sí, se lo admitió Almonte a Angelo, de camino a París había parado en la isla de Santo Tomás para platicar con Santa Anna: una comida y un cigarro con un viejo compañero de armas. Santa Anna tenía problemas para caminar: el muñón de su pierna le dolía lacerantemente. Sí, Santa Anna estaba tratando de montar un golpe de Estado, pero más por costumbre que porque lo pensara en serio. *El viejo guerrero está aburrido, ¿no te das cuenta? No puede obtener ni el capital ni el apoyo, el único apoyo que cuenta: el de los Estados Unidos.*

¿Y Almonte mismo?

Los Iturbide habían notado que al general se le había pegado el hábito, muy poco atractivo, de lamerse las comisuras de los labios y, a su espalda, lo comentaban.

Madame Almonte le confió a Angelo que el general tenía el abdomen crónicamente hinchado; los huesos de la cadera le dolían mucho. Dejaba sangre en la bacinica. Ellos esperaban que Maximiliano estableciera su corte en exilio en su castillo de Trieste. Sus pensiones de cortesanos tendrían que ser pagadas por Viena; bueno, alguien tendría que pagarlas. Madame Almonte se había puesto a estudiar una guía de forasteros de Trieste.

En cuanto a los Iturbide, su plan era quedarse en París mientras durara esto. En algún momento, Angelo y Alicia tenían la esperanza de reunirse con su hijo en París o en La Habana o en Nueva York, y luego podrían irse a Washington, a quedarse con Mrs. Green en Rosedale. Desde ahí, Angelo podría solicitarle al presidente Juárez su permiso para retornar a México.

Mayo, junio, julio: los días del verano iban cayendo, cada uno más lento, más caluroso, más vacío que el anterior. Y luego, en agosto, esta bomba —un cráter de 100 kilómetros—: ¡Carlota estaba por llegar a París!

Pero en esos meses estivales, Francia y, de hecho, toda la faz del continente había cambiado. Austria había sido derrotada en Sadowa, o Königgrätz, como la llamaban los prusianos. Con un costo de 35 000 bajas, la máquina de guerra de Bismarck le había entregado la Federación Alemana a Prusia —Prusia, erizada de belicosidad—, ¿y dónde —no dejaban de preguntarse los periódicos— estaban 30 000 soldados de Francia? ¡Uf! ¡Hasta el otro lado del océano! Luis Napoleón, acorralado, se había visto obligado a anunciar su retirada de México, pero la logística de transportar tantos hombres, caballos y materiales era compleja. Por muy urgente que fuera, se llevaría meses; y por muy gravoso que resultara, requeriría dinero devolverlos a todos a casa. Un coro de voces se lamentaba: un tesoro tan grande, tantas vidas perdidas, ¿y todo para qué? El archiduque austriaco había demostrado ser un inepto, y los mexicanos —pueblo indigno— se negaban a sostenerse por sí mismos. *La plus grande pensée du règne*, como llamó Luis Napoleón a su expedición mexicana, una intervención enérgicamente promovida por su Eugenia, su esposa católica española (comprometida con Roma), había degenerado en una calamidad que no mitigaba: militar, política, diplomática y financiera. Francia había quedado deshonrada, completamente menoscabada. Los periódicos clamaban: ¿Qué banqueros, qué contratistas de guerra, qué cómplices se habían engordado los bolsillos a expensas de los ciudadanos?

El tema de México es el último del que quiere oír hablar Luis Napoléon, agobiado por unos cálculos en los riñones. La espantosa e increíble noticia de que la emperatriz de México venía camino a París sólo logró empeorar su sufrimiento. Cuando ella finalmente salió de la estación del tren de Montparnasse y, para gran consternación, se registró en el Grand-Hôtel (ocupando todo el primer piso, pagado con los fondos de emergencia para la reparación de los diques de la ciudad de México), Luis Napoleón estaba retorciéndose en su cama, rezando, pidiéndole al buen Jesús que estuviera muerto.

En cuanto a Alicia de Iturbide, se preguntaba si el milagro que le había estado implorando a Dios iba a llegar finalmente. Porque, confrontada con los hechos reales, por sí misma, en persona, seguro que Carlota, que no tendría ninguna razón para retener al bebé, ¡lo devolvería!

Angelo se apresuró a escribirle una carta a Maximiliano: una vez más, le rogó le devolviera al niño, le recordó que no les habían pagado desde febrero, y le dijo:

Ella ha sufrido y sufre tanto que su salud ha comenzado a quebrantarse, y temo que las consecuencias sean fatales si no se pone pronto remedio a sus duras penas.

El general Almonte le presentó la carta de Angelo a Carlota. Ella no dio acuse de recibo. Eso fue hace dos días.

—No pierdas la entereza —le había aconsejado Madame Almonte a Alicia, apretándole fuerte el brazo.

Desprendiéndose de las pinzas de Madame Almonte, Alicia recobró la compostura y habló como la hija del oficial de marina que era:

—No voy a perder la entereza hasta el día en que muera.

Pero Madame Almonte de verdad estaba tratando de ayudar. Afortunadamente, como Monsieur Eloin había sido enviado con una misión a Viena, un mexicano en el séquito de la emperatriz, el conde del Valle, se estaba encargando de la agenda de la emperatriz. Madame Almonte le aseguró a Alicia, con otro tremendo apretón de brazo:

—Te vamos a meter.

A Alicia le pareció un promesa sólida, puesto que Madame Almonte, reanudando sus deberes como dama de palacio en jefe, ahora estaba muy cerca de Carlota, al lado de ella, todo el día, todos los días. De hecho, Madame Almonte y la otra dama de compañía, Madame del Barrio, acompañaban a la emperatriz en sus visitas a Eugenia y a su corte. El conde del Valle, sin embargo, se mantuvo imbatible en su decisión de no hacerle un hueco a ningún Iturbide. La emperatriz se hallaba sitiada por banqueros, mercaderes, diplomáticos, suplicantes de mil cosas; sujetos tan ingratos como esos Iturbide —dijo— no eran dignos del tiempo de su soberana. Ni la intervención personal del general Almonte logró nada más que enterarse de una extraña cosa: Carlota tenía la idea fija de que Bazaine les había dado instrucciones a los Iturbide de aparecerse en París sólo para humillarla.

—No —protestó ante la emperatriz el general Almonte—. Los Iturbide están aquí porque su majestad el emperador los envió aquí. Han estado viviendo en esta ciudad desde finales del año pasado.

En el salón de la emperatriz, un espejo de marco dorado se extendía de piso a techo. Carlota, parada cerca de la ventana, atinó a volverse y vio en el reflejo que sus crinolinas —no ayudaba en nada que fuesen negras— estaban todas arrugadas. Mathilde las había planchado, pero la ropa estuvo semanas en un baúl, y ese baúl, estúpidamente, lo cargaron de cabeza. Carlota reconoce sus propios ojos con un desagrado que ya le es habitual. *Tus miserables problemitas. Pecadora inmunda. Mereces morir.* Estaba oyendo voces otra vez, más fuertes; a veces parecían rugir en lo profundo de su cerebro, aunque ahora se habían reducido a un callado siseo. Por haberse tomado sólo dos tazas de café, se sentía extrañamente soñolienta.

Su majestad se volvió otra vez hacia el general Almonte, dirigiéndose a un punto 20 centímetros arriba de su cabeza.

—La conspiración nos rodea. Estamos enterados —los ojos le bailaron— de la connivencia que tienen con Bazaine.

—No, pero...

—Cuando fue usted a Santo Tomás —sentía la lengua pesada, gruesa—... en Santo Tomás... ¿qué... dígame... de qué habló usted con Santa Anna?

—Su majestad, con todo el debido respeto, ya le he respondido esa pregunta.

—Usted... podría... dejarnos... ahora —con un giro rápido que despertó el susurro de su falda le dio la espalda al general Almonte. Por el espejo vio que el general no salía de la habitación caminando hacia atrás, con el respeto que le debía a su soberana. Por primera vez, Almonte le había dado la espalda.

EL GENERAL Almonte estaba tan mortificado con la ingratitud de su majestad que cayó enfermo. Tal vez, ya que se le había distendido el abdomen, realmente le estaba creciendo un tumor.

¿Y ahora qué? Angelo y Alicia se volvieron hacia Madame Almonte.

Madame Almonte reconoció que no, Carlota no iba a ir a Bélgica en protesta porque el rey Leopoldo II había interrumpido el reclutamiento de voluntarios para México. Las relaciones de su majestad con su hermano, tensas por las negociaciones sobre la herencia de su padre, iban muy mal. Tampoco iba a ir Carlota a Viena, en protesta porque el káiser Francisco José había detenido a los voluntarios austriacos en el muelle de Trieste. Las relaciones de su majestad con su cuñado andaban muy mal también. Carlota no había hablado de sus intenciones, dijo Madame Almonte, pero a ella le parecía lo más probable que, una vez concluidos los negocios en París, su majestad fuera a Roma. El cónsul mexicano allá, Galloti, finalmente había tenido el valor de responder al llamado de Maximiliano para que regresara a México. ¿Quién podía saber?

—¿Y el padre Fischer?

—El padre Fischer ya se fue a México.

—¿Cuándo puedo ver a la emperatriz?

—Querida mía —Madame Almonte la calmó, dándole una palmada en la mano—, debes tener paciencia.

¡Paciencia! A los ojos de Alicia, los Almonte eran un repositorio de los defectos más desagradables: presumidos, tontos, metiches encajosos, inflados de amor propio. Eran un par de peces muy lejos del agua, y si ahora estaban derribados, exhaustos, al borde de la extinción, ella no tenía ni piedad ni paciencia, no para ellos, para nadie.

Alicia se le quedó viendo de frente a la esposa del embajador de México, como lo habría hecho con una sirvienta a la que estuviera a punto de correr.

—Carlota puede recibirme mañana. O de otra manera...

—¿De otra manera qué?

—Tendré que confrontarla en público.

—¿Dónde pretendes hacer eso?

—Donde me plazca. Es más, voy a llevar de testigo a Mr. Buffum, el corresponsal del *New York Herald*.

—Podrían arrestarte.

—Se te olvida que ya me han arrestado.

El tono de Alicia no le ganó ningún afecto de parte de Madame Almonte; sin embargo, esta última estaba ansiosa por hacerle algún favor a la familia Iturbide. A don Ángel, especialmente, convenía poder contarlo como un viejo amigo de Washington... en esta época en que los amigos estaban cada día más escasos.

Madame Almonte, por lo tanto, transmitió el peligroso ultimátum de Alicia, pero no a ese arrogante pagado de sí mismo del conde del Valle, sino al conde Bombelles; éste no sólo había sido el jefe de la Guardia Palatina, sino que era quien gozaba de más confianza en la camarilla de Maximiliano y, aquí, en Europa, el responsable de la seguridad personal de su majestad. Consecuentemente, luego de que la emperatriz se retirara a sus habitaciones, en la noche, Bombelles se guardó la agenda bajo la chaqueta. Madame Almonte y él se habían reunido en el *Salon des Dames*, ese silencioso rincón del *lobby* aislado de la vista de la gente por un macizo de palmeras y ventanas reflejantes. Bombelles tenía aliento a cerveza.

—Déjeme verla —dijo Madame Almonte. Bombelles dudó. Madame Almonte tuvo que arrebatarle la agenda de las manos. Rápidamente revisó las actividades para el lunes 20 de agosto y, viendo un espacio amplio a las 10:00 horas, escribió ahí: MADAME DE I.

—De nada —dijo Bombelles fríamente, quitandole la agenda.

—*Usted* debería darme las gracias *a mí*.

Se quedaron viendo uno al otro como dos zorros. Luego, al mismo tiempo, resoplaron.

Así QUE la entrevista de Alicia con Carlota es hoy a las 10:00 horas. Con movimientos impacientes, Alicia continúa abanicándose. Se detiene, de pronto, y se inclina sobre la mesa para beber su naranjada. Pero el dulce y pegajoso líquido se ha vuelto desagradablemente tibio. Al otro lado de la ventana espejo, una joven vestida de manera extravagante sube las escaleras como un cisne.

—¿No es Adelina Patti? —pregunta Madame Almonte.

Alicia aparta la menta que flota en la superficie de su naranjada.

—No me importa.

—¿De verdad? ¿Adelina Patti?

—La han inflado demasiado.

—Conozco personas que darían su brazo derecho por oírla cantar.

—Yo la oí cantar una vez. Me salí.

—¡De verdad!

Alicia mira por encima del hombro de Madame Almonte, al reloj que parece montar guardia al pie de la escalera. Cuatro minutos para la hora de la cita. La última vez que Alicia vio a Carlota fue cuando ella y Pepa vinieron por el bebé, hace 11 meses.

Casi sin escuchar la cháchara de Madame Almonte, Alicia sacude el tobillo: tres minutos y medio todavía.

Cierra de golpe el abanico. Dos.

Y un día, un negro, negro día, Alicia clavó la punta de sus tijeras de manicure en la *Carte de visite* de Carlota, ésa donde la emperatriz salía de perfil, con unas flores en el peinado. Luego, como la había arruinado y estaba avergonzada, la rompió en dos, y luego esos dos pedazos los rompió en muchos pedacitos y los echó todos a la estufa. *Te odio, te odio*, clamó una y otra vez, sollozando en sus manos.

—Uno…

—El otro día vi a Alexandre Dumas —dice Madame Almonte.

Alicia se acomoda detrás de la oreja un rizo suelto. Se alisa la falda.

—¿Me veo desarreglada?

Madame Almonte inclina la cabeza para poder espiar mejor a través de las palmeras (Bombelles está subiendo los escalones). Distraídamente, concede:

—Te ves tan linda como siempre, querida.

Alicia se toca a un lado de la cabeza.

—¿Mi cabello?

—Tu cabello está bien.

Alicia se pone de pie y echa los hombros hacia atrás. En lo profundo de su interior se siente llena de fuerza.

—Anda —dice Madame Almonte, dándole a Alicia un empujoncillo completamente innecesario.

CASI CINCO minutos antes de que Alicia de Iturbide apareciera en el corredor, afuera de la sala de recepción de la emperatriz, Frau von Kuhacsevich abordó a la camarista vienesa.

—¡*Ach*, Matty! Adivina a quiénes acabo de ver platicando *tête-à-tête*, en el *lobby*.

—¿De qué habla?

—La Almonte y la Iturbide. Algo estaban tramando.

Desde atrás del alterón de enaguas que llevaba en el brazo, Mathilde Doblinger —la frente perlada de sudor— simplemente se le quedó viendo.

El ama de llaves imperial bajó la voz:

—Matty, tenían una *conversación privada*. Alcancé a oír algo.

Justo en ese momento, el médico personal de la emperatriz apareció en la esquina. *Grüss Gott!* El joven doctor Bohuslavek se inclinó ante el ama de llaves imperial, besándole la mano; luego, con una actitud tiesa, le ofreció a Mathilde, simple doncella, una inclinación de cabeza. Aunque la relación entre el doctor y la doncella ha evolucionado hacia un respeto y una confianza mutua mucho más grandes de lo que Frau von Kuhacsevich alcanza a intuir. Durante las semanas de arduo viaje que la prisa hizo aún más peligroso, el doctor Bohuslavek pudo enterarse completamente de la multitud de cosas que aquejan a Carlota. Es joven —más joven que él— y frágil; es mujer y lleva a cuestas responsabilidades que harían trastabillar a un Bismarck. Padece insomnio, se muerde las uñas, le da por roer y desgarrar el encaje de sus pañuelos, presenta arrebatos de llanto, falta de apetito, alteraciones del habla y silencios prologados y ominosos. Un diagnóstico de histeria no sería contraindicado. Siguiendo su propia convicción —como es doctor en medicina no necesita consultar a nadie y menos aún a la paciente, que probablemente se resistiera— el doctor Bohuslavek prescribió un sedante. Mathilde se lo ha estado dando a la emperatriz en el café: dos gotas por taza.

—¡Doctor! —susurró Frau von Kuhacsevich—. Adivine a quiénes acabo de ver platicando confidencialmente en el *lobby*.

El doctor había vuelto a ponerse el sombrero.

—Querida dama, le ruego me perdone: no puedo entretenerme.

—Yo también tengo que irme —Mathilde se alejó de prisa por el pasillo.

"¡Bueno!", Frau von Kuhacsevich exclamó para sí misma mientras, con un suave clic, se alzaba la aldaba de la puerta detrás de ella. Era la puerta —bellamente labrada en dorado, blanco y rosa pálido— que daba a la antecámara de la sala de recepciones de la emperatriz. La puerta se abrió hacia adentro, dejando ver un fragmento de alfombra floreada, un tramo del guardapolvo y luego una mesa luneta coronada por una cesta llena de frutas —un regalo matutino de las Tullerías—. Con un crepitar de crinolinas y un efluvio del perfume más caro, salió de ahí Madame del Barrio, la otra dama de compañía de la emperatriz, la única que la acompañó de México. Una generación más joven y de procedencia social marcadamente distinta a la de la Almonte, Madame del Barrio, que podría pasar por francesa, lucía un vestido azul delfín con las mangas de pliegues con ribetes de seda del mismo estilo que las que traía Eugenia el otro día. Ni siquiera el pelo se le veía igual a como lo usaba en México; aquí era *comme il faut*, peinado hacia atrás bien pegado a las orejas, con dos "madejas" expertamente formadas y laqueadas, que empezaban arriba de su frente y se dirigían hacia atrás como cuernos de carnero; luego se adelgazaban justo detrás de los pendientes de perla y zafiro, no en punta, sino que florecían en un cuarteto de bucles en forma de salchicha.

—*Ah, bonjour!* —Madame del Barrio continuó en francés—. Me pareció haber oído algo.

De pronto consciente de sí misma, Frau von Kuhacsevich se acomodó su gorro de encaje.

—Adivine a quiénes acabo de ver platicando confidencialmente en el *lobby* —bajó el volumen de su voz hasta que apenas y fue un susurro—. A la Almonte y a la Iturbide.

—¡Ah! —Madame del Barrio se cubrió la boca con los dedos.

—Algo alcancé a oír de lo que decían.

Madame del Barrio cerró la puerta detrás de sí.

—Cuénteme.

—¡Venga! —Frau von Kuhacsevich se llevó a Madame del Barrio a toda prisa por el pasillo, dando vuelta en dos esquinas y empujando un carrito con las sobras del desayuno de algún huésped, hasta el cubo de la escalera de servicio. En menos tiempo del que tarda en hervir una taza de café, ese par armó una historia demasiado deliciosa como para cuestionarla: que la Almonte —coludida con el general Bazaine, quien a su vez está en connivencia con Santa Anna y, a cambio de millones de dólares, aceptó rendir el Imperio mexicano con la menor resistencia posible— ha estado conspirando con los Iturbide, que conspiran con Bazaine, cuya esposa mexicana, junto con su familia, quiere orillar a Luis Napoleón a abolir el trono y convertir a México en un protectorado a fin de que puedan seguir enriqueciéndose con la importación de materiales para ropa y cualquier otra cosa sin pagar impuestos de aduanas, y ahora —Frau von Kuhacsevich hizo una pausa— ha envenenado al conde del Valle.

—¡Qué! —exclamó Madame del Barrio.

—¿No sabía usted que ha estado indispuesto?

Los aretes le temblaban a Madame del Barrio.

Frau von Kuhacsevich susurró:

—Un laxante.

No era necesario decir una palabra: ambas damas recordaron vívidamente la misteriosa desaparición de Monsieur Langlais, quien había estado preparando el presupuesto y, al hacerlo, se metió hasta el fondo en los legajos de las aduanas; se le vio por todas partes en la ciudad de México y en Cuernavaca, y luego, repentinamente, ya estaba muerto. Pudo haber sido un ataque al corazón, pero también pudo haber sido… bueno, se rumoraba que habían entrado a robar a una botica muy conocida, una que por cierto se encuentra muy cerca de las oficinas del general Bazaine, y que se llevaron cierta cantidad de estricnina. Carlota misma reclamaba que quisieron envenenarla en Yucatán. Hasta la fecha había habido tres atentados contra la vida del emperador. Pistolas, bombas, cuchillos, veneno de serpientes, arsénico… todo era posible alrededor de un trono.

Pero —preguntó Madame del Barrio—, ¿qué tiene esto que ver con la Almonte y la Iturbide?

—Adivine quién está en la agenda de la emperatriz para las 10:00 horas.

En su pasmo, Madame del Barrio ni siquiera se tapa la boca. Saca en conclusión que, como el conde del Valle se encuentra indispuesto, debe de ser Bombelles quien ha quedado a cargo de las citas de la emperatriz. Bombelles —Madame del Barrio se enteró desde el primer día a bordo del barco— es afecto a desvelarse bebiendo, al billar y a los juegos de dados, igual que el esposo de Frau von Kuhacsevich, el tesorero de la residencia imperial. Estos austriacos, cada uno vive de los bolsillos del otro, al parecer, puesto que han estado juntos en el servicio doméstico de Maximiliano desde antes de que éste se casara. Madame del Barrio, qué lástima, no habla alemán. Cambia al español:

—Válgame Dios.

Frau von Kuhacsevich le responde en su original amalgama de español e italiano:

—*Debemos de presar nuestras orejas a la parete.*

—Pero ya son las 10:00. ¡Hay que apurarnos!

—No. Estamos exactamente donde debemos estar —Frau von Kuhacsevich se quita un arete, se lo guarda en el bolsillo y coloca su mejilla contra la pared. Para *Madame* del Barrio es una maniobra algo más complicada, por su peinado.

BOMBELLES CONOCE un sitio mejor para estar espiando que el cubo de la escalera de servicio. Al igual que un palacio, todo gran hotel de ciudad es un queso suizo. Como dirían los *agents de sûreté publique*, los espías de la policía francesa, escuchar *c'est simple comme bonjour*. A la vuelta de la segunda esquina desde esa antecámara, justo antes del cubo de servicio, hay una puertecilla de aspecto inocente: pareciera la puerta de un cuarto de limpieza. El primer día, Bombelles estaba simplemente cumpliendo con su deber de inspeccionar los alrededores inmediatos cuando, con su cortaplumas, violó la cerradura. La instalación era impresionante. Enroscada en el piso yacía una delgada manguera que corría por debajo de la pared. Al otro lado de ese muro se hallaba una cajonera justo lo bastante alta para que él, si quería ver lo que había encima, tuviera que pararse, incómodamente, de puntillas. Esto significaba que un hombre de estatura más baja como el conde del Valle, o una mujer, no notaría que la manguera estaba conectada

—esto era maravilloso— con un florero de bronce colocado ahí. Este florero tenía cuatro rosetas con un elaborado tipo de rejilla: eran los receptáculos para el sonido. El "florero", lleno de violetas de seda, era un aparato que debía haber sido hecho por un doctor de sordos: funcionaba brillantemente.

Bombelles siempre le ha tenido resentimiento a Carlota. Como hijo del tutor de los archiduques (él mismo era hijo del tercer esposo de la archiduquesa María Luisa), Bombelles creció con ellos en el Hofburg: un paraíso para un niño. Puede obtener placer de las mujeres (lo hace feliz pagar por ello), pero le disgustan; comparte la convicción de muchos jesuitas de que no se puede confiar en el llamado sexo débil; las mujeres son mentalmente inferiores y parecen puercas. La princesa belga, en la opinión de Bombelles, fue la peor elección posible para esposa: siempre con la nariz en un libro, tan religiosa, tan testaruda. Casi toda su vida, Max había sido el heredero presunto al trono de Austria. ¡Y luego del nacimiento del príncipe Rodolfo, el siguiente en línea! De no ser por ella, Max no habría aceptado nunca un trono extranjero y, ciertamente, jamás habría firmado ese Pacto de Familia. La egoísta ambición de esa mujer es repugnante. Cuando Max estaba enfermo, más enfermo de lo que nunca había estado en su vida, postrado en cama, ella siguió presionándolo, ignorando las angustiadas protestas del doctor Jilek, y obligó a Maximiliano a ceder. Tratar de componer ese desventurado error ha sido la preocupación principal de Bombelles en los últimos meses. Tuvo que ir hasta Viena, donde no consiguió nada, luego de regreso a México y ahora, otra vez, a Europa. Misiones de tonto. Ella no va a tener hijos, ¿así que para qué quería una corona? El general Almonte se puso furioso, de hecho se puso morado, cuando se enteró de que, después de varios años sin hijos —se casaron en 1857—, sus majestades no dormían juntos. Carlota, siempre tramando algo, sale con estas soluciones crudas, de loca. Luego, ya que le prendió fuego al barco, se vuelve histérica.

Bombelles se pone la manguera en la oreja. Sabe que lo que Francia tenía que negociar con México *c'est fini*. Si no fuera así, ¿tendría este clóset para él solo? En los 10 días que Carlota lleva hospedada en la suite real, los espías de la *sûreté* no han usado el clóset ni una vez. Ella podría entrevistarse con la reina de Inglaterra y no le importaría nada a los poderosos. ¿Pero qué daño podría hacerle todavía esta Jezabel a Max? En la oscuridad, Bombelles retiene el aliento: la primera voz que reconoce, sombría en su tono y sin inflexiones, es la de ella.

—Está usted muy cambiada desde la última vez que la vi.

—He sufrido tan terriblemente en todos estos meses. Usted también ha cambiado mucho.

—Dígame lo que tenga que decir.

(Un sonido como de ropa que se mueve, de telas. Luego, en voz mucho más alta:)

—Se lo suplico: ¡Devuélvame a mi niño!

—Le he concedido un gran honor al darle esta entrevista. No haga que me arrepienta.

—¿Cómo está? (en voz más alta). ¡Dígame cómo está!

—Está bien.

—¡Qué más, qué más! ¡Ay, mi niño!

—Mejora cada día en personalidad y en inteligencia.

—Oh… oh… (roce de telas). ¡Si tan sólo supiera usted cuánta preocupación, cuánto dolor ha pesado en mi corazón!

—Estoy tratando a su hijo con la mayor amabilidad. Lo mantengo con mi propio dinero.

—¡No le pido más que tener el privilegio de mantenerlo yo!

—¿Usted?

—Sí, ¡yo!

—Si le devolvemos al niño, usted reembolsará el dinero que el emperador le ha pagado a su familia.

—Esas pensiones le fueron concedidas a la familia del emperador Iturbide hace muchos años. El emperador no nos regaló ese dinero: reconoció una deuda de la nación. Además, desde febrero no nos han pagado.

—Puede usted retirarse.

—¡No! No, si ésa es su condición le pagaremos. ¡Yo le pagaría cualquier cosa antes que seguir privada de mi niño!

—Usted puso su firma en un solemne contrato: que su hijo sería educado por el emperador.

—Pero no cedí en forma alguna mi derecho legal a la posesión de mi hijo.

—Esas palabras me hacen suponer que está usted asesorada por abogados extranjeros.

—¡No! Por abogados mexicanos de la más alta competencia.

—Ah, entonces recibió usted este consejo antes de darnos a su hijo.

—No, su majestad. Lo recibí cuando regresé a México de la ciudad de Puebla, después de que me secuestraron.

—¿Secuestraron? Eso es ridículo.

—Me arrestaron y me sacaron de la ciudad de México en contra de mi voluntad.

—El emperador hizo bien. Usted no debió volver a la ciudad de México. Y además hizo mal en dirigirse al general Bazaine y no al emperador.

—En esa época no estaba enterada del malentendido que tienen.

—No hay ningún malentendido. Sin embargo, no era un asunto para el general Bazaine. Usted siempre ha actuado de mala fe con nosotros. Se mantuvo muy distante cuando acabábamos de llegar a México. Y no le ha demostrado ninguna gratitud al emperador por haber hecho príncipes a su hijo y a su sobrino.

—Mi esposo y sus hermanos son los hijos de un emperador legítimo, y si no usaban sus títulos es porque no les importaba.

—Él no era de sangre real. Es debatible si ese trono era legítimo o no.

—Muchos dicen lo mismo del trono de ustedes. Y que tienen a mi hijo sólo para ganarse el favor del pueblo mexicano.

—¿Qué ventaja podría significar su hijo para mí? El emperador y yo somos jóvenes. Podemos tener hijos propios.

—Sinceramente le deseo que así sea, si con eso voy a recuperar al mío.

—Usted puede tener otros hijos.

—No lo sé. Estoy segura de éste y lo quiero.

—¿Por cuánto tiempo está dispuesta a dejarlo con nosotros?

—¡Ni una hora más!

—Le recomiendo que le escriba usted misma al emperador.

—Ya lo he hecho muchas veces y no he recibido respuesta.

—Escríbale otra vez. Y escríbale respetuosamente.

Después de esto, las voces se volvieron asordinadas, indistintas. Luego, como la caída de un telón: silencio definitivo.

Bombelles, un tanto apresurado, cierra la puerta detrás de sí. Al otro lado de la pared, Carlota, momentáneamente sola, se sobresalta. Ha oído algo —dentro de la pared— que no era el elevador hidráulico.

Abajo, en la calle, truena un látigo. Voces.

—¿Bombelles? —dice la emperatriz. Nunca se ha tomado la libertad de llamarlo Charlie. No confía en él.

—Su majestad —se inclina él, suavemente.

—Haz que manden café caliente.

Noche en la Ciudad Eterna

La Piazza del Popolo en Roma: sus leones y su obelisco de marmól desnudos contra el cielo recalentado; la mañana arde en el pavimento. Ante las puertas de la iglesia de Santa María del Popolo, Carlota cierra su sombrilla, una sombrilla negra para que combine con su vestido y su mutilado bonete. Siguiéndola de cerca, Madame del Barrio también cierra su sombrilla. Ya han visto esta iglesia. Su majestad y lo que queda de su séquito llevan cinco días en Roma. Pareciera que caminan en círculos. Madame del Barrio no sabe qué hacer. La única persona que sabría es el conde Bombelles, pero, por una orden de su majestad impartida fríamente, debió quedarse en Trieste. Radonetz (uno de los hombres de más confianza de Maximiliano, que estaba a cargo de la administración del castillo de Miramar) fue acusado de robo por la emperatriz, de una manera por demás violenta. Los Almonte, abandonados en París. Monsieur Eloin, despachado a Bruselas. Todo se está derrumbando alrededor de ellos, y Carlota se ha obsesionado con la idea de que Luis Napoleón conspira para envenenarla. Está loca. *"Se le ve en los ojos"*, dijo Frau von Kuhacsevich. *"Deplorable"*, dijo el conde del Valle. *¿Qué va a ser de todos nosotros?* Y el doctor Bohuslavek es tan terriblemente joven, parece inseguro de sí mismo. Tiene miedo.

Madame del Barrio le entrega las dos sombrillas, la suya y la de la emperatriz, a José Luis Blasio. Blasio llegó a Trieste hace dos semanas, trayendo instrucciones de Maximiliano para la reunión de Carlota con su santidad aquí en Roma. ¿Y qué ocurrió en esa reunión? En los tres días que han transcurrido desde entonces, su majestad no ha dicho ni una palabra sobre eso; sin embargo, todos ellos adivinan un cruel desenlace porque, de regreso del Vaticano al hotel, ella le ordenó al conde del Valle que despidiera —de inmediato— a la guardia de honor del papa y a la banda militar francesa.

En el vestíbulo de Santa María del Popolo, después de que su majestad, Madame del Barrio y Blasio se han arrodillado y persignado, Blasio le dirige una mirada a los ojos a Madame del Barrio. Ella puede leerle los labios.

¿No otra vez?

¿Qué otra cosa pueden hacer más que obedecer a su soberana? Madame del Barrio sólo puede esperar que, tal vez, para el mediodía su majestad esté exhausta. Su majestad no ha comido nada desde anteayer, y eso sólo unas nueces y unas naranjas que insistió en pelar ella misma. Mathilde, su doncella, le contó al doctor Bohuslavek, que le contó a Frau von Kuhacsevich, que Carlota se puso a chupar esas naranjas como campesina porque el agua, dice, y el vino, *todos* los líquidos que le sirven están envenenados. No es posible razonar con Carlota. Esta mañana, con un rubor de fiebre en las mejillas, lo primero que hizo fue volar a la fuente de Trevi; se quitó los guantes, se agachó ¡y se puso a beber agua con las manos! Luego le arrancó el velo a su bonete y con eso se secó la cara. *Aquí, por lo menos, no ha de estar envenenada. ¡Tenía tanta sed!*

Madame del Barrio y Blasio siguen a su majestad por la nave de Santa María del Popolo, fingiendo que escuchan su galimatías sobre los tesoros artísticos. Cada vez que la emperatriz vuelve la vista hacia otro lado, ellos se echan miradas uno al otro. Carlota habla de una manera que no es natural de tan rápido, saltando de Bernini a algo que Goethe escribió, a la Biblia…

—¿Entiendes? —le pregunta a Madame del Barrio.

—Sí, madame.

Carlota se dirige al aire que flota a la izquierda de su cabeza:

—El tiempo del silencio ha llegado.

Blasio suelta una de las sombrillas.

—¡Silencio! —grita Carlota.

Se oye el eco de sus pasos: 10, 11, 12, y de repente se detiene. Enciende una vela ante el Caravaggio. Se deja caer al piso de mármol y, uniendo las manos en oración, parece implorarle a la terrible escena: san Pedro crucificado, de cabeza. Los tonos dorados de la piel del viejo, la estaca que tiene clavada en la mano, la boca abierta en agonía…

No sabiendo qué otra cosa hacer, su dama y su secretario se arrodillan, ésta un poco detrás de su majestad y a la izquierda; aquél, a la derecha.

Madame del Barrio, cubriéndose la boca con la mano, le lanza otra mirada a Blasio.

Carlota abre los brazos como si estuviese sobre un crucifijo. Y luego —lo oyen claramente— le gruñe el estómago.

HACE UN LARGO mes y medio, hubo un fragmento de un instante en que le pareció a Carlota que esta pesadilla estaba a punto de transmutarse en la apoteosis del verdadero destino: cuando se dirigió a Saint Cloud y vio que, aguardando a recibirla, estaba parado el príncipe Luis.

Ella había venido a Saint Cloud a su entrevista con Luis Napoleón: el objetivo de tanto tiempo, tanta preocupación, cartas y telegramas. Se pasó semanas enteras sin pensar en nada más. Era tanto lo que dependía de esto. Carlota estaba agitada, no podía comer. Se hallaba en tal estado, en el camino desde el Grand-Hôtel, que iba estrujándole la mano a Madame Almonte. Madame Almonte se la estrujaba también. Pero más que cualquier otra, Carlota necesitaba la mano de su padre. Y su padre estaba muerto. A su hermano, el rey Leopoldo II, no le importaba un comino, a menos que hubiera dinero para él. El káiser, al traicionar a su esposo, se había convertido en su enemigo. En relación con México, la reina Victoria sólo había mostrado ignorancia y un desdén lleno de prejuicios. Grand-maman estaba muerta también; ella desde el principio no aprobó el proyecto. Nadie aprobó el que Maximiliano aceptara esta corona, excepto Luis Napoleón. Y Madame Almonte. Juntas, en el regazo de Carlota, las manos de las dos mujeres formaban un gran puño. La emperatriz podía sentir la presión en los pequeños huesos de su mano.

—Gracias —le dijo a Madame Almonte. Y al ver la expresión que tenía su otra dama, al ver los ojos de Madame del Barrio, las tres rompieron a llorar. Pero luego, mientras las terribles ruedas avanzaban sobre la grava de ese sendero y, finalmente, paraban con un crujido, ahí, en la ventana: aquel niño reluciente en su uniforme.

El Niño de Francia. La calmó tanto verlo; fue como un efluvio de opio. Su boca, bellamente modelada, dibujaba no tanto una sonrisa, sino una expresión única, a la vez elegante, marcial y amable. Ella sabía que este niño iba a tratar bien a sus mascotas. Les hablaría. Las imágenes que éstas tuvieran en la mente flotarían sobre su cabeza como cometas. Sabría cuando quisieran agua.

Carlota aceptó su pequeña mano enguantada. Con qué satisfacción vio que, prendida en el pecho, el niño traía la medalla de la Orden del Águila Mexicana. Resplandecía con el sol.

Qué sol. Madame del Barrio inclinó la sombrilla sobre la cabeza de Carlota.

El príncipe Luis la condujo por el sendero. Acababa de cumplir 10 años; iba a ser devastadoramente apuesto.

—Dios mío, Luis, cómo has crecido.

—¿Tuvo usted un buen viaje?

—El viaje que Dios quiso que tuviera.

Un perfume de rosas y gladiolas venía del otro lado del seto. Un perro ladraba en la distancia. Los zapatos hacían tanto ruido en la grava. Los sonidos, los olores… parecían tener formas azules y colores cónicos.

—¿Se detuvieron en Fort-de-France? —preguntó el príncipe.

—No esta vez.

—¿Dónde cargó hulla su barco?

—En La Habana y en Santo Tomás.

—¿Vieron cachalotes?

—No, pero sí muchos delfines.

Pasaron la fila de guardias pretorianos. Por alguna razón, a Carlota le molestó verlos. Sintió una emanación inodora pero nociva que venía de sus miradas: desaprobación. Lástima. Ella, la emperatriz de México, no era para ellos un ser humano. Ellos, rígidos como si fueran de bronce, no eran seres humanos para ella. Desde abajo de sus viseras la observaban con una inteligencia extraña, como habrían observado a una prisionera que marchara escoltada hacia su ejecución.

Siguiendo al príncipe Luis por las escaleras, recordó que debía preguntarle por su accidente. En julio, el niño se cayó de su columpio y sufrió una conmoción; obviamente, ya se había recuperado.

—Ya estoy perfectamente bien, gracias.

No le preguntó de Orizaba, como la vez anterior. No le preguntó nada de México. No se puso a recitar ninguna linda lista de frutas y verduras nativas. En lo alto de la escalera aguardaba Eugenia, y ahí el príncipe Luis, cuadrando los talones, se despidió. Eugenia hizo pasar a Carlota y a las damas: a la guarida de Mefistófeles.

TODO ES INÚTIL, le telegrafió a Max. Si no tuviera que volver a ver esta Babilonia, le dijo a Madame del Barrio, pero era demasiado pronto. No podía regresar a México, todavía no. Roma… necesitaba ver a su santidad, pero la prudencia la hizo ir primero a Trieste y aguardar allá instrucciones de Maximiliano.

Miramar, su castillo de marfil en la bahía de Grignano: su *parterre* tan bellamente diseñado y cuidado, sus pinos y robles y encinas recibiendo la dulce brisa del mar. El jardinero y su esposa lloraron lágrimas de felicidad al verla. Había varios gatos que reconoció y tres gatitos negros, preciosas bolitas de pelos. Pero cuán peculiar le resultó, como haberse convertido en un fantasma en su propia vida, entrar a esas habitaciones, la biblioteca de Maximiliano, su oficina recubierta con paneles de madera. Ahí era donde él se sentaba al escritorio a leer, a escribir cartas. Ahí era donde tomaba su desayuno, donde jugaba billar con Bombelles y Schertzenlechner. El salón de música de ella con su pianoforte; acarició las teclas, pero no tuvo voluntad para ponerse a tocar. Su *boudoir*. Como regalo de bodas, la ciudad de Milán les dio una cama. Ahí estaba todavía. Carlota se tiró sobre ella... y lloró.

Libre de ella, Max pudo haberse casado con una princesa más adecuada. Alguien como la princesa María Amelia de Braganza, su primer amor, que murió en Madeira. Qué espléndida emperatriz habría sido, y su propio medio hermano, Dom Pedro II, era el emperador de Brasil del divino santo espíritu. María Amelia... era tan dulce, tan pura. Sus hijos habrían sido hermosos.

Se le ocurrió a Carlota, y no por primera vez, que habría sido mejor para Maximiliano que ella muriera en Yucatán. Ya había empezado a sospechar que de eso se trataba: dos de los sirvientes en esa expedición contrajeron la fiebre amarilla. Ella evitaba escrupulosamente la fruta; no obstante la atacaban dolores de cabeza, mareos... estaba segura de que la habían envenenado. En las ruinas de Uxmal se sintió dominada por un terror indescriptible que la dejó, unos minutos, sin habla. El calor. El rechinante zumbido de los insectos. El cielo: un *staccato* de golondrinas. El nauseabundo olor del guano de murciélago. Ella no supo cómo ocurrió, tal vez subió flotando hasta la punta de la pirámide... allá estaba, la emperatriz de México, inspeccionando un reino de ruinas y, rodeándolo por todos lados, una selva sin salidas.

Mujer inútil, se dijo a sí misma. *Inútil* para su esposo, *inútil* para su país... como un ancla con una cadena demasiado corta, que nada más hace que el barco se ladee. Debió haber dado un heredero. Era algo tan crucial para la estabilidad del Imperio, este Imperio de nueve millones de seres humanos, este Imperio más grande que Inglaterra, Escocia, Irlanda, Francia, España, Sicilia, Cerdeña y Prusia juntas; este Imperio que comanda dos océanos... ¡Claro que Luis Napoleón se puso celoso! Y Almonte y Bazaine. Una vez que se deshicieran de ella, sería tanto más fácil remplazar a Maximiliano con el general Bazaine. Ah, claro que sí. Francisco José también tenía miedo de ella, porque ella sola tuvo el valor de oponerse a su alteza máxima: Su alteza máxima de ese Imperio claveteado. Toda Austria, toda Hungría, las provincias… amaban a Max.

Éstos eran los hechos incontrovertibles, escandalosos: casi 550 millones de francos de deuda se habían emitido en París, de los cuales el 6 por ciento fue pagado al tesoro imperial mexicano.

Carlota sabía que la estaban drogando. Su caligrafía se había vuelto deshilachada. Le costaba un esfuerzo titánico mantener cierto control sobre sus pensamientos; éstos corrían y tropezaban desbocados, se desvanecían en una especie de neblina ruidosa. Se sentía como una cierva inmovilizada en medio de un claro; los enemigos la rodeaban… cada vez más cerca…

Lástima de los vencidos, escribió la condesa Hulst en una carta tan llena de veneno y cobardía que Carlota se sintió enferma al leerla. La condesa Hulst, su institutriz, se había opuesto al proyecto mexicano desde el inicio, pero ahora, al rehusar al honor de recibir la medalla de la Orden de San Carlos, ahora, con un tono tan insultante, ahora incluso ella, incluso la condesa Hulst había sucumbido a las sirenas del demonio.

Se lo dije, le dije que no debía aceptar la corona de México. La aceptó, y ahora mire el precio que tan justamente está usted pagando. No tiente más a la providencia: sálgase de esa empresa mortal ahora, mientras todavía conserva su honor y no hay tanto peligro.

Fortificada por la indignación, Carlota le escribió a Max: *La república es tan mala madre como el protestantismo, y la monarquía es la salvación de la humanidad.* ¡Éste no era tiempo para deponer las armas! La soberanía es un tesoro más preciado que la vida misma.

La emperatriz llegó a Roma dos días antes de su cita con el santo padre. De lo primero que se enteró, llegando al Albergo di Roma, fue de que el cónsul de México, Galloti, a quien con tanta ansia deseaba ver, acababa de salir de Veracruz, de regreso a Roma, cuando murió a bordo del barco. Su *aide*, un mexicano llamado Velázquez de León, le contó cómo Galloti le había suplicado muchas veces a Maximiliano que no lo hiciera ir, porque tenía tanto miedo de la fiebre amarilla.

Era más probable —sospechó Carlota— que Galloti hubiera sido envenenado.

Enseguida se enteró de que el pintor alemán que guiara a la comitiva imperial en su visita de 1864 había muerto. Fiebre romana, dijo el conserje. Carlota se quedó pensando en eso. Él también debió de haber sido envenenado porque era el retrato de la salud, y con qué piernas tan fuertes subió los escalones del Coliseo, y en el Foro saltaba como una gacela sobre esas columnas caídas. Los italianos eran unos magos para el veneno. Un rival celoso... ¡una pizca de arsénico mezclada en su cerveza!

Cuando Enrique IV visitó el Louvre sólo tocaba huevos que hubiera hervido y pelado él mismo. El doctor judío Lópes trató de matar a la reina Isabel de Inglaterra untando veneno en la cabeza de su silla de montar; lo colgaron, luego lo bajaron y lo descuartizaron. ¿No era obvio que el príncipe Alberto, el consorte de la reina Victoria, fue envenenado? Era un Saxe-Coburg: los ingleses conspiraban en su contra. O bien —ah— los fenianos, ésos lo hicieron. Plomo, antimonio, mandrágora... una sobredosis de tintura de láudano. ¿No fue con eso con lo que la primera esposa del general Bazaine, supuestamente, se suicidó? ¡Pero tal vez no fuera un suicidio! La *strychnos nux vomica* funciona con la velocidad de un relámpago, pero su sabor amargo debe disimularse con miel; la víctima muere con las manos crispadas y la espina tan arqueada que sólo la cabeza y los talones tocan la cama. Los Borgia tenían sus fórmulas: vidrio molido, belladona, acónito. Cleopatra: veneno de serpiente. Sócrates: cicuta. Livia envenenó a Augusto; Tiberio, a Germánico. Agripina le dio a Claudio un plato de hongos venenosos. A Napoleón Bonaparte le administraron dosis pantagruélicas de arsénico; por eso su cuerpo no se descompuso. Tampoco el de María Luisa de Borbón y, antes de morir, se le cayeron las uñas. Nerón prefería agua de laurel cerezo, que contiene cianuro. Los signos de envenenamiento por cianuro son ansiedad, dolor de cabeza, somnolencia... ¡hay que ver, hay que ver, hay que ver! (El corazón le está martillando dentro del pecho.)

San Pedro fue martirizado en los jardines de Nerón, al pie del Janículo. ¿El santo padre no es el sucesor de san Pedro, primer apóstol del hijo de Dios?

El estómago vuelve a gruñirle.

"*Pater noster...* Padre nuestro que estás en el cielo..." empieza a rezar, pero luego, como si estuviera poseída, sacude la cabeza hacia atrás. De pronto ya está otra vez de pie y pavoneándose por la nave. Todo ocurre tan inopinadamente que Blasio apenas y tiene oportunidad de correr y adelantarse para abrirle la puerta.

Su majestad le ordena al cochero:

—*Il Vaticano. É urgente!*

CARAY, ¿EL VATICANO? Madame del Barrio no se atreve a preguntar qué quiere ver ahí su majestad. El carruaje se lanza entre el tráfico; pronto se le ve cruzando el puente sobre el Tíber. En la distancia, acercándose, la cúpula de San Pedro relumbra a través de la luz fundida del sol. Ya hicieron una visita extensa a los museos del Vaticano, hace tres días, cuando su majestad tuvo su audiencia con el papa. No han visto ni la mitad del Vaticano y, aun así, fue más de lo que un cuerpo podría digerir en toda una vida: la estupenda basílica con el baldaquino de Bernini mirando hacia la cripta de san Pedro, la *Pietà* de Miguel Ángel, todo el oro, todo el mármol de todos colores, la Capilla Sixtina, los frescos de Rafael, galería tras galería de oro egipcio, ánforas griegas, mosaicos etruscos y romanos, bustos, estatuas, sarcófagos, incontables cálices, urnas y mantos de seda bordados en China, pinturas del Tiziano, de Da Vinci, otras más de Rafael, más de Miguel Ángel, la *Adoración de los magos*, de Pinturrichio y, en la biblioteca, mapas, manuscritos iluminados, incunables…

¿Qué más podría querer ver su majestad?

Y ésta no era la primera visita de Carlota al Vaticano. Con frecuencia hablaba de su confirmación, cuando el papa le dio por primera vez la bendición, tal como lo haría otra vez hace tres años, cuando ya se iba ella a México. Como le dijo a Madame del Barrio, tomar la comunión de la mano del santo padre fue una de las experiencias más conmovedoras de su vida. En la basílica de San Pedro, lo que más la impresionó (más que las grandes obras de arte) fueron los confesionarios —sus letreritos: "Italiano", "Français", "English", "Español"—. El que cristianos de todo el mundo vinieran aquí, a la "verdadera casa de la verdadera Iglesia", era un consuelo sublime. Al hablar de ello los ojos se le llenaban de lágrimas.

¿Tal vez su majestad desea confesarse?

Su majestad saca la cabeza por la ventana. Le grita al cochero:

—¡No por esa entrada! ¡Voy a ver al papa!

Horrorizada, Madame del Barrio dice:

—¡Pero su majestad no está vestida para una audiencia con el papa!

—Se te olvida, Manuelita, que son los emperadores quienes hacen las reglas de etiqueta. Están por encima de ellas.

Después de este quemante regaño, Madame del Barrio se quedó callada.

En su impecable italiano, Carlota le dio instrucciones al cochero:

—Lleve a mi secretario de regreso al hotel. No necesita usted regresar por mí.

Madame del Barrio sigue a Carlota; pasan los guardias suizos y continúan hacia el complejo residencial, escaleras arriba. Aparece el secretario del papa. Sorprendido, le hace una caravana a su majestad.

—Tengo que ver al santo padre.

—Imposible. Su santidad está tomando su desayuno.

—No me importa. Dígale que estoy aquí.

En un momento, el secretario del papa hace pasar a su majestad. Madame del Barrio, encogiéndose de la pena, observa cómo la puerta de la cámara privada del papa se cierra con un clic.

EL PAPA EXTIENDE su mano para que la emperatriz de México le bese el anillo. Pero ella se ha dejado caer a sus pies y ahí está, sollozando, los labios en una de las pantuflas del santo padre.

—*Per piacere...* por favor, por favor ayúdeme, padre, ¡se lo suplico! ¡Luis Napoleón está tratando de asesinarme!

—¿Qué? ¿Asesinarte?

—Luis Napoleón ha enviado a sus espías; las serpientes han hecho nido en mi propia casa: ¡los von Kuhacsevich y el doctor y Velázquez de León y el conde del Valle!

—¿Velázquez de León y el conde del Valle? ¿Qué está usted diciendo?

—Están en la nómina de Satán.

—No, ésos son buenos hombres, sus súbditos leales.

—*Tutti, tutti...* todos. Todos ellos han sido sobornados... se lo suplico, padre, ¡deme asilo! ¡Dentro del Vaticano es el único lugar donde puedo estar segura!

—¿Dentro...?

Otra vez, ella le besa la pantufla.

—Permítame dormir a sus pies.

—No, no…

—¡Deme una habitación entonces!

Jamás una mujer, ni siquiera una monja, ha dormido bajo el techo del Vaticano.

—¡Imposible!

—¡Entonces dormiré en el corredor! No me importa dormir en el suelo, oh, padre… —empieza a sollozar convulsamente—. Oh, padre, tengo tanto miedo… el veneno…

El papa levanta la vista y ve un disgusto no disimulado en la cara de su secretario, pero es un hombre de naturaleza amable y auténtico buen corazón y se pregunta: ¿Podrá ser? En siglos pasados, uno o dos papas han sido envenenados, ¿o no? Tiene que equilibrar su peso: su majestad está aferrada a sus tobillos. "Ya, ya", el papa casi —a un soberano no se le toca— le acaricia la cabeza. Pero su naciente credulidad, un bello globo aerostático que ya empezaba a engordar, se desinfla de pronto: levantándose de un salto, Carlota ha metido los dedos en su taza de chocolate. Se los está lamiendo.

—¡Me estoy muriendo de hambre! ¡Todo lo que me dan tiene veneno!

—Está bien, ¡Virgen Santa, está bien! Haré que le traigan una taza de chocolate.

—¡No! Beberé sólo de la taza de su santidad; si saben que es para mí lo van a envenenar.

—En ese caso, de cualquier manera…

Ella se empina la taza, bebiendo hasta el asiento del chocolate. Luego lame el borde. Sus pupilas parecen dilatadas; hay una luz extraña en sus ojos. Corre al escritorio del papa y se apodera de una copa de plata.

—Padre, deme ésta para que pueda beber sin que me envenenen.

Recuerdo de una visita a la capilla de Nuestra Señora de Loreto, es una copa tan grande y tan pesada que él nunca la ha usado para tomar nada. Para su sorpresa —y a estas alturas pensaba que ya nada lo sorprendería—, su majestad le arranca con los dientes un listón a su bonete, lo amarra al cuello de la copa y se cuelga ésta del cinturón.

—Ahora, padre, quiero que hablemos de México —y se planta en un sofá.

Es la oportunidad que esperaba el secretario para escapar y alertar al cardenal Antonelli.

—¿Sí? —dice el papa suavemente, poniéndose cómodo en su sillón.

Ella empieza un atropellado discurso sobre la provincia de Yucatán, San Luis Potosí, el arzobispo de México: un fárrago de sinsentidos, acusaciones e historia natural, pero luego se interrumpe sola:

—¿Cuál es el antídoto más efectivo contra el veneno?

—El rosario y la oración, hija mía.

Ella pregunta otra vez. La respuesta del papa no cambia.

EL DEMONIO le ha dado a esta mujer los tentáculos de un pulpo. No fue sino hasta casi mediodía cuando, gracias a los arreglos tras bambalinas del cardenal Antonelli, el papa pudo finalmente deshacerse de ella. Interrogada, su dama de compañía le informó al cardenal que la emperatriz era aficionada a los manuscritos iluminados. El papa, por lo tanto, condujo a su majestad mexicana a la biblioteca y, mientras abría uno de los cajones de un gabinete y sacaba uno de estos manuscritos para enseñárselo, silenciosamente entraron el cardenal y Madame del Barrio.

—Padre, esto es tan bello como cualquier obra de Memling.

—Brillantes colores, sí —estuvo de acuerdo el papa.

—La escritura es gótica.

—Sí, hija mía, lo es…

Con los dedos manchados de chocolate, Carlota le dio vuelta a otra de las hojas de ese tesoro del siglo XIII.

—¡Ah! La historia del buen pastor…

—Mira los corderillos —dijo el papa—, con qué cuidado están dibujados.

—Sus pezuñas, sus orejitas…

—Muy bonita… muy bonita historia… me gustaría sentarme aquí y que me la leyera —dijo el santo padre—. ¿Haría eso por mí?

—¿Sentarme aquí?

—Sí. Siéntese aquí y léame la historia.

Cuando, luego de unos minutos de estar leyendo, su majestad levantó la vista y no vio al santo padre, comenzó a agitarse, pero Madame del Barrio, fingiendo un exagerado interés en el manuscrito, logró calmarla. Esta parte de la biblioteca era el primero de los salones paulinos. Ya habían estado aquí el otro día, admirando los frescos del techo y las numerosas pinturas que conmemoraban las donaciones hechas por los soberanos europeos: "*La donación del emperador Constantino al papa Silvestre I*", "*El emperador Ludovico Pío confirma a Pascual I las donaciones hechas por sus ancestros*", y más: Otto I el

Grande, Otto IV de Wittelsbach, Federico II, Rodolfo I y, al último, *"Enrique VII, delegado de Alberto I de Habsburgo, rey de los romanos, confirma los derechos de la Santa Sede al papa Bonifacio VIII".*

Carlota insistió en recitar el título completo de cada cuadro. Sólo entonces fue posible convencerla de que pasara, y eso con mucha vacilación y prendida del brazo de Madame del Barrio, al segundo de los salones paulinos. Aquí, otra vez: los frescos de ángeles y las conmemoraciones de antiguas donaciones, los gabinetes de madera de álamo elaboradamente forrados por dentro con el escudo de armas de los Borgia: águila coronada y dragón alado. Esta biblioteca, una maravilla del mundo, contenía las actas del juicio a Galileo, la absolución de los Caballeros Templarios, la...

Su majestad se interrumpió. Esa puerta, ¿no era la escalera a la Torre de los Vientos, el observatorio astronómico del Vaticano? Porque el otro día no la vieron.

Estaba cerrada, dijo el cardenal Antonelli.

¿Por qué estaba cerrada?

Era un dormitorio.

¡Ah, yo podría dormir ahí!

Suavemente, el cardenal Antonelli sugirió una visita a los jardines del Vaticano. Su majestad aceptó. Y así fue como lograron sacarla del edificio.

POR MÉXICO, qué lástima, el papa no podía hacer nada. El Vaticano no iba a presionar, no, no podía jactarse de poder presionar a Luis Napoleón cuando, gracias a sus bayonetas, Roma se hallaba a salvo de los patriotas italianos. Tampoco podía el Vaticano dar ningún paso en relación con México sin el apoyo de su clero, que no tenía. La República Mexicana confiscó las propiedades de la Iglesia, y el gobierno de Maximiliano no las había devuelto. Mas aún, Maximiliano no había respetado a la Iglesia católica como la única verdadera fe. Había estado animando a inmigrar a protestantes de Europa y de la Confederación. Se decía que sus dos médicos personales y uno de sus asesores más cercanos eran judíos. También se rumoraba —y esto circuló ampliamente en Viena— que, cuando era virrey de Milán, Maximiliano fue iniciado secretamente en la masonería.

No había aún un concordato con México. Al cardenal Antonelli lo sorprendía y lo apenaba delante del pontífice el solo hecho de que la emperatriz de México hubiese venido a Roma. Pero el Vaticano se preocupaba, y profundamente, por la salud de sus relaciones con las familias soberanas de Austria, de Francia y de las muchas otras monarquías católicas con las que esta joven perturbada tenía lazos de sangre. El cardenal Antonelli ya le había enviado un mensaje al embajador belga: el rey necesitaría mandar a algún miembro de la familia a que tomara custodia de su hermana. Al conde Bombelles y a un tal doctor Jilek, aseguró el cardenal, se les había llamado ayer para que vinieran de Trieste, pero tardarían algunos días en llegar a Roma. ¡Una loca en el Vaticano! Menos difícil sería para el cardenal Antonelli tener una idea de qué hacer con un puerco encebado. Por ahora tendría que confiar en dos alienistas romanos, un profesor de barba blanca y su musculoso colega; el cardenal les prestó ropa de clérigos y se los presentó a su majestad como "chambelanes papales".

Los alienistas le hicieron una profunda caravana.

En los jardines, Carlota metió la copa del papa en una fuente y se puso a tomar agua. Todos ellos —el cardenal Antonelli, Madame del Barrio y los dos "chambelanes papales"— se comportaron como si fuera una cosa normal. El propósito del cardenal era inducirla a volver al Albergo di Roma pacífica e inmediatamente. Era imperativo que el Vaticano se lavara las manos, por decirlo así, de la responsabilidad por lo que podría ser un escándalo sin precedentes. En el jardín, Carlota entró en éxtasis con la estatua de un cervatillo. Tenía que discutir la manera de podar cierto topiario… No se iba de los jardines. Como ya estaba avanzada la tarde y no veía una alternativa decente, el cardenal Antonelli invitó a las mujeres a almorzar. Carlota comió con apetito, pero sólo del plato de su dama.

Una comida caliente con sopa, pasta y cordero asado pareció arrullarla, y así Antonelli pudo convencerla de que, como ya —de acuerdo con sus deseos— había arreglado que arrestaran a su doctor vienés y a otros de su séquito, podría regresar al Albergo di Roma.

Afuera estaba esperando el mismo carruaje con el mismo cochero que la trajo. En un tono agrio, Carlota le dijo al cochero:

—Le dije que no me esperara.

—Yo personalmente lo hice venir por usted —explicó el cardenal Antonelli—. Es el mejor conductor de Roma.

—¿Ah, sí?

—Es famoso. Nadie lleva un carruaje de una manera más experta, más segura —Antonelli se inclinó—. Madame, él está enteramente a su disposición.

Carlota subió junto con su dama. Pero, antes de que el guardia pudiera asegurar la aldaba, volvió a salirse. La copa del papa, todavía amarrada a su cintura, golpeó contra la orilla de la puerta.

Se dirigió al cardenal:

—¿No tendré que volver a ver a esos que quieren matarme?

—Su majestad está bien segura.

—¿No voy a ver ni traidores ni ladrones ni mentirosos?

—No.

—¿Ni envenenadores?

—Ninguno.

—¿Está usted seguro de que todos los conspiradores se han ido?

—Absolutamente todos —carraspeó el cardenal.

Ella se volvió. Pero después de subir, vacilante, un escalón, se detuvo:

—Mi chambelán, el conde del Valle, ¿ha sido arrestado también?

—Sí, su alteza.

—¿Todos se han ido?

—Todos.

Volvió adentro del coche. Pero luego, abriendo de golpe la puerta, se bajó otra vez.

—¿Qué hay de mi sirvienta, Mathilde Doblinger?

—De acuerdo con sus deseos, Madame, también ha sido arrestada.

—¿Y los von Kuhacsevich?

—También.

El cardenal inclinó la cabeza con solemnidad. Al pie de la escalinata de mármol, esperaba. Sus ojos de obsidiana se entrecerraron. Quería estar seguro de que ese carruaje no iba a regresar. Solamente cuando el vehículo, cobrando velocidad, estuvo fuera del alcance de su oído, se volvió, tan rápidamente que su túnica escarlata pareció ondear. Con su energía característica, subió los escalones. Sus pasos eran perfectamente regulares, como el batir de un tambor.

Cuando Carlota llegó al Albergo di Roma, no había ningún carruaje estacionado ahí. Habían limpiado la banqueta de floristas, buhoneros, lustradores de calzado y pordioseros.

—¿Dónde están los porteros? —le preguntó a su dama.

—No lo sé, su majestad —respondió Madame del Barrio.

—¿Los arrestaron también?

Madame del Barrio tartamudeó:

—S-sí… supongo.

En el *lobby*, bajo el letrero que decía *TUTTE LA COMODITÀ MODERNA*, un periódico doblado apresuradamente estaba abandonado en un sofá; un servicio de té y unos platos de pastel a medio comer cubrían una mesa.

—¿Y el conserje?

—No sé.

—Tú sabes muy poco, Manuelita.

Madame del Barrio se ruborizó y bajó la mirada a sus guantes.

Arriba, en el pasillo, no encontraron a nadie. Ante la puerta de su suite, Carlota esperó a que Madame del Barrio abriera con la llave. Como si una mano invisible la jalara por el otro lado, la puerta se abrió con un crujido. La habitación estaba caliente, empapada de oscuridad, agitada por los ruidos del tráfico. Una de las ventanas que daban al Corso había quedado abierta.

Después de la suntuosidad del Vaticano, esta "suite real" se veía tan poca cosa. Desde cuándo tenían que haber cambiado la tapicería; los brazos de algunos de los sillones estaban completamente desgastados. El mobiliario se veía escaso y recargado. A la luz del día que todavía entraba, cada mancha, cada despostilladura, resaltaba. Bajo un espejo de ojo de buey, temblaba un pedazo roto del papel tapiz.

Madame del Barrio encendió la lámpara que había sobre la chimenea.

Desde el umbral, Carlota dijo:

—Cierra la ventana.

Madame del Barrio hizo lo que se le decía: jaló la hoja de la ventana y la cerró.

—No voy a entrar.

—¿Por qué no?

—Hay alguien escondiéndose detrás de las cortinas.

—No, madame —Madame del Barrio levantó las cortinas y las volteó—. ¿Ve usted?

—Mira detrás del sofá.

—No hay nadie, su majestad.

—¡El diván!

—No, madame. Todo está seguro.

Carlota puso un pie adentro, pero enseguida lo retiró. Dijo desde el pasillo:

—Revisa las recámaras.

En un momento, Madame del Barrio volvió a la puerta.

—Su majestad —no había necesidad de hablar en voz baja, pero ella hablaba en voz baja—. *Todo está bien seguro.*

Carlota traspuso el umbral e inmediatamente supo —se le puso la piel de gallina en los brazos— que algo estaba mal.

—¿Dónde está Mathilde?

—Su majestad quiso que la arrestaran.

—Ah, sí. Está bien. Tú quítame el sombrero entonces.

—¿Tal vez su majestad quisiera recostarse y descansar?

—Sí, Manuelita. Quisiera descansar.

—Tome mi brazo.

—Gracias… —ante la puerta de su alcoba, Carlota se echó para atrás y gritó:

—¡La llave!

—¿La llave? —la puerta de la recámara no tenía llave.

—¡Se la llevaron! ¡Están planeando encerrarme aquí! ¡Así podrán matarme! —-arrebató el bonete de las manos de su dama y se lo puso como cayera.

—¿Adónde va su majestad? —gritó Madame del Barrio, corriendo detrás de ella. La respuesta llegó una vez que las dos estuvieron nuevamente, sin aliento, en la banqueta. Carlota paró un coche que iba pasando:

—*Il Vaticano. È urgente!*

En cuestión de minutos, el séquito de la emperatriz salió de sus habitaciones —reasignadas en los pisos superiores— y como un enjambre se dirigió a toda prisa a su salón, donde la lámpara que acababa de encender Madame del Barrio ardía débilmente sobre la chimenea. Frau von Kuhacsevich fue la primera en llegar y encendió otra lámpara; de puros nervios se puso a acomodar los cojines del sofá. Luego, como tenía miedo de desmayarse, se dejó caer, abatida, en el mismo sofá. José Luis Blasio se sentó en la orilla estrujándose las manos entre las piernas. El conde del Valle comandaba la chimenea, pero el chambelán del Barrio, esposo de Madame del Barrio, lo hizo a un lado; a su vez fue interrumpido por el cónsul mexicano en Roma, Velázquez de León, y éste por Herr Jakob von Kuhacsevich, quien no sólo era el tesorero de la residencia imperial, sino que también conocía a Maximiliano y a Carlota desde antes que se casaran, y…

Alguien dijo que la oyó gritar por una llave.

—*Ein Schlüssel!*

—Una llave.

—¿Dónde está?

—¿Quién la tomó?

—¿Qué llave?

El doctor Bohuslavek pasó al centro del círculo. Una llave se columpiaba en sus dedos.

—La de su alcoba.

—¡Por Dios!

—¡Caray!

—¿Está usted poseído?

—¿Con qué autoridad?

—Les doy mi palabra de honor —dijo el doctor Bohuslavek muy serio, pero estaba tan joven y se veía como si estuviera a punto de llorar— de que tomé la llave en caso de que, en la noche, ella se pusiera furiosa.

—¡Buena la ha hecho!

—¡A quién se le ocurre! Se le botó la canica.

—A mí no me dijo.

—*Die Dringlichkeit der Situation steht außer Frage.*

—Acaba de salir de la facultad de medicina y cree que lo sabe todo.

Desde el sofá, Frau von Kuhacsevich se lamentó:

—¡Ahora nunca va a confiar en ninguno de nosotros!

—Está aterrada más allá de su sano juicio.

—Ya no está en sano juicio.

—*Hysterischer Anfall.*

—El bromuro en su café, alguien le dio mariguana, todos los síntomas…

—¡Error tras error!

Las voces acribillaban al doctor; los hombres lo acorralaron. Para no caerse en la silla, tuvo que dar un paso atrás. La pata de la silla rechinó en el piso. El doctor Bohuslavek sacó su pañuelo y trató de disimular lo alterado que estaba con una ruidosa tos. Pero éstas eran personas finas con modales finos; pronto, como una lluvia de verano, sus palabras quedaron atrás.

—Doctor Bohuslavek —empezó Frau von Kuhacsevich en su más generoso y cuidado español—, yo sé que usted sólo estaba haciendo lo que creía mejor.

—Sí, tal vez la única cosa que podía hacerse.

—El conde Bombelles y el doctor Jilek...

—...estarán pronto aquí.

—Y su hermano, el conde de Flandes.

—*Ach*, Matty —dijo Frau von Kuhacsevich, volviéndose hacia la doncella que había estado rondando en la entrada—. ¿Qué va a ser de nosotros? —dijo esto en alemán, pero no fue necesario que nadie lo tradujera.

Mathilde Doblinger entrelazó sus manos. Se le quedó viendo al conde del Valle. Todos ellos, el círculo entero, se le quedaron viendo al conde del Valle.

El conde se llevó la mano a la mejilla como si, de esta manera, pudiera conservar los dientes dentro de su cabeza. Era un brillante espécimen de aristócrata del nuevo mundo, desde los zapatos hasta la corbata, desde sus uñas manicuradas hasta el bigote engominado. Lentamente, sus dedos colmados de anillos descendieron a su barbilla. Se rascó la barbilla.

Unos pichones habían venido a posarse en el alféizar.

Frau von Kuhacsevich pensó: Si tan sólo el padre Fischer estuviera aquí. Él podría proporcionar el bálsamo curativo del solaz espiritual. Pobre Carlota: no tenía ni familia ni amigos de su rango en quiénes confiar. Tal vez la princesa Iturbide... tal vez. Para qué hacerse conjeturas.

Todo era inútil.

Frau von Kuhacsevich empezó a llorar.

El camino a Orizaba

En la mañana, brillante como un hacha, de la ciudad de México, la sala de Mrs. Yorke tiene todo el ambiente de una caverna de oscuridad. La princesa Iturbide, alrededor de Mrs. Yorke y todos sus demás invitados que forman un círculo de arrobamiento, se pone en el regazo la taza de té y baja su voz hasta que suena ronca, si no con la achocolatada suavidad del padre Fischer.

—¡No lo duden! ¡El Imperio mexicano va a durar mil años!

—¿Dijo eso el padre Fisher? —sorprendida, doña Juliana de Gómez Pedraza se pone en el ojo su impertinente. ¿Ha perdido el juicio la princesa Iturbide? Porque lo que ella sabe, directamente de su sobrina, Madame Bazaine, es que Maximiliano recibió una carta severa de Luis Napoleón ("ni un *ecu*, ni un hombre más") y, finalmente, lo han convencido de abdicar. De Carlota se dice que está demasiado enferma, nadie sabe de qué, como para regresar a México. ¿Qué creer? ¿Qué importa? El ganso de Maximiliano ya se cocinó, y sólo con un milagro como el de Lázaro podría levantarse de la charola y salir del horno. Como toda la ciudad de México sabe, hace tres días, a las tres de la mañana, Maximiliano, una caravana de carretas con equipaje y una escolta de 300 húsares austriacos, salieron del castillo de Chapultepec y huyeron. ¿Qué otra palabra lo describe? A estas alturas, Maximiliano ya habrá pasado Río Frío y tal vez haya llegado hasta Puebla.

—Sí —dice la princesa Iturbide—, el padre Fischer dijo eso exactamente, y les voy a decir qué más hay —se le queda viendo a *Madame* Bazaine, quien se encuentra en el diván a su izquierda, con una mirada de "atrévete", aunque no del todo hostil. La princesa Iturbide, abandonada sin ingresos, sin guardaespaldas (Weissenbrunner se fue, ella no sabe si con su regimiento o con quién) y con un niño inocente a su cuidado y cada día menos "amigos", camina sobre la cuerda floja y lo sabe. Necesita la protección del general Bazaine, en caso de que todo falle y ella y el príncipe Agustín tengan que escapar. La ha mortificado, hasta la médula, la abrupta partida de Maximiliano: *"Me voy a mi pueblo"*, ¡como criada! Pero la princesa Iturbide no es una persona que se desentienda tan fácilmente del sagrado deber de servir a su patria. ¿Acaso no es hija de su padre? Ha tenido que vender su pulsera de diamantes (¡Y a un precio que fue un robo!) para poder surtir su despensa, alimentar sus caballos y continuar pagando para que un profesional le haga el peinado, antes que dejar que la vean con un gorro de encaje de anciana anónima, como doña Juliana, que se ha visto reducida a eso. En la solapa de su saco trae un broche con marco de perlas, con un retrato en miniatura del príncipe Agustín; es su mensaje para todos: No se equivoquen en cuanto a dónde está mi lealtad.

¡Gracias al cielo por el padre Fischer!

Fue el padre Fischer quien convenció al gabinete para que no renunciaran en bloque en caso de que Maximiliano abandonara la capital, y quien está organizando el sínodo. Prelados de todos los rincones del Imperio están llegando. Maximiliano le ha otorgado a la Santa Iglesia su merecido lugar. Le ayudarán a Maximiliano a levantar un nuevo ejército para derrotar a los juaristas.

La princesa Iturbide continúa:

—Es un grave error de cálculo pensar que, siendo un caballero y un Habsburgo, Maximiliano jamás aceptaría la idea de la "abdicación". Irá sólo hasta Orizaba, por motivos meramente prácticos, para estar más cerca de las noticias que pudieran llegar de la emperatriz, y por consejo de su médico.

Doña Juliana intercambia una mirada de grima con su sobrina. Mrs. Yorke, horrorizada en un rincón de su sofá, se tapa la boca.

La princesa Iturbide, un acorazado de calma, continúa con ímpetu:

—El doctor Basch le ha diagnosticado a su majestad un caso leve de malaria. El padre Fischer sugirió Orizaba como el clima más saludable para que su majestad descanse y se recupere.

—¿Orizaba *saludable*? —tose Madame Blanchot—. Lo que yo recuerdo es una espantosa llovizna que no paraba, el... ¿cómo le llaman?

Mrs. Yorke contesta, con el tono de un sepulturero:

—El chipichipi.

Desde el lado opuesto de su sofá, en un español con acento curioso, medio de Baltimore, medio cubano, viene el comentario:

—Ah, pero qué hermosas naranjas las de Orizaba. ¡Son besos del mismo sol!

Todos los ojos se vuelven a la recién llegada que ha intervenido con tan vivaz impertinencia. Aún no se ha llegado a un consenso sobre su persona. La actitud de la princesa Iturbide hacia ella es de una indulgencia de brazos abiertos, puesto que el padre Fisher hizo amistad con esta dama y con su esposo en el barco de Nueva York a Veracruz y la ha recomendado mucho. Un amor de mujer procedente de Washington —conectada, dice, con el presidente Johnson y con muchos senadores y miembros del Congreso—, es una princesa de verdad, casada (en misa católica, en la iglesia de Saint Patrick, en la calle F) con el príncipe Félix Salm-Salm, quien estaba entonces en servicio en el ejército de Estados Unidos. Ella y su príncipe han venido a México para que él pueda ver las operaciones militares emprendidas como parte de la causa civilizadora de su compatriota alemán, por quien, dice, siempre ha sentido la más profunda simpatía. La princesa Salm-Salm no tiene hijos, pero sí un *terrier* negro y café llamado Jimmy, que se sienta a un lado de su falda en el sofá, alerta como una pequeña esfinge, descansando en su cabeza la fina mano de su ama. (Los alimentos favoritos de Jimmy, les ha confesado ella a todas, son ternera, ostiones y la yema de los huevos duros.)

Lo que nadie, excepto la princesa Iturbide, sabe es que, gracias al padre Fischer, que se impuso sobre los absurdos y amargos celos de los viejos oficiales austriacos que se negaron a aceptar un prusiano, y algunos de los cuales llegaron hasta afirmar que el "príncipe Salm-Salm" es un impostor, los Salm-Salm han sido invitados a cenar en Chapultepec *en petit comité* con Maximiliano. Su majestad va a encargarles una misión más vital, más brillante que cualquier acción militar: llevar dos millones de dólares en oro a Washington para asegurar el reconocimiento norteamericano del Imperio mexicano. Así se daría el "ábrete sésamo" al comercio, ¡el comercio que México necesitaba tan desesperadamente! ¡Y vendrían colonos, multitudes de colonos, la mejor clase de gente! Puede que México haya sido abandonado por el viejo mundo con sus rancios prejuicios y sus rivalidades fosilizadas, pero podía abrazarlo el nuevo, arrogante poder de su vecino del norte. Con esto, sí, ¡podía ocurrir un milagro!

Vaya, en circunstancias mucho peores, ¿no logró Federico el Grande de Prusia un aplazamiento de último momento?

La cena con los Salm-Salm se canceló, sin embargo, cuando las noticias de Roma y Miramar dejaron a Maximiliano sin poder hablar. Y entonces fue cuando la princesa Iturbide casi se le va a los golpes al sustituto del doctor Semeleder, otro Juan de las Pitas recién llegado: ese presuntuoso hebreo vienés. El doctor Basch cerró la puerta de la alcoba de Maximiliano y le negó la entrada a la princesa Iturbide, ¡a la prima! Le impidió hablarle a Maximiliano para que volviera en sí. ¡Fue indignante! Pero el padre Fischer resolvió con sabiduría todas estas cosas.

¡*No lo duden!* Para la princesa Iturbide, y para todos los del partido conservador, las palabras del padre Fischer han sido un consuelo que no tiene precio.

TAN PRONTO como las dos princesas se han marchado, Mrs. Yorke, sacudiendo de su sofá los pelos del perro, dice:

—No sé qué pensar.

Quiere decir sobre Maximiliano, pero Madame Blanchot la malentiende:

—Dicen que ella actuaba en un circo.

La vizcondesa de Noue ha llegado, quitándose la mantilla y meneando la cabeza de modo que sus aretes se columpian, y con un deleite venenoso añade:

—En Baltimore.

—¡En Baltimore!

La vizcondesa de Noue toma lugar en el sofá junto a Madame Blanchot.

—Cuando se casó con Salm-Salm en Washington, ella misma me lo dijo, no hablaba alemán ni él hablaba inglés.

—*Ah, ça!*

Risas por todos lados. Pronto, Madame Bazaine y su tía, doña Juliana, se retiran y el cotilleo cambia al francés y pasa a una disección más libre del infortunado marido de la princesa Salm-Salm, *très ridicule*, un vejete arrugado; no puede volver a Europa porque debe dinero desde París hasta Viena, y así más cosas. Aunque escuchar chismes malintencionados no es realmente el estilo de Mrs. Yorke. Con tanto que la perturba verse a sí misma y a sus hijas mezcladas con gente de procedencia tan incierta como lo son estos aventureros —quién sabe, los Salm-Salm podrían ser impostores, después de todo—, está ansiosa de recoger cuanta información pueda, porque todas ellas, todas juntas, están, como le gusta decir, en el mismo *tussie-mussie*, el mismo macizo de hierbas y flores y tal vez, bueno, alguna cizaña. Una terrible tormenta desciende sobre ellas. Su plan: salir de México bajo la protección de su yerno, el capitán Blanchot, esto es, con la caravana del general Bazaine, el último contingente de tropas francesas que evacuará, a principios del año entrante.

Para cuando su hija menor, Sara, regresa de su excursión matutina a Chapultepec, ya se han comido hasta la última morona del pequeño pastel de pasas. El té, aunque todavía estaba silbando de caliente y lo sirvieron con rebanadas de limón, está tan aguado que resulta insípido. En estos días, ¡el té está casi tan caro como la plata!

Mrs. Yorke les sirve otra taza a sus visitas.

Sara, que fue al castillo con un grupo de oficiales franceses y amigos curiosos, se pone a contar lo que vio: dejaron camisas colgadas en un ropero, cómodas con las puertas abiertas, un plato con pan tostado en un buró. Las cosas finas, las alfombras y los cuadros, los tapices, la plata, la mayoría de los candelabros y las estatuas, todo se lo llevaron. Había unos pájaros volando en la escalinata.

Se imaginaron esto en silencio. Todas ellas fueron invitadas, en una u otra ocasión, a algún baile o alguna de las tertulias que la emperatriz ofrecía los lunes en el palacio, en el centro, pero el castillo, siendo la residencia imperial, les era desconocido a estas damas, excepto a distancia. Toda la ciudad de México, todo el valle de Anáhuac, de hecho, tenía lugares privilegiados desde donde podían verlo, surgiendo como un barco de un espumante mar de ahuehuetes: el parque que lo rodeaba abajo. Orgulloso castillo de Chapultepec, con sus ventanas relumbrando al sol, rosa ónix al atardecer, siempre se había erguido como una bóveda para guardar los secretos y los más bellos sueños de un soberano.

—¿Tan rápido trabajaron los ladrones? —pregunta Mrs. Yorke.

—El capitán Blanchot dice que fue deliberado. Todo lo han empacado cuidadosamente para mandarlo a Europa.

La vizcondesa dice:

—Ayer mi cochero se lo oyó decir al de la princesa Iturbide, que con sus propios ojos vio cajas marcadas "Al superintendente. Castillo de Miramar".

Afuera de la ventana, un súbito traqueteo de ruedas sobre el empedrado. Luego el agudo silbato del afilador de cuchillos y el pregón asordinado de un verdulero. Nadie habla, cada una metida en sus propias reflexiones, miedos, juicios, simpatías, desdenes; es decir, tratando de tejer alguna semblanza de lógica que pudiera dar un porqué, un cómo y, especialmente, quién tuvo la culpa de que las cosas hubieran llegado a este *sauve qui peut*. Finalmente se rompe el silencio, lo rompe la anfitriona diciendo algo que sorprende a todas y a sí misma más que a nadie:

—Pobre princesa Iturbide.

Nadie contesta. A nadie le cae bien la princesa Iturbide.

Mrs. Yorke tiembla. Una emoción que no había reconocido antes, en relación con la princesa, le brota del corazón y se le va a la garganta, que siente apretada. Hace cuatro años, su propio hijo, llevando un mensaje para Mr. Thomas Corwin, fue emboscado por unos bandidos y asesinado en la carretera cerca de Perote.

—Ustedes… ustedes tienen hijos. O los tendrán, con el favor de Dios. Tienen una vida entera por delante.

La vizcondesa parpadea. La pequeña Sara respira hondo.

Apenada, Mrs. Yorke desvía la mirada. Sus ojos, húmedos, descansan en el piano. Es una bella pieza de mobiliario y, aunque por dentro no impresionaría a un maestro de sala de conciertos, uno de los oficiales franceses que se alojan en su cuarto de huéspedes lo mantiene afinado. Pronto se verá obligada a venderlo, o a regalarlo, y en los días que vienen algún mexicano desesperado podría hacerlo leña para la chimenea… pero por ahora… le da unas palmadas en la mano a su hija menor y, cambiando al inglés, dice:

—Sara, *darling* —le da un empujoncillo—, tócanos algo de Schubert.

En una hacienda de las afueras de Puebla, desde un rincón escondido del patio trasero, vienen los acordes esforzados de una marcha de Chopin. En su comedor, una sala rústica, Maximiliano dice vagamente, en alemán:

—La música es lo que extraño, más que cualquier otra cosa.

El profesor Bilimek, con simpatía pero con una libertad no acostumbrada, le responde:

—La banda hace lo mejor que puede.

Maximiliano desvía la mirada hacia la ventana; no hace ni una hora que el Popocatépetl brillaba, magnífico, y ahora ha desaparecido tras la neblina. La vista se ha degradado a un campo atascado de lodo y un rebaño de borregos espantosamente sucios. Pica con el tenedor el *amuse-gueule* de Tüdos, de melón pasado y nopales en vinagre.

El profesor Bilimek y el doctor Basch tratan de levantarle el ánimo, que nunca se le había caído tan bajo... hasta el nivel del agua... no...

Ya antes *había* llegado tan bajo: cuando supo que su prometida, su ángel bienamado, la princesa María Amelia de Braganza, había muerto en los brazos de su madre en la isla de Madeira. Ese dolor de granito sólido... pesa tanto en el pecho de uno ¡que siente que no puede ni respirar!

¡Pobre Carlota!

Un rey a punto de perder su reino, ¿su dolor no será más que una pizca de sal comparado con el de un esposo desolado?

Después de la brutal traición de Luis Napoleón, Carlota cayó enferma. ¿De qué? Nadie podía decirlo. Uno había asumido que fue la fiebre romana. El tiro de gracia vino la semana pasada con el telegrama de Charlie desde Miramar. A Herzfeld le costó algo de trabajo descifrarlo, o fingió que así era. Lo leyó en voz alta, a tropezones. *Su majestad... llegó... bien. El doctor Riedel vino y... el doctor Riedel no ha perdido la esperanza...*

—Doctor Riedel... ¿lo conoces? —le preguntó Maximiliano al doctor Basch.

—Es el director del asilo para lunáticos de Viena.

Un témpano de hielo en su estómago. Es como si le hubieran dicho que estaba muerta... pero no lo estaba... y... ¡ah!... todavía... ¡podía él irse con ella! Una fuerza magnética parecía atraerlo... *¡A Carlota! ¡A Miramar!* Cómo la había descuidado, por qué no vio que, por supuesto, oh Dios, por supuesto, inteligente como era, un cerebro femenino era incapaz de soportar la tensión de una responsabilidad tan grande, y a través de los años ella lo había debilitando con el exceso de lectura. Debió darse cuenta de eso. ¿En qué estaba pensando cuando la mandó a Yucatán, luego a París... Roma...? ¡Oh! Y su padre había muerto y su amada Grand-maman, y ella estaba tan abatida... debió haber... oh, oh... *¿Qué había hecho uno?* Ahora *tenía* que irse con ella. ¡Inmediatamente! A su castillo de marfil frente al mar, donde la tomaría en sus brazos y se la llevaría lejos... lejos de la fría, oscura Europa, al sol curativo de Corfú.

O a Patmos.

Rajastán. Tahití. ¡La gran muralla china!

En caso de que ella no estuviera suficientemente bien, podrían quedarse cerca de casa y, llegada la primavera, tomar un crucero por el Adriático hasta Lacroma, su isla privada de pinos y mirtos, y ahí, en las ruinas del refugio de Ricardo Corazón de León, nada perturbaría su paz excepto el murmullo del mar y el canto de los pájaros, cascadas de las rosas más fragantes…

Anhelaba con toda su alma volver al mar, cruzar el Lago del Olvido.

Maximiliano le ordenó al doctor Basch que mantuviera lejos a la princesa Iturbide. Decidió que se iba a alcanzar a Carlota, y mandar al diablo las consecuencias, al diablo con esa mujer que le gritaba al pobre doctor Basch.

Sin embargo, después de una noche de insomnio, cierta preocupación comenzó a deshilar su idea: Si se iba a alcanzar a la emperatriz, ¿sus súbditos creerían que ése fue el único motivo de su viaje? ¿Creerían que su soberano los estaba abandonando?

Herzfeld, que había estado a favor de la abdicación, concedió que, bueno, eso parecería.

—*Ciertamente* eso parecería —dijo el padre Fischer.

El padre Fischer: 1.83 sólidos metros de sotana, debajo de la cual usaba unos zapatones hechos en Roma con pesadas hebillas y suelas lo bastante gruesas para aguantar una caminata a todo lo largo de México, arriba y abajo, 40 veces.

¿Su majestad no había sido tentado por el demonio de la abdicación?

—No, no. Oh, no. Eso nunca lo voy a hacer.

Maximiliano le dio su palabra a Carlota. Pero… ¿y si… ella ya no estaba en su sano juicio?

O… tal vez podría salir de México, sólo un tiempo, sin firmar ningún papel… ¿no fue ante Dios y ante su padre y toda su familia que él hizo un voto de honrarla y protegerla?

Maximiliano le preguntó al doctor Basch:

—¿*Alguien* creerá que mi partida a Europa es sólo a causa de la enfermedad de la emperatriz?

El doctor Basch, al parecer, no sintió la suficiente confianza en su puesto ni en su experiencia como para comprometerse con una respuesta inequívoca. Maximiliano habló y habló, en círculos y luego en nudos.

Su salud se había quebrantado: sufría sudoración nocturna, fiebre, punzantes dolores de estómago y también en el hígado y, cuando el doctor Basch le diagnóstico malaria, Maximiliano le confesó a Herzfeld:

—He decidido abdicar.

La respuesta de Herzfeld fue rápida:

—Muy bien, señor.

—¿Te parece prudente?

—Afirmativo.

El consejo de Herzfeld era un salvavidas en estos mares que lo ahogaban.

—Mi buen hombre —dijo Maximiliano—. Tu opinión objetiva: *¿de verdad* lo consideras prudente?

—Luis Napoleón no ha cumplido con su parte del trato. Él ha roto el tratado de Miramar. La situación militar y las finanzas...

—Pero no tengo ningún futuro en Austria... el padre Fischer sostiene que...

—Sálgase de esto, señor, mientras todavía pueda.

Y así, las órdenes de prepararse para la llegada de Maximiliano fueron desde el castillo de Chapultepec a Veracruz, donde el equipaje imperial ya estaba cargado en el barco. Pero luego, como un toro al que le hubieran chiflado, el padre Fischer llegó con rayos y centellas.

—Si Herzfeld no fuera tan amigo de su majestad, sospecharía que se ha vendido a Francia.

¡Cuánta sangre se había derramado por esta santa empresa, qué catastróficas consecuencias sobrevendrían, más sangre en sus manos y la mancha del deshonor!

Maximiliano respondió, débilmente:

—Pero, ¿qué honor hay en abandonar a mi indefensa esposa?

El padre Fischer no contestó eso. Sutilmente, cambió la perspectiva:

—La pena de su majestad por la enfermedad de la emperatriz es perfectamente comprensible —con una gentileza sacerdotal, juntó las palmas de sus manos, la punta de los dedos en sus labios. Le dirigió al doctor Basch una mirada de reojo. El doctor Basch miró al profesor Bilimek, ese amable botanista y fraile capuchino con quien, en muchas expediciones para cazar mariposas, Maximiliano había explorado sus inquietudes espirituales. Más de una vez, presionado, el profesor Bilimek había dado su opinión de que el decreto del 3 de octubre no era cristiano y de que, en las circunstancias actuales, Maximiliano debía abdicar. Pero ahora, bajo la intimidante mirada de los presentes, el botánico, acariciándose la barba que mucho se le había encanecido, se quedó viendo al mudo oráculo de sus zapatos.

Maximiliano le dio vuelta a su anillo. Todo estaba planeado ya: el decreto del 3 de octubre había sido derogado, objetos y papeles empacados en cajas. Se sintió como un prisionero que ha sido indultado, y luego, ya en la reja para salir, lo agarran del cuello y lo vuelven a meter.

—No puedo quedarme aquí… *debo*…

El padre Fischer lo interrumpió, elevando sus dos palmas. "Orizaba." Citó a Goethe, *Über allen Gipfeln ist Ruh…* en la cumbre de todas las montañas hay paz.

—Su majestad no está bien. Deje este clima. En Orizaba, su majestad puede descansar y luego —el padre Fischer se frotó las manos—, con más información de Europa y de Estados Unidos, su majestad podrá ver mejor en el fondo de las cosas.

No, continuó el padre Fischer, de ninguna manera debía acompañarlo Herzfeld. Herzfeld debía quedarse en la ciudad de México, ¿quién mejor para ponerse al frente en tareas críticas como asegurarles a los voluntarios austriacos y belgas que era verdad que la emperatriz se hallaba enferma y que estos valientes no habían quedado abandonados?

El padre Fischer se adelantaría a Orizaba para arreglar la recepción de su majestad allá.

MEXICALCINGO. Ajotla. (Por razones de seguridad, inicialmente, Maximiliano iba dando todos los rodeos posibles para llegar a Orizaba.) Luego, en la hacienda Socyapán, durante una larga caminata, el profesor Bilimek convenció a Maximiliano de mantenerse firme en su decisión, esto es, de rescindir el decreto del 3 de octubre y luego abdicar. Pero entonces Maximiliano decidió no abdicar, por lo menos no todavía: la hacienda Socyapán estaba muy lejos de ser un escenario suficientemente digno para un acto tan importante. Y así, en el limbo, volvió al camino de Orizaba y, cansado, paró en otra hacienda anónima.

UN CALDO oloroso a jerez llega en una olla de barro. Por la ventana del comedor se ve, afuera, que la neblina ha empezado a levantarse. Una franja de azul Wedgwood cuelga ya sobre la joroba del Popocatépetl.

Hace mucho, con Charlie y el profesor Bilimek, lo escaló en parte. Quería ver el famoso cráter por el que los hombres de Cortés bajaron con cuerdas a fin de reabastecerse de azufre. Pero Maximiliano y sus hombres no disponían de ropa gruesa ni crampones. Ni del tiempo. Nunca ha habido tiempo suficiente.

Maximiliano inclina la cabeza, orientando su oído hacia la música.

—¿Donazetti?

El doctor Basch, justo cuando termina la pieza, responde:

—Verdi, señor.

El profesor Bilimek sorbe su sopa.

La etiqueta dicta que nadie habla en presencia de su soberano hasta que éste le dirige la palabra. Así que, en el más tenso silencio, los hombres untan su pan con mantequilla.

AL DEJAR Chapultepec, la mente de Maximiliano se meneaba como el carruaje mismo. ¿Izar vela, levar anclas? ¿Arriar vela, echar anclas? ¿Dejar México o no dejarlo, para siempre o temporalmente, por amor a Carlota? El hecho de que uno estuviera aquí en México era ya por amor a ella. Pero su admonición le resonaba en los oídos: *¡Los emperadores no se rinden! Mientras hay emperador hay imperio, aunque no tenga más que dos metros de terreno, porque el imperio no es nada sin el emperador.*

¿Era él Sísifo o Hércules, Tántalo o Ícaro, o todos ellos, todos al mismo tiempo? Se sentía como si estuviera viviendo una pesadilla pintada por el Bosco.

¿Qué tal si llegando a Miramar se encontraba con que el doctor Riedel ya la había curado? Su viaje habría sido para nada, y México, con la ausencia de su soberano, podría perderse para siempre. Qué cómico resultaría él entonces: no siendo ya un miembro de la Casa de Habsburgo, no tendría nada, no sería nada... una cosa de risa, ¡el Rigoletto de Europa!

Por otra parte, sin los franceses, el tesoro agotado, los juaristas ganando terreno día con día, Almonte coludiéndose con Santa Anna, el Imperio estaba condenado.

¡Cómo le tomó el pelo Luis Napoleón, heredero de Krampus!

Amargo es el recuerdo de esa carta que Luis Napoleón le envió cuando él, que todavía no daba su firma a ese maldito Pacto de Familia, decidió rechazar la corona. Luis Napoleón le respondió así:

¿Qué pensaría usted de mí si, una vez que su alteza imperial hubiese llegado a México, yo dijera de repente que no puedo cumplir con las condiciones para las cuales di mi firma?

Como cuestión de principio, Maximiliano se negó a recibir al general Bazaine. Pero el enviado de Bazaine, Pierron, lo apremió para que abdicara. Pierron le dijo lo mismo que Bazaine ya le había dicho: *Los juaristas no tendrán con usted la misericordia que usted ha tenido con ellos.*

¿Y cómo olvidar esa escena en Claremont con la abuela de Carlota, cuando estaban por marcharse? Grand-maman le estrujó las manos a Carlota, exclamando: "¡Te van a asesinar!"

Cuando era niño, los mayores hablaban con frecuencia de su tía y prima, María Antonieta.

La guillotina.

La horca.

Un hacha, una espada, una daga, una navaja de peluquero.

Veneno.

Él había tenido el presentimiento, desde que era niño, de que la suya no sería muerte natural.

Un pelotón de fusilamiento: ése fue el destino de Iturbide.

En cuanto a los Iturbide... qué hacer, qué hacer... cada pasillo de este laberinto es pegajoso como un pedazo de *tzictli*. Devolver el niño a sus padres significaría anular el contrato y dar a entender que el Imperio no tiene futuro, mientras que retenerlo... ¿Con qué derecho se llevaba un niño inocente al posible abismo? ¿Cómo maniobrar entre la Escila de la prima y la Caribdis de doña Alicia y los otros Iturbide? Darle satisfacción a aquélla provocaría que éstos persistieran en su escándalo, un escándalo tal vez fatal para el apoyo de los conservadores de México, fatal para toda esperanza de reconocimiento norteamericano. Los padres se han ido de París, a Washington. Continúan enviando cartas, siempre la misma cantaleta: su niño.

Uno no es un ogro. ¡Pero tampoco es un tapete!

¿Qué demonios hacer, con dignidad, respecto al niño?

Siempre estuvo por debajo de la dignidad de uno consultar a un subordinado en cuestiones familiares. Pero, antes de salir de Chapultepec, uno habló con el padre Fischer en relación con el reconocimiento de Estados Unidos. Estaría en peligro —¿o no?— si uno retiene al hijo de un ciudadano norteamericano contra la voluntad de este ciudadano.

—Su majestad —dijo el padre Fischer sacando su rosario—, le aconsejo resueltamente posponer *cualquier* decisión hasta llegar a Orizaba.

AHORA, UN VALS de Strauss. El doctor Basch acomete su ensalada de frutas cítricas con cilantro y queso de cabra.

El profesor Bilimek, discretamente, tapándose la boca con el puño, eructa.

Afuera, en lo gris, el mugroso perro les ladra a los mugrosos borregos.

Y AQUELLA otra mañana, en la carretera, cerca de Río Frío, Maximiliano despertó al aire cortante como si estuviera en un trance. Envuelto en su capa, sintiéndose todo rígido como una momia, la frente húmeda de fiebre, miró por la ventana sólo para encontrarse con un bosque amortajado en una luz plomiza, que se antojaba lleno de espíritus de muertos. Acababa de soñar con una mariposa congelada en la nieve. Reconoció el claro a la orilla del camino donde, tan sólo seis meses atrás, habían tendido el cuerpo del barón d'Huart, cubierto con una cobija. Una pequeña cruz señalaba el sitio. Y detrás de ésta, una sombra —¿de alguna roca?— semejaba la sangre misma que había brotado, atrayendo a las moscas, de la herida en la cabeza.

Desde un peñón, un águila echó a volar bajo sobre el camino y luego hacia las copas de los árboles.

Y a medida que el carruaje imperial traqueteaba hacia Puebla, empezó a sentir que estaba viajando hacia atrás en el tiempo, al principio; cada curva del camino le recordaba que lo que había parecido un augurio de gloria era en realidad un hito en el sendero de la calamidad. Los franceses le habían fallado en todas las formas. En la posada de Ajotla se cruzó con el emisario de Luis Napoleón, el general Castelnau, que iba hacia la ciudad de México a apremiarlo para que abdicara. Porque eso era lo que Luis Napoleón —ese que apuñalaba por la espalda— quería que él hiciera, Maximiliano se negó a recibir a Castelnau.

ESTA MAÑANA, en esta hacienda de las afueras de Puebla, al filo del alba, Maximiliano llamó al doctor Basch. Débil, porque apenas y pudo dormir, Maximiliano se sentó en la orilla de su catre de campaña y apoyó los codos en las rodillas y la cabeza entre sus manos.

En Veracruz, la *Novara*, con su archivo, sus objetos decorativos, sus tesoros, todo empacado en la bodega, estaba esperándolo a que abordara. Pero en Orizaba, el padre Fischer… Oh, Dios.

El doctor Basch lo tomó de la muñeca, para ver su pulso.

La voz de Maximiliano se redujo a un susurro:

—Si la emperatriz se muere, no voy a tener corazón para seguir luchando.

El doctor Basch sólo dijo:

—Levante sus pies, señor.

Con la cabeza otra vez sobre la almohada, Maximiliano dejó escapar un suspiro exangüe.

—No importa qué pase, no quiero que se vierta más sangre por mi causa.

El doctor Basch simplemente asintió.

—Pero... un capitán no abandona su barco.

—Hay muchas metáforas, señor.

Cuando despertó, sintiendo que un flujo de energía lo llenaba, Maximiliano escribió dos cartas, la primera, a doña Alicia de Iturbide; la segunda, a la princesa Iturbide.

Señora:

Las repetidas instancias que ud. y su esposo me han dirigido, ya directa, ya indirectamente, para que les sea devuelto su hijo Agustín, anulando de esta manera el contrato que uds. con los demas miembros de su familia celebrarón el año pasado, de su espontánea voluntad, me han obligado al fin a dar instrucciones a la princesa Iturbide para que Agustín sea entregado a su pariente mas próximo, el sr. don José Malo, quien lo tendrá á su cuidado mientras uds. dan sus instrucciones finales.

Cumpliendo de esta manera con las repetidas instancias de ud. y de su esposo y de las demás personas de su familia, dejo toda la responsabilidad de haber violado el indicado contrato, celebrado para el exclusivo beneficio de su hijo y de su familia, a uds. que lo han roto.

Con mis mejores deseos para la felicidad de ud. quedo
su afectisimo
Maximiliano

Mi querida prima,

Las repetidas instancias de los padres y del tío mayor de nuestro querido Agustín, que sin cesar me han dirigido para que les sea devuelto su hijo, y en consecuencia quede anulado el contrato que celebraron conmigo de su libre y espontánea voluntad, me obligan finalmente, después de largo tiempo de lucha interior, a dirigirme en carta de hoy a la señora doña Alicia de Iturbide, avisándola que su hijo quedará en poder de su tío don José Malo para que sus padres puedan disponer de él a su entera satisfacción.

Ruego pues a ud. se sirva mandarlo entregar con todo lo que le pertenezca al dicho señor Malo.

Conozco el profundo sentimiento que a ud. le causará esta determinacion y que el sacrificio no es menor por parte de ud. de lo que ha sido por parte mía, pero tanto la conveniencia, como el temor de mayores escándalos por parte de los padres y tíos de Agustín han hecho un deber imperioso de este sacrificio.

Yo acompaño a ud. muy sinceramente en su justo dolor y me permito asegurarle que la conducta de los otros miembros de su familia en nada alterará los muy afectuosos sentimientos de amistad que le profesamos tanto yo como la emperatriz.

Reciba ud. las seguridades de aprecio y benevolencia de su afectísimo primo

Maximiliano

Lacrados con los sellos imperiales, los dos sobres fueron entregados al mensajero; el primero iba dirigido a Veracruz, con destino final a Washington, y el segundo a la ciudad de México.

Un peso, no todo el que lo abrumaba pero sí una porción terrible de éste, se había levantado de su corazón.

No tenía idea de dónde se encontraría en un mes a partir de ahora: en Miramar, con Carlota; en el Hofburg, con su familia; en la ciudad de México o en algún otro pueblo mexicano, en uniforme de general, con sable y una pistola en la mano.

La mañana ya estaba avanzada y el sol sonreía, así que, en compañía del profesor Bilimek, salió a disfrutar tres benditas horas de botánica. Visitaron una cascada. El botánico llenó cada uno de sus frasquitos. No hablaron más que de pájaros y escarabajos, mariposas y helechos.

STRAUSS. Al otro lado de la ventana enrejada del comedor, los cuervos se congregan a lo largo de la cerca. Luego, otra vez, desde el patio, Chopin. Un atardecer digno de la Kasbah barniza con su luz el muro trasero, detrás del doctor Basch.

Lengua asada y papas fritas con flores de maguey picadas.

El cordero bala. El perro ladra. Sonidos de cosas que chocan mientras los tres hombres, con la cabeza inclinada, cortan su carne.

EN ESE PATIO, Sawerthal bajó su batuta. Los húsares doblaron sus atriles y guardaron los instrumentos en sus estuches. Un momento después, el patio había quedado vacío excepto por unas cuantas, dispersas flores de bugambilia. Los últimos en cruzarlo fueron el cornetinista y el violinista. El cornetinista, abrochándose la chaqueta porque el aire había enfriado, le pegó accidentalmente al violinista con su estuche.

—Perdón —dijo.

—No hay cuidado —le respondió el otro.

Ambos le debían fantásticas sumas de dinero a un tal Weissenbrunner, uno de los que se quedaron atrás para defender la capital. Tal vez nunca volverían a verlo. O tal vez sí.

—¿Una baraja? —propuso el primero.

—Dados —dijo el otro. Se dobló las mangas, pasándose el estuche del violín de una mano a otra mientras lo hacía. El forro interior de los puños de su chaqueta estaba lejos de ser el reglamentario: seda morada con un estampado de dragones chinos.

—¿Dónde le habían hecho eso? —el admirado cornetinista quería saber.

—Mademoiselle Louise.

Cuando dieron vuelta en la esquina, los pollos se dispersaron. Un gallo vino volando a sus botas. El violinista le dio a la insolente ave una patada que tal vez la mató, pero ninguno de los hombres se tomó la molestia de mirar hacia atrás. Tomaron el sendero que iba a sus barracas, una rudimentaria instalación en el granero. Más allá de la capilla de la hacienda, brillaba la joroba rosa dátil del gran volcán coronado de nieve.

—El Matterhorn mexicano —dijo el cornetinista.

—Nunca he visto el Matterhorn —respondió el violinista.

Había insatisfacción en el tono con que ambos hablaban. No les habían pagado. No habían visto —todavía— acción. Cierto, se pasarían el resto de su vida alardeando de sus hazañas en "Amerika", sirviendo al hermano menor del káiser. No obstante, México no daba —todavía— la medida de sus ilusiones, tan ardientemente románticas, alimentadas con historias de conquistadores y libros de aventuras para niños, incluyendo cosas tan exóticas como las aguerridas traducciones de X. Salvatierra y Fenimore Cooper.

—Has visto el Stromboli.

—*Ja*.

—¿Y el Vesubio? (Llegaron a México en distintos barcos.)

—Había niebla ese día.

No sabían si iban a seguir hasta Veracruz y de ahí, quién sabe por qué ruta, a pasar la Navidad en casa, o si volverían a la ciudad de México. O qué. No saber, estar siempre esperando: ése era el purgatorio de ser soldado.

Cuando ya todo está dicho y hecho, dijo uno de ellos —esto fue años después, ya con la primera Guerra Mundial estallando sobre sus viejas y ya blancas cabezas—, *no eres más que una pasa horneada en un pastel*. Después de México volvieron a encontrarse, por pura casualidad, en la taberna de la hija de Weissenbrunner, en Olmütz. Había ahí un retrato de Maximiliano colgado sobre el espejo de la barra. Ellos levantaron sus tarros: "¡Por Max!" Grabaron sus iniciales y "MEXIKO 1864-1867" en la antigua y ya casi negra madera de la mesa. Hablaban de sus hijos. Ambos tenían nietos a los que les encantaba subirse al desván y probarse los viejos uniformes, las botas, jugar con los sables y las pistolas ya trabadas de tan oxidadas. Uno de ellos tenía una nieta que le había quitado su medalla al "Mérito militar". *¿Y sabes qué hizo la mocosa con ella? ¡La colgó como un retrato en su casa de muñecas!* Una explosión de risas. Y luego, después de unas cervezas más, recordando a los que cayeron, lágrimas.

Pero ahora, en una hacienda de las afueras de Puebla, bajo el crepúsculo del 25 de octubre de 1866, con pasos enérgicos, balanceándose, los dos jóvenes húsares cruzan la reja y salen al camino. Se oye el repique de la campana de una iglesia. Desde tan lejos que el sonido es casi como de pájaros que se llaman, ladra una jauría de perros. Una estrella ha salido, luego dos. Ahora el volcán, de un gris tiznado por el atardecer, se muestra en su plenitud ante ellos, haciendo imposible cualquier otro comentario.

—Quiero subir allá.

—¿Hasta arriba?

—A las faldas —un suave clic: el violinista juega con los dados en su bolsillo—. Hay una especie rara de antílope.

Podrían seguir acuartelados aquí un día, una semana, un mes. Todo el mundo ha hecho conjeturas, pero nadie sabe. Si, un domingo, un hombre subiera a las faldas de ese montón de rocas a embolsarse un antílope, bueno, ¡ésta podría ser su única oportunidad!

Una anciana minúscula, jorobada por el peso de una carga de leña, pasa junto a ellos.

El cornetinista patea una piedra suelta del empedrado, que va rodando a dar a un macizo de nopales. Ya está casi demasiado oscuro para ver. Aquí, junto a una derruida barda de adobe, se detienen y encienden sus cigarros.

LIBRO III

Pero es cierto que el dolor nos avisa con tiempo su llegada.

CONCEPCIÓN LOMBARDO DE MIRAMÓN, *Memorias*

Una visita inesperada

Los años se fueron, borrosos. Habían pasado ya catorce. En marzo de 1882, Mr. John Bigelow, retirado del servicio diplomático y ahora granjero, periodista y abogado activo en empresas de mejoramiento cívico de Nueva York, decidió hacer una visita a la hermana república. Siempre había sido un viajero ecléctico, siempre listo para visitar la casa natal de algún oscuro filósofo francés, pueblitos alpinos, aguantar los rigores de Sicilia, incluso (como parte de la investigación que realizara para la causa del abolicionismo) Jamaica y Haití. Habiendo desempeñado un papel modesto en la no obstante *inevitable* —como él siempre lo sostuvo— disolución del así llamado gobierno "imperial" del archiduque Maximiliano, tenía curiosidad de conocer Veracruz, las pirámides de Cholula, el castillo de Chapultepec… en suma, los sitios de atracción. Sobre todo, sin embargo, su propósito era informarse e informar a los lectores del *Harper's New Monthly Magazine* sobre los ferrocarriles mexicanos, una cuestión de especial interés en Wall Street.

En Orizaba, luego de un itinerario que había saciado su curiosidad y agotado definitivamente su paciencia, Bigelow y su hija mayor, Grace, abordaron el tren para el último tramo de su viaje de regreso a Veracruz. Grace había llenado su baúl de viaje con exóticos artículos de talabartería (silla de montar, brida, espuelas y una vistosa chaqueta charra con el correspondiente sombrero). Había visto muchas cosas que la divirtieron, aunque no le gustó la comida ni los molestos pordioseros, y las corridas de toros, por la manera en que exponían a los caballos a que los cornearan, le parecieron una abominación. Su padre, sin embargo, se había formado una opinión menos que grandiosa de México y sus prospectos. Ciertas regiones tenían potencial, uno no podía negarlo, pero las conjeturas de gente como el barón von Humboldt —cuyas investigaciones, ya con décadas de viejas, habían hecho soñar a Luis Napoleón, pobre Maximiliano, y ahora a tantos de estos promotores actuales— se reducían a nada más que cuentos de hadas. México seguía hundido en un marasmo de bandidaje y pobreza, ambos resultado de una sistemática corrupción financiera, política y espiritual que se había extendido a todo. Vaya, resultó que hasta el obispo protestante de la ciudad de México se hallaba involucrado en fechorías financieras. Como Bigelow se lo confió a su diario: *El caballo que nos mostró no era como aquél en el que Jesús entró a Jerusalén.*

Para siempre jamás, para siempre jamás, parecía cantar el traqueteo de las ruedas sobre la vía, mientras las cúpulas de azulejo azul de Orizaba y la escuadra de caballería de la estación se hacían pequeñas a la distancia. Un olor dulce se sentía fuerte en su nariz. Bigelow y Grace miraron por la ventanilla, a través de los vidrios pringosos: desde las faldas del nevado Pico de Orizaba hasta los campos que se extendían más allá se levantaban penachos de humo. Era la temporada de la quema de caña. Adelante, donde la vía se curvaba, revoloteaba una nube de zopilotes y otras aves de rapiña.

Madame de Iturbide dijo que en 10 años su hijo sería presidente.

En la ciudad de México, Bigelow y su hija conocieron al joven don Agustín. Un cadete del Colegio Militar, bien educado, era bastante alto para ser mexicano y totalmente anglosajón en su tipo. En un retrato habría pasado por hermano menor del príncipe heredero Rodolfo, de no ser porque tenía una mirada más franca que cualquiera de los Habsburgo.

Luego de la muerte de su esposo, Madame de Iturbide había educado a su hijo en Washington, en Inglaterra y, por un breve tiempo, en un colegio jesuita para varones de Bélgica. Ese colegio, comentó su madre con mucha chispa, no quedaba lejos del castillo donde habían tenido encerrada a Carlota todos estos años. Y Carlota, aseguró Madame de Iturbide, no estaba tan *folle* como pretendían. A la muerte de su padre había heredado seis millones de dólares; su hermano, el rey Leopoldo II, quería evitar que ella se casara otra vez, para poder quedarse con el dinero.

Así que —Grace le preguntó a Agustín— ¿había visto él a Carlota?

—No —dijo Agustín.

A Bigelow le gustó la franqueza del muchacho. Grace, de 29 años, estaba más cerca en edad que él, que ya era abuelo. ¿Qué opinión tenía ella?

Oh, Agustín parecía simpático.

Bigelow había estado disfrutando mucho la compañía de su hija, pero había ocasiones, y ésta era una de ellas, en que extrañaba especialmente la conversación de su esposa. Mrs. Bigelow era la personita más sabia, más perceptiva y articulada y, en privado, sus opiniones francas siempre venían oportunamente. Pero Mrs. Bigelow tenía también un lado espiritual, un profundo pozo de compasión que a él le ayudaba a templar su a veces excesiva severidad, y él lo sabía. *No juzguéis para que no seáis juzgados*. A diferencia de él, Mrs. Bigelow no tenía que reprenderse a sí misma en este aspecto. Como ella decía con frecuencia, *No importa cómo lo pongas, un* hotcake *siempre tiene dos lados*. Había sido una gran desilusión para él que, en vez de acompañarlo a México, ella prefiriera visitar a algunas de sus amistades en Inglaterra.

¿Habría estado Mrs. Bigelow de acuerdo con él? Él tenía el presentimiento de que la fatalidad se cernía sobre el joven Iturbide. (¿No se cierne la fatalidad sobre todos nosotros?) Una madre ambiciosa, un país en cuyo futuro no se podía confiar —malhechores, bandidos y secuestradores abundaban en la esquina de cada calle y en cada curva de la carretera, si creía uno las historias—… pero más que esto se hallaba en el fondo de su intuición. ¿Cómo no pensar en los días que ya se fueron? En Luis Napoleón y en su único hijo, aquel pobre niño, tan tierno de edad cuando su padre se rindió a los prusianos, la rutilante capital llena de barricadas, hambreada. En exilio, todavía sufriendo de cálculos, el césar francés ascendió al reino de su creador desde un lecho de agonía, una agonía que habría sido infinitamente peor si hubiera sabido de la cruel trampa que el destino le había puesto a su hijo. Hace tres años, durante una misión de reconocimiento con el ejército británico en la selva sudafricana, el príncipe Luis, de 23 años de edad, cayó muerto por las lanzas zulúes.

Metódico en sus viajes, Bigelow siempre estaba ávido de trabar conocimiento con los jugadores clave, pero ya fue tarde en el juego cuando pensó en ir a ver a los Iturbide. Había tenido alguna justificación, sin embargo, para no ir antes. El gobierno de Juárez, que juzgó y luego condenó a Maximiliano al paredón de fusilamiento, difícilmente les habría dado un pasaporte a los Iturbide. Cierto que ya habían pasado muchos años. Juárez mismo estaba muerto y enterrado. La "república" se hallaba ahora en el puño firme de uno de sus generales, don

Porfirio Díaz, una especie de Augusto mexicano que, ya fuera desde su oficina en la Presidencia, ya detrás de ésta, controlaba el ejército y los ingresos —y a la manera de Maquiavelo, al parecer, abriría las puertas del Sanctum Sanctorum de México a toda clase de extranjeros, en tanto trajeran suficiente oro para untarle la mano—. Pero Bigelow asumió que, habiendo recuperado a su hijo, los Iturbide se quedarían en Europa, donde —como les sucedía a tantos americanos— sus dólares se estiraban de una manera que sería inimaginable en casa. Él mismo había mantenido a su familia varios años en Berlín, por el bien de la educación de sus hijos.

En la ciudad de México, la primera diligencia de Bigelow consistió en ir a la legación de Estados Unidos, donde él y Grace se presentaron con el embajador, que resultó ser un juez de Louisiana. En su ignorancia del país, su geografía, su historia, su política y sus personalidades culturales, este individuo mostró toda la actitud de un hombre que, habiéndose bebido un *mint julep* o tres, está contento de tomar una siesta en su hamaca.

Grace le preguntó al juez por el embajador mexicano en Washington (quería decir don Matías Romero, un caballero distinguido y muy patriota que aparecía mencionado extensamente en el libro *Mexican Republic*, de Lester, por sus hazañas en defensa de la República durante la Intervención francesa).

—¿Es español?

—No —respondió el juez sombríamente—, es un indio.

—¿Un indio? ¿Cómo está eso?

El juez respondió:

—Su padre era un cura y su madre una negra. Si eso no hace a un indio, ¿entonces qué?

Por sus recientes lecturas, en el tren de venida, Bigelow se dio cuenta de que el juez había confundido a Romero con el general Almonte.

Cuando ya se iban, Bigelow murmuró:

—Tom Corwin, ¿dónde estás?

—¿Quién es Tom Corwin? —preguntó Grace, tomándose del brazo de su padre.

—Era nuestro ministro en México. Y un hombre mejor que yo.

—Oh, pa. Eres demasiado modesto.

Bigelow, resintiendo la altitud de la ciudad de México, quería descansar; Grace quería ir hasta los jardines flotantes de Xochimilco.

Lograron llegar a un acuerdo y fueron a ver el calendario azteca. En un puesto de libros, Grace encontró un mapa a colores de México anterior a la invasión norteamericana de 1847. Bigelow quedó muy contento de pagar sólo cuatro reales por una copia en perfecto estado del juicio a Maximiliano. (También le ofrecieron un documento de los archivos de la Inquisición, pero, como parecía ser auténtico, él no sintió confianza en que hubiera venido a parar a las manos del vendedor por métodos honrados. Por lo tanto lo rechazó.)

Luego de su entrevista con el jefe de la Casa de Moneda y con un director del Ferrocarril Central Mexicano, lo siguiente en el itinerario turístico era la catedral, un prospecto que, aunque se sentía con el deber de verlo, la verdad era que tenía poco interés para Bigelow; según había leído en la guía, era completamente español en su aspecto, y él ya había visitado demasiadas catedrales en Europa (recientemente, en el verano pasado, las de Monreale, Palermo y Nápoles). Todas ellas se apilaban juntas en su mente: estos excesos de albañilería y vitrales, oro suficiente para rebaños enteros de becerros de oro, las grotescamente vívidas imágenes del martirio, reliquias de cabellos, dientes, falanges en urnas de plata... tantas medievalidades cargadas de asociaciones sacerdotales... las campanas, los olores, el parloteo monótono de los guías de turistas y el murmullo de los encargados, pasivos como borregos... todo mezclado como las voces en los sueños. Su alma no encontraba ningún reposo en estos lugares.

¡Bigelow no iba a dejar que ningún sacerdote de Roma se interpusiera entre él y su salvador!

Para llegar al vestíbulo tuvieron que pasar por entre una gama de plañideros e impertinentes mendigos, ciegos, tullidos, ancianos, leprosos, indias mugrosas amamantando infantes. Una vez adentro, su guía se hincó en una rodilla e hizo la señal de la cruz, rubricando el gesto con un beso en su pulgar.

Su nombre era Ignacio Pérez. Usaba unos zapatones que se veían caros, pero se había arremangado hasta los codos las mangas de la camisa. Tenía una espesa y lustrosa mata de cabello, y sus dientes se veían fuertes, lo cual le daba un aspecto joven; pero su nariz larga, como pico de ave, y sus mejillas hundidas lo hacían verse viejo. Podía haber tenido 25 o 55 años; imposible para Bigelow decirlo.

—Parece una cárcel —susurró Grace. A todo lo largo del muro oeste, una tras otra, se extendían una cadena de capillas que parecían celdas; sus tesoros, santos de cara de marfil, crucifijos, pinturas oscurecidas por los años, relicarios, se hallaban asegurados detrás de rejas de hierro.

—Mira esto, pa.

—Ésta —comenzó Ignacio Pérez— es la capilla de san José de…

—No —lo interrumpió Grace—, me refiero a esto —señaló un montón de listones y harapos y agujetas de zapatos, cada uno amarrado a un candado; había candados de latón, candados de hierro, cuadrados, redondos, grandes, minúsculos. Bigelow contó 30, 40…

—¡Por Júpiter, cuántos candados! —exclamó.

—Éstos —dijo Ignacio Pérez— son ofrendas a un santo muy importante: san Ramón Nonato.

Ni Bigelow ni su hija recordaban haber oído hablar del susodicho santo. Bigelow dio un paso atrás, para dejarle el camino libre a una pareja de ciegos; el hombre iba tentaleando, *tap, tap*, con lo que parecía ser un palo de escoba; la mujer avanzaba detrás de él, las manos prendidas a sus hombros, y la cara, extrañamente viva, hacia el techo.

—¿Ven ustedes —dijo Ignacio Pérez— que estamos cerca de los confesionarios? San Ramón Nonato nos protege de los chismes, los rumores y los falsos testimonios.

—Interesante —concedió Bigelow. Siguió avanzando, las manos entrelazadas detrás. Daniel Webster tenía un teoría de que, a largo plazo, la gente que se alimenta de leche dominará a la que se alimenta de aceite. Cambien "leche" y "aceite" por "protestantismo" y "catolicismo", pensó Bigelow, y ahí lo tienen. Él creía en la tolerancia y en la separación de Iglesia y Estado pero, ¿qué tan lejos podía llegar un país cuando su pueblo dejaba que pensaran por él y a todos les enseñaban a obedecer los dictados de Roma?

Ante la capilla de san Judas Tadeo (eso decía la placa), una mujer muy anciana, descalza y con los tobillos sucios, estaba rezando, los ojos cerrados, sobre sus manos entrelazadas con fuerza.

Grace, que dio un rodeo para no acercarse a ella, le dijo al guía en un susurro que se oyó muy fuerte:

—¿Esa mujer está adorando a Judas?

Ignacio Pérez sonrió pacientemente. Al parecer, estaba acostumbrado a esa pregunta.

—No, no es Judas Iscariote. Éste es, como lo llaman ustedes en inglés, *Saint Jude Thaddeus*.

—¿Quién?

—¡Grace! —dijo su padre, alzando una ceja—. No has estado leyendo tu Biblia.

—San Judas Tadeo —continuó el guía— es el santo patrón de las causas imposibles. Después de Nuestra Señora de Guadalupe, algunos dicen que san Judas Tadeo es el más amado por nosotros los mexicanos —se persignó por segunda vez—. A mí mismo me salvó de la fiebre amarilla. Ha hecho muchos millones de milagros.

Pamplinas, pensó Bigelow. Pero —esto fue lo bastante misterioso como para sobresaltarlo— en el momento en que la palabra "milagros" salió de los labios de su guía, de algún lugar más allá de las bancas del coro al otro lado de la nave, una voz en *falsetto*, dulce y clara como una campana de cristal, empezó a entonar una oración: *Santa María, ora pro nobis*…

Con esta bella música en los oídos llegaron a una de las últimas capillas, la de san Felipe de Jesús, el primer santo mexicano; fue un misionero martirizado en Nagasaki, lo cual explicaba la pagoda tipo jaula hecha de bambú con hoja de oro que se hallaba frente a las rejas de su capilla. Ésta recibía muy poca luz; si el guía no les hubiera explicado cada una de las varias pinturas que había en el altar —la mutilación de la oreja de san Felipe, su premonición, su crucifixión, la intercesión del Santo Niño, etcétera—, no habrían podido hallarles ni pies ni cabeza.

—San Felipe fue martirizado el 5 de febrero de 1597. ¿Y saben ustedes que ese mismo día, en su casa de la ciudad de México…

Bigelow y Grace no dijeron nada pero esperaron amablemente.

—… había una vieja higuera seca en el patio, y reverdeció y dio fruto.

—Hmm —tosió Bigelow.

Habiendo concluido su historia, el guía se bajó del escalón, pero no siguió adelante. Estaba esperando a que ellos notaran algo.

Grace preguntó:

—¿Qué es esa silla tan chistosa, tan fifí, que está ahí?

Bigelow no había notado ninguna cosa así. Se acercó más, se subió al escalón, se agarró de las rejas y miró hacia el interior en penumbra. En el rincón de la derecha, al fondo, bajo una bandera verde, blanca y roja, se encontraba en efecto un sillón dorado —un trono—, que tenía los brazos y las patas labrados de tal modo que semejaban gavillas de trigo.

—Eso —dijo Ignacio Pérez— era el trono del Libertador, el emperador don Agustín de Iturbide.

Bigelow observó ahora el plinto, una pieza de mármol con el tono gris del *foie gras*, que se hallaba empotrado en el muro de la derecha; arriba había una urna, y sobre ésta —uno tenía que esforzar la vista para poder verlo— estaba el retrato de un hombre de perfil.

El George Washington de México, tal cual. Iturbide, pensó Bigelow, se parecía más bien a Murat, el rey de Nápoles.

¿No había alguna manera de abrir esta capilla y mirar adentro?

No. Las capillas no serían abiertas al público hasta Todos Santos.

Las letras del plinto eran demasiado pequeñas como para poder leerlas desde ahí. De memoria, Ignacio Pérez recitó su propia traducción, con tanto sentimiento que no fue difícil adivinar con quién simpatizaba:

Agustín de Iturbide, autor de la independencia nacional. Compañeros patriotas, lloren por él. Visitantes, admírenlo. Aquí yacen los restos de un héroe. Su alma descansa en el seno de Dios.

El canto al otro lado de la nave había cesado. El sacerdote habló, las voces empezaron un cántico; siguieron así, hacia atrás y hacia adelante, como un oleaje.

¿Sabía el guía algo sobre los descendientes del Libertador?

Había una, una dama.

¿Doña Alicia de Iturbide?

Ignacio Pérez no supo decir si así se llamaba o no. Vivía en el hotel Comonfort, eso sí lo sabía. Y que estaba sorda como una piedra y en silla de ruedas.

EN EL HOTEL Comonfort, el conserje le dio a entender a Bigelow que la dama que vivía ahí no era la que él tenía en mente. Pero estaba de suerte, porque doña Alicia acababa de regresar de Estados Unidos y se estaba hospedando en el hotel de enfrente. En ese hotel, le dijeron a Bigelow que ella ya no estaba ahí. Sin embargo, podría encontrarla en su casa, que no estaba lejos de donde empezaba la Alameda; era la casa que estaba justo frente al Caballito, la estatua ecuestre de Tolsá que representaba al rey Carlos III.

Al llegar ahí, se encontró con una construcción de aspecto tan bello que no habría estado fuera de lugar en el barrio más elegante y moderno de París. Pero doña Alicia tampoco estaba allí. Por medio de señas, el portero condujo a Bigelow a la vuelta de la esquina. Ahí había una puerta ya gastada por la intemperie; al lado: un agujero no muy grande del cual colgaba un mecatito sin nada de especial, con un nudo en el extremo. Bigelow tiró de éste. Un ojo apareció en el postigo. Ruido como de raspa (un momento después, él se dio cuenta de que se trataba de un banco que quitaban) y luego se abrió la puerta dejando ver a dos niños, uno de piel oscura, el otro con aspecto de español, ambos muy desarreglados y ninguno capaz de hacerse entender. Finalmente una sirvienta de aspecto tan descuidado como los niños; sus trenzas se veían igual de grasientas que su delantal, pero tenía una cara risueña y modales pacientes y —esto fue una gran suerte— conocía unas cuantas palabras en inglés.

—*Tomorrow* —dijo—. Doña Alicia estará aquí, si Dios quiere, *tomorrow*.

—¿A qué hora?

Ella meneó la cabeza sin poder entender.

—*Sorry, I no understand.*

Bigelow garabateó una nota rápida, indicando que él y su hija se encontraban en el hotel San Carlos, y se la entregó a la sirvienta junto con su tarjeta. Éstas desaparecieron en el bolsillo del delantal y, con lo que él entendió eran deseos amables de un buen día, la puerta se cerró.

A la mañana siguiente, como era domingo, Bigelow asistió al servicio en la iglesia protestante. De regreso al hotel, en la recepción, se encontró a Grace con Madame de Iturbide.

Desde el sofá que estaba junto a la ventana, ella se levantó flotando para saludarlo, sin aliento:

—¡Mr. Bigelow!

En un instante, los años se acercaron como en un telescopio. Él habría podido reconocerla en cualquier lugar: su corona de pelo fino, rubio, el mentón redondo (tal vez un poco más carnoso). Tomó su mano entre las suyas. Por un largo instante, —tan largo que Grace empezó a mostrarse inquieta en su asiento— ninguno de los dos dijo nada.

—Qué gusto, qué gusto —dijo él, sentándose por fin.

Tomaron un poco de té y luego un largo almuerzo. Ella habría insistido en invitarlos a cenar a su casa, dijo Madame de Iturbide, pero las principales habitaciones estaban en remodelación. Como era viuda (ay, don Ángel había muerto hacía varios años), había preferido quedarse en Washington cerca de su familia. Fue el ministro de Guerra de México quien la convenció de traerse a su hijo de regreso al país. Su hijo era mexicano, el último de su familia, y su país lo necesitaba.

Después de un año o algo así en el Colegio Militar, lo harían capitán y *aide-de-camp*. Luego ya verían.

No le costó mucho trabajo a Bigelow lograr que se abrieran las compuertas:

—¿Don Porfirio Díaz?

—Era un sastre de Oaxaca. Se unió a la revuelta contra Maximiliano y logró hacerse indispensable al presidente Juárez, de tal manera que, tras la muerte de Juárez, bueno —le dio un trago a su vino—, Díaz llegó sin nada y cuando dejó la presidencia ya tenía más de un millón de dólares.

—¡Un millón de dólares!

—Más de un millón de dólares.

—¿Y qué hay del presidente actual, González?

—Su esposa lo dejó. Es dueña de la sombrerería que está a la vuelta de esta esquina —Madame de Iturbide se volvió hacia Grace—. Venden bonitos sombreros. Aunque estoy segura de que se pueden encontrar mejores en Nueva York.

Poseía información y opiniones inagotables sobre los matrimonios de varios personajes. Don Porfirio Díaz acababa de casarse con la hija de menos de 20 años de un abogado que se llamaba Romero Rubio.

—*Un mariage de l'ambition* —lo resumió, usando la expresión francesa. Hizo que Bigelow se acordara del general Bazaine.

—¿Bazaine no se había casado con una joven señorita mexicana?

—Pepita de la Peña —Madame de Iturbide lo sabía muy bien—. Pero eso no fue nada comparado con su primer matrimonio. ¡Uf! —de acuerdo con ella, mientras servía en el ejército en África del Norte, Bazaine compró una muchachita española junto con su madre; se las compró a los traficantes de esclavos de Mogador. Mandó a la niña a que la educaran en un convento francés y luego, cuando juzgó que ya estaba lista, la obligó a casarse con él. Pero ella nunca lo quiso. Estando en Crimea, ella empezó a andar con algunos de sus hermanos oficiales, y cuando lo mandaron a él a México, se valió de la oportunidad para seguirle con un actor. Bazaine mandó por ella, pero ella se negó a venir. Él insistió. Ella accedió, aparentemente. En la víspera de su partida de París, ofreció una cena realmente *recherché* para 30 personas—. El conde de Montholon, ministro francés en Washington, fue uno de los invitados. Él me contó estas cosas. Después de que todos se fueron, Madame Bazaine tomó veneno.

Bigelow miró a su hija; su hija miró el reloj. Madame de Iturbide, sin embargo, felizmente ignorante del efecto que tenía sobre su público, reafirmó moviendo despacio la cabeza:

—Sí, veneno.

—Bazaine —la interrumpió Bigelow— era no obstante muy respetado por varios de nuestros mayores generales —estaba pensando, en particular, en algunas cosas que el general Sheridan había dicho.

—Grant estuvo aquí.

—¿Ah?

—Es muy impopular.

Bigelow hubiera querido llevar la conversación otra vez a Bazaine; deseaba saber más acerca de la segunda esposa, quien, hacía unos cuantos años —después de que Bazaine se rindiera a los prusianos en Metz y luego fuera juzgado y aprisionado por traición—, había orquestado la fuga de su esposo desde la Île Sainte Marguerite, una hazaña tan audaz, tan astuta, tan completamente romántica que era como un capítulo de una novela de Dumas, padre o hijo. Madame de Iturbide, sin embargo, estaba más interesada en hacerle entender que, cuando el ex presidente U. S. Grant vino a México, recientemente, el gobierno mexicano lo hospedó en una casa y cubrió todos los gastos por la fabulosa suma de 100 000 dólares. Un caballero mexicano ofreció una fiesta que le costó otra fabulosa cantidad de dinero, y Grant no se tomó la molestia de darle las gracias a nadie.

—La ingratitud de Grant fue escandalosa —concluyó ella.

—Hmmm —dijo Bigelow. Él tenía sus propios resentimientos contra Grant, que en 1870 le negó la inscripción a su hijo en West Point, diciendo que esos lugares estaban reservados para los hijos de "aquellos que sirvieron en la causa de la Unión durante la guerra": uno de los insultos más amargos que Bigelow había recibido en su vida. ¿Para qué, entonces, habían sido sus años de servicio en París? Pero esto no lo compartió.

En la tarde del día siguiente, Bigelow y su hija fueron a buscar otra vez a Madame de Iturbide. Su casa, como ella había dicho, se hallaba en un estado de cierto caos. Las ventanas estaban abiertas para que se aireara el olor a pegamento y trementina. La sala tenía sofás nuevos y un piano que se veía caro y muchos libreros con las molduras pintadas de un verde espárrago que se veía como resbaloso. Pero todos estaban vacíos, qué decepción, pues había pocas cosas que Bigelow disfrutara tanto como curiosear en las bibliotecas ajenas. En el comedor, los muebles estaban cubiertos con sábanas, las paredes tenían tapiz sólo en parte. El papel parecía ser de tema oriental. Unos pedazos grandes de éste yacían enrollados en un rincón del piso.

La sirvienta que abrió la puerta el otro día (traía un delantal más limpio, pero no podía decirse lo mismo de su cabello) entró con una charola de café y pay de fresa con crema batida.

Una ronda de cosas agradables. Bigelow le contó a Madame de Iturbide de su visita al palacio de la Inquisición y a los colegios jesuitas. Grace se expresó como en éxtasis de cierto caballo que había visto en el parque de Chapultepec. Bigelow y ella aceptaron otra rebanada de pay.

A lo largo de todos estos años, Bigelow había estado guardándose una pregunta. Temía ser impertinente, pero, como la oportunidad era única, se animó y preguntó:

—¿Por qué, realmente, quería Maximiliano adoptar a su hijo?

Madame de Iturbide puso en la mesa su taza de café.

—Carlota no tuvo hijos. El doctor austriaco de su séquito le diagnosticó una malformación. Había un doctor en Nueva York, ¿el doctor Sims?

Bigelow asintió.

—Bueno, le pidieron al doctor Sims que viniera a México. Pero él dijo que haría el viaje sólo si le pagaban los viáticos y 30 000 dólares.

—¡30 000 dólares!

—En efectivo, pagados antes de que saliera de Nueva York —Madame de Iturbide levantó su taza de café. Lo removió dos veces y luego volvió a ponerlo en la mesa.

—30 000 dólares —repitió Bigelow, animándola a seguir—. Eso era mucho más dinero de lo que es ahora.

—Maximiliano no quiso gastarlo. El general Almonte empezó a intrigar con que debía pedirle al papa la anulación del matrimonio.

—¡La anulación!

—Oh, sí. Y Maximiliano lo habría hecho.

Luego le contó a Bigelow de las negociaciones que Carlota iniciara con ella y su familia: las visitas, los ramos de flores, todas las bellas promesas. Para darle gusto a Grace, Madame de Iturbide volvió a narrar la historia de cómo cambió de parecer en Puebla, su frenético retorno a la ciudad de México, su apelación al general Bazaine y su arresto por parte de la guardia palatina de Maximiliano.

La escena de aquella entrevista con él ya tan remota, en París, ardía vívida en la mente de Bigelow: el escritorio de roble, los archiveros retacados, el persistente olor de los paraguas mojados. Sólo un mes después, en diciembre de 1866, renunció por fin, y la comunidad americana en París ofreció una cena en su honor, y qué cena. Recordaba a sus buenos amigos, el doctor Evans y Buffum, el corresponsal del *New York Herald*, levantando sus copas de champán…

Una vez que dejó su puesto y regresó a Nueva York (resultó que sólo temporalmente), Bigelow estuvo siguiendo las noticias que llegaban de México: la decisión de ese pobre archiduque engañado, de seguir peleando con los últimos restos de apoyo que le quedaban: la facción clerical. (¿Se le habían perdido a Maximiliano los balancines de la brújula?) Luego el sitio de Querétaro, la captura de Maximiliano, el juicio y —nadie que tuviera sensibilidad cristiana recibió bien esto— su ejecución. Pero Bigelow no conocía los detalles de la historia de los Iturbide.

¿Estaba Madame de Iturbide en París cuando Carlota fue a ver a Luis Napoleón, ese verano?

—Fue en agosto de 1866 —y ella le contó, palabra por palabra, cómo se enfrentó a Carlota en el Grand-Hôtel.

—¡Qué historia más extraordinaria! ¿La ha escrito usted?

—En parte.

—Me gustaría mucho leerla.

Ella desvió la mirada y levantó la cafetera.

Bigelow presionó:

—Espero que considerará usted permitirme leerla —era un experimentado editor de periódicos y además, mencionó, estaba escribiendo sus propias memorias.

Ella dijo, haciéndose la modesta:

—Todos mis papeles están empacados en cajas ahora.

Luego siguió contando su historia: cómo ella y su esposo y el mayor de sus cuñados regresaron ese otoño a Nueva York, donde su cuñado murió. Lo enterraron junto a su madre, la emperatriz, en la cripta familiar de la iglesia de Saint John the Evangelist, en Filadelfia. Ella y su esposo se refugiaron en la residencia de su familia en Washington, en las lomas arriba de Georgetown. Faltando poco para Navidad, recibieron la noticia de que Maximiliano había cedido la custodia del niño, y el arzobispo de México les dio el nombre de un vapor que, en la primavera de 1867, de camino a Europa, se detendría en La Habana. Corrieron a Cuba, abordaron ese vapor y, por encima de las vociferantes protestas de su intrigante cuñada, recuperaron a su hijo.

Su hijo era un tema de inagotable fascinación para Madame de Iturbide. Contó muchas historias sobre su niñez en Georgetown. Bigelow, divertido, la dejó hablar. Él mismo tenía la bendición de contar con una tribu de hijos. Estaba extraordinariamente orgulloso de todos y cada uno de ellos, y podía imaginarse el orgullo que sentiría una madre por su hijo único. Y, también, la voz de Madame de Iturbide poseía esa calidad como de zureo, ese acento único de las viejas familias de Maryland que ella compartía con Mrs. Bigelow. Fuera de eso, le pareció, los caracteres de Mrs. Bigelow y de Madame de Iturbide no podrían haber sido más distintos.

No fue sino hasta dos días después, en una cena baile en casa del ministro mexicano del Exterior, cuando Bigelow y Grace conocieron al joven Iturbide. Portaba un bello uniforme y —los ojos de todos puestos en él y especialmente los de su madre que lo adoraba— estuvo bailando, juventud en la cumbre de la vida, con impecable apostura.

Fin

LA HISTORIA DE LA HISTORIA
O UN EPÍLOGO EN FORMA DE AGRADECIMIENTOS

Érase una vez, o —debería decir— hace más años de los que quisiera contar, me invitaron a un almuerzo en la ciudad de México. Ahí, en el comedor, había un retrato antiguo, extraordinariamente bello, de un joven —¿tal vez inglés?— con un rifle al hombro. El escenario incluía un nopal y, en lo alto de una colina, al fondo, como una pintura renacentista...

¿Era el castillo de Chapultepec?

Sí, me dijo mi anfitriona, mientras nuestro platón de ensalada venía en los brazos de la muchacha.

¿Y quién era el joven?

Agustín de Iturbide y Green, el príncipe de México.

Nunca había oído hablar de él. Esto me asombró. Tenía poco de haberme casado con un mexicano, y me consideraba una persona culta. En ese momento me di cuenta de que nosotros, los supuestamente bien educados norteamericanos, rara vez abrimos la mente a las ricas complejidades de nuestro vecino del sur. Esto es en parte porque nos dejamos arrullar en la ilusión de que ya "conocemos" México. Nuestros medios de comunicación nos inundan con imágenes prefabricadas: el bracero, el bandido y el torero y el mariachi, el narcotraficante, el funcionario corrupto con su Rolex, su yate, sus fines de semana en Las Vegas, los pobres con sus sombreros y sus huaraches, la ubicua Frida de cejas unidas y esas playas de arena de azúcar sin más gente que, tal vez, unas rubias de piernas largas en bikini.

—¡Un príncipe! Esto significaba una aristocracia, un teatro para el poder: social, político, financiero, económico, militar. Ciertamente han estallado revoluciones en contra de esta idea, pero puede decirse que, para muchas personas, una monarquía y, por extensión, la familia real, funcionan como punto focal de la identidad y la unidad de una nación. Para la mayoría de los norteamericanos y los mexicanos de hoy, la idea es absurda. Pero mientras estoy escribiendo estas líneas, los belgas todavía tienen su rey, y el Reino Unido su reina.

En estos días, normalmente, uno satisface cualquier curiosidad ociosa con una búsqueda en internet. En aquel entonces, mi búsqueda no dio ningún resultado.

Unos meses después, a la mitad de libro *Maximilian and Juárez*, de Jasper Ridley, me topé con el capítulo "Alice Iturbide". Mi sorpresa al encontrar una compatriota mía en un momento tan lejano de la historia, en la cúspide de esta aristocracia mexicana —a la vez antagonista y víctima, motivada y cegada por quién sabe qué mezcla de ambición, avaricia, amor, patriotismo prestado o ingenuidad—, me intrigó tanto que de inmediato supe que quería explorar y expandir la historia en una novela.

ESCRIBIR UN LIBRO es como escalar una montaña: paso a paso, finalmente llegas a la cima, aunque quizás una, dos o 100 veces tengas que pasar la noche al rigor de la intemperie o desandar un camino sin salida y empezar de nuevo. En mi caso, antes de alcanzar cualquier altura, sentí que había caído —para usar una expresión mexicana— en un berenjenal.

El berenjenal era mi lectura inicial de las obras más importantes del periodo. En éstas, la historia del pequeño príncipe aparece erróneamente contada o se le da tan poco espacio que, bueno, no era nada como para inspirar una novela.

Esto es sorprendente, dado el copioso trabajo de investigación que se ha hecho sobre el Segundo Imperio, bien documentado en la historiografía, del cual lo más reciente es la obra *El Segundo Imperio: Pasados de usos múltiples*, de la historiadora mexicana Erika Pani, publicado en 2004. En adición, el ascenso y caída del Segundo Imperio, el hundimiento de Carlota en la locura y los últimos días de Maximiliano y su ejecución se han relatado una y otra vez en películas, series de televisión y documentales, así como en obras de teatro, óperas, poemas épicos y novelas, pero nunca, aparte de un par de artículos problemáticos, se le ha dado a la historia del pequeño príncipe una obra propia.

Volvamos al berenjenal. Ridley sostiene que Alice se casó primero con Agustín Gerónimo, hijo mayor del emperador Iturbide, y que después de la muerte de éste se casó con su hermano Ángel. En la oficina del Registro Civil de Washington, D.C., encontré que la boda de Alice y Ángel tuvo lugar el 9 de junio de 1855, pero no hay ninguna evidencia del supuesto matrimonio con Agustín Gerónimo. De hecho, como lo demuestra la amplia documentación que hay sobre la familia Iturbide en los archivos de la Biblioteca del Congreso, el solterón hermano mayor viajó con Ángel y Alice de París a Nueva York, donde, después de muchos años de mala salud, murió en diciembre de 1866. (Ahí, para cualquiera que desee verlas, están las microfichas y las cuentas del hotel Clarendon, de Nueva York, las de un doctor John Metcalfe y las del traslado de los restos de Agustín Gerónimo a Filadelfia, donde fue sepultado en la cripta familiar de la iglesia de Saint John the Evangelist.) En cuanto a Ángel, de acuerdo con una genealogía de la familia Iturbide, impresa por medios privados, murió en la ciudad de México en 1872.

La obra mejor conocida sobre el Segundo Imperio —y la primera basada en investigaciones en el archivo de Maximiliano en el Haus-, Hof-, und Staatsarchiv de Austria, *Maximilian und Charlotte*, de Egon Caesar Conte Corti— ofrece lo que ahora considero un recuento preciso de la pugna de los Iturbide con Maximiliano, pero resumido en una sola página.

Maximiliano íntimo: El emperador Maximiliano y su corte, una de las indispensables memorias escritas por un testigo —el secretario de Maximiliano, José Luis Blasio— de manera similar relega a los Iturbide a la más breve de las menciones y se refiere a "el pequeño Agustín, entonces de cinco años de edad e hijo de don Ángel de Iturbide, muerto ya, y de una dama americana". Tres golpes aquí: el niño tenía sólo dos años y medio, Ángel estaba lo bastante vivo como para poder firmar el contrato de Maximiliano, y —¡pobre de ella!— Alicia ni siquiera alcanzó la mención de su nombre.

Hay tantos otros, pero un ejemplo más: *Maximilian in Mexico: A Woman's Reminiscences of the French Intervention 1862-1867*, de Sara Yorke Stevenson, una magnífica en todo lo demás, relega el asunto de los Iturbide a —esto me dejó atónita— un retazo de nota de pie de página, a propósito de la huida de Maximiliano de Chapultepec a Orizaba, a finales de 1866.

Leí y leí, pero en estas obras sobre Maximiliano, el Segundo Imperio y la Intervención francesa, ya se tratara de memorias o estuvieran basadas en investigación original, cuando llegaba el momento de referirse a los Iturbide, la historia era siempre la misma: errores distorsionantes y vaguedad.

Por qué, precisamente, Maximiliano desearía tener la custodia de los nietos de Iturbide, y por qué Alicia, su esposo y los hermanos de él aceptaron esto, por lo menos en principio, eran cuestiones que no podía empezar a resolver cuando los Iturbide mismos permanecían en la oscuridad.

Sabía que había archivos sobre el emperador Agustín de Iturbide tanto en la universidad de Georgetown como en la Biblioteca del Congreso, pero yo todavía me encontraba en la ciudad de México. Así que mi primera ruta para salir del atolladero tenía pocas probabilidades, y la encontré gracias al historiador mexicano Eduardo Turrent, quien me dio acceso al archivo Matías Romero del Banco de México. Durante la Intervención francesa, Romero, uno de los grandes estadistas de México, fungió como ministro de la República Mexicana en Washington, donde trabajó activamente contra Maximiliano, cabildeando y reuniendo dinero y armas. En su archivo, entre tesoros incontables, encontré varias cartas de Ángel de Iturbide, solicitando ansiosamente se les permitiera el regreso a México a él y a su familia. Éstas se hallaban fechadas en agosto de 1867, unos dos meses después de la ejecución de Maximiliano. Fueron enviadas desde "Rosedale, cerca de Washington, D.C."

Rosedale, cerca de Washington, D.C.: ésa era mi guía. Cuando fui a Washington, además de buscar entre los archivos de la universidad de Georgetown y la Biblioteca del Congreso, fui a la biblioteca de la Sociedad Histórica de Washington, al salón Peabody de la biblioteca pública de Georgetown y a la división washingtoniana de la Biblioteca Martin Luther King. Resultó que la de Alicia era una familia vieja y prominente por ambas líneas. Me sorprendió descubrir, luego de varias visitas a la biblioteca de la Sociedad Histórica de Washington, en aquel entonces sita en la mansión Heurich de la avenida New Hampshire, que la abuela de Alicia, con su gorro de encaje, Rebecca Plater Forrest, era la del retrato que adornaba el vestíbulo. En la avenida Massachusetts, en la soberbia Casa Anderson, la Sociedad de Cincinnati poseía los registros de la membresía de Agustín de Iturbide y Green, descendiente como lo era del héroe de guerra de Independencia, el general Uriah Forrest. Y en la biblioteca de la sede de las Hijas de la Revolución Americana encontré una copia del diario de 1861 de su abuela, Ann Forrest Green. Y respecto a Rosedale, que corona la colina justo detrás de la Catedral Nacional, encontré en distintos archivos numerosos recortes de periódicos, algunos fechados en la década de 1930, que incluían entrevistas con los miembros de la familia de Alicia. También de enorme ayuda me fueron el libro *Rosedale: The Eighteenth-Century Country Estate of General Uriah Forrest*, de la historiadora de Washington, D.C., Louise Mann-Kenney, y una visita personal a Rosedale, un nevado día de febrero.

Sin embargo, el mayor acervo de información sobre Alice y su hijo lo encontré en un lugar inesperado, porque, hasta donde yo podía determinar, no tuvieron ninguna asociación con éste durante su vida: los archivos de la Universidad Católica de Washington, D.C. El resto de la vida de Agustín de Iturbide y Green es el tema de mi próximo libro, así que aquí bastará con decir que su carrera en la caballería mexicana concluyó de golpe en 1890, cuando lo sometieron a corte marcial y lo enviaron a prisión durante 340 días por haber publicado en un periódico una carta donde criticaba al presidente Porfirio Díaz. Cuando salió libre, él y su madre volvieron a Washington. En 1892, cuando iba sola a la ciudad de México para concluir algún negocio, Alicia murió repentinamente de una infección en el pie. Pronto, otro inoportuno arranque de decir la verdad dio como resultado la expulsión de Agustín del exclusivo Club Metropolitano de Washington, aunque muchos de los miembros consideraron esto tan burdamente injusto que años después hubo un intento, sin su cooperación, de restituirle su membresía.

Y así, quien alguna vez fuera príncipe de México, huérfano, aislado y agobiado por una tuberculosis ósea crónica, empezó a ganarse la vida como traductor de los hermanos franciscanos y, después, como profesor de francés y español en Georgetown. No obstante tuvo un matrimonio feliz, que duró una década hasta su muerte en 1925. El archivo que se encuentra en la Universidad Católica, donado por su viuda, Louise Kearney de Iturbide, contiene sus papeles personales, cuadernos de notas, fotografías y unas memorias de ella escritas a mano, así como muchos recortes de periódicos del área de Washington, entre ellos uno con fecha de 1939: *Memory of Imperial Fame: Princeling's Widow Refreshes Lost History*. Aquí aparece el mismo retrato que yo había visto en la ciudad de México.

¿Por qué, habiendo hecho tanta investigación original, escribí la historia en forma de ficción? Quería decir la verdad, lo cual significa, por supuesto, presentar los hechos tan fielmente como sea posible, pero también, y esto es lo que me resulta más interesante, contar una verdad emocional. ¿Por qué Alicia, Ángel, Pepa, Maximiliano y Carlota hicieron lo que hicieron? ¿Quién los animó y los apoyó, y quién los criticó, los intimidó y los frustró y por qué motivos? La respuesta no se encuentra sólo en el análisis histórico y político, sino también en su corazón, y el corazón de otros sólo puede experimentarse con la imaginación; esto es, por medio de la ficción.

¿Qué tanto de esto es ficticio y que tanto es real? Nunca lo sabremos realmente. Ya se trate de una novela o de un libro de texto, un personaje no es una persona real: es una mera metáfora. ¿Qué tan buena es la metáfora? Lo único que puedo decir es que, con algunas excepciones menores, necesarias para crear lo que espero sea una armoniosa estructura narrativa, he puesto todo mi esfuerzo en representar los hechos y los contextos con la mayor exactitud posible. Todos los personajes se encuentran basados en personas de la vida real con excepción de Lupe, Chole, los bandidos, las nanas del palacio Olivia y Tere, el asesinado conde Villavaso y el guardaespaldas del príncipe, aunque, en tales casos, hubo personas reales que desempeñaron estos o muy similares papeles; realicé una investigación extensa sobre la sociología de la época y el lugar a fin de retratarlos, aunque fuera imaginativamente, con tanta exactitud como pudiera.

Varias escenas incluyen líneas de diálogos basados, así sea laxamente, con los giros y los adornos de la ficción, en obras previamente publicadas. Entre éstos se encuentran las entrevistas de John Bigelow con Alicia de Iturbide, del capítulo "El encanto de su existencia", y con el ministro francés del Exterior, Drouyn de Lhuys, de *"Pas possible"*, que están basadas en el libro de memorias de Bigelow, *Retrospections of an Active Life;* la entrevista de Alicia de Iturbide con Carlota, de "En el Grand-Hôtel", se basa en el artículo de Bigelow, "The Heir-Presumptive to the Imperial Crown of Mexico: Don Agustín de Iturbide" (*Harper's New Monthly Magazine*, abril de 1883); el diálogo del capitán Blanchot con el general Bazaine, sobre los rumores de la supuesta corrupción de éste, de "Una canasta de cangrejos", se basa en el texto del propio Blanchot, *Mémoires: L'Intervention Française au Mexique;* y, finalmente, la visita de Bigelow a México y sus encuentros con Alice de Iturbide, del capítulo "Una visita inesperada", están basados en el diario de Bigelow de 1882, que se encuentra en la División de Manuscritos de la Biblioteca Pública de Nueva York.

Algunas cartas citadas parcial o totalmente (con algunas modificaciones para propósitos literarios) incluyen la de Pedro Moctezuma XV a Maximiliano, que se encuentra en el archivo Kaiser Maximilian von Mexiko, de la Biblioteca del Congreso, y la de Luis Napoleón a Maximiliano, procedente del libro *Maximiliano y Carlota*, de Egon Caesar Conte Corti, ambas consignadas en el capítulo "El archiduque Maximiliano de Habsburgo o AEIOU"; la de *Madame* de Iturbide a su hijo Ángel, que está en "Pasada la medianoche", viene de los papeles de Agustín de Iturbide, de la Biblioteca del Congreso; la de A [Agustín Gerónimo] de Iturbide a Maximiliano y la de Maximiliano a Alicia de Iturbide, proceden del archivo Kaiser Maximilian von Mexiko, Haus-, Hof-, und Staatsarchiv; la de Alicia de Iturbide a Maximiliano ("El encanto de su existencia"), de *Retrospections of an Active Life*, de Bigelow; la de Ángel de Iturbide a Maximiliano, del archivo Kaiser Maximilian von Mexiko, Haus-, Hof-, und Staatsarchiv; y la de Maximiliano a Carlota, que está en el capítulo "Uno sigue la derrota", de la traducción al español de la *Correspondencia inédita entre Maximiliano y Carlota*, editada por Konrad Ratz; la de Ángel de Iturbide a Maximiliano procede de los papeles de Agustín de Iturbide, de la Biblioteca del Congreso ("En el Grand-Hôtel"); la de la condesa Hulst a Carlota ("Noche en la Ciudad Eterna"), de *The Empress of Farewells*, del príncipe Michael de Grecia; y las de Maximiliano a Alicia de Iturbide y a Josefa de Iturbide, de "El camino a Orizaba", proceden del archivo Kaiser Maximilian von Mexiko, Haus-, Hof-, und Staatsarchiv.

Una última palabra en relación con la investigación: no tiene fin. Esto puede ser cierto de cualquier periodo, pero es especialmente cierto tratándose del México de la década de 1860, puesto que la presencia de Maximiliano allí no tiene sentido si no se comprende el contexto, tanto nacional como internacional: americano, austriaco, belga, francés, prusiano, ruso, italiano, inglés, etcétera. Las historias, memorias y documentos mismos revelan sólo fragmentos y, en el mejor de los casos, muy pocos han sido traducidos. Para dar uno de muchos ejemplos, la monumental obra de memorias en tres volúmenes, *L'Intervention Française au Mexique*, del coronel Charles Blanchot, el *aide-de-camp* del general Bazaine, no se ha traducido aún ni al español ni al alemán ni al inglés. En 2008 (más de 130 años después de la caída del Segundo Imperio mexicano), el historiador austriaco Konrad Ratz, trabajando a partir de documentos alemanes previos aún sin traducir, publicó *Tras las huellas de un desconocido*, con importante información nueva sobre la educación de Maximiliano en su infancia; su periodo como gobernador de Lombardía-Venecia; su último doctor, Samuel Basch; el príncipe y la princesa Salm-Salm; y el sombrío padre Fischer. Ya había terminado y entregado mi manuscrito; la de Ratz fue la última investigación que pude utilizar en esta novela. No hay duda de que vienen más maravillas. Hay más archivos en los que pude haber buscado. También podría haber escarbado un agujero de aquí a China. Después de estos varios años de trabajo, con un gran suspiro, simplemente declaro: "lápices abajo".

COMO YA LO DIJE, escribir un libro es como escalar una montaña, y este ascenso lo hizo posible la ayuda de muchos *sherpas*. En primer lugar, siempre y más importante que todos, le doy las gracias a mi esposo Agustín Carstens, cuyo apoyo en todas las formas ha sido invariablemente generoso. Juntos visitamos muchos escenarios de la novela, incluyendo Cuernavaca, la ciudad de México, Río Frío, Orizaba, Veracruz y, aunque ninguna escena de la novela tiene lugar aquí, el teatro del sangriento final del Segundo Imperio: la ciudad de Querétaro. Fue por sugerencia de mi esposo que hicimos un viaje a Viena, a Venecia y al castillo de Miramar en Trieste, el cual demostraría ser un paso indispensable en mi intento de comprender a Maximiliano. También descubrí que tenía mucho que aprender de nuestras visitas a Bruselas y a París.

Agradezco también a mis padres, Roger y Carolyn Mansell, y a mi hermana Alice Jean Mansell, el apoyo que me dieron de tantas maneras. Otro miembro de la familia que no puede irse sin mención es mi perra pug, Picadou. Desde el inicio de este proyecto ha estado cerca de mí, junto al escritorio, siempre paciente, contentándose con dormir horas, pero con la voluntad de insistir, cuando era necesario, en que saliéramos afuera a tomar aire y a dar una larga caminata.

Muchos bibliotecarios tienen mi gratitud, entre ellos los del Banco de México (archivo Matías Romero); biblioteca Lerdo de Tejada (archivo del periódico *Sociedad*); Universidad Católica de America (Papeles de la familia Iturbide-Kearney); Biblioteca Lauinger de la Universidad de Georgetown (Colección Agustín de Iturbide); biblioteca de las Hijas de la Revolución Americana; Haus-, Hof-, und Staatsarchiv, Viena, Austria (archivo Kaiser Maximilian von Mexiko); Biblioteca del Congreso, Washington, D.C., división de manuscritos (Papeles de Agustín de Iturbide, y archivo Kaiser Maximilian von Mexiko); biblioteca pública del Distrito de Columbia, salón Peabody, rama regional Georgetown; división washingtoniana, Biblioteca Martin Luther King, Washington, D.C.; Biblioteca Pública de Nueva York, división de manuscritos (papeles de John Bigelow y la familia Bigelow); biblioteca Fondren de la universidad de Rice (colección Maximiliano y Carlota); Sociedad Histórica de Washington, Washington, D.C.; Universidad de California en Berkeley, Biblioteca Bancroft; universidad de Texas en Austin, colección latinoamericana Benson y el Centro para la Historia Americana (Center for American History).

Mi profundo agradecimiento para la Fundación Ragdale, el Virginia Center for the Creative Arts (VCCA), y Yaddo, que me proporcionaron residencias: el tiempo y la paz necesarios para la escritura creativa.

Gracias a la revista *Potomac Review* por publicar el primer extracto de "La consentida de Rosedale".

A la Foundation for Youth for Understanding, entonces propietarios de Rosedale, por la visita guiada.

Tantas personas me han ayudado con el regalo de un libro, un artículo, un documento, una sugerencia clave, y más. En orden alfabético: Lupe Arrigunaga de Mancera, Barbara Ondercheck Black, Kate Blackwell, Carmen Boone de Aguilar, José G. Aguilera Medrano, Margarita Carstens Lavista, Helen de Carstens, Francisco José Joel Castro y Ortiz, Edgar Chain y señora, Teresa Franco, Amparo Gómez, José Antonio González Anaya, Miguel Hakim Simón, Jean Pierre d'Huart, Carlos de Icaza, Samuel Maldonado, Dawn Marano, Ileana Ramírez Williams de Del Cueto, Robert Ryal Miller, Emilio Quesada, Salvador Rueda, Oriana Tickell de Castelló, Eduardo Turrent, María Josefa Valerio, Eduardo Wallentin, Roberto Wallentin y Nancy Zafris.

Muchas personas me brindaron comentarios sobre el manuscrito, en alguna de sus múltiples versiones, o sobre capítulos: Kate Blackwell, Ellen Prentiss Campbell, Agustín Carstens, Sofía Carstens, Luis Cerda, Maxine Claire, Kathleen Currie, Katharine Davis, Nancy Eaton, Timothy Heyman, Javier Mancera Arrigunaga, Ann McLaughlin, Mary O'Keefe de O'Dogherty, Carolyn Parkhurst, Leslie Pietrzyk, el doctor Konrad Ratz, Deborah Riner, Sara Mansfield Taber, Amy Stolls y Mary Kay Zuravleff.

Gracias a la librería Politics & Prose, de Washington, D.C., y a las instalaciones de Taylor Real Estate, donde mi grupo de escritores, benditos sean todos, se reunieron muchos jueves.

Gracias a Douglas Glover por su ya muy remota pero no olvidada y realmente inspiradora lección sobre la novela, y a Robert McKee por su magnífico taller de cuento.

Mi más cálida gratitud a los amigos invisibles, sobre todo a Louise Kearney de Iturbide y a las muchas personas, ahora "del otro lado del velo", que aparecen como personajes en la novela. No sé si les habré hecho justicia, pero a menudo he sentido su amigable presencia. En relación con esto, estoy profundamente agradecida con Lyn Buchanan, por las herramientas que me ayudaron a ampliar mis conceptos sobre la mente y el espacio-tiempo. También he contado con la invaluable ayuda de dos dotadas médiums: Diane Forestell May y Deborah Harrigan.

Cualquier error u omisión en este libro es mío, por supuesto.

Gracias de corazón a mi editor de la versión original en inglés, Greg Michalson, que reconoció lo que yo quería lograr con este libro y me ayudó pacientemente a realizarlo hasta donde fui capaz. Gracias también a mi agente, Christina Ward, que ha sido para mí una luz brillante y oportuna.

Gracias a Andrés Ramírez, mi editor en Random House-Mondadori en México y su equipo, Aurora Higuera, Edgar Krauss y Ricardo Gallardo Sánchez. Me siento muy afortunada de trabajar con ellos en la preparación de este libro.

Unas palabras sobre la traducción. La traducción literaria como arte es un desafío mucho mayor de lo que la mayoría de la gente se imagina. Yo misma traduzco al inglés poesía y ficción mexicanas contemporáneas. Aunque hablo el español con fluidez, aprendí este idioma ya de adulta y me gusta creer que esto es una explicación de por qué, después de más de dos décadas, todavía estoy muy lejos de sentirme capaz de escribir en español al mismo nivel que en mi inglés nativo. Siendo esta historia tan fundamentalmente mexicana —de hecho, en muchas formas es la historia de lo que podría haber significado ser mexicano—, siempre he sentido con gran fuerza que debía ser traducida por un novelista mexicano. Ha sido para mí un gran honor que Agustín Cadena, un escritor y poeta mexicano tan destacado, haya aceptado traducir esta novela.

En este punto el libro se va de mis manos, pero todas las personas que hicieron posible que llegara a las tuyas y tú, estimado lector, sepan que tienen mi gratitud.

Ciudad de México, 2010

SELECCIÓN DE LIBROS CONSULTADOS

Aguilar Ochoa, Arturo (ed.), *La fotografía durante el Imperio de Maximiliano.*

Almonte, Juan Nepomuceno, *Guía de forasteros y repertorio de conocimientos útiles.*

Anna, Timothy E.*The Mexican Empire of Iturbide.*

Arróniz, Marcos, *Manual del viajero en México*, París, 1858.

Ávila, Lorenzo (ed.), *Testimonios artísticos de un episodio fugaz 1864-1867.*

Basch, Dr. S., *Memories of Mexico: A History of the Last Ten Months of the Empire.* Traducido por Hugh McAden Oechler.

Bigelow, John, *Retrospections of an Active Life*, 3 vols.

Blanchot, Charles, *Mémoires: L'Intervention Française au Mexique*, 3 vols.

Blasio, José Luis, *Maximiliano íntimo: El emperador Maximiliano y su corte.*

Buffum, E. Gould, *Sights and Sensations in France, Germany, and Switzerland; or, Experiences of an American Journalist in Europe.*

Clay, Mrs., *A Belle of the Fifties: Memoirs of Mrs. Clay, of Alabama, Covering Social and Political Life in Washington and the South, 1853-66.*

Conte Corti, Egon Caesar, *Maximiliano y Carlota.*

Cortina del Valle, Elena (ed.), *De Miramar a México.*

Cossío, José L., *Guía retrospectiva de la ciudad de México.*

Crook-Castan, Clark, *Los movimientos monárquicos mexicanos.*

Domenech, Emmanuel, *Le Mexique tel qu'il est.*

Fabiani, Rossella, *Miramare Castle: The Historic Museum.*

Evans, Henry Ridgely, *Old Georgetown on the Potomac.*

Evans, Thomas W., *The Second French Empire: Napoleon the Third; The Empress Eugénie; The Prince Imperial.*

Genealogía de la Familia Iturbide, edición privada.

Gooch, Fanny Chambers, *Face to Face with the Mexicans*, edición original.

Hamann, Brigitte, *Con Maximiliano en México: Del diario del príncipe Carl Khevenhüller, 1864-1867*.

Haslip, Joan, *The Crown of Mexico*.

Igler, Susanne, *Carlota de México*.

Iturriaga de la Fuente, José N. (ed.), *Escritos mexicanos de Carlota de Bélgica*.

Kearney de Iturbide, Louise, *My Story*, manuscrito, Archivos de la Universidad Católica.

Kolonitz, Paula. *Un viaje a México en 1864*. Traducido por Neftali Beltrán.

Krauze, Enrique, *Siglo de caudillos*.

Leech, Margaret, *Reveille in Washington, 1860-1865*.

Luca de Tena, *Ciudad de México en tiempos de Maximiliano*.

Lombardo de Miramón, Concepción, *Memorias*.

Magruder, Henry R., *Sketches of the Last Year of the Mexican Empire*.

Mann-Kenney, Louise, *Rosedale: The Eighteenth-Century Country Estate of General Uriah Forrest, Cleveland Park, Washington, D.C.*

Maximilian, Emperor of Mexico, *Recollections of My Life*, 3 vols.

Meyer, Jean (ed.), *Yo, el francés: Biografías y crónicas*.

Michael, Prince of Greece, *The Empress of Farewells: The Story of Charlotte, Empress of Mexico*.

Mikos, Charles, *et al.*, *The Imperial House of Iturbide*.

Ortiz, Orlando, *Diré adiós a los señores: Vida cotidiana en la época de Maximiliano y Carlota*.

Pani, Erika, *El Segundo Imperio*.

Payno, Manuel, *Los bandidos de Río Frío*.

Quirarte, Martín, *Historiografía sobre el Imperio de Maximiliano*.

Ratz, Konrad (ed.), *Correspondencia inédita entre Maximiliano y Carlota*.

Ratz, Konrad (ed.), *El ocaso del Imperio de Maximiliano visto por un dipomático prusiano: Los informes de Antón Magnus a Otto von Bismarck, 1866-1867*.

Ratz, Konrad, *Tras las huellas de un desconocido: Nuevos datos y aspectos de Maximiliano de Habsburgo*.

Reglamento para el servicio y ceremonial de la corte, 1865, y segunda edición, 1866.

Reyes Vayssade, Martín, *Jecker: El hombre que quiso vender México*.

Ridley, Jasper, *Maximilian and Juárez.*

Robertson, William Spence, *Iturbide de México.*

Romero de Terreros, Manuel, *La corte de Maximiliano: Cartas de don Ignacio Algara.*

Ruiz, Ramón Eduardo (ed.), *An American in Maximilian's Mexico, 1865-1866: The Diaries of William Marshall Anderson.*

Salm-Salm, Felix, *The Diary of Prince Salm-Salm.*

Salm-Salm, Princess (Agnes), *Ten Years of My Life.*

Solares Robles, Laura, *La obra política de Manuel Gómez Pedraza.*

Stevenson, Sara Yorke, *Maximilian in Mexico: A Woman's Reminiscences of the French Intervention 1862-1867.*

Vera de Bernal, Sofía (ed.), *Cartas de José Manuel Hidalgo, Ministro en París del Emperador Maximiliano.*

Villalpando, José Manuel, *Maximiliano.*

Warner, William W., *At Peace with All Their Neighbors: Catholics and Catholicism in the National Capital, 1787-1860.*

Wharton, Anne Hollingsworth, *Social Life in the Early Republic.*

Windle, Mary J., *Life in Washington.*

Para más detalles sobre las fuentes, visite www.cmmayo.com